여러분의 합격을 응원
해커스공무원의 특별한 혜택

FREE 공무원 영어(문법/독해/어휘) 특강

해커스공무원(gosi.Hackers.com) 접속 후 로그인 ▶
상단의 [무료강좌] 클릭 ▶
[교재 무료특강] 클릭하여 이용

A 공무원 보카 어플

GOSIVOCAENGBASIC

구글 플레이스토어/애플 앱스토어에서
[해커스공무원 기출보카] 검색 ▶ 어플 설치 후 실행 ▶
'인증코드 입력하기' 클릭 ▶ 위 인증코드 입력

* 쿠폰 등록 후 30일간 사용 가능
* 해당 자료는 [해커스공무원 기출 보카 4000+] 교재 내용으로 제공되는 자료로,
  공무원 시험 대비에 도움이 되는 유용한 자료입니다.

· 핵심 단어암기장(PDF) & 단어암기 MP3 · 직무 관련 핵심 어휘(PDF)

해커스공무원(gosi.Hackers.com) 접속 후 로그인 ▶
상단의 [교재·서점 → 무료 학습 자료] 클릭 ▶
본 교재의 [자료받기] 클릭

VOCA 단어시험지 자동제작 프로그램

해커스공무원(gosi.Hackers.com) 접속 후 로그인 ▶
상단의 [수험 정보] 클릭 ▶
좌측의 [단어시험지 생성기-해커스공무원 영어어휘] 클릭

해커스공무원 온라인 단과강의 20% 할인쿠폰

7AA6C3585D8A6F46

해커스공무원(gosi.Hackers.com) 접속 후 로그인 ▶
상단의 [나의 강의실] 클릭 ▶ 좌측의 [쿠폰등록] 클릭 ▶
위 쿠폰번호 입력 후 이용

* 쿠폰 등록 후 7일간 사용 가능(ID당 1회에 한해 등록 가능)

해커스 회독증강 콘텐츠 5만원 할인쿠폰

6EA3B229A439FC4A

해커스공무원(gosi.Hackers.com) 접속 후 로그인 ▶
상단의 [나의 강의실] 클릭 ▶ 좌측의 [쿠폰등록] 클릭 ▶
위 쿠폰번호 입력 후 이용

* 쿠폰 등록 후 7일간 사용 가능(ID 당 1회에 한해 등록 가능)
* 특별 할인상품 적용 불가
* 월간 학습지 회독증강 행정학/행정법총론 개별상품은 할인쿠폰 할인대상에서 제외

쿠폰 이용 관련 문의 **1588-4055**

단기 합격을 위한
해커스 커리큘럼

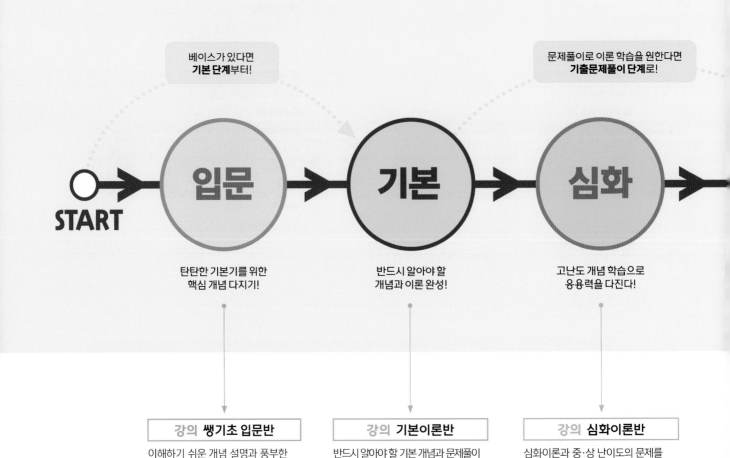

베이스가 있다면
기본 단계부터!

문제풀이로 이론 학습을 원한다면
기출문제풀이 단계로!

입문

START

기본

심화

탄탄한 기본기를 위한
핵심 개념 다지기!

반드시 알아야 할
개념과 이론 완성!

고난도 개념 학습으로
응용력을 다진다!

강의 **쌩기초 입문반**

이해하기 쉬운 개념 설명과 풍부한
연습문제 풀이로 부담 없이 기초를
다질 수 있는 강의

강의 **기본이론반**

반드시 알아야 할 기본 개념과 문제풀이
전략을 학습하여 핵심 개념 정리를
완성하는 강의

강의 **심화이론반**

심화이론과 중·상 난이도의 문제를
함께 학습하여 고득점을 위한 발판을
마련하는 강의

* 커리큘럼은 과목별·선생님별로 상이할 수 있으며, 자세한 내용은 해커스공무원 사이트에서 확인하세요.

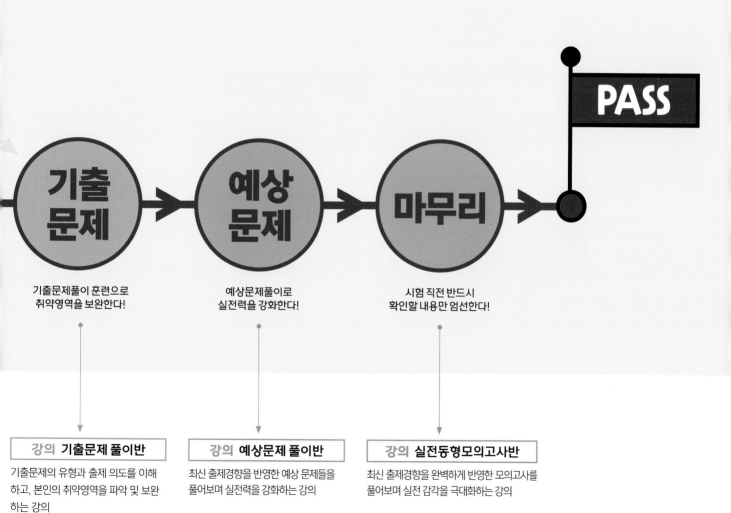

기출문제

기출문제풀이 훈련으로
취약영역을 보완한다!

예상문제

예상문제풀이로
실전력을 강화한다!

마무리

시험 직전 반드시
확인할 내용만 엄선한다!

PASS

강의 **기출문제 풀이반**

기출문제의 유형과 출제 의도를 이해
하고, 본인의 취약영역을 파악 및 보완
하는 강의

강의 **예상문제 풀이반**

최신 출제경향을 반영한 예상 문제들을
풀어보며 실전력을 강화하는 강의

강의 **실전동형모의고사반**

최신 출제경향을 완벽하게 반영한 모의고사를
풀어보며 실전 감각을 극대화하는 강의

강의 **봉투모의고사반**

시험 직전에 실제 시험과 동일한 형태의
모의고사를 풀어보며 실전력을 완성하는 강의

5천 개가 넘는
해커스토익 무료 자료!

대한민국에서 공짜로 토익 공부하고 싶으면 　해커스영어 Hackers.co.kr ▼ 　검색

강의도 무료

베스트셀러 1위 토익 강의 150강 무료 서비스,
누적 시청 1,900만 돌파!

문제도 무료

토익 RC/LC 풀기, 모의토익 등
실전토익 대비 문제 3,730제 무료!

최신 특강도 무료

2,400만뷰 스타강사의
압도적 적중예상특강 매달 업데이트!

공부법도 무료

토익고득점 달성팁, 비법노트,
점수대별 공부법 무료 확인

가장 빠른 정답까지!

615만이 선택한 해커스 토익 정답!
시험 직후 가장 빠른 정답 확인

*미션 달성 시

더 많은 토익무료자료

보기 ▶

해커스공무원

영어

기본서

2권 | 독해

해커스공무원 영어 **독해** Reading

CONTENTS

이 책의 구성

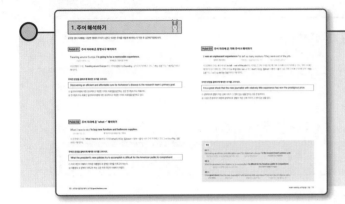

독해가 쉬워지는 공무원 필수구문

문제 풀이 전략을 학습하기에 앞서 공무원 시험에 자주 등장하는 필수구문을 한 번에 모아 학습할 수 있습니다. 또한, 모든 지문에 앞서 학습한 필수구문이 등장한 부분을 표시하여, 복잡한 구문을 해석하는 방법을 실제 지문에 적용하여 연습해 볼 수 있습니다.

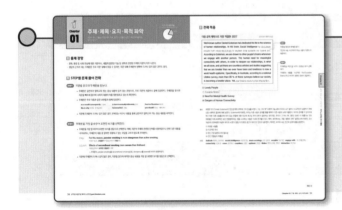

STEP별 문제 풀이 전략 및 전략 적용

독해 문제 유형에 대한 문제 풀이 전략을 STEP별로 제시하고, 전략 적용 방법을 시험 출제 경향이 반영된 기출 예제를 통해 확인함으로써 전략적인 문제 풀이 방법을 익힐 수 있습니다.

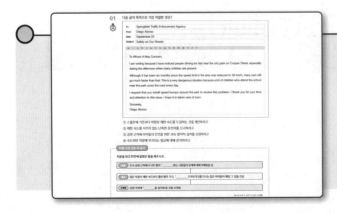

지문 구조 한눈에 보기

지문의 구조를 한눈에 파악할 수 있는 구조 분석을 제공하여, 지문의 내용을 체계적으로 이해하고 지문을 정확하게 파악하는 방법을 학습할 수 있습니다.

문법

기초문법

영어의 품사, 문장의 형식, 구·절과 같은 기초 영문법 개념에 대한 설명을 Check-up Quiz와 함께 제공하여, 영어 문법의 기본 개념과 문장의 기본 구조를 확실하게 이해하고 기초를 다질 수 있습니다.

BASIC GRAMMAR

매 챕터마다 BASIC GRAMMAR를 제공하여, 핵심적인 기본 개념을 정리하고 기초를 다진 후 본격적으로 공무원 영어 시험의 기출 문법을 학습할 수 있습니다.

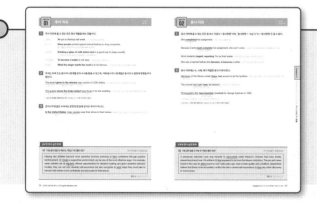

기출포인트별 문법 정리

공무원 영어 시험에 출제되는 문법을 포인트별로 제시하고, 각 포인트 상단에 빈출도를 표시하여 중요도를 확인하며 체계적으로 학습할 수 있습니다. 또한 각 기출포인트마다 공무원 영어 실전 문제를 제공하여, 포인트가 적용된 실제 기출 문제를 풀어보며 학습한 내용을 바로 확인할 수 있습니다.

이 책의 구성

어휘

공무원 최빈출 어휘

공무원 영어 시험에 출제되었던 어휘와 표현을 엄선하여 제공하였습니다. 각 어휘는 출제 빈도에 따라 '최빈출 단어', '빈출 단어'로 나누어져 있으며, 자주 출제된 숙어는 '빈출 숙어'로, 출제 횟수가 적은 고난도 어휘는 '완성 어휘'로 나누어져 있습니다.

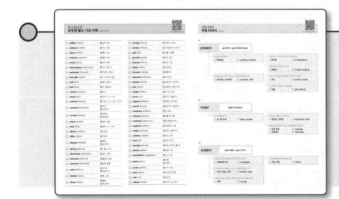

공무원 필수 기초 어휘·적중 다의어

기출 어휘로 구성된 반드시 알아야 할 '공무원 필수 기초 어휘 1500'을 제공하여, 본격적으로 공무원 어휘를 학습하기 전 기본 어휘 실력을 탄탄히 다질 수 있습니다. 또한, 다의어의 여러가지 뜻을 어원을 통해 정리한 '시험에 강해지는 적중 다의어'를 제공하여, 문맥에서 쓰인 다의어의 의미를 찾는 문제 유형에 효과적으로 대비할 수 있습니다.

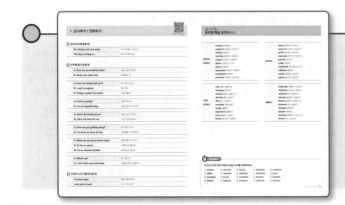

최빈출 생활영어 표현·핵심 유의어

'시험에 꼭 나오는 최빈출 생활영어 표현'을 제공하여 생활영어에서 자주 출제되는 표현들도 놓치지 않도록 하였습니다. 또한, '빈출 순으로 외우는 공무원 핵심 유의어'를 제공하여, 유의어 찾기 문제 유형에도 대비할 수 있습니다.

공통

Hackers Practice

1권 문법에 수록된 Hackers Practice의 연습 문제를 통해 각 챕터에서 공부한 공무원 기출 문법 개념을 문제 풀이에 적용해 볼 수 있습니다. 연습 문제에 대한 해설과 해석을 문제 옆에 제공하여, 각 문제의 정답과 오답에 해당하는 문법 포인트를 바로 확인하고 복습할 수 있습니다.

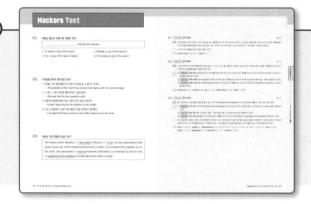

Hackers Test

1권 문법과 2권 독해에 수록된 Hackers Test의 예상문제와 기출문제를 풀어보며 문제 유형을 익히고 공무원 영어 시험에 효율적으로 대비할 수 있습니다. 각 문제에 대한 정답 및 정확한 해석과 오답 분석을 포함한 상세한 해설을 문제 옆에 제공하여, 편리하고 효율적으로 학습할 수 있습니다.

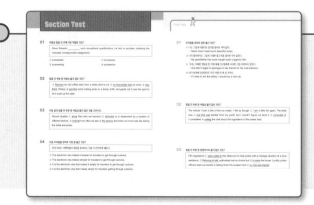

Section Test · Final Test

1권 문법의 매 섹션마다 Section Test를 제공하여, 각 섹션에서 배운 문법 포인트를 복습하고 넘어갈 수 있습니다. 또한, 1권 문법과 2권 독해 마지막에 수록된 Final Test를 통해 공무원 영어 시험에 나오는 모든 유형의 문제를 실제 시험과 유사한 난이도로 풀어보며 학습을 효과적으로 마무리하고 실전에 대비할 수 있습니다.

해커스공무원
gosi.Hackers.com

독해가 쉬워지는
공무원 필수구문

1. 주어 해석하기

공무원 영어 독해에는 다양한 형태의 주어가 나온다. 이러한 주어를 어떻게 해석하는지 익힌 후 실전에 적용해 보자.

Point 01   주어 자리에 온 동명사구 해석하기

Traveling around Europe / is going to be a memorable experience.
　　　유럽을 여행하는 것은　　　　　　　　　　　기억에 남는 경험이 될 것이다

이 문장에서 주어는 Traveling around Europe이다. 이처럼 동명사구(Traveling ~)가 주어 자리에 온 경우, '~하는 것은' 또는 '~하기는'이라고 해석한다.

주어진 문장을 올바르게 해석한 보기를 고르시오.

Discovering an efficient and affordable cure for Alzheimer's disease is the research team's primary goal.

① 알츠하이머병에 대한 효과적이고 적당한 가격의 치료법을 발견하는 것은 연구팀의 주요 목표이다.
② 연구팀의 주요 목표인 알츠하이머병에 대한 효과적이고 적당한 가격의 치료법을 발견하고 있다.

Point 02   주어 자리에 온 'what ~' 해석하기

What I have to do / is buy new furniture and bathroom supplies.
　　　내가 해야 하는 것은　　　　　　　　　새 가구와 욕실 용품을 사는 것이다

이 문장에서 주어는 What I have to do이다. 이처럼 what이 이끄는 절(what + 주어 + 동사 ~)이 주어 자리에 온 경우, '주어가 동사하는 것은'이라고 해석한다.

주어진 문장을 올바르게 해석한 보기를 고르시오.

What the president's new policies try to accomplish is difficult for the American public to comprehend.

① 미국 국민이 이해하기 어려운 대통령의 새 정책은 무엇을 이루고자 하는가.
② 대통령의 새 정책이 이루고자 하는 것은 미국 국민이 이해하기 어렵다.

Point 03 주어 자리에 온 가짜 주어 it 해석하기

It was an unpleasant experience / **to tell so many workers** / **they were out of the job.**
　　불편한 경험이었다 　　　　　　그렇게 많은 직원들에게 말하는 것은 　　그들이 일자리를 잃었다고

이 문장에서 주어는 It이 아니라 to tell ~ out of the job이다. 이처럼 긴 진짜 주어를 대신해 가짜 주어 it이 주어 자리에 온 경우, 가짜 주어 it은 해석하지 않고 뒤에 있는 진짜 주어 to 부정사(to tell ~) 또는 that이 이끄는 절(that + 주어 + 동사 ~)을 가짜 주어 it의 자리에 넣어 '~하는 것은' 또는 '주어가 동사하다는 것은'이라고 해석한다.

주어진 문장을 올바르게 해석한 보기를 고르시오.

> It is a great shock that the new journalist with relatively little experience has won the prestigious prize.

① 상대적으로 경험이 적은 신예 기자가 그 권위 있는 상을 탔다는 것은 큰 충격이다.
② 그것은 큰 충격이기 때문에 상대적으로 경험이 적은 신예 기자가 그 권위 있는 상을 탔다.

정답

01 ①
Discovering an efficient and affordable cure / for Alzheimer's disease / is the research team's primary goal.
효과적이고 적당한 가격의 치료법을 발견하는 것은 　　알츠하이머병에 대한 　　연구팀의 주요 목표이다

02 ②
What the president's new policies try to accomplish / is difficult for the American public to comprehend.
대통령의 새 정책이 이루고자 하는 것은 　　　　미국 국민이 이해하기 어렵다

03 ①
It is a great shock / that the new journalist / with relatively little experience / has won the prestigious prize.
큰 충격이다 　　신예 기자가 　　상대적으로 경험이 적은 　　그 권위 있는 상을 탔다는 것

2. 동사 해석하기

공무원 영어 독해에는 다양한 형태의 동사가 나온다. 이러한 동사를 어떻게 해석하는지 익힌 후 실전에 적용해 보자.

Point 04 be + p.p. 형태의 동사 해석하기

The artist's rare paintings / are valued / at millions of dollars each.
그 예술가의 희귀한 그림들은   평가된다   각각 수백만 달러로

이 문장에서 동사는 are valued이다. 이처럼 동사가 be + p.p.(are valued)의 형태로 쓰여 수동의 의미를 가지는 경우, '~되다', '~받다' 또는 '~해지다'라고 해석한다.

주어진 문장을 올바르게 해석한 보기를 고르시오.

> For his revolutionary dance moves and iconic performances, Michael Jackson is regarded as the "King of Pop."

① 그의 획기적인 춤 동작과 상징적인 공연을 위해 마이클 잭슨을 '팝의 황제'로 여긴다.
② 그의 획기적인 춤 동작과 상징적인 공연 때문에 마이클 잭슨은 '팝의 황제'로 여겨진다.

Point 05 have + been + p.p. 형태의 동사 해석하기

The coral reefs on the coast of Australia / have been damaged / by an excessive amount of tourism.
호주 연안의 산호초는   훼손되었다   과도한 양의 관광에 의해

이 문장에서 동사는 have been damaged이다. 이처럼 동사가 have + been + p.p.(have been damaged)의 형태로 쓰여 현재완료 수동의 의미를 가지는 경우, '(과거부터 현재까지) ~되었다' 또는 '(과거부터 현재까지) ~해졌다'라고 해석한다.

주어진 문장을 올바르게 해석한 보기를 고르시오.

> To accommodate the increased traffic in the city, a second bridge has been built over the Hudson River.

도시의 증가한 교통량을 수용하기 위해
① 허드슨 강에 두 번째 다리가 세워졌다.
② 허드슨 강에 두 번째 다리가 세워지는 중이다.

Point 06 조동사 + have + p.p. 형태의 동사 해석하기

Beethoven could have continued / being a concert pianist / if he had not lost his hearing.

베토벤은 계속할 수 있었다   전문 피아니스트이기를   만일 그가 청력을 잃지 않았다면

이 문장의 첫 번째 절에서 동사는 could have continued이다. 이처럼 **조동사 could**가 **have + p.p.(have continued)**와 함께 쓰이는 경우, '~할 수 있었다'라고 해석한다. 아래에서 공무원 영어 시험에 자주 나오는 '조동사 + have + p.p.' 구문을 익혀보자.

TIP **조동사 + have + p.p. 구문**

could have p.p.: ~할 수 있었다 (그런데 하지 않았다)   cannot have p.p.: ~했을 리가 없다

should have p.p.: ~했어야 했다 (그런데 하지 않았다)   would have p.p.: ~했을 것이다 (그런데 하지 않았다)

must have p.p.: ~했음에 틀림없다   may[might] have p.p.: ~했을지도 모른다

주어진 문장을 올바르게 해석한 보기를 고르시오.

> The company should have switched to 4G smart technology to keep up with other software corporations.

그 회사는 다른 소프트웨어 기업에 뒤지지 않기 위해

① 4G 스마트 기술로 전환했을 것이다.
② 4G 스마트 기술로 전환했어야 했다.

정답

04 ②

For his revolutionary dance moves / and iconic performances, / Michael Jackson is regarded / as the "King of Pop."

그의 획기적인 춤 동작 때문에   그리고 상징적인 공연 때문에   마이클 잭슨은 여겨진다   '팝의 황제'로

05 ①

To accommodate the increased traffic / in the city, / a second bridge has been built / over the Hudson River.

증가한 교통량을 수용하기 위해   도시의   두 번째 다리가 세워졌다   허드슨 강에

06 ②

The company should have switched / to 4G smart technology / to keep up with other software corporations.

그 회사는 전환했어야 했다   4G 스마트 기술로   다른 소프트웨어 기업에 뒤지지 않기 위해

3. 목적어 해석하기

공무원 영어 독해에는 다양한 형태의 목적어가 나온다. 이러한 목적어를 어떻게 해석하는지 익힌 후 실전에 적용해 보자.

Point 07 목적어 자리에 온 'that ~' 해석하기

The publisher guessed / that the esoteric book would not sell well**.**

              출판사는 추측했다   그 난해한 책이 잘 팔리지 않을 것이라고

이 문장에서 that the esoteric book ~ well은 앞에 나온 동사 guessed의 목적어이다. 이처럼 that이 이끄는 절(that + 주어 + 동사 ~)이 목적어 자리에 온 경우, '주어가 동사하다고' 또는 '주어가 동사하다는 것을'이라고 해석한다.

주어진 문장을 올바르게 해석한 보기를 고르시오.

> The psychologist argues that children are negatively affected by the things they read on the Internet.

① 그 심리학자가 주장하는 것은 인터넷에서 무언가를 읽는 아이들에게 부정적인 영향을 끼친다.
② 그 심리학자는 아이들이 인터넷에서 그들이 읽는 것에 의해 부정적인 영향을 받는다고 주장한다.

Point 08 목적어 자리에 온 'if / whether ~' 해석하기

I don't know / if I will be able to attend **/** my best friend's wedding **/** in Hawaii**.**

     나는 모르겠다   내가 참석할 수 있을지   나의 가장 친한 친구의 결혼식에   하와이에서

이 문장에서 if I will ~ in Hawaii는 앞에 나온 동사 know의 목적어이다. 이처럼 if 또는 whether가 이끄는 절(if / whether + 주어 + 동사 ~)이 목적어 자리에 온 경우, '주어가 동사한지'라고 해석한다.

주어진 문장을 올바르게 해석한 보기를 고르시오.

> The researchers must verify whether the drug is safe to consume before releasing it to the market.

연구원들은 그 약을 시중에 공개하기 전에

① 그것이 복용하기에 안전한지 검증해야 한다.
② 그것을 복용해보고 안전하다는 것을 검증했다.

Point 09 | 목적어 자리에 온 가짜 목적어 it 해석하기

My friends found it surprising / that I woke up every morning at 5 a.m. / for baseball practice.

내 친구들은 놀랍게 생각했다　　　　　　내가 매일 아침 5시에 일어났다는 것을　　　　야구 연습을 위해

이 문장에서 동사 found의 진짜 목적어는 it이 아니라 that I woke up ~ practice이다. 이처럼 긴 진짜 목적어를 대신해 가짜 목적어 it이 목적어 자리에 온 경우, 가짜 목적어 it은 해석하지 않고 뒤에 있는 진짜 목적어인 that이 이끄는 절(that + 주어 + 동사 ~) 또는 to 부정사를 가짜 목적어 it의 자리에 넣어 '주어가 동사하다는 것을' 또는 '~하는 것을'이라고 해석한다.

주어진 문장을 올바르게 해석한 보기를 고르시오.

> The interview committee considered it necessary to discuss each candidate's qualifications in order to make the best decision.

면접 위원회는 최상의 결정의 내리기 위해　　① 각 지원자의 필요한 자질을 논하기 위해 그것을 생각했다.
　　　　　　　　　　　　　　　　　　　　② 각 지원자의 자질에 대해 논하는 것을 필요하다고 생각했다.

정답

07 ②
The psychologist argues / that children are negatively affected / by the things they read on the Internet.
　그 심리학자는 주장한다　　　　아이들이 부정적인 영향을 받는다고　　　　인터넷에서 그들이 읽는 것에 의해

08 ①
The researchers must verify / whether the drug is safe to consume / before releasing it to the market.
　연구원들은 검증해야 한다　　　　그 약이 복용하기에 안전한지　　　　그것을 시중에 공개하기 전에

09 ②
The interview committee considered it necessary / to discuss each candidate's qualifications / in order to make the best decision.
　　면접 위원회는 필요하다고 생각했다　　　　각 지원자의 자질에 대해 논하는 것을　　　　최상의 결정의 내리기 위해

4. 보어 해석하기

공무원 영어 독해에는 다양한 형태의 보어가 나온다. 이러한 보어를 어떻게 해석하는지 익힌 후 실전에 적용해 보자.

Point 10 | 보어 자리에 온 '의문사 ~' 해석하기

What the senator tried to explain is / how a universal health care system would benefit / the entire country.
그 상원의원이 설명하고자 했던 것은   어떻게 단일 의료 보험 제도가 이롭게 할지이다   온 나라를

이 문장에서 how ~ country는 주어인 What the senator tried to explain을 보충 설명해주는 보어이다. 이처럼 의문사가 이끄는 절(how / when / where / who / what / why + 주어 + 동사 ~)이 보어 자리에 와서 주어의 의미를 보충해주는 경우, '어떻게 / 언제 / 어디서 / 누가 / 무엇을 / 왜 주어가 동사하는지' 또는 '주어가 동사하는 방법 / 때 / 곳 / 사람 / 것 / 이유'라고 해석한다.

주어진 문장을 올바르게 해석한 보기를 고르시오.

> The expectation to live a highly structured lifestyle is why some people avoid getting an office job.

매우 조직적인 생활을 하라는 요구가   ① 일부 사람들이 사무직을 얻는 것을 기피하는 이유이다.
                                        ② 왜 일부 사람들이 사무직을 얻는 것을 기피하게 하는지 의문이다.

Point 11 | 보어 자리에 온 분사 해석하기

Archaeologists found the ancient temple / lying in a city of ruins.
고고학자들은 고대 신전을 발견했다   폐허가 된 도시에 있는 것을

이 문장에서 lying in a city of ruins는 목적어인 the ancient temple을 보충 설명해주는 보어이다. 이처럼 현재분사(lying)가 보어 자리에 와서 목적어의 의미를 보충해주는 경우, '목적어가 ~하는 것을'이라고 해석한다. 또한, 과거분사가 보어 자리에 와서 목적어의 의미를 보충해주는 경우, '목적어가 ~된 것을'이라고 해석한다.

주어진 문장을 올바르게 해석한 보기를 고르시오.

> Jessie was surprised to see her name signed on a contract that she had never received.

Jessie는 그녀가 한 번도 받은 적이 없는 계약서에   ① 그녀의 이름을 서명하라고 해서 놀랐다.
                                                    ② 그녀의 이름이 서명된 것을 보고 놀랐다.

Point 12 ｜ 보어 자리에 온 동사원형 해석하기

The prestigious scholarship / let Alex go to his first choice college / without worrying about finances.
그 명망 높은 장학금은　　　　　　　Alex가 그의 1지망 대학에 가도록 했다　　　　　　돈 걱정 없이

이 문장에서 go ~ finances는 목적어인 Alex를 보충 설명해주는 보어이다. 이처럼 **동사원형(go)**이 보어 자리에 와서 목적어의 의미를 보충해주는 경우, '목적어가 ~**하도록**' 또는 '목적어가 ~**하게**'라고 해석한다.

주어진 문장을 올바르게 해석한 보기를 고르시오.

> The talk show host's controversial remarks made the broadcasting station decide to cancel her show.

① 방송국이 그녀의 프로그램을 취소했기 때문에 그 토크 쇼 진행자는 논란의 여지가 있는 발언을 했다.
② 토크 쇼 진행자의 논란의 여지가 있는 발언은 방송국이 그녀의 프로그램을 취소하기로 결정하도록 만들었다.

정답

10 ①
The expectation / to live a highly structured lifestyle / is why some people avoid / getting an office job.
　요구가　　　　　　매우 조직적인 생활을 하라는　　　일부 사람들이 기피하는 이유이다　　사무직을 얻는 것을

11 ②
Jessie was surprised / to see her name signed on a contract / that she had never received.
　Jessie는 놀랐다　　　그녀의 이름이 계약서에 서명된 것을 보고　　　그녀가 한 번도 받은 적이 없는

12 ②
The talk show host's controversial remarks / made the broadcasting station decide / to cancel her show.
토크 쇼 진행자의 논란의 여지가 있는 발언은　　　방송국이 결정하도록 만들었다　　　그녀의 프로그램을 취소하기로

5. 명사를 꾸며주는 수식어 해석하기 ①

공무원 영어 독해에는 명사를 꾸며주는 다양한 형태의 수식어가 나온다. 이러한 수식어를 어떻게 해석하는지 익힌 후 실전에 적용해 보자.

Point 13 명사를 꾸며주는 to 부정사 해석하기

The manager's plan / to expand company operations overseas **/ was accepted by the board.**
그 경영자의 계획은   회사 사업을 해외로 확장할   이사회에 의해 받아들여졌다

이 문장에서 to expand company operations overseas는 앞에 나온 명사 plan을 꾸며주는 수식어이다. 이처럼 **to 부정사(to expand ~)**가 명사를 꾸며주는 경우, '**~할** 명사' 또는 '**~하는** 명사'라고 해석한다.

주어진 문장을 올바르게 해석한 보기를 고르시오.

> The tennis player's decision to leave the tournament incited worldwide speculation.

① 경기를 그만둔다는 그 테니스 선수의 결정은 전 세계적인 추측을 불러일으켰다.
② 전 세계적으로 조장된 추측 때문에 그 테니스 선수는 경기를 그만두기로 결정했다.

Point 14 명사를 꾸며주는 현재분사 해석하기

The spokesperson said / that the accusations regarding the company's actions **/ were completely**
대변인은 말했다   그 회사의 조치에 대한 혐의는

unfounded.
전적으로 사실무근이라고

이 문장에서 regarding the company's actions는 앞에 나온 명사 the accusations를 꾸며주는 수식어이다. 이처럼 **현재분사(regarding ~)**가 명사를 꾸며주는 경우, '**~한** 명사' 또는 '**~하는** 명사'라고 해석한다.

주어진 문장을 올바르게 해석한 보기를 고르시오.

> The statistics provide evidence pointing to young viewers' preference for watching detective shows.

그 통계 자료는
① 증거를 제공하는 탐정물을 보는 것에 대한 젊은 시청자들의 선호를 시사한다.
② 탐정물을 보는 것에 대한 젊은 시청자들의 선호를 시사하는 증거를 제공한다.

명사를 꾸며주는 과거분사 해석하기

The children adored / the humorous play / performed at the theater.
　　아이들은 아주 좋아했다　　　　재미있는 연극을　　　　　　극장에서 공연된

이 문장에서 performed at the theater는 앞에 나온 명사 play를 꾸며주는 수식어이다. 이처럼 **과거분사(performed ~)**가 명사를 꾸며주는 경우, '~된 명사' 또는 '~해진 명사'라고 해석한다.

주어진 문장을 올바르게 해석한 보기를 고르시오.

Bill and Melinda Gates operate a foundation established to help developing countries by supplying them with vaccines.

빌과 멜린다 게이츠는 개발 도상국에 백신을 공급함으로써

① 그들을 돕기 위해 설립된 재단을 운영한다.
② 그들을 도울 때 운영하는 재단을 설립했다.

정답

13 ①
The tennis player's decision / to leave the tournament / incited worldwide speculation.
　　그 테니스 선수의 결정은　　　　경기를 그만둔다는　　　전 세계적인 추측을 불러일으켰다

14 ②
The statistics provide evidence / pointing to young viewers' preference / for watching detective shows.
　　그 통계 자료는 증거를 제공한다　　　젊은 시청자들의 선호를 시사하는　　　탐정물을 보는 것에 대한

15 ①
Bill and Melinda Gates operate a foundation / established to help developing countries / by supplying them with vaccine.
　　빌과 멜린다 게이츠는 재단을 운영한다　　　개발 도상국을 돕기 위해 설립된　　　그들에게 백신을 공급함으로써

6. 명사를 꾸며주는 수식어 해석하기 ②

공무원 영어 독해에는 명사를 꾸며주는 다양한 형태의 수식어가 나온다. 이러한 수식어를 어떻게 해석하는지 익힌 후 실전에 적용해 보자.

Point 16 명사를 꾸며주는 '주격 관계대명사 who / that / which ~' 해석하기

The American economy / continues to rely on manufacturers / that are located in foreign countries.
　　미국 경제는　　　　　　　제조업체에 의존하는 것을 계속한다　　　　　　외국에 위치한

이 문장에서 that are located in foreign countries는 앞에 나온 명사 manufacturers를 꾸며주는 수식어이다. 이처럼 **주격 관계대명사**가 이끄는 절(who / that / which + 동사 ~)이 명사를 꾸며주는 경우, '**동사한** 명사' 또는 '**동사하는** 명사'라고 해석한다.

주어진 문장을 올바르게 해석한 보기를 고르시오.

> Antonio Gaudi was an architect who envisioned constructing buildings that had never been seen before.

안토니오 가우디는　　① 이전에 한 번도 본 적이 없는 건물을 세우는 건축가를 상상했다.
　　　　　　　　　　② 이전에 한 번도 본 적이 없는 건물을 세우는 것을 상상한 건축가였다.

Point 17 명사를 꾸며주는 '목적격 관계대명사 that / which ~' 해석하기

The broadcasting station / focuses on presenting news stories / that people want to hear.
　　방송국은　　　　　　　보도 기사를 방송하는 데 집중한다　　　　　사람들이 듣고 싶어하는

이 문장에서 that people want to hear는 앞에 나온 명사 news stories를 꾸며주는 수식어이다. 이처럼 **목적격 관계대명사**가 이끄는 절(that / which + 주어 + 동사 ~)이 명사를 꾸며주는 경우, '**주어가 동사하는** 명사' 또는 '**주어가 동사한** 명사'라고 해석한다.

주어진 문장을 올바르게 해석한 보기를 고르시오.

> The sophisticated report that the research assistant published was well-received by the scientific community.

① 과학계에 의해 출판된 그 복잡한 보고서는 연구 조교가 잘 접수했다.
② 연구 조교가 출판한 그 복잡한 보고서는 과학계에 의해 좋은 반응을 얻었다.

명사를 꾸며주는 '관계부사 when / where / why / how ~' 해석하기

My desire to help animals / is the reason / why I decided to become a veterinarian.
동물을 돕고자 하는 나의 바람이   이유이다   내가 수의사가 되기로 결심한

이 문장에서 why I decided to become a veterinarian은 앞에 나온 명사 reason을 꾸며주는 수식어이다. 이처럼 **관계부사가 이끄는 절** (when / where / why / how + 주어 + 동사 ~)이 명사를 꾸며주는 경우, '주어가 동사한 명사' 또는 '주어가 동사하는 명사'라고 해석한다.

주어진 문장을 올바르게 해석한 보기를 고르시오.

> The Grand Bazaar is an ancient market where residents of Istanbul socialize with one another.

그랜드 바자르는   ① 이스탄불의 거주민이 서로 어울리는 아주 오래된 시장이다.
              ② 아주 오래된 시장의 이스탄불 거주민이 서로 어울리는 곳이다.

정답

16 ②
Antonio Gaudi was an architect / who envisioned constructing buildings / that had never been seen before.
  안토니오 가우디는 건축가였다   건물을 세우는 것을 상상한   이전에 한 번도 본 적이 없는

17 ②
The sophisticated report / that the research assistant published / was well-received / by the scientific community.
  그 복잡한 보고서는   연구 조교가 출판한   좋은 반응을 얻었다   과학계에 의해

18 ①
The Grand Bazaar is an ancient market / where residents of Istanbul socialize with one another.
  그랜드 바자르는 아주 오래된 시장이다   이스탄불의 거주민이 서로 어울리는

공무원 영어 독해에는 동사나 문장 전체를 꾸며주는 다양한 형태의 수식어가 나온다. 이러한 수식어를 어떻게 해석하는지 익힌 후 실전에 적용해 보자.

Point 19 | 동사나 문장을 꾸며주는 to 부정사 해석하기

The chef uses several herbs and spices / to enhance the flavor of his dishes.
주방장은 여러 가지 허브와 향신료를 사용한다   그의 요리의 풍미를 높이기 위해

이 문장에서 to enhance ~ dishes는 앞에 나온 문장을 꾸며주는 수식어이다. 이처럼 **to 부정사(to enhance ~)**가 문장이나 동사를 꾸며주는 경우, '~하기 위해'라고 해석한다.

주어진 문장을 올바르게 해석한 보기를 고르시오.

> Investors and financial analysts use historical data about the market to predict future trends in the economy.

① 투자자와 재무 분석가는 미래 경제 흐름을 예측하기 위해 시장에 대한 역사적 자료를 사용한다.
② 투자자와 재무 분석가가 사용하는 시장에 대한 역사적 자료는 미래 경제 흐름을 예측한다.

Point 20 | 문장을 꾸며주는 '콤마 + which ~' 해석하기

An insect infestation / destroyed half of the corn harvest, / which angered the farmers.
해충 출몰이   옥수수 수확의 절반을 망쳤는데   이것은 농부들을 화나게 했다

이 문장에서 which angered the farmers는 앞에 나온 문장 전체를 꾸며주는 수식어이다. 이처럼 **콤마 + which**가 이끄는 절이 문장을 꾸며주는 경우, 이 때 which는 앞에 나온 문장 전체를 의미한다는 것에 유의하며 '이것은'이라고 해석한다.

주어진 문장을 올바르게 해석한 보기를 고르시오.

> The European Union imposed strict economic measures on Greece to limit its spending, which has enraged Greek citizens.

① 유럽 연합은 그리스 국민을 격분하게 만들기 위해 그것의 소비를 제한하는 엄격한 경제 조치를 부과했다.
② 유럽 연합은 그리스의 소비를 제한하기 위해 그것에 엄격한 경제 조치를 부과했는데, 이것은 그리스 국민을 격분하게 만들었다.

While the president was ill, / the vice president took control / of domestic affairs.
　　대통령이 아팠던 동안　　　　　　　　　　부통령이 관리했다　　　　　　　　국내 문제를

이 문장에서 While the president was ill은 뒤에 나온 문장 전체를 꾸며주는 수식어이다. 이처럼 **접속사가 이끄는 절(접속사 + 주어 + 동사 ~)** 이 문장을 꾸며주는 경우, 접속사의 의미에 따라 '~하는 동안(while)', '~하긴 하지만(although)', '~할 때(when)' 등으로 해석한다.

주어진 문장을 올바르게 해석한 보기를 고르시오.

Although children share 100 percent of their parents' genes, their future personalities are often unpredictable.

① 향후 아이들의 성격은 종종 예측 불가능하지만, 이것은 부모의 유전자를 100퍼센트 공유한 결과이다.
② 아이들이 그들의 부모의 유전자의 100퍼센트를 공유하긴 하지만, 향후 그들의 성격은 종종 예측 불가능하다.

정답

19 ①
Investors and financial analysts / use historical data about the market / to predict future trends in the economy.
　　투자자와 재무 분석가는　　　　　　시장에 대한 역사적 자료를 사용한다　　　　　미래 경제 흐름을 예측하기 위해

20 ②
The European Union imposed / strict economic measures on Greece / to limit its spending, / which has enraged Greek citizens.
　유럽 연합은 부과했는데　　　　그리스에게 엄격한 경제 조치를　　그것의 소비를 제한하기 위해　이것은 그리스 국민을 격분하게 만들었다

21 ②
Although children share / 100 percent of their parents' genes, / their future personalities / are often unpredictable.
　아이들이 공유하긴 하지만　　그들의 부모의 유전자의100퍼센트를　　향후 그들의 성격은　　종종 예측 불가능하다

8. 동사나 문장을 꾸며주는 수식어 해석하기 ②

공무원 영어 독해에는 동사나 문장 전체를 꾸며주는 다양한 형태의 수식어가 나온다. 이러한 수식어를 어떻게 해석하는지 익힌 후 실전에 적용해 보자.

Point 22 | 문장을 꾸며주는 분사구문 해석하기 - 결과

Being overly controlling of employees / decreases office morale, / inducing inefficiency.
직원을 지나치게 통제하는 것은   사내 사기를 저하한다   그래서 그 결과 비효율을 유발한다

이 문장에서 분사구문 inducing inefficiency는 콤마 앞에 나온 문장 전체를 꾸며주는 수식어이다. 이처럼 분사구문이 문장 뒤에 올 경우, 종종 앞 문장에 대한 결과를 나타내는데, 이때 분사구문은 '그래서 (그 결과) ~하다'라고 해석한다.

주어진 문장을 올바르게 해석한 보기를 고르시오.

> Playing educational games stimulates children's brains, improving their problem-solving skills.

① 교육적인 놀이를 하는 것은 아이들의 두뇌를 자극해서, 그들의 문제 해결 능력을 향상한다.
② 교육적인 놀이를 하면서 아이들의 두뇌를 자극하는 동시에, 그들의 문제 해결 능력을 향상하는 중이다.

Point 23 | 문장을 꾸며주는 분사구문 해석하기 - 동시상황

The protesters marched through the streets, / urging onlookers to join their campaign.
시위대는 시가행진을 했다   구경하는 사람들에게 자신들의 운동에 참여할 것을 권하면서

이 문장에서 분사구문 urging ~ campaign은 콤마 앞에 나온 문장 전체를 꾸며주는 수식어이다. 이처럼 분사구문이 문장 뒤 또는 가운데 올 경우, 종종 앞 문장과 동시에 일어나는 상황을 나타내는데, 이때 분사구문은 '~하면서', '~하며' 또는 '~한 채'라고 해석한다.

TIP 동시상황을 강조하는 구문

with + 명사 + 현재분사 (~하며): Tomorrow will be a rainy day / with strong winds blowing.
내일은 비가 올 것입니다   강한 바람이 불며

with + 명사 + 과거분사 (~된 채): She sat on the floor / with her legs crossed.
그녀는 바닥에 앉아 있었다   그녀의 다리를 꼰 채

주어진 문장을 올바르게 해석한 보기를 고르시오.

> The elderly gentleman sitting at the corner table of the café, recalling his late wife, shed tears of regret.

① 카페의 구석 테이블이 자신의 죽은 아내를 떠오르게 하여 노신사는 후회의 눈물을 흘렸다.
② 카페의 구석 테이블에 앉은 노신사는 자신의 죽은 아내를 떠올리며 후회의 눈물을 흘렸다.

문장을 꾸며주는 분사구문 해석하기 - 이유

Scarred by the memories of her youth, / the orphan girl had difficulty / learning to trust others.
　　그녀의 어렸을 적의 기억으로 상처를 입어서　　　　　　고아 소녀는 어려워했다　　　　다른 사람을 믿는 법을 배우는 것을

이 문장에서 분사구문 Scarred ~ youth는 콤마 뒤에 나온 문장 전체를 꾸며주는 수식어이다. 이처럼 분사구문이 문장 앞에 올 경우, 종종 콤마 뒤 문장에 대한 **이유**를 나타내는데, 이때 분사구문은 '**~해서**' 또는 '**~하기 때문에**'라고 해석한다.

주어진 문장을 올바르게 해석한 보기를 고르시오.

> Forgetting that there were no classes on the school's anniversary day, the professor showed up to an empty lecture hall.

① 학교의 개교기념일에는 수업이 없다는 것을 잊어버릴 때 교수는 빈 강의실에 나타난다.
② 학교의 개교기념일에는 수업이 없다는 것을 잊어버렸기 때문에 교수는 빈 강의실에 나타났다.

정답

22 ①
Playing educational games / stimulates children's brains, / improving their problem-solving skills.
　　교육적인 놀이를 하는 것은　　　　　아이들의 두뇌를 자극한다　　　　그래서 그들의 문제 해결 능력을 향상한다

23 ②
The elderly gentleman / sitting at the corner table of the café, / recalling his late wife, / shed tears of regret.
　　노신사는　　　　　카페의 구석 테이블에 앉은　　　　자신의 죽은 아내를 떠올리며　　후회의 눈물을 흘렸다

24 ②
Forgetting that there were no classes / on the school's anniversary day, / the professor showed up / to an empty lecture hall.
　　수업이 없다는 것을 잊어버렸기 때문에　　　　학교의 개교기념일에는　　　　교수는 나타났다　　　　빈 강의실에

9. 가정법 해석하기

공무원 영어 독해에는 다양한 형태의 가정법이 나온다. 이러한 가정법을 어떻게 해석하는지 익힌 후 실전에 적용해 보자.

Point 25 현재 상황을 반대로 가정하는 가정법 해석하기

If Russia were a member of the European Union, / it would pay / part of Greece's debt.
러시아가 유럽 연합의 회원국이라면 　　　　　　　 지급할 것이다 　　　 그리스의 부채 일부를

이 문장에서 If ~ were ~, ~ would pay ~는 가정법 과거 구문으로, 러시아가 유럽 연합의 회원국이 아닌 현재의 상황을 반대로 가정하여 말하고 있다. 이처럼 **가정법 과거(If + 주어 + 과거동사, 주어 + would / could / should / might + 동사원형)** 구문은, '~한다면, ~할 것이다'라고 해석한다.

주어진 문장을 올바르게 해석한 보기를 고르시오.

> If environmental protesters were truly interested in saving trees, they would not make such large cardboard signs.

환경 운동가들이 나무를 살리는 데 진심으로 관심이 있다면,

① 그렇게 커다란 판지 표지를 만들지 않았을 것이다.
② 그렇게 커다란 판지 표지를 만들지 않을 것이다.

Point 26 과거 상황을 반대로 가정하는 가정법 해석하기

If the countries had agreed / to stop producing weapons, / the war could have ended.
나라들이 합의했다면 　　　　　　 무기 생산을 중단하기로 　　　　　　 그 전쟁은 끝날 수 있었을 것이다

이 문장에서 If ~ had agreed ~, ~ could have ended는 가정법 과거완료 구문으로, 나라들이 무기 생산을 중단하기로 합의하지 않았던 과거의 상황을 반대로 가정하여 말하고 있다. 이처럼 **가정법 과거완료(If + 주어 + had + p.p., 주어 + could / would / should / might + have + p.p.)** 구문은, '~했다면, ~했을 것이다'라고 해석한다.

주어진 문장을 올바르게 해석한 보기를 고르시오.

> The damage caused by the earthquake could have been prevented if building inspectors had performed their jobs correctly.

건물 준공 조사관이 그들의 일을 제대로

① 수행했다면, 지진으로 인한 피해는 예방될 수 있었을 것이다.
② 수행한다면, 지진으로 인한 피해는 예방될 수 있다.

Without his beloved wife, / the poet would feel very lonely and unhappy.

그의 사랑하는 아내가 없다면   그 시인은 매우 외롭고 불행하다고 느낄 것이다

이 문장에서 Without ~, ~ would feel ~은 without을 사용한 가정법 구문으로, 시인의 아내가 그의 곁에 있는 현재의 상황을 반대로 가정하여 말하고 있다. 이처럼 if 없이 without이나 with를 사용하여 상황을 반대로 가정하는 경우, 'would / could / should / might + 동사원형'에 유의하며 '~한다면, ~할 것이다'라고 해석한다.

주어진 문장을 올바르게 해석한 보기를 고르시오.

With more exercise and intense training, the volleyball team could absolutely win the national tournament.

① 더 많은 운동과 치열한 훈련과 함께, 그 배구팀은 틀림없이 전국 토너먼트에서 우승할 수 있었다.
② 더 많은 운동과 치열한 훈련을 한다면, 그 배구팀은 틀림없이 전국 토너먼트에서 우승할 수 있을 것이다.

정답

25 ②
If environmental protesters were truly interested / in saving trees, / they would not make / such large cardboard signs.
　　　환경 운동가들이 진심으로 관심이 있다면　　　나무를 살리는 데　　그들은 만들지 않을 것이다　　그렇게 커다란 판지 표지를

26 ①
The damage caused by the earthquake / could have been prevented / if building inspectors had performed / their jobs correctly.
　　　지진으로 인한 피해는　　　　예방될 수 있었을 것이다　　　건물 준공 조사관이 수행했다면　　　그들의 일을 제대로

27 ②
With more exercise and intense training, / the volleyball team could absolutely win / the national tournament.
　　더 많은 운동과 치열한 훈련을 한다면　　그 배구팀은 틀림없이 우승할 수 있을 것이다　　전국 토너먼트에서

10. 비교 구문 해석하기

공무원 영어 독해에는 다양한 형태의 비교 구문이 나온다. 이러한 비교 구문을 어떻게 해석하는지 익힌 후 실전에 적용해 보자.

Point 28 | 원급 비교를 나타내는 'as … as ~' 구문 해석하기

In the first half of this year, / the unemployment rate rose / as high as 12 percent.
올 상반기에 　　　　　　　　　　 실업률은 증가했다 　　　　　　　　 12퍼센트만큼 높게

이 문장에서 as … as ~는 실업률(the unemployment rate)을 12퍼센트(12 percent)와 비교하기 위해 사용된 원급 비교 구문이다. 이처럼 'as … as ~' 구문이 두 대상의 동등함을 나타내는 경우, '~만큼 …한' 또는 '~만큼 …하게'라고 해석한다.

주어진 문장을 올바르게 해석한 보기를 고르시오.

> He should open a restaurant since his cooking is as good as a professional chef's.

① 전문 주방장으로서 그의 요리가 좋기 때문에 그는 레스토랑을 열어야 한다.
② 그의 요리가 전문 주방장의 요리만큼 좋기 때문에 그는 레스토랑을 열어야 한다.

Point 29 | 비례 관계를 나타내는 'the 비교급 …, the 비교급 ~' 구문 해석하기

One fundamental economic rule is / that the more products a company sells, / the more profits it will earn.
한 가지 기본적인 경제 법칙은 　　　　　　　　 회사가 상품을 더 많이 팔수록 　　　　　　 회사는 이익을 더 많이 얻을 것이다

이 문장에서 the more …, the more ~는 상품을 파는 것(sell products)에 변화가 생김에 따라, 이익을 얻는 것(earn profits)이 이에 비례하여 어떻게 되는지를 비교하기 위해 사용된 비교 구문이다. 이처럼 'the 비교급 …, the 비교급 ~' 구문이 두 대상의 비례적인 관계를 나타내는 경우, '더 …할수록, 더 ~하다'라고 해석한다.

주어진 문장을 올바르게 해석한 보기를 고르시오.

> You will probably agree that the less you spend on entertainment, the more you will have saved up for when you really need it.

① 당신이 오락에 돈을 덜 쓸수록, 당신이 돈을 정말 필요로 할 때를 위해 더 많이 저축했을 것이라는 데 당신은 아마 동의할 것이다.
② 당신이 오락에 돈을 덜 쓴다는 데 아마 동의한다면, 당신은 정말 필요할 때를 위해 더 많이 저축할 수 있다.

Point 30 비교급을 사용해서 나타낸 최상급 해석하기

Nothing can be more destructive / to the security of society / than prejudice, ignorance, and injustice.

어떤 것도 더 파괴적일 수 없다   사회 안전에   편견, 무지, 그리고 불평등보다

이 문장에서 Nothing more … than ~은 비교급을 사용하여 최상급을 나타내기 위해 사용된 구문이다. 이처럼 'Nothing 비교급 … than ~' 구문이 최상급을 나타내는 경우, '어떤 것도 ~보다 더 …하지 않다'라고 해석한다.

TIP 비교급을 사용한 최상급 구문

비교급 … than any other ~ (다른 어떤 ~보다 …한): Paul is taller / than any other professional basketball player.

Paul은 더 크다   다른 어떤 프로 농구 선수보다

have never / hardly / rarely p.p. 비교급 ~ (더 ~한 적이 없다): Gas has never been more expensive / than it is now.

휘발유는 더 비싼 적이 없었다   지금 비싼 것보다

주어진 문장을 올바르게 해석한 보기를 고르시오.

Leonardo da Vinci is more fascinating to me than any other influential figure in history.

레오나르도 다빈치는 나에게

① 다른 어떤 역사상의 영향력 있는 인물만큼이나 흥미롭다.
② 다른 어떤 역사상의 영향력 있는 인물보다 더 흥미롭다.

정답

28 ②

He should open a restaurant / since his cooking is as good as a professional chef's.

그는 레스토랑을 열어야 한다   그의 요리가 전문 주방장의 요리만큼 좋기 때문이다

29 ①

You will probably agree / that the less you spend on entertainment, / the more you will have saved up / for when you really need it.

당신은 아마 동의할 것이다   당신이 오락에 돈을 덜 쓸수록   더 많이 저축했을 것이라는 데   당신이 그것을 정말 필요로 할 때를 위해

30 ②

Leonardo da Vinci is more fascinating to me / than any other influential figure / in history.

레오나르도 다빈치는 나에게 더 흥미롭다   다른 어떤 영향력 있는 인물보다   역사상의

11. 강조, 도치 구문 해석하기

공무원 영어 독해에는 강조, 도치 구문이 나온다. 이러한 강조, 도치 구문을 어떻게 해석하는지 익힌 후 실전에 적용해 보자.

Point 31 내용을 강조하는 'It ··· that / who ~' 구문 해석하기

It was only in the 19th century / **that** novels became a popular form of entertainment.
바로 19세기가 되어서였다   소설이 인기 있는 오락의 형태가 된 것은

이 문장에서 It과 that은 only in the 19th century를 강조하기 위해 사용된 구문이다. 이처럼 'It ··· that / who ~' 구문이 It과 that 사이에 있는 내용을 강조하는 경우, '~한 것은 바로 ···이다'라고 해석한다.

주어진 문장을 올바르게 해석한 보기를 고르시오.

> It was social media that inspired young people to vote in this year's elections.

① 올해 선거에서 젊은 사람들을 투표하도록 격려한 것은 바로 소셜 미디어였다.
② 올해 선거에서 젊은 사람들은 소셜 미디어에 투표하도록 격려되었다.

Point 32 부정어가 문장 앞에 온 도치 구문 해석하기

Never do we appreciate / the value of a dollar / until we begin earning our own money.
우리는 전혀 알지 못한다   1달러의 가치를   우리가 자신의 돈을 벌기 시작할 때까지

이 문장에서 주어 we, 조동사 do, 동사 appreciate는 부정어 Never가 문장 앞에 와서, '주어(we) + 동사(appreciate)'의 순서가 아니라 '조동사(do) + 주어(we) + 동사(appreciate)'의 순서로 나왔다. 이처럼 부정어(never / not / little / rarely / hardly)가 문장 앞에 와서 도치가 일어난 경우, 주어, 조동사, 동사가 무엇인지 빠르게 파악한 다음 '주어 + 조동사 + 동사'의 순서대로 해석한다.

주어진 문장을 올바르게 해석한 보기를 고르시오.

> Little did the woman know her husband had planned a surprise party for her 40th birthday.

① 그 여자는 남편이 그녀의 40번째 생일을 위한 깜짝 파티를 준비했다는 것을 전혀 알지 못했다.
② 그 여자의 남편은 그녀가 40번째 생일을 위한 깜짝 파티를 준비했다는 것을 약간 알고 있었다.

Point 33 | 부사구 / 분사가 문장 앞에 온 도치 구문 해석하기

Next to the city library is the movie theater, / where I often go with my friends.
　　　　극장은 시립 도서관 옆에 있는데　　　　　　　　　　나는 그곳에 친구들과 자주 간다.

이 문장에서 주어 the movie theater와 동사 is는 부사구 Next to the city library를 강조하기 위해, '주어(the movie theater) + 동사(is)'의 순서가 아니라 '동사(is) + 주어(the movie theater)'의 순서로 나왔다. 이처럼 **부사구나 분사가 문장 앞에 와서 도치가 일어난 경우**, 주어와 동사가 무엇인지 빠르게 파악한 다음 **'주어 + 동사 + 부사구 / 분사' 또는 '부사구 / 분사 + 주어 + 동사'의 순서대로 해석한다.**

주어진 문장을 올바르게 해석한 보기를 고르시오.

Undiscovered were the ruins of the ancient civilization until a few decades ago.

① 몇십 년 전까지 고대 문명의 유적에서 발견되지 않은 것이 있었다.
② 고대 문명의 유적은 몇십 년 전까지 발견되지 않았다.

정답

31 ①
It was social media / that inspired young people to vote / in this year's elections.
　바로 소셜 미디어였다　　젊은 사람들을 투표하도록 격려한 것은　　올해 선거에서

32 ①
Little did the woman know / her husband had planned a surprise party / for her 40th birthday.
　그 여자는 전혀 알지 못했다　　그녀의 남편이 깜짝 파티를 준비했다는 것을　　그녀의 40번째 생일을 위한

33 ②
Undiscovered were the ruins / of the ancient civilization / until a few decades ago.
　유적은 발견되지 않았다　　고대 문명의　　몇십 년 전까지

12. 동격, 병렬 구문 해석하기

공무원 영어 독해에는 동격과 병렬을 나타내는 구문이 나온다. 이러한 동격과 병렬을 나타내는 구문을 어떻게 해석하는지 익힌 후 실전에 적용해 보자.

Point 34 | 동격을 나타내는 that 해석하기

The opinion / that smoking is harmful to the body / has been verified / in countless scientific articles.
의견은　　　　　흡연이 인체에 해롭다는　　　　　증명되었다　　　　　수많은 과학 논문에서

이 문장에서 The opinion과 that smoking is harmful to the body는 동격을 이룬다. 이처럼 that이 이끄는 절이 opinion, idea, fact, news, belief, statement 등의 명사 뒤에 와서 명사와 동격을 이루는 경우, '주어가 동사한다는 명사' 또는 '주어가 동사라는 명사'라고 해석한다.

주어진 문장을 올바르게 해석한 보기를 고르시오.

> In educational theory, there is a strong belief that small class sizes are most conducive to learning.

교육 이론에서는　　① 작은 학급 규모가 학습에 가장 도움이 된다는 강한 믿음이 있다.
　　　　　　　　② 작은 학급 규모가 가장 도움이 된다는 강한 믿음에 대한 학습이 있다.

Point 35 | 병렬 관계를 나타내는 and / but / or 해석하기

The artist works / by gathering recycled materials / and transforming them into modern art.
그 예술가는 일한다　　　재활용되는 재료를 모음으로써　　　그리고 그것들을 현대 예술로 완전히 바꿈으로써

이 문장에서 and는 두 개의 전치사구 by gathering recycled materials와 (by) transforming them into modern art를 연결하는 접속사이다. 이처럼 and, but 또는 or는 문법적으로 동일한 형태의 구 또는 절을 연결하여 대등한 개념을 나타내므로, and, but 또는 or가 연결하는 것이 무엇인지 파악하여 '그리고', '그러나', '혹은' 또는 '~과(와)', '~며', '~나'라고 해석한다.

주어진 문장을 올바르게 해석한 보기를 고르시오.

> The government rejected the sales tax reduction, but approved the increased funding for education.

① 정부는 판매세 감축을 거절했고, 단지 교육을 위한 증가된 자금을 승인했을 뿐이다.
② 정부는 판매세 감축은 거절했으나, 교육을 위한 증가된 자금은 승인했다.

Point 36 | 병렬 관계를 나타내는 'not only A but (also) B' 구문 해석하기

Mr. Huntington / not only worked as the city's mayor / but also volunteered at local schools /
　Mr. Huntington은　　　　　　　　　시의 시장으로 일했을 뿐만 아니라　　　　　　　　지역의 학교에서 자원봉사도 했다

once a week.
　일주일에 한 번

이 문장에서 not only ~ but also ~는 worked as the city's mayor와 volunteered at local schools를 연결하는 접속사이다. 이처럼 'not only A but (also) B' 구문의 A에는 기본이 되는 내용, B에는 첨가하는 내용이 나오며, 'A뿐만 아니라 B도'라고 해석한다.

> TIP 병렬 관계를 나타내는 구문
>
> A as well as B (B뿐만 아니라 A도, A도 B만큼): Our room at the resort was spacious / as well as comfortable.
> 　　　　　　　　　　　　　　　　　　　　리조트의 우리 방은 넓기도 했다　　　　　편했을 뿐만 아니라
>
> both A and B (A와 B 모두): Both my mother and father / will attend the dinner party.
> 　　　　　　　　　　　　　나의 어머니와 아버지 모두　　　　저녁 파티에 참석하실 것이다

주어진 문장을 올바르게 해석한 보기를 고르시오.

Social media is a way for people to connect to one another as well as share their photos and interests.

① 소셜 미디어는 사람들이 서로 연락도 하기 때문에 사진과 관심사를 나누는 수단이다.
② 소셜 미디어는 사람들이 사진과 관심사를 나눌 뿐만 아니라 서로 연락도 하는 수단이다.

정답

34 ①
In educational theory, / there is a strong belief / that small class sizes are most conducive / to learning.
　교육 이론에서는　　　　　　강한 믿음이 있다　　　　작은 학급 규모가 가장 도움이 된다는　　　　학습에

35 ②
The government rejected / the sales tax reduction, / but approved the increased funding / for education.
　정부는 거절했다　　　　판매세 감축을　　　　그러나 증가된 자금을 승인했다　　　교육을 위한

36 ②
Social media is a way / for people to connect to one another / as well as share their photos and interests.
　소셜 미디어는 수단이다　　　사람들이 서로 연락도 하는　　　그들의 사진과 관심사를 나눌 뿐만 아니라

13. 정도, 결과 구문 해석하기

공무원 영어 독해에는 정도, 결과를 나타내는 구문이 나온다. 이러한 정도, 결과를 나타내는 구문을 어떻게 해석하는지 익힌 후 실전에 적용해 보자.

Point 37 정도를 나타내는 'too … to ~' 구문 해석하기

The classic novel is too long and difficult / to finish reading.
그 고전 소설은 너무 길고 어렵다   읽는 것을 끝내기에

이 문장에서 too … to ~는 지나친 정도를 나타내는 구문으로, 주어인 고전 소설(The classic novel)이 너무 길고 어려운(long and difficult) 정도를 알려준다. 이처럼 'too … to ~' 구문이 정도를 나타내는 경우, '~하기에 너무 … 하다'라고 해석한다.

주어진 문장을 올바르게 해석한 보기를 고르시오.

A regular mammogram can detect cancer cells before it is too late to destroy them.

① 정기적인 유방 엑스선 촬영은 암세포를 감지할 수 있기 전에 그것이 너무 늦게 파괴된다.
② 정기적인 유방 엑스선 촬영은 암세포를 파괴하기에 너무 늦기 전에 그것들을 감지할 수 있다.

Point 38 정도를 나타내는 '… enough to ~' 구문 해석하기

Despite their small army, / the Greeks were strong enough / to defeat the Persians.
그들의 작은 군대에도 불구하고   그리스인은 충분히 강했다   페르시아인을 물리칠 만큼

이 문장에서 … enough to ~는 충분한 정도를 나타내는 구문으로, 주어인 그리스인(the Greeks)이 충분히 강한(strong) 정도를 알려준다. 이처럼 '… enough to ~' 구문이 정도를 나타내는 경우, '~할 만큼 충분히 …하다'라고 해석한다.

주어진 문장을 올바르게 해석한 보기를 고르시오.

Every year, tornados that are powerful enough to knock down houses ravage the American states found in Tornado Alley.

① 매년 집을 때려 부술 만큼 충분히 강력한 토네이도는 토네이도가 자주 발생하는 지역에 있는 미국의 주들을 파괴한다.
② 매년 집을 때려 부수는 토네이도는 충분히 강력해서 토네이도가 자주 발생하는 지역에 있는 미국의 주들을 파괴한다.

Point 39 · 결과를 나타내는 'so … that ~' 구문 해석하기

The effects of climate change / are so broad and gradual / that most people do not realize the dangers.
기후 변화의 영향은 / 너무 넓고 점진적이어서 / 대부분의 사람들은 그 위험성을 인지하지 못한다

이 문장에서 so … that ~은 결과를 나타내는 구문으로, 주어인 기후 변화의 영향(The effects of climate change)이 너무 넓고 점진적인 (broad and gradual) 것에 따른 결과를 알려준다. 이처럼 'so … that ~' 구문이 결과를 나타내는 경우, '너무/매우 …해서 (그 결과) ~하다' 라고 해석한다.

TIP 결과를 나타내는 구문

such … that ~ (너무/매우 …한 것이어서 ~하다): It was such a spicy dish / that I couldn't finish it.
그것은 너무 매운 요리여서 / 내가 다 먹을 수 없었다

so … as to ~ (너무/매우 …해서 ~할 수 있다): They were so kind / as to give me a ride home / after work.
그들은 매우 친절해서 / 나를 집까지 바래다줄 수 있었다 / 퇴근 후에

주어진 문장을 올바르게 해석한 보기를 고르시오.

> Recent incidents of computer hacking have been so severe that many large companies are fighting back with the latest firewall technology.

① 최근의 컴퓨터 해킹 사건들이 그래 왔기 때문에 많은 큰 회사들이 심각하게 최신 방화벽 기술로 맞서 싸우고 있다.
② 최근의 컴퓨터 해킹 사건들은 너무 심각해서 많은 큰 회사들이 최신 방화벽 기술로 맞서 싸우고 있다.

정답

37 ②
A regular mammogram / can detect cancer cells / before it is too late / to destroy them.
정기적인 유방 엑스선 촬영은 / 암세포를 감지할 수 있다 / 너무 늦기 전에 / 그것들을 파괴하기에

38 ①
Every year, / tornados that are powerful enough / to knock down houses / ravage the American states / found in Tornado Alley.
매년 / 충분히 강력한 토네이도는 / 집을 때려 부술 만큼 / 미국의 주들을 파괴한다 / 토네이도가 자주 발생하는 지역에 있는

39 ②
Recent incidents of computer hacking / have been so severe / that many large companies are fighting back / with the latest firewall
최근의 컴퓨터 해킹 사건들은 / 너무 심각해서 / 많은 큰 회사들이 맞서 싸우고 있다
technology.
최신 방화벽 기술로

gosi.Hackers.com

제가 공부하면서 제일 중요하게 생각한 것은 '반복'이었습니다.
같은 내용 같은 교재를 매번 보다 보면 당연히 지겨울 수밖에 없습니다.
그래서 저는 회독을 하면서 제가 암기를 잘하고 있는지 스스로 확인하는 시간을 가졌습니다.
제가 스스로 강의를 한다고 생각하면서 중얼중얼거리기도 하고,
또 스스로 두문자를 따서 제게 익숙한 암기법을 만들기도 했습니다.
꾸준히 하시다 보면 결국엔 내년에는 합격 후기 쓰고 계실거라고 생각합니다.

– 지방직 9급 합격자 김*수

Section 1
전체 내용 파악 유형

주제·제목·요지·목적 파악

지문의 중심 내용을 요약한 주제, 제목, 요지나 지문을 작성한 이유인 목적을 찾는
문제 유형이다.

☐ 출제 경향

· 문화, 환경 등 사회 현상에 대한 지문이나, 새롭게 발명된 기술 등 과학과 관련된 주제의 지문이 자주 나온다.
· 정답의 근거가 되는 주제문은 주로 지문 내에서 찾을 수 있지만, 지문 내에 주제문이 명확히 드러나 있지 않은 경우도 있다.

☐ STEP별 문제 풀이 전략

STEP 1 지문을 읽으며 주제문을 찾는다.

- 주제문은 글쓴이가 말하고자 하는 중심 내용이 담겨 있는 문장으로, 주로 지문의 처음이나 끝에 등장한다. 주제문을 찾으면
  지문을 빠르게 읽으며 나머지 내용이 이를 뒷받침하고 있는지 확인한다.

- 주제문은 주로 다음과 같은 표현들과 함께 등장한다.

  as a result/consequently 그 결과   in turn/eventually/ultimately 결국   thus/so/therefore 따라서
  this is why 이것이 ~한 이유이다   however/but 그러나   you should 당신은 ~해야 한다

- 지문에 주제문이 드러나 있지 않은 경우, 반복되는 어구나 내용을 통해 글쓴이가 말하고자 하는 중심 내용을 파악한다.

STEP 2 주제문을 가장 잘 바꾸어 표현한 보기를 선택한다.

- 주제문을 가장 잘 바꾸어 표현한 보기를 정답으로 선택한다. 이때, 지문의 주제와 관련된 단어를 사용하였으나 전혀 다른 내용을
  나타내거나, 주제문의 내용 중 일부만 포함하고 있는 오답을 고르지 않도록 주의한다.

  주제문   For this reason, **passive smoking** is more **dangerous** than active smoking.
           이러한 이유로, **간접흡연**이 직접흡연보다 더 **위험**하다.

  정답 보기   Effects of **secondhand smoking** more **severe** than firsthand
             직접흡연보다 더 **심각한 간접흡연**의 영향

             → 주제문의 passive smoking을 secondhand smoking으로, dangerous를 severe로 바꾸어 표현하였다.

- 지문에 주제문이 드러나 있지 않은 경우, 지문을 읽으며 파악한 중심 내용을 가장 잘 표현한 보기를 정답으로 선택한다.

☐ 전략 적용

다음 글의 제목으로 가장 적절한 것은?

[2023년 지방직 9급]

Well-known author Daniel Goleman has dedicated his life to the science of human relationships. In his book *Social Intelligence* he discusses results from neuro-sociology to explain how sociable our brains are. According to Goleman, we are drawn to other people's brains whenever we engage with another person. The human need for meaningful connectivity with others, in order to deepen our relationships, is what we all crave, and yet there are countless articles and studies suggesting that we are lonelier than we ever have been and loneliness is now a world health epidemic. Specifically, in Australia, according to a national Lifeline survey, more than 80 % of those surveyed believe our society is becoming a lonelier place. Yet, our brains crave human interaction.

STEP 1

지문을 읽으며 주제문 찾기

'인간의 뇌는 사교적이다'라는 내용이 지문의 주제문이다.

STEP 2

주제문을 가장 잘 바꾸어 표현한 보기 선택하기

주제문의 내용을 '사교적인 두뇌(Sociable Brains)'라고 바꾸어 표현한 ②번이 정답이다.

① Lonely People
② Sociable Brains
③ Need for Mental Health Survey
④ Dangers of Human Connectivity

해석 유명한 작가 Daniel Goleman은 인간관계의 과학에 그의 인생을 바쳤다. 그는 그의 책 『사회적 지능』에서 우리의 뇌가 얼마나 사교적인지 설명하기 위해 신경 사회학의 결과에 대해 논한다. Goleman에 따르면, 우리는 다른 사람과 관계를 맺을 때마다 다른 사람의 뇌에 이끌린다. 우리의 관계를 더 깊어지게 하기 위한 다른 사람들과의 의미 있는 연결에 대한 인간의 욕구는 우리 모두가 갈망하는 것이지만, 우리가 그 어느 때 그랬던 것보다 더 외롭다는 것과 외로움은 이제 세계적인 보건 전염병이라는 것을 시사하는 수많은 기사와 연구들이 있다. 특히, 호주에서는, 국립 '생명의 전화' 설문조사에 따르면, 조사 대상자의 80퍼센트 이상이 우리의 사회가 점점 더 외로운 공간이 되어가고 있다고 생각한다. 하지만, 우리의 뇌는 인간의 상호작용을 갈망한다.

① 외로운 사람들
② 사교적인 두뇌
③ 정신 건강 설문조사의 필요성
④ 인간 연결성의 위험성

어휘 dedicate 바치다, 헌신하다　social intelligence 사회적 지능　neuro-sociology 신경 사회학　sociable 사교적인　engage with ~와 관계를 맺다
connectivity 연결(성)　crave 갈망하다　countless 수많은　epidemic 전염병　lifeline 생명의 전화, 생명선　interaction 상호작용

정답 ②

Hackers Test

앞에서 배운 STEP별 전략을 적용하여 문제를 풀어보자.

01 다음 글의 목적으로 가장 적절한 것은?

To	Springfield Traffic Enforcement Agency
From	Diego Alonso
Date	September 23
Subject	Safety on Our Streets

B I U ¶· ✏ A· T· ⇔ 🖼 🏷 ☰ ☰ ☰ ↺ ↻ </>

To Whom It May Concern,

I am writing because I have noticed people driving too fast near the city park on Cooper Street, especially during the afternoon when many children are present.

Although it has been six months since the speed limit in the area was reduced to 30 km/h, many cars still go much faster than that. This is a very dangerous situation because a lot of children who attend the school near the park cross the road every day.

I request that you install speed bumps around the park to resolve this problem. I thank you for your time and attention to this issue. I hope it is taken care of soon.

Sincerely,
Diego Alonso

① 스쿨존에 기존보다 하향된 제한 속도를 도입하는 것을 제안하려고
② 제한 속도를 지키지 않는 난폭한 운전자를 신고하려고
③ 공원 근처에 아이들의 안전을 위한 과속 방지턱 설치를 요청하려고
④ 속도위반 차량에 부과되는 벌금에 대해 문의하려고

지문 구조 한눈에 보기

지문을 읽고 빈칸에 알맞은 말을 채우시오.

도입	도시 공원 근처에서 너무 빨리 1_____하는 사람들의 문제에 대해 이메일을 씀

문제	많은 차들이 제한 속도보다 훨씬 빨리 가고, 2_____ 근처의 학교를 다니는 많은 아이들이 매일 그 길을 건넘

주제문	공원 주변에 3_____을 설치해 줄 것을 요청함

정답 1. 운전 2. 공원 3. 과속 방지턱

To Whom It May Concern,
관계자분께

I am writing / because I have noticed / people driving too fast near the city park / on Cooper Street, /
저는 글을 씁니다   제가 발견했기 때문에   도시 공원 근처에서 너무 빨리 운전하는 사람들을   Cooper가의

→ 기간을 나타내는 전치사 during(~ 동안)
especially (during) the afternoon / when many children are present. // Although it has been six months /
특히 오후 시간 동안에   아이들이 많이 있는   6개월이 지났지만

→ 비교급(faster) 강조
since the speed limit in the area was reduced to 30 km/h, / many cars still go (much) faster than that.
그 지역의 제한 속도가 시속 30km로 줄어든 지   여전히 많은 차들이 그보다 훨씬 더 빨리 갑니다

This is a very dangerous situation / because a lot of children / ★ who attend the school near the park /
이것은 매우 위험한 상황입니다   왜냐하면 많은 아이들이   공원 근처의 학교에 다니는

cross the road every day. // I request that you install speed bumps / around the park / to resolve this
그 길을 매일 건넙니다   저는 과속 방지턱을 설치해 주실 것을 요청드립니다   공원 주변에   이 문제를 해결하기 위해

problem. I thank you for your time and attention to this issue. I hope it is taken care of soon. //
시간을 내어 이 문제에 관심을 가져주셔서 감사합니다   이것이 빨리 해결되기를 바랍니다

Sincerely, Diego Alonso
Diego Alonso 드림

STEP 1
주제문: 공원 주변에 과속 방지턱을 설치해 줄 것을 요청한다.

STEP 2
주제문을 '공원 근처에 아이들의 안전을 위한 과속 방지턱 설치를 요청하려고'라고 바꾸어 표현한 ③번이 정답이다.

해석 수신: Springfield 교통 단속국
발신: Diego Alonso
날짜: 9월 23일
제목: 우리 거리의 안전

관계자분께,

저는 Cooper가의 도시 공원 근처에서, 특히 아이들이 많이 있는 오후 시간 동안에 너무 빨리 운전하는 사람들을 발견하여 글을 씁니다.

그 지역의 제한 속도가 시속 30km로 줄어든 지 6개월이 지났지만, 여전히 많은 차들이 그보다 훨씬 더 빨리 갑니다. 공원 근처의 학교에 다니는 많은 아이들이 그 길을 매일 건너기 때문에 이것은 매우 위험한 상황입니다.

이 문제를 해결하기 위해 공원 주변에 과속 방지턱을 설치해 주실 것을 요청드립니다. 시간을 내어 이 문제에 관심을 가져주셔서 감사합니다. 이것이 빨리 해결되기를 바랍니다.

Diego Alonso 드림

해설 지문 처음에서 도시 공원 근처에서 아이들이 많은 오후 시간에 너무 빨리 운전하는 사람들을 발견하여 글을 쓴다고 했고, 지문 마지막에서 공원 주변에 과속 방지턱을 설치해 줄 것을 요청한다고 하고 있으므로, 이 지문의 목적을 '공원 근처에 아이들의 안전을 위한 과속 방지턱 설치를 요청하려고'라고 한 ③번이 정답이다.

어휘 traffic enforcement 교통 단속   violation 위반   speed bump 과속 방지턱

독해가 쉬워지는 **공무원 필수구문**

명사를 꾸며주는 '주격 관계대명사 who / that / which ~' 해석하기 Point 16   이 문장에서 who attend the school near the park는 앞에 나온 명사 children을 꾸며주는 수식어이다. 이처럼 주격 관계대명사가 이끄는 절(who + 동사 ~)이 명사를 꾸며주는 경우, '공원 근처의 학교에 다니는 아이들'이라고 해석한다.

정답: ③

02 다음 글의 주제로 가장 적절한 것은?

Cloud computing is a method of storing and processing data on a network of remote servers instead of on a personal computer or local server. Before the introduction of cloud computing, there was a way to manage huge amounts of data: supercomputers. Supercomputers are custom-built machines that are much more powerful than regular computers. Due to their large size, they are very expensive to manufacture. Consequently, cloud computing was designed to provide similar capabilities as supercomputers at a much lower price. With this technology, thousands of cheap computers can be connected through the Internet to process data easily. As a result, cloud computing seems to be the wave of the future, with supercomputers receding into the past.

① how supercomputers are utilizing new technologies

② advantages of various methods of data processing

③ simple ways to transition to cloud computing

④ cloud computing starting to replace supercomputers

지문 구조 한눈에 보기

지문을 읽고 빈칸에 알맞은 말을 채우시오.

| 도입 | 클라우드 컴퓨팅은 원격 서버 네트워크에 데이터를
 1_____ 하고 2_____ 하는 방법임 | 비교 | 클라우드 컴퓨팅 이전에는 일반 컴퓨터보다 훨씬 더 3_____
 슈퍼컴퓨터를 사용했음 |

| 설명1 | 큰 크기 때문에, 슈퍼컴퓨터는 제조하는 데 돈이 매우 많이 듦 |

| 설명2 | 슈퍼컴퓨터와 유사한 4_____을 훨씬 더 저렴한
 가격에 제공하기 위해 클라우드 컴퓨팅이 고안됨 | 부연 | 수많은 저렴한 컴퓨터들이 데이터를 처리하기 위해 5_____
 을 통해 연결될 수 있음 |

| 주제문 | 슈퍼컴퓨터가 과거로 물러나면서 클라우드 컴퓨팅이 미래의 6_____인 것으로 보임 |

정답 | 1. 저장 2. 처리 3. 강력한 4. 성능 5. 인터넷 6. 추세

Cloud computing is a method / of storing and processing data / on a network of remote servers /
클라우드 컴퓨팅은 방법이다   데이터를 저장하고 처리하는   원격 서버의 네트워크에

instead of on a personal computer / or local server. Before the introduction / of cloud computing, /
개인 컴퓨터 대신에   혹은 지역 서버 대신에   도입 이전에   클라우드 컴퓨팅의

there was a way / to manage huge amounts of data: / supercomputers. Supercomputers are
방법이 있었다   방대한 양의 데이터를 처리하는   슈퍼컴퓨터라는   슈퍼컴퓨터는

→비교급 강조
custom-built machines / that are (much) more powerful / than regular computers. Due to their large
주문 제작 기계이다   훨씬 더 강력한   일반 컴퓨터보다   그들의 큰 크기 때문에

size, / they are very expensive / to manufacture. Consequently, / cloud computing was designed /
그들은 돈이 매우 많이 든다   제조하는 데   그 결과   클라우드 컴퓨팅이 고안되었다

to provide similar capabilities / as supercomputers / at a much lower price. With this technology, /
유사한 성능을 제공하기 위해   슈퍼컴퓨터와   훨씬 더 저렴한 가격에   이 기술로

thousands of cheap computers / can be connected / through the Internet / to process data easily.
수천 대의 저렴한 컴퓨터가   연결될 수 있다   인터넷을 통해   데이터를 손쉽게 처리하기 위해
→주제문의 단서   →seem to be ~: ~인 것으로 보이다
(As a result,) / cloud computing (seems to be) the wave / of the future, / with supercomputers receding /
그 결과   클라우드 컴퓨팅이 추세인 것으로 보인다   미래의   슈퍼컴퓨터가 물러나면서

into the past.
과거로

STEP 1
주제: 슈퍼컴퓨터가 물러나고 클라우드 컴퓨팅이 미래의 추세이다.

STEP 2
주제문을 '슈퍼컴퓨터를 대체하기 시작한 클라우드 컴퓨팅(cloud computing starting to replace supercomputers)'이라고 바꾸어 표현한 ④번이 정답이다.

Chapter 01

주제·제목·요지·목적 파악 | 해커스공무원 영어 독해

해석 클라우드 컴퓨팅은 개인 컴퓨터나 지역 서버 대신에 원격 서버의 네트워크에 데이터를 저장하고 처리하는 방법이다. 클라우드 컴퓨팅의 도입 이전에는, 슈퍼컴퓨터라는 방대한 양의 데이터를 처리하는 방법이 있었다. 슈퍼컴퓨터는 일반 컴퓨터보다 훨씬 더 강력한 주문 제작 기계이다. 그들의 큰 크기 때문에, 그들은 제조하는 데 돈이 매우 많이 든다. 그 결과, 슈퍼컴퓨터와 유사한 성능을 훨씬 더 저렴한 가격에 제공하기 위해 클라우드 컴퓨팅이 고안되었다. 이 기술로, 수천 대의 저렴한 컴퓨터가 데이터를 손쉽게 처리하기 위해 인터넷을 통해 연결될 수 있다. 그 결과, 슈퍼컴퓨터가 과거로 물러나면서 클라우드 컴퓨팅이 미래의 추세인 것으로 보인다.

① 슈퍼컴퓨터가 신기술을 이용하는 방법
② 다양한 데이터 처리 방법들의 장점
③ 클라우드 컴퓨팅으로 전환하는 간단한 방법
④ 슈퍼컴퓨터를 대체하기 시작한 클라우드 컴퓨팅

해설 지문 전반에 걸쳐 클라우드 컴퓨팅의 도입 전에는 슈퍼컴퓨터로 데이터를 처리했으나 슈퍼컴퓨터보다 저렴한 가격에 유사한 성능을 제공하기 위해 클라우드 컴퓨팅이 고안되었다고 하고, 지문의 마지막 부분에서 슈퍼컴퓨터가 과거로 물러나고 클라우드 컴퓨팅이 미래의 추세임을 예견하고 있다. 따라서 이 지문의 주제를 '슈퍼컴퓨터를 대체하기 시작한 클라우드 컴퓨팅'이라고 표현한 ④번이 정답이다.

어휘 process 처리하다 remote 원격의 introduction 도입 custom-built 주문 제작의 manufacture 제조하다 design 고안하다, 만들다
capability 성능, 능력 recede 물러나다 utilize 이용하다 advantage 장점, 이점 transition 전환하다, 이행하다 replace 대체하다

독해가 쉬워지는 공무원 필수구문

명사를 꾸며주는 to 부정사 해석하기 [Point 13] 이 문장에서 to manage ~ data는 앞에 나온 명사 a way를 꾸며주는 수식어이다. 이처럼 to 부정사(to manage ~)가 명사를 꾸며주는 경우, '~을 처리하는 방법'이라고 해석한다.

정답: ④

03 다음 글의 요지로 가장 알맞은 것은?

In Greek folklore, Hercules was the son of Zeus. Though he was not considered a god like his father, Hercules was widely described as a divine hero whose physical power set him apart from mere mortals. Included among his many adventures and accomplishments are what have come to be known as the Labors of Hercules—12 tasks that required Hercules to display remarkable amounts of power. These acts ranged from the killing of monsters to the stealing of valuable items from dangerous and formidable adversaries. Achievements such as these gained Hercules the respect and awe of people throughout history. In fact, his influence has been so widespread that he remains a popular character across many Western cultures.

① 헤라클레스의 용기는 그의 신체적인 힘을 능가했다.
② 헤라클레스는 그의 아버지처럼 신이 되기 위해 고통을 받았다.
③ 헤라클레스의 용맹한 행동이 그를 경외심을 느끼게 하는 인물로 만들었다.
④ 헤라클레스는 그의 적들과 싸우면서 수 차례 죽을 뻔했다.

지문 구조 한눈에 보기

지문을 읽고 빈칸에 알맞은 말을 채우시오.

| 도입 | 그리스 신화에서, 헤라클레스는 인간과 구별되는 신성한 ¹_____으로 널리 묘사됨 |

| 부연 | 그의 ²_____이 단순한 인간으로부터 그를 구별시킴 |

| 설명 | '헤라클레스의 과업'이라고 알려진 12가지의 힘과 관련된 비범한 행동들이 있음 |

| 부연 | 이는 ³_____을 죽이는 것에서부터 적들에게서 ⁴_____을 훔쳐 오는 것까지 이르렀음 |

| 주제문 | 이와 같은 업적들은 헤라클레스에 대한 사람들의 ⁵_____과 ⁶_____을 가져옴 |

정답 1. 영웅 2. (신체적인) 힘 3. 괴물 4. 귀중품 5. 존경 6. 경외심

지문분석

In Greek folklore, / Hercules was the son of Zeus. Though he was not considered a god / like his
그리스 신화에서　　　헤라클레스는 제우스의 아들이었다　　　비록 그는 신으로 여겨지지는 않았지만　　　그의 아버지처럼

father, / Hercules was widely described / as a divine hero / whose physical power set him apart /
　　헤라클레스는 널리 묘사되었다　　　신성한 영웅으로　　　그의 신체적 힘이 그를 구별시키는
분사가 문장 앞에 온 도치

from mere mortals. Included / among his many adventures and accomplishments / are what have
단순한 인간과　　포함되어 있다　　　그의 많은 모험과 업적 중에는　　　알려지게 된 것들이

come to be known / as the Labors of Hercules / —12 tasks / that required Hercules to display /
알려지게 된 것들이　　　'헤라클레스의 과업'이라고　　　12가지 과업들　　　헤라클레스에게 보이도록 요구했던
require … to ~: …에게 ~하도록 요구하다

remarkable amounts of power. These acts / ranged from the killing of monsters / to the stealing of
놀랄 만한 양의 힘을　　　이러한 행동들은　　　괴물을 죽이는 것에서부터　　　귀중품을 훔쳐 오는 것까지 이르렀다
range from A to B: A에서 B까지 이르다

valuable items / from dangerous and formidable adversaries. Achievements such as these /
　　　위험하고 무시무시한 적들로부터　　　이와 같은 업적은

gained Hercules / the respect and awe of people / throughout history. In fact, / his influence has been
헤라클레스에게 가져왔다　　　사람들의 존경과 경외심을　　　역사 내내　　　사실　　　그의 영향은 매우 널리 퍼졌다

so widespread / that he remains a popular character / across many Western cultures.
그래서 그는 인기 있는 인물로 남아있다　　　많은 서양 문화에 걸쳐

STEP 1
주제문: 헤라클레스의 업적들이 사람들이 그를 존경하고 경외심을 갖게 했다.

STEP 2
주제문을 '헤라클레스의 용맹한 행동이 그를 경외심을 느끼게 하는 인물로 만들었다'라고 바꾸어 표현한 ③번이 정답이다.

해석 그리스 신화에서, 헤라클레스는 제우스의 아들이었다. 비록 그는 그의 아버지처럼 신으로 여겨지지는 않았지만, 헤라클레스는 그의 신체적 힘이 그를 단순한 인간과 구별시키는 신성한 영웅으로 널리 묘사되었다. 그의 많은 모험과 업적 중에는 '헤라클레스의 과업'이라고 알려지게 된 것들이 포함되어 있는데, 이는 헤라클레스에게 놀랄 만한 양의 힘을 보이도록 요구했던 12가지 과업들이다. 이러한 행동들은 괴물을 죽이는 것에서부터 위험하고 무시무시한 적들로부터 귀중품을 훔쳐 오는 것까지 이르렀다. 이와 같은 업적들은 역사 내내 헤라클레스에게 사람들의 존경과 경외심을 가져왔다. 사실, 그의 영향은 매우 널리 퍼져서 그는 많은 서양 문화에 걸쳐 인기 있는 인물로 남아있다.

해설 지문 전반에 걸쳐 헤라클레스에게 놀랄만한 힘을 보이도록 요구한 과업들에 대해 소개하고, 지문의 마지막 부분에서 이와 같은 업적들이 사람들이 헤라클레스를 존경하고 경외심을 갖게 했다고 설명하고 있다. 따라서 지문의 요지를 '헤라클레스의 용맹한 행동이 그를 경외심을 느끼게 하는 인물로 만들었다'라고 표현한 ③번이 정답이다.

어휘 folklore 신화　divine 신성한　mere 단순한　mortal 인간; 치명적인　accomplishment 업적　remarkable 놀랄 만한　valuable 귀중한
formidable 무시무시한　adversary 적, 상대방　awe 경외심　widespread 널리 퍼진

독해가 쉬워지는 공무원 필수구문

결과를 나타내는 'so … that ~' 구문 해석하기 Point 39 이 문장에서 'so … that ~'은 결과를 나타내는 구문으로, 주어인 그의 영향(his influence)이 매우 널리 퍼진(widespread) 것에 따른 결과를 알려준다. 이처럼 'so … that ~'구문이 결과를 나타내는 경우, '~은 매우 널리 퍼져서 그는 ~으로 남아있다'라고 해석한다.

정답: ③

04 글의 목적으로 가장 적절한 것을 고르시오.

> The shape of a mountain can vary greatly, often depending on the manner in which it was initially created. A specific type of mountain, the fold mountain, is formed in areas where two large sections of the earth's crust come into contact. These plates exert extreme pressure on each other as they constantly move at a rate of several centimeters each year. Consequently, the earth's crust thickens at its edges. As the horizontal pressure increases, sedimentary rock is forced upwards in a series of fold-like patterns. This process has resulted in some of the tallest and most majestic mountain ranges on the planet. Some such ranges include the Rocky Mountains in North America, the Alps in Europe, and the Himalayas in Asia.

① To compare the characteristics of different mountain ranges

② To describe how a certain type of mountain is created

③ To explain why tectonic plates are in constant motion

④ To specify the largest type of mountain

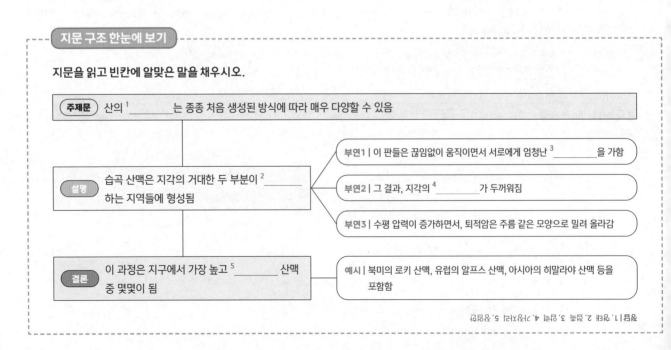

지문 구조 한눈에 보기

지문을 읽고 빈칸에 알맞은 말을 채우시오.

(주제문) 산의 [1]_____는 종종 처음 생성된 방식에 따라 매우 다양할 수 있음

(설명) 습곡 산맥은 지각의 거대한 두 부분이 [2]_____ 하는 지역들에 형성됨

부연1 | 이 판들은 끊임없이 움직이면서 서로에게 엄청난 [3]_____을 가함

부연2 | 그 결과, 지각의 [4]_____가 두꺼워짐

부연3 | 수평 압력이 증가하면서, 퇴적암은 주름 같은 모양으로 밀려 올라감

(결론) 이 과정은 지구에서 가장 높고 [5]_____ 산맥 중 몇몇이 됨

예시 | 북미의 로키 산맥, 유럽의 알프스 산맥, 아시아의 히말라야 산맥 등을 포함함

정답 | 1. 형태 2. 접촉 3. 압력 4. 가장자리 5. 장엄한

The shape of a mountain / can vary greatly, / often depending on the manner / 전치사 + 관계대명사 (in which) it was initially
산의 형태는 　　　매우 다양할 수 있다　　　　종종 방식에 따라　　　　그것이 처음 생성된

created. A specific type of mountain, / the fold mountain, / is formed in areas / where two large
산의 특정한 형태 중 하나인　　　습곡 산맥은　　　지역들에 형성된다

sections of the earth's crust / come into contact. These plates exert extreme pressure / on each
지각의 거대한 두 부분이　　　접촉하는　　　이 판들은 엄청난 압력을 가한다　　　서로에게

other / as they constantly move / (at a rate of) several centimeters / each year. Consequently, /
　　　그들이 끊임없이 움직이면서　　　수 센티미터의 속도로　　　매년　　　그 결과
at a rate of ~: ~의 속도로

the earth's crust thickens / at its edges. As the horizontal pressure increases, / sedimentary rock is
지각은 두꺼워진다　　가장자리에서　　수평 압력이 증가하면서　　퇴적암은 밀려 올라간다

forced upwards / in (a series of) fold-like patterns. This process has resulted in / some of the tallest
　　　일련의 주름 같은 모양으로　　　이 과정은 결과적으로 되었다
a series of ~: 일련의 ~

and most majestic mountain ranges / on the planet. Some such ranges include / the Rocky Mountains
가장 높고 가장 장엄한 산맥 중 몇몇이　　　지구에서　　그러한 몇몇 산맥들은 포함한다　　북미의 로키 산맥을

in North America, / the Alps in Europe, / and the Himalayas in Asia.
　　　유럽의 알프스 산맥을　　　그리고 아시아의 히말라야 산맥을

STEP 1
중심 내용: 습곡 산맥이 형성되는 과정

STEP 2
중심 내용을 '특정한 형태의 산이 생겨난 방식을 묘사하기 위해(To describe how a certain type of mountain is created)'라고 바꾸어 표현한 ②번이 정답이다.

해석 산의 형태는 종종 그것이 처음 생성된 방식에 따라 매우 다양할 수 있다. 산의 특정한 형태 중 하나인 습곡 산맥은 지각의 거대한 두 부분이 접촉하는 지역들에 형성된다. 이 판들은 매년 수 센티미터의 속도로 끊임없이 움직이면서 서로에게 엄청난 압력을 가한다. 그 결과, 지각의 가장자리가 두꺼워진다. 수평 압력이 증가하면서, 퇴적암은 일련의 주름 같은 모양으로 밀려 올라간다. 이 과정은 결과적으로 지구에서 가장 높고 장엄한 산맥 중 몇몇이 되었다. 그러한 몇몇 산맥들은 북미의 로키 산맥, 유럽의 알프스 산맥, 그리고 아시아의 히말라야 산맥을 포함한다.

① 다양한 산맥의 특징을 비교하기 위해
② 특정한 형태의 산이 생겨난 방식을 묘사하기 위해
③ 지질구조판이 끊임없이 움직이는 이유를 설명하기 위해
④ 가장 거대한 유형의 산을 명시하기 위해

해설 지문 전반에 걸쳐 습곡 산맥의 형성 과정을 설명하고 그 결과로 생겨난 산맥들을 예시로 들고 있다. 따라서 지문의 목적을 '특정한 형태의 산이 생겨난 방식을 묘사하기 위해'라고 표현한 ②번이 정답이다.

어휘 fold mountain 습곡 산맥　crust 지각, 껍질　exert 가하다　horizontal 수평의　sedimentary rock 퇴적암　majestic 장엄한　mountain range 산맥
characteristic 특징, 특성　tectonic plate 지질구조판　specify 명시하다

독해가 쉬워지는 **공무원 필수구문**

명사를 꾸며주는 '관계부사 when / where / why / how ~' 해석하기 Point 18 이 문장에서 where ~ contact는 앞에 나온 명사 areas를 꾸며주는
수식어이다. 이처럼 관계부사 where가 이끄는 절(where + 주어 + 동사 ~)이 명사를 꾸며주는 경우, '지각의 거대한 두 부분이 접촉하는 지역들'이라고
해석한다.

정답: ②

05 다음 글의 제목으로 가장 적절한 것을 고르시오.

With a length of over 6,000 kilometers, the Great Wall of China is one of the most impressive structures to survive from ancient times. However, large sections of this wall have already crumbled into ruins. On the parts of the wall still standing, graffiti and vandalism are constant problems. Beyond human activities, natural forces have also caused significant damage. Wind and rain have damaged many parts of the structure, and earthquakes have caused large sections to collapse. It is estimated that another 30 percent of the structure will vanish unless action is taken. The destruction of the Great Wall of China would be a loss to all people, which is why the Chinese government and international organizations are making an effort to protect this unique structure.

① The Characteristics of the Great Wall of China

② Types of Ancient Chinese Construction Techniques

③ Why People Admire the Great Wall of China

④ The Deteriorating State of the Great Wall of China

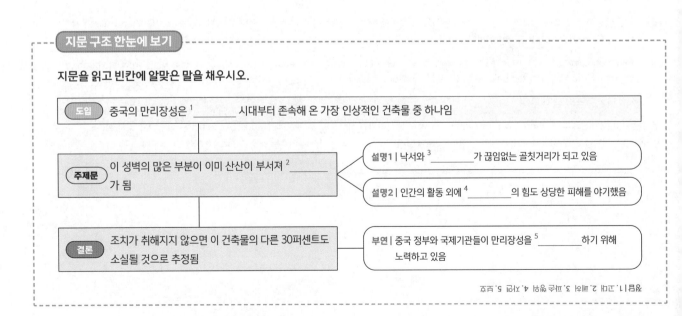

지문 구조 한눈에 보기

지문을 읽고 빈칸에 알맞은 말을 채우시오.

(도입) 중국의 만리장성은 ¹_____ 시대부터 존속해 온 가장 인상적인 건축물 중 하나임

(주제문) 이 성벽의 많은 부분이 이미 산산이 부서져 ²_____가 됨

설명1 | 낙서와 ³_____가 끊임없는 골칫거리가 되고 있음

설명2 | 인간의 활동 외에 ⁴_____의 힘도 상당한 피해를 야기했음

(결론) 조치가 취해지지 않으면 이 건축물의 다른 30퍼센트도 소실될 것으로 추정됨

부연 | 중국 정부와 국제기관들이 만리장성을 ⁵_____하기 위해 노력하고 있음

정답 | 1. 고대 2. 폐허 3. 파괴 행위 4. 자연 5. 보호

With a length of over 6,000 kilometers, / the Great Wall of China / is one of the most impressive
길이가 6천 킬로미터 이상인　　　　　　중국의 만리장성은　　　　　가장 인상적인 건축물 중 하나이다

structures / to survive from ancient times. However, / large sections of this wall / have already
　　　　고대 시대부터 존속해 온　　　하지만　　　이 성벽의 많은 부분이　　이미 산산이 부서져 폐허가 되었다
→ crumble into ~: 산산이 부서져 ~이 되다
crumbled into ruins. On the parts of the wall / still ☆ standing, / graffiti and vandalism / are constant
　　　　　　　　성벽의 부분들에는　　　아직 서 있는　　　　낙서와 파손 행위가　　　끊임없는 골칫거리이다

problems. Beyond human activities, / natural forces have also caused / significant damage. Wind and
　　　　인간의 활동 외에도　　　　　자연의 힘 역시 야기했다　　　상당한 피해를

rain have damaged / many parts of the structure, / and earthquakes have caused / large sections to
바람과 비는 손상을 입혔다　　　그 건축물의 많은 부분에　　　그리고 지진은 초래했다　　　큰 부분들이 붕괴되는 것을

collapse. It is estimated / that another 30 percent of the structure / will vanish / unless action is taken.
　　　　추정된다　　　　　이 건축물의 다른 30퍼센트도　　소실될 것으로　　조치가 취해지지 않으면

The destruction of the Great Wall of China / would be a loss to all people, / which is why / the Chinese
중국 만리장성의 파괴는　　　　　모든 사람에게 손실이 될 것이고　　그것이 이유다
→ 목적을 나타내는 to 부정사
government and international organizations / are making an effort / to protect this unique structure.
중국 정부와 국제기관들이　　　　　노력하고 있는　　　이 특별한 건축물을 보호하기 위해

STEP 1
중심 내용: 중국의 만리장성이 손상되고 있는 현재의 상황

STEP 2
주제문을 '중국 만리장성의 악화되고 있는 상태(The Deteriorating State of the Great Wall of China)'라고 바꾸어 표현한 ④번이 정답이다.

해석 길이가 6천 킬로미터 이상인 중국의 만리장성은 고대 시대부터 존속해 온 가장 인상적인 건축물 중 하나이다. 하지만, 이 성벽의 많은 부분이 이미 산산이 부서져 폐허가 되었다. 아직 서 있는 성벽의 부분들에는 낙서와 파손 행위가 끊임없는 골칫거리이다. 인간의 활동 외에도, 자연의 힘 역시 상당한 피해를 야기했다. 바람과 비는 그 건축물의 많은 부분에 손상을 입혔고, 지진은 큰 부분들이 붕괴되는 것을 초래했다. 조치가 취해지지 않으면 이 건축물의 다른 30퍼센트도 소실될 것으로 추정된다. 중국 만리장성의 파괴는 모든 사람에게 손실이 될 것이고, 그것이 중국 정부와 국제기관들이 이 특별한 건축물을 보호하기 위해 노력하고 있는 이유이다.

① 중국 만리장성의 특징
② 고대 중국 건축 기술의 유형
③ 사람들이 중국 만리장성에 감탄하는 이유
④ 중국 만리장성의 악화되고 있는 상태

해설 지문 전반에 걸쳐 고대 시대부터 존속해 온 만리장성이 인간의 활동과 자연의 힘 때문에 붕괴되고 있고, 조치가 취해지지 않으면 만리장성의 다른 30퍼센트도 소실될 것으로 추정될 정도로 좋지 않은 상태라고 설명하고 있다. 따라서 지문의 제목을 '중국 만리장성의 악화되고 있는 상태'라고 표현한 ④번이 정답이다.

어휘 impressive 인상적인　structure 건축물　survive 존속하다　crumble 부서지다　ruin 폐허　graffiti 낙서　vandalism (공공 기물) 파손 행위　collapse 붕괴되다　vanish 소실되다, 사라지다　destruction 파괴　admire 감탄하다　deteriorate 악화되다

독해가 쉬워지는 **공무원 필수구문**

명사를 꾸며주는 현재분사 해석하기 Point 14 이 문장에서 standing은 앞에 나온 명사 the wall을 꾸며주는 수식어이다. 이처럼 현재분사(standing)가 명사를 꾸며주는 경우, '서 있는 성벽'이라고 해석한다.

정답: ④

06 다음 글의 요지로 가장 적절한 것은?

Experts are divided on the best way to structure primary and secondary education systems. Specialists maintain that youngsters should be encouraged to enter into specific areas of study, such as engineering or the arts, from the earliest age possible. The underlying belief is that education is a social construct that should be used to guide citizens into the roles they are best suited for so that they can make significant contributions to society. In contrast, generalists assert that the role of education is to turn students into well-rounded individuals. They believe that while learners may choose to focus on one particular field, it should also be mandated that they receive instruction in all disciplines. Such an approach is student-centered, with the goal of creating a graduate who can deeply appreciate the diversity of human culture.

① Popular education theories have changed over time.
② Producing well-rounded students is the goal of education.
③ The aim of education is to prepare individuals to serve society.
④ Different opinions exist regarding the most effective education system.

지문 구조 한눈에 보기

지문을 읽고 빈칸에 알맞은 말을 채우시오.

(**주제문**) 전문가들은 ¹ _____ 교육과 중등 교육을 구성하는 가장 좋은 방법에 대해 의견이 나뉨

(**의견1**) 특성화 교육 지지자는 청소년들이 가능한 가장 어린 나이부터 ² _____ 이나 예술 같은 구체적인 학습 분야에 참여하도록 권장되어야 한다고 주장함

설명 | 교육은 시민들이 ³ _____ 에 중대한 기여를 할 수 있도록 그들에게 가장 적합한 ⁴ _____ 로 인도하는 데 사용되어야 함

(**의견2**) 보편적 교육 지지자는 교육의 역할이 학생을 ⁵ _____ 한 개인으로 바꾸는 것이라고 생각함

설명 | 인간 문화의 다양성의 진가를 깊이 알아볼 수 있는 졸업생을 만드는 것을 목표로 함

정답 | 1. 초등 2. 공학 3. 사회 4. 역할 5. 다재다능한

지문분석

Experts are divided / on the best way to structure / primary and secondary education systems.
전문가들은 의견이 나뉜다   구성하는 가장 좋은 방법에 대해   초등 교육과 중등 교육 제도를

STEP 1
주제문: 가장 좋은 교육 제도에 대해 전문가들의 의견이 나뉜다.

Specialists maintain / that youngsters should be encouraged / to enter into specific areas of study, /
특성화 교육을 지지하는 사람들은 주장한다   청소년들이 권장되어야 한다고   구체적인 학습 분야에 참여하도록
(enter into ~: ~에 참여하다)

such as engineering or the arts, / from the earliest age possible. The underlying belief is / that
공학이나 예술 같은   가능한 한 가장 어린 나이부터   이것의 근본적인 생각은

education is a social construct / that should be used / to guide citizens into the roles / they are
교육은 사회적 구성체라는 것이다   사용되어야 하는   시민들을 역할로 인도하는 데
(that/which) they: 목적격 관계대명사 생략

best suited for / so that they can make significant contributions / to society. In contrast, /
그들에게 가장 적합한   그래서 그들이 중대한 기여를 할 수 있도록   사회에   대조적으로

STEP 2
주제문을 '가장 효과적인 교육 제도에 관해 서로 다른 의견이 존재한다(Different opinions exist regarding the most effective education system)'라고 바꾸어 표현한 ④번이 정답이다.

명사 역할을 하는 to 부정사(~하는 것)
generalists assert / that the role of education / is to turn students into well-rounded individuals.
보편적 교육을 지지하는 사람들은 주장한다   교육의 역할이   학생들을 다재다능한 개인으로 바꾸는 것이라고

focus on ~: ~에 집중하다
They believe that / while learners may choose / to focus on one particular field, / it should also be
그들은 생각한다   학습자들이 결정할 수 있는 반면   하나의 특정 분야에 집중하기로   또한 요구되어야 한다고

mandated / that they receive instruction / in all disciplines. Such an approach is student-centered, /
그들이 교육을 받는 것이   모든 학문 분야의   이러한 접근법은 학생 중심적이다

with the goal of creating a graduate / who can deeply appreciate / the diversity of human culture.
졸업생을 만드는 것을 목표로 하며   진가를 깊이 알아볼 수 있는   인간 문화의 다양성의

해석 전문가들은 초등 교육과 중등 교육 제도를 구성하는 가장 좋은 방법에 대해 의견이 나뉜다. 특성화 교육을 지지하는 사람들은 청소년들이 가능한 한 가장 어린 나이부터 공학이나 예술 같은 구체적인 학습 분야에 참여하도록 권장되어야 한다고 주장한다. 이것의 근본적인 생각은 교육은 시민들이 사회에 중대한 기여를 할 수 있도록 그들에게 가장 적합한 역할로 그들을 인도하는 데 사용되어야 하는 사회적 구성체라는 것이다. 대조적으로, 보편적 교육을 지지하는 사람들은 교육의 역할이 학생들을 다재다능한 개인으로 바꾸는 것이라고 주장한다. 그들은 학습자들이 하나의 특정 분야에 집중하기로 결정할 수 있는 반면, 그들이 모든 학문 분야의 교육을 받는 것 또한 요구되어야 한다고 생각한다. 이러한 접근법은 인간 문화의 다양성의 진가를 깊이 알아볼 수 있는 졸업생을 만드는 것을 목표로 하며, 학생 중심적이다.

① 인기 있는 교육 이론은 시간이 지남에 따라 바뀌었다.
② 다재다능한 학생들을 배출하는 것이 교육의 목표이다.
③ 교육의 목표는 개인이 사회에 기여할 수 있도록 준비시키는 것이다.
④ 가장 효과적인 교육 제도에 관해 서로 다른 의견이 존재한다.

해설 지문 앞부분에서 전문가들이 교육 제도를 구성하는 가장 좋은 방법에 대해 의견이 나뉜다고 한 후, 특성화 교육과 보편적 교육을 지지하는 서로 다른 두 가지 의견을 제시하고 있다. 따라서 지문의 요지를 '가장 효과적인 교육 제도에 관해 서로 다른 의견이 존재한다'라고 표현한 ④번이 정답이다.

어휘 underlying 근본적인 assert 주장하다 well-rounded 다재다능한 mandate 요구하다 discipline 학문, 훈육 appreciate 진가를 알아보다

독해가 쉬워지는 공무원 필수구문

목적어 자리에 온 'that ~' 해석하기 Point 07 이 문장에서 that youngsters ~ possible은 앞에 나온 동사 maintain의 목적어이다. 이처럼 that이 이끄는 절(that + 주어 + 동사 ~)이 목적어 자리에 온 경우, '청소년들이 ~ 권장되어야 한다고'라고 해석한다.

정답: ④

07 다음 글의 제목으로 가장 적절한 것을 고르시오.

Although solar power has been used for decades to generate electricity, a major problem must be overcome before it can be used on a larger scale. Solar power is an unreliable energy source since it can only be generated when the sun is shining. As a result, extra electricity generated from solar energy must be stored for times when sunlight is unavailable. The obvious solution to this problem is the use of rechargeable batteries. However, chemical storage devices such as these are very expensive. Some scientists are looking at ways to convert solar power into a form of energy that is less expensive to store. Until the storage issue has been resolved, it is unlikely that the use of solar energy will fully replace traditional methods of producing electricity.

① The Differences between Various Energy Sources
② The Multiple Uses of Solar Energy over Time
③ An Obstacle to Solar Energy's Widespread Use
④ An Affordable Method of Storing Solar Energy

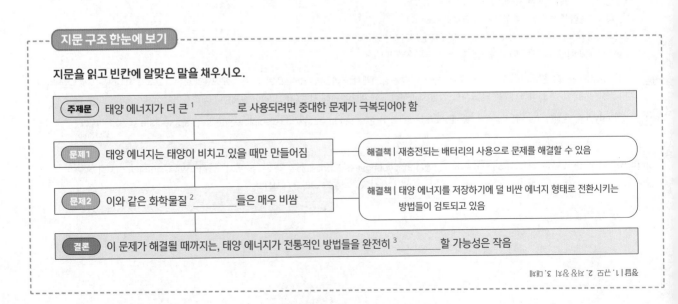

지문 구조 한눈에 보기

지문을 읽고 빈칸에 알맞은 말을 채우시오.

주제문 태양 에너지가 더 큰 ¹_____로 사용되려면 중대한 문제가 극복되어야 함

문제1 태양 에너지는 태양이 비치고 있을 때만 만들어짐 ——— **해결책** | 재충전되는 배터리의 사용으로 문제를 해결할 수 있음

문제2 이와 같은 화학물질 ²_____들은 매우 비쌈 ——— **해결책** | 태양 에너지를 저장하기에 덜 비싼 에너지 형태로 전환시키는 방법들이 검토되고 있음

결론 이 문제가 해결될 때까지는, 태양 에너지가 전통적인 방법들을 완전히 ³_____할 가능성은 작음

정답 | 1. 규모 2. 저장장치 3. 대체

지문분석

Although solar power ★has been used / for decades / to generate electricity, / a major problem must
태양 에너지는 사용되어 왔음에도 불구하고   수십 년 동안   전기를 만들어 내기 위해   중대한 문제가 극복되어야 한다

be overcome / before it can be used / on a larger scale. Solar power is an unreliable energy source /
그것이 사용될 수 있기 전에   더 큰 규모로   태양 에너지는 의존할 수 없는 에너지 자원이다

→ 부사절 접속사 since: ~ 때문에

since it can only be generated / when the sun is shining. As a result, / extra electricity / generated
그것이 오직 만들어질 수 있기 때문에   태양이 비치고 있을 때만   그 결과   여분의 전기는

solution to ~: ~에 대한 해결책

from solar energy / must be stored / for times when sunlight is unavailable. The obvious solution to this
태양 에너지로부터 만들어진   반드시 저장되어야 한다   태양 빛이 없을 때를 위해   이 문제에 대한 분명한 해결책은

problem / is the use of rechargeable batteries. However, / chemical storage devices / such as these /
재충전되는 배터리의 사용이다   그러나   화학물질 저장 장치들은   이것들과 같은

are very expensive. Some scientists are looking at ways / to convert solar power / into a form of
매우 비싸다   일부 과학자들은 방법들을 검토하고 있다   태양 에너지를 전환시키는   에너지 형태로

energy / that is less expensive to store. Until the storage issue has been resolved, / it is unlikely /
저장하기에 덜 비싼   저장 문제가 해결될 때까지는   가능성은 작다

that the use of solar energy will fully replace / traditional methods of producing electricity.
태양 에너지의 사용이 완전히 대체할   전기를 생산하는 전통적인 방법들을

STEP 1
주제문: 태양 에너지가 더 큰 규모로 사용될 수 있기 전에 중대한 문제가 극복되어야 한다.

STEP 2
주제문을 '태양 에너지의 광범위한 사용에 대한 장애물 (An Obstacle to Solar Energy's Widespread Use)'이라고 바꾸어 표현한 ③번이 정답이다.

해석 태양 에너지는 전기를 만들어 내기 위해 수십 년 동안 사용되어 왔음에도 불구하고, 그것이 더 큰 규모로 사용될 수 있기 전에 중대한 문제가 극복되어야 한다. 태양 에너지는 오직 태양이 비치고 있을 때만 만들어질 수 있기 때문에 의존할 수 없는 에너지 자원이다. 그 결과, 태양 에너지로부터 만들어진 여분의 전기는 태양 빛이 없을 때를 위해 반드시 저장되어야 한다. 이 문제에 대한 분명한 해결책은 재충전되는 배터리의 사용이다. 그러나, 이것들과 같은 화학물질 저장 장치들은 매우 비싸다. 일부 과학자들은 태양 에너지를 저장하기에 덜 비싼 에너지 형태로 전환시키는 방법들을 검토하고 있다. 저장 문제가 해결될 때까지는, 태양 에너지의 사용이 전기를 생산하는 전통적인 방법들을 완전히 대체할 가능성은 작다.

① 다양한 에너지원 간의 차이점
② 시간의 경과에 따른 태양 에너지의 다양한 사용법
③ 태양 에너지의 광범위한 사용에 대한 장애물
④ 태양 에너지를 저장하는 저렴한 방법

해설 지문 앞부분에서 태양 에너지가 더 큰 규모로 사용될 수 있기 전에 중대한 문제가 극복되어야 한다고 한 후, 태양 에너지를 저장할 효율적인 방법을 찾는 문제를 해결하지 못하면 태양 에너지가 전기를 생산하는 전통적인 방법들을 대체할 수 없다는 것을 설명하고 있다. 따라서 지문의 제목을 '태양 에너지의 광범위한 사용에 대한 장애물'이라고 표현한 ③번이 정답이다.

어휘 generate 만들어 내다, 발생시키다 overcome 극복하다 scale 규모 unreliable 의존할 수 없는 rechargeable 재충전되는 storage 저장, 보관 convert 전환시키다 widespread 광범위한

🌟 독해가 쉬워지는 **공무원 필수구문**

have + been + p.p.의 형태의 동사 해석하기 Point 05 이 문장에서 동사는 has been used이다. 이처럼 동사가 have + been + p.p.(has been used)
의 형태로 쓰여 현재완료 수동의 의미를 가지는 경우, '(과거부터 현재까지) 사용되어 왔다'라고 해석한다.

정답: ③

08 다음 글의 요지로 가장 적절한 것은?

Child obesity is a problem that has become increasingly common nowadays because children are permitted to consume salty, fatty foods on a regular basis. Too often, parents allow them to eat processed or instant foods because doing so is more convenient than preparing a proper meal. However, as parents, we must acknowledge our role in this trend and look for ways to ensure that our own children develop healthy eating habits. These eating habits can continue to impact a person throughout their lifetime, as recent research has shown that adults with unhealthy diets typically were not provided with wholesome meals and snacks as children. In effect, a person's diet as a child is likely to continue into adulthood. Therefore, we must look at each meal as an opportunity to instruct our children on how to make healthy food choices.

① Parents influence the eating habits of their children.
② Parents find it difficult to provide their children with healthy food.
③ Children must insist that their parents cook them proper meals.
④ Children need to establish their food preferences before adulthood.

지문 구조 한눈에 보기

지문을 읽고 빈칸에 알맞은 말을 채우시오.

> **도입** ¹_____은 요즘 점점 더 흔해지게 된 문제임

> **문제** 우리는 아이들에게 너무 자주 가공식품 또는 인스턴트 식품을 먹도록 허락함

> **주제문** 부모로서, 우리는 아이들이 ²_____ 식습관을 기르도록 하는 방법을 찾아야 함

> **설명** 건강하지 못한 식습관을 가진 어른들이 대체로 아이였을 때 건강에 좋은 음식을 제공받지 못했다는 최근 연구가 있음

> **요약** 매끼 ³_____를 아이들에게 건강한 식습관을 선택하도록 가르칠 기회로 보아야 함

정답 1. 아동 비만 2. 건강한 3. 식사

지문분석

Child obesity is a problem / that has become increasingly common nowadays / because children
아동 비만은 문제이다   요즘 점점 더 흔해지게 된   아이들이 먹는 것이 허락되기 때문에

are permitted to consume / salty, fatty foods / on a regular basis. Too often, / parents allow them to
                                                = regularly
먹도록 허락된다   짜고 기름진 음식을   정기적으로   너무 자주   부모는 그들이 먹도록 허락한다

eat / processed or instant foods / because doing so is more convenient / than preparing a proper meal.
먹도록   가공식품이나 인스턴트 식품들을   그렇게 하는 것이 더 편리하기 때문에   제대로 된 식사를 준비하는 것보다

However, / as parents, / we must acknowledge our role / in this trend / and look for ways to ensure /
하지만   부모로서   우리는 우리의 역할을 인정해야 한다   이러한 추세 속에서   그리고 보장할 방법을 찾아야만 한다

that our own children develop / healthy eating habits. These eating habits / can continue to impact a
우리의 아이들이 기르도록 하는 것을   건강한 식습관을   이러한 식습관은   한 사람에게 계속해서 영향을 미칠 수 있다

person / throughout their lifetime, / as recent research has shown / that adults / with unhealthy diets /
                평생동안   최근의 연구가 보여주었기 때문에   어른들이   건강하지 못한 식습관을 가진
         → be provided with ~: ~을 제공받다

typically were not provided with / wholesome meals and snacks / as children. In effect, / a person's
대체로 제공받지 못했다는 것을   건강에 좋은 식사와 간식을   아이였을 때   사실상   한 사람의

diet as a child / is likely to continue into adulthood. Therefore, / we must look at each meal /
어릴 때의 식습관은   성년까지 지속될 가능성이 높다   그러므로   우리는 반드시 매끼 식사를 보아야 한다

as an opportunity to instruct our children on / how to make healthy food choices.
우리의 아이들에게 가르칠 기회로   건강한 음식을 선택하는 방법을

STEP 1
주제문: 부모들은 아이들이 건강한 식습관을 기르도록 보장하는 방법을 찾아야 한다.

STEP 2
주제문을 '부모는 아이들의 식습관에 영향을 미친다 (Parents influence the eating habits of their children)'라고 바꾸어 표현한 ①번이 정답이다.

해석 아이들이 짜고 기름진 음식을 정기적으로 먹는 것이 허락되기 때문에 아동 비만은 요즘 점점 더 흔해지게 된 문제이다. 너무 자주, 그렇게 하는 것이 제대로 된 식사를 준비하는 것보다 더 편리하기 때문에 부모들은 그들이 가공식품이나 인스턴트 식품들을 먹도록 허락한다. 하지만, 부모로서, 우리는 이러한 추세 속에서 우리의 역할을 인정하고 우리의 아이들이 건강한 식습관을 기르도록 보장하는 방법을 찾아야만 한다. 최근의 연구는 건강하지 못한 식습관을 가진 어른들이 아이였을 때 대체로 건강에 좋은 식사와 간식을 제공받지 못했다는 것을 보여주었기 때문에 이러한 식습관은 평생동안 한 사람에게 영향을 미칠 수 있다. 사실상, 한 사람의 어릴 때의 식습관은 성년까지 지속될 가능성이 높다. 그러므로 우리는 반드시 매끼 식사를 우리의 아이들에게 건강한 음식을 선택하는 방법을 가르칠 기회로 보아야 한다.

① 부모는 아이들의 식습관에 영향을 미친다.
② 부모는 아이들에게 건강한 음식을 제공하는 것이 어렵다고 생각한다.
③ 아이들은 부모가 그들에게 제대로 된 식사를 요리해 줄 것을 주장해야 한다.
④ 아이들은 성인이 되기 전에 그들의 음식 선호도를 확립해야 한다.

해설 지문 앞부분에서 부모가 아동 비만의 추세 속에서 자신의 역할을 인정하고 아이들이 건강한 식습관을 기르도록 보장하는 방법을 찾아야 한다고 한 후, 이어서 건강하지 못한 식습관을 가진 어른들이 아이였을 때 대체로 건강에 좋은 식사와 간식을 제공받지 못했다는 최근의 연구 결과를 설명하고 있다. 따라서 지문의 요지를 '부모는 아이들의 식습관에 영향을 미친다'라고 표현한 ①번이 정답이다.

어휘 obesity 비만 permit 허락하다 consume 먹다, 소비하다 convenient 편리한 acknowledge 인정하다 wholesome 건강에 좋은
instruct 가르치다, 지시하다 establish 확립하다 preference 선호(도)

독해가 쉬워지는 **공무원 필수구문**

명사를 꾸며주는 '주격 관계대명사 who / that / which ~' 해석하기 [Point 16] 이 문장에서 that has become ~ nowadays는 앞에 나온 명사 a problem
을 꾸며주는 수식어이다. 이처럼 주격 관계대명사가 이끄는 절(that + 동사 ~)이 명사를 꾸며주는 경우, '요즘 점점 더 흔해지게 된 문제'라고 해석한다.

정답: ①

09 다음 글을 쓴 목적으로 가장 적절한 것은?

While pests are nothing new to Florida farmers, they are currently battling a new opponent. This opponent is the giant African snail, originally from Nigeria. As its name suggests, it is much bigger than an average snail, with a size similar to a tennis ball. Agricultural experts believe the snails were smuggled into the United States and have flourished in Florida due to the hot and humid climate. These snails are a major threat to crops because, unlike most snails that eat decaying plants or leaf mold, they feed on live vegetation. Furthermore, they are able to lay one hundred eggs each month and live an average of eight years. With no natural predators, it is unlikely their population will decline anytime soon.

① 플로리다의 농업을 소개하기 위해

② 달팽이 종에 대한 이해를 증진하기 위해

③ 나이지리아에서 작물이 부족해진 원인을 설명하기 위해

④ 플로리다의 아프리카 대왕 달팽이 문제를 설명하기 위해

지문 구조 한눈에 보기

지문을 읽고 빈칸에 알맞은 말을 채우시오.

주제문 플로리다의 농부들은 현재 새로운 ¹_____인 아프리카 대왕 달팽이와 싸우고 있음

설명1 그것들은 원래 나이지리아에서 왔음

> **부연1** | 전문가들은 그것들이 미국으로 ²_____ 되었다고 생각함
>
> **부연2** | 덥고 습한 기후로 인해 플로리다에서 번식했다고 생각함

설명2 그것들은 작물에 큰 ³_____임

> **이유1** | 다른 달팽이들과 달리 그것들은 살아있는 초목을 먹고 삶
>
> **이유2** | 매달 한 번에 100개의 알을 낳고, 평균 8년을 살 수 있음

결론 천적도 없는 상황에서, 그것들의 개체 수가 곧 ⁴_____할 가능성은 낮음

정답 1. 적 2. 밀반입 3. 위협 4. 감소

→ -thing으로 끝나는 대명사: 형용사가 뒤에서 수식
While pests are (nothing new) / to Florida farmers, / they are currently battling / a new opponent.
해충은 전혀 새로운 것이 아니지만 　플로리다의 농부들에게 　그들은 현재 싸우고 있다 　　새로운 적과

This opponent is the giant African snail, / originally from Nigeria. As its name suggests, / it is much
이 적은 아프리카 대왕 달팽이다 　　원래 나이지리아에서 온 　　그것의 이름이 시사하듯 　그것은 훨씬 더 크다

bigger / than an average snail, / with a size similar to a tennis ball. Agricultural experts believe /
일반 달팽이보다 　　테니스공과 비슷한 크기로 　　농업 전문가들은 생각한다

→ due to ~: ~ 때문에
the snails 　were smuggled / into the United States / and have flourished in Florida / (due to) the hot
이 달팽이가 밀반입되었다고 　　미국으로 　　그리고 플로리다에서 번식했다고 　덥고

and humid climate. These snails are a major threat to crops / because, / unlike most snails / that eat
습한 기후 때문에 　　이 달팽이들은 작물에 큰 위협이다 　왜냐하면 　대부분의 달팽이들과는 달리

→ feed on ~: ~을 먹고 살다
decaying plants or leaf mold, / they (feed on) live vegetation. Furthermore, / they are able to lay one
썩어가는 식물이나 부엽토를 먹는 　그것들은 살아있는 초목을 먹고 산다 　게다가 　그것들은 100개의 알을 낳을 수 있다

hundred eggs / each month / and live an average of eight years. With no natural predators, /
매달 　그리고 평균 8년을 살 수 있다 　천적도 없는 상황에서

it is unlikely / their population will decline / anytime soon.
가능성은 낮다 　그것들의 개체 수가 감소할 　곧

해석 플로리다의 농부들에게 해충은 전혀 새로운 것이 아니지만, 그들은 현재 새로운 적과 싸우고 있다. 이 적은 원래 나이지리아에서 온 아프리카 대왕 달팽이다. 그것의 이름이 시사하듯, 그것은 테니스공과 비슷한 크기로 일반 달팽이보다 훨씬 더 크다. 농업 전문가들은 이 달팽이가 미국으로 밀반입되었고 덥고 습한 기후 때문에 플로리다에서 번식했다고 생각한다. 썩어가는 식물이나 부엽토를 먹는 대부분의 달팽이들과는 달리, 그것들은 살아있는 초목을 먹고 살기 때문에 작물에 큰 위협이다. 게다가, 그것들은 매달 100개의 알을 낳을 수 있고 평균 8년을 살 수 있다. 천적 없는 상황에서, 그것들의 개체 수가 곧 감소할 가능성은 낮다.

해설 지문 앞부분에서 플로리다의 농부들이 새로운 적인 나이지리아에서 온 아프리카 대왕 달팽이와 싸우고 있다고 하고, 이어서 아프리카 대왕 달팽이의 번식과 위협에 대해 설명하고 있다. 따라서 지문의 목적을 '플로리다의 아프리카 대왕 달팽이 문제를 설명하기 위해'라고 표현한 ④번이 정답이다.

어휘 pest 해충　opponent 적, 상대　originally 원래, 본래　agricultural 농업의　smuggle 밀반입하다　flourish 번식하다, 잘 자라다　humid 습한
decay 썩다, 부패하다　vegetation 초목　natural predator 천적, 포식자　population 개체 수, 인구

독해가 쉬워지는 **공무원 필수구문**

be + p.p. 형태의 동사 해석하기 [Point 04] 이 문장에서 동사는 were smuggled이다. 이처럼 동사가 be + p.p.(were smuggled)의 형태로 쓰여 수동의 의미를 가지는 경우, '밀반입되었다'라고 해석한다.

정답: ④

10 다음 글의 제목으로 가장 적절한 것은?

It's safe to say that we all want to be healthy and fit, but not all of us have the time to exercise. Busy lifestyles leave little room for long workouts at the gym. However, getting an amount of exercise sufficient enough for good health isn't as overwhelming as it seems. Studies suggest that walking briskly for just 11 minutes a day can add 1.8 years to your life. And while exercise is necessary for staying in good shape, healthy lifestyle choices such as not smoking and lowering stress levels are also crucial. So even though life is busy, a little exercise and positive lifestyle choices can go a long way in keeping us healthy.

① The Difficulty of Managing a Busy Lifestyle
② Challenges in Making Healthy Choices
③ Small Lifestyle Changes with Big Health Benefits
④ The Long-term Advantages of Quitting Smoking

지문 구조 한눈에 보기

지문을 읽고 빈칸에 알맞은 말을 채우시오.

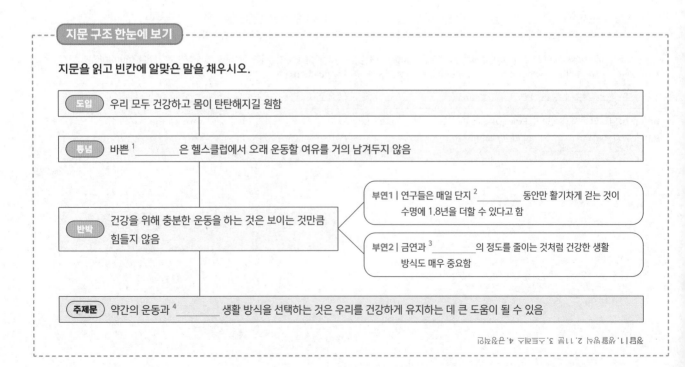

(도입) 우리 모두 건강하고 몸이 탄탄해지길 원함

(통념) 바쁜 ¹_____은 헬스클럽에서 오래 운동할 여유를 거의 남겨두지 않음

(반박) 건강을 위해 충분한 운동을 하는 것은 보이는 것만큼 힘들지 않음

부연1 | 연구들은 매일 단지 ²_____ 동안만 활기차게 걷는 것이 수명에 1.8년을 더할 수 있다고 함

부연2 | 금연과 ³_____의 정도를 줄이는 것처럼 건강한 생활 방식도 매우 중요함

(주제문) 약간의 운동과 ⁴_____ 생활 방식을 선택하는 것은 우리를 건강하게 유지하는 데 큰 도움이 될 수 있음

정답 | 1. 생활 방식이 2. 11분 3. 스트레스 4. 긍정적인

It's safe to say / that we all want to be healthy and fit, / but / not all of us have the time / to exercise.
말하는 것은 과언이 아니다   우리 모두가 건강하고 몸이 탄탄해지기를 원한다고   그러나   우리 중 모두가 시간이 있는 것은 아니다   운동할

Busy lifestyles leave little room / for long workouts at the gym. However, / getting an amount of
바쁜 생활 방식은 여유를 거의 남겨두지 않는다   헬스클럽에서의 오랜 운동을 위한   하지만

→ 형용사를 뒤에서 수식하는 enough   → as + 형용사 + as: 원급 비교(~만큼 ~한)
exercise sufficient (enough) / for good health / isn't (as overwhelming as) it seems. Studies suggest /
     충분한 양의 운동을 하는 것은   건강을 위해   그것이 보이는 것만큼 힘들지 않다   연구들은 말한다

that walking briskly / for just 11 minutes a day / can add 1.8 years to your life. And while exercise is
     활기차게 걷는 것이   매일 단지 11분 동안   당신의 수명에 1.8년을 더할 수 있다고   그리고 운동이 필요하긴 하지만

necessary / for staying in good shape, / healthy lifestyle choices / such as not smoking and lowering
필요하다   좋은 몸매를 유지하기 위해   건강한 생활 방식의 선택   금연과 스트레스의 정도를 줄이는 것과 같은

주제문의 단서 →
stress levels / are also crucial. (So) /   even though life is busy, / a little exercise and positive lifestyle
     또한 매우 중요하다   따라서   비록 생활이 바쁘더라도   약간의 운동과 긍정적인 생활 방식의 선택은

choices / can go a long way / in keeping us healthy.
     큰 도움이 될 수 있다   우리를 건강하게 유지하는 데

STEP 1
주제문: 약간의 운동과 긍정적인 생활 방식은 건강에 도움이 될 수 있다.

STEP 2
주제문을 '건강상의 큰 이점이 있는 생활 방식의 작은 변화들(Small Lifestyle Changes with Big Health Benefits)'이라고 바꾸어 표현한 ③번이 정답이다.

해석 우리 모두가 건강하고 몸이 탄탄해지기를 원한다고 말해도 과언이 아니지만, 우리 중 모두가 운동할 시간이 있는 것은 아니다. 바쁜 생활 방식은 헬스클럽에서의 오랜 운동을 위한 여유를 거의 남겨두지 않는다. 하지만, 건강을 위해 충분한 양의 운동을 하는 것은 보이는 것만큼 힘들지 않다. 연구들은 매일 단지 11분 동안 활기차게 걷는 것이 당신의 수명에 1.8년을 더할 수 있다고 말한다. 그리고 운동이 좋은 몸매를 유지하기 위해 필요하긴 하지만, 금연과 스트레스의 정도를 줄이는 것과 같은 건강한 생활 방식의 선택 또한 매우 중요하다. 따라서 비록 생활이 바쁘더라도, 약간의 운동과 긍정적인 생활 방식의 선택은 우리를 건강하게 유지하는 데 큰 도움이 될 수 있다.

① 바쁜 생활 방식을 관리하는 것의 어려움
② 건강에 좋은 선택을 하는 것에 따르는 도전들
③ 건강상의 큰 이점이 있는 생활 방식의 작은 변화들
④ 금연의 장기적 이점

해설 지문 전반에 걸쳐 건강을 유지하는 방법에 대해 설명하고, 지문의 마지막 부분에서 약간의 운동과 긍정적인 생활 방식의 선택이 우리의 건강을 유지하는 데 큰 도움이 될 수 있다고 설명하고 있다. 따라서 지문의 제목을 '건강상의 큰 이점이 있는 생활 방식의 작은 변화들'이라고 표현한 ③번이 정답이다.

어휘 It's safe to say that ~라 해도 과언이 아니다   fit (몸이) 탄탄한, 건강한   room 여유, 방   workout 운동   sufficient 충분한   briskly 활기차게, 힘차게   lower 줄이다, 낮추다   crucial 매우 중요한   go a long way 큰 도움이 되다

독해가 쉬워지는 **공무원 필수구문**

문장을 꾸며주는 '접속사 ~' 해석하기 [Point 21] 이 문장에서 even though life is busy는 뒤에 나온 문장 전체를 꾸며주는 수식어이다. 이처럼 접속사 even though가 이끄는 절(even though + 주어 + 동사 ~)이 문장을 꾸며주는 경우, '비록 생활이 바쁘더라도'라고 해석한다.

정답: ③

11 다음 글의 주제로 가장 적절한 것은?

[2020년 국가직 9급]

For many people, work has become an obsession. It has caused burnout, unhappiness and gender inequity, as people struggle to find time for children or passions or pets or any sort of life besides what they do for a paycheck. But increasingly, younger workers are pushing back. More of them expect and demand flexibility—paid leave for a new baby, say, and generous vacation time, along with daily things, like the ability to work remotely, come in late or leave early, or make time for exercise or meditation. The rest of their lives happens on their phones, not tied to a certain place or time—why should work be any different?

① ways to increase your paycheck

② obsession for reducing inequity

③ increasing call for flexibility at work

④ advantages of a life with long vacations

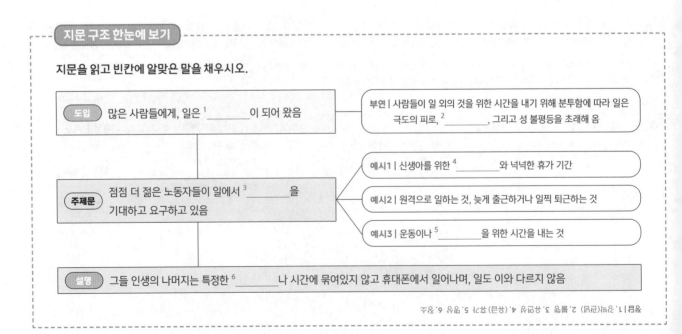

지문 구조 한눈에 보기

지문을 읽고 빈칸에 알맞은 말을 채우시오.

| **도입** | 많은 사람들에게, 일은 ¹_____이 되어 왔음 |

부연 | 사람들이 일 외의 것을 위한 시간을 내기 위해 분투함에 따라 일은 극도의 피로, ²_____, 그리고 성 불평등을 초래해 옴

| **주제문** | 점점 더 젊은 노동자들이 일에서 ³_____을 기대하고 요구하고 있음 |

예시1 | 신생아를 위한 ⁴_____와 넉넉한 휴가 기간

예시2 | 원격으로 일하는 것, 늦게 출근하거나 일찍 퇴근하는 것

예시3 | 운동이나 ⁵_____을 위한 시간을 내는 것

| **설명** | 그들 인생의 나머지는 특정한 ⁶_____나 시간에 묶여있지 않고 휴대폰에서 일어나며, 일도 이와 다르지 않음 |

정답 | 1. 강박(관념) 2. 불행 3. 유연성 4. 유급휴가 5. 명상 6. 장소

지문분석

For many people, / work has become an obsession. It has caused / burnout, unhappiness and gender
많은 사람들에게   일은 강박이 되어 왔다   그것은 초래해 왔다   극도의 피로, 불행 그리고 성 불평등을

↳struggle to ~: ~을 하기 위해 분투하다
inequity, / as people (struggle to) find time / for children or passions or pets / or any sort of life / besides
사람들이 시간을 내기 위해 분투함에 따라   아이들이나 취미 활동이나 반려동물을 위한   또는 어떤 종류의 삶을 위한

↳명사절 접속사 what(~하는 것)
(what) they do / for a paycheck. But increasingly, / younger workers are pushing back. More of them /
그들이 하는 것 이외에   월급을 위해   그러나 점점 더   젊은 노동자들은 반발하고 있다   그들 중 더 많은 사람이

expect and demand flexibility / —paid leave for a new baby, / say, / and generous vacation time, /
유연성을 기대하고 요구한다   신생아를 위한 유급 휴가와 같은   이를테면   그리고 넉넉한 휴가 기간과 같은

along with daily things, / like the ability ★ to work remotely, / come in late or leave early, / or make
일상적인 것들과 함께   할 수 있는 것과 같은   원격으로 일하는   늦게 출근하거나 일찍 퇴근하는   혹은 시간을 내는

time / for exercise or meditation. The rest of their lives happens / on their phones, / not tied to a certain
운동이나 명상을 위한   그들 인생의 나머지는 일어난다   그들의 휴대폰에서   특정한 장소나 시간에 묶여있지 않고

↳의문문: 의문사 + 조동사 + 주어 + 동사
place or time / —why should work be any different?
일이라고 왜 달라야 하는가?

STEP 1

주제문: 젊은 노동자들이 유연성을 기대하고 요구하고 있다.

STEP 2

주제문을 '직장에서의 유연성에 대한 증가하는 요구(increasing call for flexibility at work)'라고 바꾸어 표현한 ③번이 정답이다.

해석 많은 사람들에게, 일은 강박이 되어 왔다. 사람들이 월급을 위해 하는 것 외에 아이들이나 취미 활동이나 반려동물 또는 어떤 종류의 삶을 위한 시간을 내기 위해 분투함에 따라, 일은 극도의 피로, 불행, 그리고 성 불평등을 초래해 왔다. 그러나 점점 더, 젊은 노동자들은 반발하고 있다. 그들 중 더 많은 사람들이 원격으로 일할 수 있는 것, 늦게 출근하거나 일찍 퇴근할 수 있는 것, 혹은 운동이나 명상을 위한 시간을 낼 수 있는 것과 같은 일상적인 것들과 함께, 이를테면 신생아를 위한 유급 휴가와 넉넉한 휴가 기간과 같은 유연성을 기대하고 요구한다. 그들 인생의 나머지는 특정한 장소나 시간에 묶여있지 않고 그들의 휴대폰에서 일어난다. 일이라고 왜 달라야 하는가?

① 당신의 월급을 인상시키는 방법들
② 불평등을 줄이기 위한 강박
③ 직장에서의 유연성에 대한 증가하는 요구
④ 장기 휴가가 있는 삶의 장점들

해설 지문 앞부분에서 많은 사람들에게 일이 강박이 되어 왔다고 한 후, 지문 중간에서 그러나 점점 더 많은 젊은 노동자들이 신생아를 위한 유급 휴가, 넉넉한 휴가 기간, 원격으로 일하거나 늦게 출근하거나 일찍 퇴근하는 것과 같은 일터에서의 유연성을 요구하고 있다고 설명하고 있다. 따라서 지문의 주제를 '직장에서의 유연성에 대한 증가하는 요구'라고 한 ③번이 정답이다.

어휘 obsession 강박 (관념)   gender inequity 성 불평등   struggle 분투하다, 발버둥치다   besides ~이외에   paycheck 월급   increasingly 점점 더
push back 반발하다   demand 요구하다   flexibility 유연성   leave 휴가   generous 넉넉한, 관대한   remotely 원격으로, 멀리서   meditation 명상

독해가 쉬워지는 **공무원 필수구문**

명사를 꾸며주는 to 부정사 해석하기 Point 13 이 문장에서 to work remotely는 앞에 나온 명사 the ability를 꾸며주는 수식어이다. 이처럼 **to 부정사(to work remotely)**가 명사를 꾸며주는 경우, '~ 일하는 것'이라고 해석한다.

정답: ③

12 다음 글의 주제로 적절한 것은? [2024년 국가직 9급]

It seems incredible that one man could be responsible for opening our eyes to an entire culture, but until British archaeologist Arthur Evans successfully excavated the ruins of the palace of Knossos on the island of Crete, the great Minoan culture of the Mediterranean was more legend than fact. Indeed its most famed resident was a creature of mythology: the half-man, half-bull Minotaur, said to have lived under the palace of mythical King Minos. But as Evans proved, this realm was no myth. In a series of excavations in the early years of the 20th century, Evans found a trove of artifacts from the Minoan age, which reached its height from 1900 to 1450 B.C.: jewelry, carvings, pottery, altars shaped like bull's horns, and wall paintings showing Minoan life.

① King Minos' successful excavations
② Appreciating artifacts from the Minoan age
③ Magnificence of the palace on the island of Crete
④ Bringing the Minoan culture to the realm of reality

지문 구조 한눈에 보기

지문을 읽고 빈칸에 알맞은 말을 채우시오.

도입 영국의 고고학자 Arthur Evans가 크레타섬에 있는 크노소스 궁전의 유적을 성공적으로 발굴하기 전까지 미노아 문화는 사실이라기보다는 더 ¹_____이었음

설명 그곳의 가장 유명한 거주자는 반은 인간이고 반은 ²_____인 신화 속의 생명체였음

주제문 Evans는 이 왕국이 신화가 아니었음을 증명함

부연 Evans는 미노아 시대의 유물 발굴품인 보석, 조각품, 도자기, 황소 뿔 모양의 제단, 그리고 미노아의 삶을 보여주는 ³_____를 발견함

정답 1. 전설 2. 황소 3. 벽화

지문분석

→ be responsible for ~: ~에 책임이 있다

It seems incredible / that one man could (be responsible for) / opening our eyes / to an entire culture, /
믿을 수 없는 것처럼 보인다 한 사람이 책임을 질 수 있다는 것은 우리의 눈을 뜨게 하는 전체 문화에 대해

but / until British archaeologist Arthur Evans successfully excavated / the ruins of the palace of
하지만 영국의 고고학자 Arthur Evans가 성공적으로 발굴하기 전까지 크노소스 궁전의 유적을

Knossos / on the island of Crete, / the great Minoan culture of the Mediterranean / was more legend
크노소스 크레타섬에 있는 지중해의 위대한 미노아 문화는 사실이라기보다는 더 전설

than fact. Indeed / its most famed resident / was a creature of mythology: / the half-man, half-bull
이었다 실제로 그곳의 가장 유명한 거주자는 신화 속의 생명체였다 반은 인간이고 반은 황소인 미노타우로스는

Minotaur, / said to have lived under the palace of mythical King Minos. But / as Evans proved, / this
신화 속 미노스 왕의 궁전 아래에서 살았다고 한다 하지만 Evans가 증명했듯이

realm was no myth. In a series of excavations / in the early years of the 20th century, / Evans found a
이 왕국은 신화가 아니었다 일련의 발굴에서 20세기 초의 Evans는 유물 발굴품을 발견했다

→ 계속적 용법으로 쓰인 관계대명사 which

trove of artifacts / from the Minoan age, / (which) reached its height / from 1900 to 1450 B.C.: / jewelry, /
미노아 시대의 절정에 달했던 기원전 1900년에서 1450년 사이에 보석

carvings, / pottery, / altars shaped like bull's horns, / and wall paintings / ☆ showing Minoan life.
조각품 도자기 황소 뿔 모양의 제단 그리고 벽화 미노아의 삶을 보여주는

STEP 1
주제문: 미노아 왕국은 신화가 아니었다.

STEP 2
주제문을 '미노아 문화를 현실의 영역으로 끌어들이기 (Bringing the Minoan culture to the realm of reality)'라고 바꾸어 표현한 ④번이 정답이다.

해석 한 사람이 전체 문화에 대해 우리의 눈을 뜨게 하는 책임을 질 수 있다는 것은 믿을 수 없는 것처럼 보이지만, 영국의 고고학자 Arthur Evans가 크레타섬에 있는 크노소스 궁전의 유적을 성공적으로 발굴하기 전까지 지중해의 위대한 미노아 문화는 사실이라기보다는 더 전설이었다. 실제로 그곳의 가장 유명한 거주자는 신화 속의 생명체였다. 반은 인간이고 반은 황소인 미노타우로스는 신화 속 미노스 왕의 궁전 아래에서 살았다고 한다. 그러나 Evans가 증명했듯이, 이 왕국은 신화가 아니었다. 20세기 초의 일련의 발굴에서, Evans는 기원전 1900년에서 1450년 사이에 절정에 달했던 미노아 시대의 유물 발굴품인 보석, 조각품, 도자기, 황소 뿔 모양의 제단, 그리고 미노아의 삶을 보여주는 벽화를 발견했다.

① 미노스 왕의 성공적인 발굴
② 미노아 시대의 유물 감상
③ 크레타섬에 있는 궁전의 웅장함
④ 미노아 문화를 현실의 영역으로 끌어들이기

해설 지문 앞부분에서 고고학자 Arthur Evans가 크노소스 궁전의 유적을 발굴하기 전까지 미노아 문화는 사실이라기보다는 더 전설이었다고 한 후, 지문 뒷부분에서 Evans가 보석, 조각품 등 미노아 시대의 유물 발굴품을 발견했다는 것을 설명하며 그 영역은 신화가 아니었다고 하고 있다. 따라서 지문의 주제를 '미노아 문화를 현실의 영역으로 끌어들이기'라고 한 ④번이 정답이다.

어휘 archaeologist 고고학자 excavate ~을 발굴하다 ruin 유적 Mediterranean 지중해의 indeed 실제로, 정말로 famed 유명한 mythology 신화
bull 황소 realm 왕국, 영역 trove 발굴품, 귀중한 수집품 artifact 유물 carving 조각품 pottery 도자기 altar 제단 horn 뿔 appreciate 감상하다
magnificence 웅장함

독해가 쉬워지는 **공무원 필수구문**

명사를 꾸며주는 현재분사 해석하기 Point 14 이 문장에서 showing Minoan life는 앞에 나온 명사 wall paintings를 꾸며주는 수식어이다. 이처럼 현재분사 (showing ~)가 명사를 꾸며주는 경우, '미노아의 삶을 보여주는 벽화'라고 해석한다.

정답: ④

Chapter 02

문단 요약

지문의 내용을 요약한 문장의 빈칸을 완성하거나, 지문을 가장 잘 요약한 보기를 고르는 문제 유형이다.

최근 5개년 출제 비율
'20~'24 국·지·서·법·국회(2024.04.기준)

3%

☐ 출제 경향

· 지문의 내용을 요약한 1~2문장의 요약문이 주어지고, 문장의 빈칸에 들어갈 내용을 고르는 문제가 주로 출제된다.
· 문장 형태로 주어진 보기 중 지문을 가장 잘 요약한 것을 고르는 문제가 출제되기도 한다.

☐ STEP별 문제 풀이 전략

STEP 1 주어진 요약문이나 보기를 읽고, 지문에서 알아내야 하는 내용을 파악한다.

- 요약문의 빈칸을 완성하는 문제인 경우, 먼저 주어진 요약문을 읽고 지문에서 무엇을 알아내야 하는지를 파악한다.

  요약문   Recent research shows that most people believe that **euthanasia** _____.
               최근의 연구는 대부분의 사람들이 **안락사**가 _____라고 생각하는 것을 보여준다.
               → 지문에서 사람들이 안락사를 어떻게 생각하는지를 알아내야 함을 파악한다.

- 지문을 가장 잘 요약한 보기를 고르는 문제인 경우, 먼저 보기를 빠르게 읽고 지문에서 다루고 있는 소재와 중심 내용이 무엇인지 파악한다.

STEP 2 알아내야 할 내용을 중심으로 지문을 읽고, 가장 알맞은 보기를 선택한다.

- 요약문의 빈칸을 완성하는 문제인 경우, 알아내야 하는 내용이 언급된 부분에 집중하여 지문을 읽고, 빈칸에 들어갈 가장 알맞은 보기를 선택한다. 이때, 지문에 언급된 단어가 요약문에서 다른 단어로 바꾸어 표현되는 경우도 있으므로 유의해야 한다.

  지문   Still, many think that **mercy killing** should remain illegal.
            여전히, 많은 사람들은 **안락사**가 불법으로 남아야 한다고 생각한다.

  요약문   According to the passage, most people believe that **euthanasia** _____.
               지문에 따르면, 대부분의 사람들은 **안락사**가 _____ 하다고 생각한다.
               → 지문의 mercy killing이 요약문에서 euthanasia로 바꾸어 표현되었다.

- 지문을 가장 잘 요약한 보기를 고르는 문제인 경우, 지문을 읽고 주제문이나 중심 내용을 가장 잘 표현한 보기를 선택한다.

■ 전략 적용

다음 글의 내용을 한 문장으로 요약하고자 한다. 빈칸 (A), (B)에 들어갈 말로 가장 적절한 것은?

[2020년 법원직 9급]

Whether we are complimented for our appearance, our garden, a dinner we prepared, or an assignment at the office, it is always satisfying to receive recognition for a job well done. Certainly, reinforcement theory sees occasional praise as an aid to learning a new skill. However, some evidence cautions against making sweeping generalizations regarding the use of praise in improving performance. It seems that while praise improves performance on certain tasks, on others it can instead prove harmful. Imagine the situation in which the enthusiastic support of hometown fans expecting victory brings about the downfall of their team. In this situation, it seems that praise creates pressure on athletes, disrupting their performance.

Whether _____ (A) _____ helps or hurts a performance depends on _____ (B) _____.

	(A)		(B)
①	praise	...	task type
②	competition	...	quality of teamwork
③	praise	...	quality of teamwork
④	competition	...	task types

STEP 1

주어진 요약문이나 보기를 읽고, 지문에서 알아내야 하는 내용 파악하기

요약문을 읽고 성과에 도움이 될 수도 있고 지장을 줄 수도 있는 (A)가 무엇인지와, (A)의 영향을 결정하는 (B)가 무엇인지 알아내야 함을 파악한다.

STEP 2

알아내야 할 내용을 중심으로 지문을 읽고, 가장 알맞은 보기 선택하기

지문에서 '칭찬은 특정 업무에 대한 성과를 향상시키는 반면, 다른 업무에 있어서는 오히려 해가 되는 것으로 밝혀질 수도 있다'고 했으므로, 빈칸 (A)에는 '칭찬(praise)', (B)에는 '업무의 종류(task type)'가 들어가는 것이 가장 알맞다. 따라서 ①번이 정답이다.

해석 우리가 우리의 외모, 우리의 정원, 우리가 준비한 저녁 식사, 또는 회사에서의 업무로 칭찬을 받든지 간에, 잘 처리된 일로 인정을 받는 것은 항상 만족스럽다. 분명히, 강화이론은 가끔의 칭찬을 새로운 기술을 학습하는 데 도움이 되는 것으로 여긴다. 하지만, 몇몇 증거는 성과를 향상시키는 데 있어 칭찬의 활용과 관련하여 지나치게 포괄적인 일반화를 하는 것을 경고한다. 칭찬은 특정 업무에 대한 성과를 향상시키는 반면, 다른 업무에 있어서 그것은 오히려 해가 되는 것으로 밝혀질 수도 있는 것 같다. 승리를 예상하는 고향 팬들의 열렬한 지지가 그들의 팀의 급격한 전락을 초래하는 상황을 상상해 보아라. 이러한 상황에서, 칭찬은 운동선수들에게 부담을 주며, 그 결과 그들의 성과에 지장을 주는 것 같다.

(A) 칭찬이 성과에 도움이 되는지 지장을 주는지는 (B) 업무의 종류에 달려 있다.

	(A)		(B)
①	칭찬	...	업무의 종류
②	경쟁	...	팀워크의 질
③	칭찬	...	팀워크의 질
④	경쟁	...	업무의 종류

어휘 compliment 칭찬하다 appearance 외모 satisfying 만족스러운 recognition 인정 reinforcement theory 강화이론 occasional 가끔의
sweeping 포괄적인, 광범위한 generalization 일반화 enthusiastic 열렬한 downfall 전락, 몰락 disrupt 지장을 주다, 방해하다

정답: ①

앞에서 배운 STEP별 전략을 적용하여 문제를 풀어보자.

01 다음 글을 요약한 문장에서 밑줄 친 부분에 들어갈 말로 가장 적절한 것은?

The roots of Kusunda, a language spoken primarily in western Nepal, are unknown to researchers. Linguists compared the language to others in nearby Tibet and China, but found them to have little in common. In fact, no relationship could be found between Kusunda and any other major languages spoken throughout India and Central Asia. Furthermore, even after examining the features of minor languages and dialects in the regions surrounding Nepal, a common source could not be determined. These findings have led linguists to believe that Kusunda must have developed on its own and in isolation from neighboring languages.

Linguists believe that the Kusunda language _____.

① is similar to other languages

② has no clear origin

③ originated in Central Asia

④ was widely spoken in India

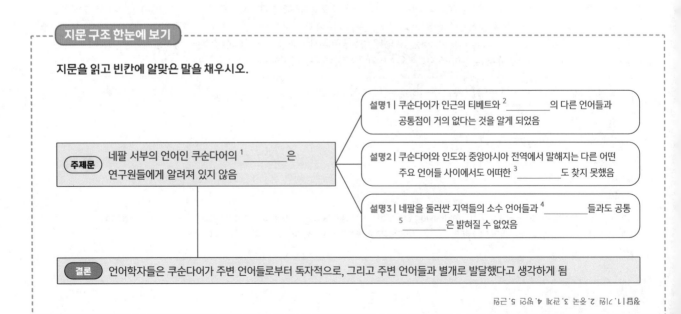

지문 구조 한눈에 보기

지문을 읽고 빈칸에 알맞은 말을 채우시오.

설명1 | 쿠순다어가 인근의 티베트와 ² _____의 다른 언어들과 공통점이 거의 없다는 것을 알게 되었음

주제문 네팔 서부의 언어인 쿠순다어의 ¹ _____은 연구원들에게 알려져 있지 않음

설명2 | 쿠순다어와 인도와 중앙아시아 전역에서 말해지는 다른 어떤 주요 언어들 사이에서도 어떠한 ³ _____도 찾지 못했음

설명3 | 네팔을 둘러싼 지역들의 소수 언어들과 ⁴ _____들과도 공통 ⁵ _____은 밝혀질 수 없었음

결론 언어학자들은 쿠순다어가 주변 언어들로부터 독자적으로, 그리고 주변 언어들과 별개로 발달했다고 생각하게 됨

정답 1. 기원 2. 중국 3. 관계 4. 방언 5. 근원

be unknown to ~: ~에게 알려져 있지 않다

The roots of Kusunda, / a language spoken primarily in western Nepal, / are unknown to researchers.
쿠순다어의 기원은   주로 네팔 서부에서 말해지는 언어인   연구원들에게 알려져 있지 않다

→ 이미 언급한 것 이외의 것들 중 몇몇
Linguists compared the language / to others in nearby Tibet and China, / but / found them to have
언어학자들은 그 언어를 비교했다   인근의 티베트와 중국의 다른 언어들과   그러나   그것들이 공통점이

little in common. In fact, / no relationship could be found / between Kusunda and any other major
거의 없다는 것을 알게 되었다   실제로   어떠한 관계도 찾아질 수 없었다   쿠순다어와 다른 어떤 주요 언어들 사이에서

languages / spoken throughout India and Central Asia. Furthermore, / even after examining the
언어들   인도와 중앙아시아 전역에서 말해지는   게다가   심지어 특성들을 검토한 후에도

features / of minor languages and dialects / in the regions surrounding Nepal, / a common source /
특성들   소수 언어들과 방언들의   네팔을 둘러싼 지역들의   공통 근원은

→ lead ~ to ~: ~을 ~하게 이끌다
could not be determined. These findings / have led linguists to believe / that Kusunda ☆ must have
밝혀질 수 없었다   이러한 연구 결과들은   언어학자들이 생각하게 이끌었다   쿠순다어가 발달한 것이 틀림없다고

developed / on its own / and in isolation from neighboring languages.
발달한 것이   독자적으로   그리고 주변 언어들과 별개로

Linguists believe / that the Kusunda language / has no clear origin.
언어학자들은 믿는다   쿠순다어가   명확한 기원을 가지고 있지 않다고

STEP 1
알아내야 하는 내용:
쿠순다어의 특징

STEP 2
빈칸에 들어갈 내용을 '명확한
기원을 가지고 있지 않다(has
no clear origin)'라고 한 ②번
이 정답이다.

해석 주로 네팔 서부에서 말해지는 언어인 쿠순다어의 기원은 연구원들에게 알려져 있지 않다. 언어학자들은 그 언어를 인근의 티베트와 중국의 다른 언어들과 비교했지만, 그것들이 공통점이 거의 없다는 것을 알게 되었다. 실제로, 쿠순다어와 인도와 중앙아시아 전역에서 말해지는 다른 어떤 주요 언어들 사이에서 어떠한 관계도 찾아질 수 없었다. 게다가, 심지어 네팔을 둘러싼 지역들의 소수 언어들과 방언들의 특성들을 검토한 후에도 공통 근원은 밝혀질 수 없었다. 이러한 연구 결과들은 언어학자들이 쿠순다어가 독자적으로, 그리고 주변 언어들과 별개로 발달한 것이 틀림없다고 생각하게 이끌었다.

언어학자들은 쿠순다어가 명확한 기원을 가지고 있지 않다고 믿는다.

① 다른 언어들과 유사하다
② 명확한 기원을 가지고 있지 않다
③ 중앙아시아에서 유래되었다
④ 인도에서 널리 말해졌다

해설 지문 전반에 걸쳐 쿠순다어의 기원은 알려지지 않았다고 하고, 인도와 중앙아시아 전역의 여러 주요 언어들을 비롯하여 네팔을 둘러싼 지역들의 언어와 비교해도 공통점을 찾을 수 없다고 했으므로, '명확한 기원을 가지고 있지 않다'라고 한 ②번이 정답이다.

어휘 primarily 주로   linguist 언어학자   compare 비교하다   major 주요한   examine 검토하다, 시험하다   feature 특성, 특징   dialect 방언, 사투리
determine 밝히다, 알아내다   in isolation from 별개로   originate 유래하다, 비롯되다   widely 널리, 폭넓게

독해가 쉬워지는 **공무원 필수구문**

조동사 + have + p.p. 형태의 동사 해석하기 Point 06 이 문장의 that 절에서 동사는 must have developed이다. 이처럼 조동사 must가 have
+ p.p.(have developed)와 함께 쓰이는 경우, '발달한 것이 틀림없다'라고 해석한다.

정답: ②

02 다음 글을 요약한 문장에서 빈칸에 들어갈 말로 가장 적절한 것은?

In most parts of the world, puppet shows are viewed as children's entertainment rather than a form of high art. This is a relatively modern perspective, however, as movable dolls were historically used to portray important subject matter. Several centuries ago in India, figures were held up with sticks and manipulated to reenact religious stories. Later, in East and Southeast Asia, puppets were frequently featured in court performances. Even during the Renaissance, they were seen as the height of art in Western civilization. Biblical stories and Shakespearean plays were often performed with puppets instead of live actors.

Modern puppets differ from earlier ones in the _____.

① costumes that they wear

② ways they are made

③ places they originate from

④ purposes they are used for

지문 구조 한눈에 보기

지문을 읽고 빈칸에 알맞은 말을 채우시오.

> **통념** 세계 대부분의 지역에서, ¹_____은 고급 예술의 한 형태보다는 아이들의 ²_____로 간주됨

> **반박** 움직이는 인형들은 중요한 ³_____를 표현하기 위해 역사적으로 사용되었음

> **예시1 |** 인도에서는 ⁴_____적인 이야기를 재현하기 위해 이용됨

> **예시2 |** 동아시아와 동남아시아에서는 인형이 궁중 ⁵_____에 자주 등장했음

> **예시3 |** 르네상스 시대에도 인형은 예술의 ⁶_____으로 간주되었음

> **예시4 |** 성경 이야기와 셰익스피어의 희곡이 실제 배우 대신 인형으로 자주 공연되었음

정답 1. 인형쇼 2. 오락거리 3. 주제나 4. 종교 5. 공연 6. 정점

지문분석

In most parts of the world, / puppet shows ★ are viewed / as children's entertainment / rather than a
세계 대부분의 지역에서   인형극은 간주된다   아이들의 오락거리로   고급 예술의 한 형태보다는

form of high art. This is a relatively modern perspective, / however, / as movable dolls were historically
이것은 비교적 현대적인 관점이다   하지만   움직이는 인형들은 역사적으로 사용되었기 때문에

→ 부사 역할을 하는 to 부정사(~하기 위해)
used / (to portray) important subject matter. Several centuries ago in India, / figures were held up with
중요한 주제를 표현하기 위해   수 세기 전 인도에서는   인형들이 막대기로 떠받쳐졌다

sticks / and manipulated / to reenact religious stories. Later, / in East and Southeast Asia, /
그리고 조종되었다   종교적인 이야기를 재현하기 위해서   후에   동아시아와 동남아시아에서는

→ be + 부사 + p.p.   →기간을 나타내는 전치사 during(~동안)
puppets (were frequently featured) / in court performances. Even (during) the Renaissance, / they were
인형이 자주 등장했다   궁중 공연에   르네상스 시대 동안에도   그들은 간주되었다

seen / as the height of art / in Western civilization. Biblical stories and Shakespearean plays / were
예술의 절정으로   서구 문명에서   성경 이야기와 셰익스피어의 희곡이

often performed / with puppets / instead of live actors.
자주 공연되었다   인형으로   실제 배우 대신

> Modern puppets / differ from earlier ones / in the purposes / they are used for.
> 현대의 인형은   초기의 것들과 차이가 있다   목적에 있어서   그것들이 사용되는

STEP 1
알아내야 하는 내용:
현대 인형과 초기 인형의
차이점

STEP 2
빈칸에 들어갈 내용을 '그것들
이 사용되는 목적(purposes
they are used for)'이라고
한 ④번이 정답이다.

해석 세계 대부분의 지역에서 인형극은 고급 예술의 한 형태보다는 아이들의 오락거리로 간주된다. 하지만, 움직이는 인형들은 중요한 주제를 표현하기 위해 역사적으로 사용되었기 때문에, 이것은 비교적 현대적인 관점이다. 수 세기 전 인도에서는, 종교적인 이야기를 재현하기 위해서 인형들이 막대기로 떠받쳐지고 조종되었다. 후에, 동아시아와 동남아시아에서는, 인형이 궁중 공연에 자주 등장했다. 르네상스 시대 동안에도, 그들은 서구 문명에서 예술의 절정으로 간주되었다. 성경 이야기와 셰익스피어의 희곡이 실제 배우 대신 인형으로 자주 공연되었다.

> 현대의 인형은 초기의 것들과 그것들이 사용되는 목적에 있어서 차이가 있다.

① 그것들이 입는 복장
② 그것들이 만들어지는 방식
③ 그것들이 유래된 지역
④ 그것들이 사용되는 목적

해설 지문 앞부분에서 인형극을 아이들의 오락거리로 여기는 현대의 관점과는 달리 인형은 중요한 주제를 표현하기 위해 역사적으로 사용되었다고 했으므로, '그것들이 사용되는 목적'이라고 한 ④번이 정답이다.

어휘 puppet 인형, 꼭두각시   relatively 비교적   perspective 관점, 시각   portray 표현하다, 보여주다   manipulate 조종하다, 다루다   reenact 재현하다
religious 종교적인   court 궁중, 법정   height 절정, 높이   civilization 문명   biblical 성경의

독해가 쉬워지는 **공무원 필수구문**

be + p.p. 형태의 동사 해석하기 [Point 04] 이 문장에서 동사는 are viewed이다. 이처럼 동사가 **be + p.p.(are viewed)**의 형태로 쓰여 수동의 의미를
가지는 경우, '간주된다'라고 해석한다.

정답: ④

03 다음 글을 요약한 문장에서 빈칸 (A), (B)에 들어갈 말로 가장 적절한 것은?

> The Animal Lovers Society will be holding a rally outside Ridge Park on Friday to raise awareness about the dangers faced by wildlife. According to the group, thousands of animal species around the world are classified as threatened. They claim that the government is not doing enough to stop illegal animal killing and trade, and there is a need for more laws to protect animals that are at risk. The group is hoping the rally will show lawmakers how badly people want these animals to be protected.

> The Animal Lovers Society is organizing a ____(A)____ to make lawmakers aware that not enough is being done to ____(B)____ wild animals.

	(A)	(B)
①	demonstration	protect
②	board	protect
③	demonstration	locate
④	board	locate

지문 구조 한눈에 보기

지문을 읽고 빈칸에 알맞은 말을 채우시오.

도입 동물 애호가 협회는 야생 동물이 직면한 ¹_____ 에 대한 인식을 높이기 위해 집회를 열 예정임

설명1 그 단체에 따르면, 전 세계의 동물 수천 종이 멸종할 위기로 ²_____되어 있음

설명2 그들은 정부가 ³_____ 동물 도살과 거래를 막기 위해 충분한 조치를 취하고 있지 않으며, 동물을 보호할 더 많은 법률이 필요하다고 주장함

요약 그들은 이 집회가 사람들이 얼마나 동물들이 ⁴_____되기를 몹시 원하는지 국회의원들에게 보여주기를 바라고 있음

정답 1. 위험 2. 분류 3. 불법적(침입) 4. 보호

The Animal Lovers Society will be holding a rally / outside Ridge Park on Friday / to raise awareness /
동물 애호가 협회는 집회를 열 예정이다   금요일에 Ridge 공원 밖에서   인식을 높이기 위해

about the dangers / faced by wildlife. According to the group, / thousands of animal species around
위험에 대한   야생 동물이 직면한   그 단체에 따르면   전 세계의 동물 수천 종이
※ according to ~: ~에 따르면

the world / are classified as threatened. They claim / ★ that the government is not doing enough /
멸종할 위기에 놓인 것으로 분류되어 있다   그들은 주장한다   정부가 충분한 조치를 취하고 있지 않다고
※ be classified as ~: ~로 분류되다

to stop illegal animal killing and trade, / and there is a need for more laws / to protect animals / that
불법적인 동물 도살과 거래를 막기 위해   그리고 더 많은 법률에 대한 필요성이 있다고   동물을 보호할
※ need for ~: ~에 대한 필요성

are at risk. The group is hoping / the rally will show lawmakers / how badly people want / these animals
위험에 처한   그 단체는 바라고 있다   집회가 국회의원들에게 보여주기를   사람들이 얼마나 몹시 원하는지   이러한 동물들이

to be protected.
보호되기를

> The Animal Lovers Society / is organizing a (A) demonstration / to make lawmakers aware / that
> 동물 애호가 협회는   시위를 준비하고 있다   국회의원들이 인식하게 하기 위해
>
> not enough is being done / to (B) protect wild animals.
> 충분한 조치가 행해지고 있지 않다는 것을   야생 동물을 보호하기 위해

STEP 1
알아내야 하는 내용:
(A) 동물 애호가 협회가 무엇을 준비하고 있는지
(B) 야생 동물을 어떻게 하기 위한 조치가 행해지지 않고 있는지

STEP 2
빈칸 (A)에 들어갈 내용을 '시위(demonstration)', 빈칸 (B)에 들어갈 내용을 '보호하다(protect)'라고 한 ①번이 정답이다.

해석 동물 애호가 협회는 야생 동물이 직면한 위험에 대한 인식을 높이기 위해 금요일에 Ridge 공원 밖에서 집회를 열 예정이다. 그 단체에 따르면, 전 세계의 동물 수천 종이 멸종할 위기에 놓인 것으로 분류되어 있다. 그들은 정부가 불법적인 동물 도살과 거래를 막기 위해 충분한 조치를 취하고 있지 않으며, 위험에 처한 동물을 보호할 더 많은 법률에 대한 필요성이 있다고 주장한다. 그 단체는 집회가 사람들이 얼마나 이러한 동물들이 보호되기를 몹시 원하는지 국회의원들에게 보여주기를 바라고 있다.

> 동물 애호가 협회는 야생 동물을 (B) 보호하기 위해 충분한 조치가 행해지고 있지 않다는 것을 국회의원들이 인식하게 하기 위해 (A) 시위를 준비하고 있다.

	(A)	(B)
①	시위	보호하다
②	이사회	보호하다
③	시위	찾아내다
④	이사회	찾아내다

해설 지문 전반에 걸쳐 동물 애호가 협회는 정부가 동물을 보호하기 위해 충분한 조치를 취하고 있지 않다고 주장하며, 국회의원들이 이를 인식하도록 집회를 열 예정이라고 했으므로, '시위', '보호하다'라고 한 ①번이 정답이다.

어휘 rally 집회, 대회 awareness 인식, 의식 classify 분류하다 threatened 멸종할 위기에 놓여 있는 trade 거래, 무역 lawmaker 국회의원, 입법자 demonstration 시위 board 이사회 locate (위치를) 찾아내다

독해가 쉬워지는 **공무원 필수구문**

목적어 자리에 온 'that ~' 해석하기 [Point 07] 이 문장에서 that the government ~ trade는 앞에 나온 동사 claim의 목적어이다. 이처럼 that이 이끄는 절 (that + 주어 + 동사 ~)이 목적어 자리에 온 경우, '정부가 충분한 조치를 취하고 있지 않다고'라고 해석한다.

정답: ①

04 다음 글을 요약한 문장에서 빈칸 (A), (B)에 들어갈 말로 가장 적절한 것은?

John Rawls was a leading political philosopher in the 20th century. In his most famous work, *A Theory of Justice*, Rawls introduced the "veil of ignorance," which he used as a symbol for an objective system of government. According to Rawls's metaphor, anyone who creates laws should disregard his or her own gender, race, and social class. Subsequently, they would want to create a system that was beneficial to everyone, no matter what their position in society was. Thus, when the veil was lifted, this impartial approach would result in the most just form of government for all citizens. Rawls argued that lawmakers should adhere to this principle rather than modify laws to their own advantage.

Lawmakers being blind to their own _____(A)_____ results in a(n) _____(B)_____ perspective that makes it possible to create a fair legal system.

	(A)	(B)		(A)	(B)
①	traits	unbiased	②	needs	critical
③	traits	narrow	④	needs	historical

지문을 읽고 빈칸에 알맞은 말을 채우시오.

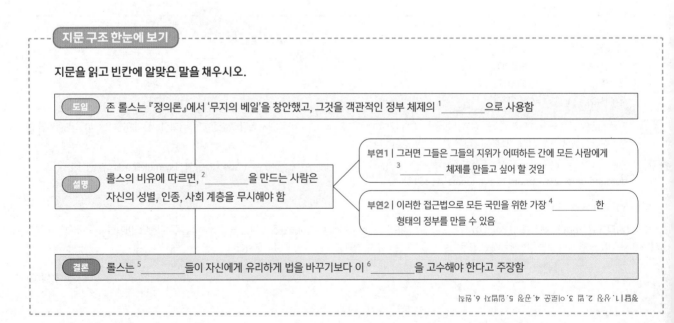

도입 | 존 롤스는 『정의론』에서 '무지의 베일'을 창안했고, 그것을 객관적인 정부 체제의 [1]_____으로 사용함

설명 | 롤스의 비유에 따르면, [2]_____을 만드는 사람은 자신의 성별, 인종, 사회 계층을 무시해야 함

부연1 | 그러면 그들은 그들의 지위가 어떠하든 간에 모든 사람에게 [3]_____ 체제를 만들고 싶어 할 것임

부연2 | 이러한 접근법으로 모든 국민을 위한 가장 [4]_____한 형태의 정부를 만들 수 있음

결론 | 롤스는 [5]_____들이 자신에게 유리하게 법을 바꾸기보다 이 [6]_____을 고수해야 한다고 주장함

정답 1. 상징 2. 법 3. 이로운 4. 공정한 5. 입법자 6. 원칙

지문분석

STEP 1

알아내야 하는 내용:
(A) 입법자들이 그들 자신에 대해 모르는 것
(B) 공정한 법률 제도를 만드는 것을 가능하게 하는 것

STEP 2

빈칸 (A)에 들어갈 내용을 '특성(traits)', 빈칸 (B)에 들어갈 내용을 '편파적이지 않은 (unbiased)'이라고 한 ①번이 정답이다.

John Rawls / was a leading political philosopher / in the 20th century. In his most famous work, /
존 롤스는　　　선도적인 정치 철학자였다　　　20세기의　　　그의 가장 유명한 저서에서

계속적 용법으로 쓰인 관계대명사 which　　　→ symbol for ~: ~의 상징

A Theory of Justice, / Rawls introduced the "veil of ignorance," / which he used as a symbol for /
『정의론』인　　　롤스는 '무지의 베일'을 창안했는데　　　그는 그것을 상징으로 사용했다

an objective system of government. According to Rawls's metaphor, / anyone who creates laws /
객관적인 정부 체제의　　　롤스의 비유에 따르면　　　법을 만드는 사람은

should disregard / his or her own gender, race, and social class. Subsequently, / they would want
무시해야 한다　　　자신의 성별, 인종, 그리고 사회 계층을　　　그 결과로서　　　그들은 체제를 만들고 싶어 할 것이다

＝ whatever(~하든 간에, ~하더라도)

to create a system / that was beneficial to everyone, / no matter what their position in society was.
모두에게 이로운　　　사회에서 그들의 지위가 어떠하든 간에

Thus, / ☆ when the veil was lifted, / this impartial approach / would result in the most just form of
따라서　　　이 베일이 걷혔을 때　　　이 공정한 접근법은　　　가장 공정한 형태의 정부를 낳을 것이다

adhere to ~: ~을 고수하다

government / for all citizens. Rawls argued / that lawmakers should adhere to this principle / rather
모든 국민을 위한　　　롤스는 주장했다　　　입법자들이 이 원칙을 고수해야 한다고

than modify laws / to their own advantage.
법을 바꾸기보다　　　그들 자신에게 유리하게

Lawmakers being blind / to their own (A) traits / results in an (B) unbiased perspective / that makes
입법자들이 모르는 것은　　　그들 자신의 특성을　　　편파적이지 않은 관점을 낳는다

it possible / to create a fair legal system.
가능하게 하는　　　공정한 법률 제도를 만드는 것을

해석 존 롤스는 20세기의 선도적인 정치 철학자였다. 롤스는 그의 가장 유명한 저서 『정의론』에서 '무지의 베일'을 창안했는데, 그는 그것을 객관적인 정부 체제의 상징으로 사용했다. 롤스의 비유에 따르면, 법을 만드는 사람은 자신의 성별, 인종, 그리고 사회 계층을 무시해야 한다. 그 결과로서, 그들은 사회에서 그들의 지위가 어떠하든 간에 모두에게 이로운 체제를 만들고 싶어 할 것이다. 따라서, 이 베일이 걷혔을 때, 이 공정한 접근법은 모든 국민을 위한 가장 공정한 형태의 정부를 낳을 것이다. 롤스는 입법자들이 그들 자신에게 유리하게 법을 바꾸기보다 이 원칙을 고수해야 한다고 주장했다.

입법자들이 그들 자신의 (A) 특성을 모르는 것은 공정한 법률 제도를 만드는 것을 가능하게 하는 (B) 편파적이지 않은 관점을 낳는다.

(A)	(B)		(A)	(B)
① 특성	편파적이지 않은		② 요구	비판적인
③ 특성	편협한		④ 요구	역사적인

해설 지문 중간에서 법을 만드는 사람은 그들 자신의 성별, 인종, 그리고 사회 계층을 무시해야 한다고 하고, 그 결과 그들은 모두에게 이로운 체제를 만들고 싶어 할 것이라고 했으므로, '특성', '편파적이지 않은'이라고 한 ①번이 정답이다.

어휘 leading 선도적인　veil 베일, 장막　ignorance 무지, 모름　impartial 공정한　just 공정한　unbiased 편파적이지 않은　critical 비판적인　narrow 편협한

독해가 쉬워지는 **공무원 필수구문**

문장을 꾸며주는 '접속사 ~' 해석하기 [Point 21] 이 문장에서 when the veil was lifted는 뒤에 나온 문장 전체를 꾸며주는 수식어이다. 이처럼 접속사 when 이 이끄는 절(when + 주어 + 동사 ~)이 문장을 꾸며주는 경우, '이 베일이 걷혔을 때'라고 해석한다.

정답: ①

05 다음 글을 요약한 문장에서 빈칸에 들어갈 말로 가장 적절한 것은?

> Today, art historians consider Surrealism to be one of the most significant art movements in history. The style of Surrealism is easily recognizable by its portrayal of fantastic landscapes, bizarre imagery, and hyper-realistic visuals. However, many are unaware of the fact that its origin is a highly experimental movement called Dada. Dada artists depicted life as being unpredictable, strange, and illogical. Surrealism inherited the presentation of a distorted reality from Dada, but juxtaposed it with classical high art. To illustrate, the Surrealist artist Salvador Dali produced Dada-like landscapes with unreal scenes, painted in a traditional Renaissance manner.

> According to art historians, Surrealism _____.

① evolved from the Dada movement

② is a more authentic form of art than Dada

③ was a controversial form of art

④ had a great influence on Dada

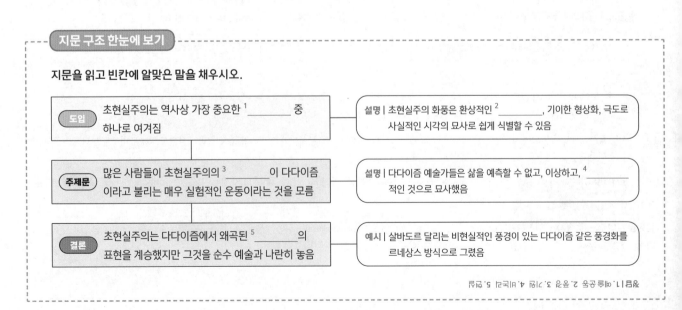

지문 구조 한눈에 보기

지문을 읽고 빈칸에 알맞은 말을 채우시오.

| 도입 | 초현실주의는 역사상 가장 중요한 [1]_____ 중 하나로 여겨짐 |

| 설명 | 초현실주의 화풍은 환상적인 [2]_____, 기이한 형상화, 극도로 사실적인 시각의 묘사로 쉽게 식별할 수 있음 |

| 주제문 | 많은 사람들이 초현실주의의 [3]_____이 다다이즘이라고 불리는 매우 실험적인 운동이라는 것을 모름 |

| 설명 | 다다이즘 예술가들은 삶을 예측할 수 없고, 이상하고, [4]_____적인 것으로 묘사했음 |

| 결론 | 초현실주의는 다다이즘에서 왜곡된 [5]_____의 표현을 계승했지만 그것을 순수 예술과 나란히 놓음 |

| 예시 | 살바도르 달리는 비현실적인 풍경이 있는 다다이즘 같은 풍경화를 르네상스 방식으로 그렸음 |

정답 | 1. 예술운동 2. 풍경 3. 기원 4. 비논리 5. 현실

지문분석

Today, / art historians ⟨consider⟩ Surrealism / to be one of the most significant art movements / in history.
→ consider ··· to be ~: ···을 ~로 여기다
오늘날   미술사학자들은 초현실주의를 여긴다   가장 중요한 예술 운동 중 하나로   역사상

The style of Surrealism / is easily recognizable / by its portrayal / of fantastic landscapes, / bizarre
초현실주의 화풍은   쉽게 식별할 수 있다   그것의 묘사로   환상적인 풍경의   기이한 형상화의

imagery, / and hyper-realistic visuals. However, / many are ⟨unaware of⟩ the fact / that its origin is a
                                                    unaware of ~: ~을 알지 못하는
그리고 극도로 사실적인 시각의   하지만   많은 사람들은 그 사실을 알지 못한다   그것의 기원이

highly experimental movement / called Dada. Dada artists depicted life / as being unpredictable,
매우 실험적인 운동이라는 것을   다다이즘이라고 불리는   다다이즘 예술가들은 삶을 묘사했다   예측할 수 없고,

strange, and illogical. Surrealism inherited the presentation / of a distorted reality / from Dada, / but /
이상하고, 비논리적인 것으로   초현실주의는 표현을 계승했다   왜곡된 현실의   다다이즘으로부터   그러나

juxtaposed it / with classical high art. To illustrate, / the Surrealist artist Salvador Dali / produced
그것을 나란히 놓았다   고전적인 순수 예술과   예를 들자면   초현실주의 예술가 살바도르 달리는   그렸는데

Dada-like landscapes / with unreal scenes, / painted in a traditional Renaissance manner.
다다이즘 같은 풍경화를 그렸는데   비현실적인 풍경이 있는   그것들은 전통적인 르네상스 방식으로 그려졌다

According to art historians, / Surrealism evolved / from the Dada movement.
미술사학자들에 따르면   초현실주의는 발전했다   다다이즘 운동에서

STEP 1
알아내야 하는 내용:
미술사학자들이 생각하는
초현실주의의 특징

STEP 2
빈칸에 들어갈 내용을 '다다이즘 운동에서 발전했다 (evolved from the Dada movement)'라고 한 ①번이 정답이다.

해석 오늘날, 미술사학자들은 초현실주의를 역사상 가장 중요한 예술 운동 중 하나로 여긴다. 초현실주의 화풍은 그것의 환상적인 풍경, 기이한 형상화, 그리고 극도로 사실적인 시각의 묘사로 쉽게 식별할 수 있다. 하지만, 많은 사람들은 그것의 기원이 다다이즘이라고 불리는 매우 실험적인 운동이라는 사실을 알지 못한다. 다다이즘 예술가들은 삶을 예측할 수 없고, 이상하고, 비논리적인 것으로 묘사했다. 초현실주의는 다다이즘으로부터 왜곡된 현실의 표현을 계승했으나, 그것을 고전적인 순수 예술과 나란히 놓았다. 예를 들자면, 초현실주의 예술가 살바도르 달리는 비현실적인 풍경이 있는 다다이즘 같은 풍경화를 그렸는데, 그것들은 전통적인 르네상스 방식으로 그려졌다.

> 미술사학자들에 따르면, 초현실주의는 다다이즘 운동에서 발전했다.

① 다다이즘 운동에서 발전했다
② 다다이즘보다 더 진정한 예술 형식이다
③ 논란이 많은 예술 형식이었다
④ 다다이즘에 큰 영향을 끼쳤다

해설 지문 중간에서 많은 사람들이 초현실주의의 기원이 다다이즘이라고 불리는 매우 실험적인 운동이라는 사실을 모른다고 하고, 초현실주의가 왜곡된 현실의 표현을 계승했으나 그것을 고전적인 순수 예술과 나란히 놓았다고 했으므로, '다다이즘 운동에서 발전했다'라고 한 ①번이 정답이다.

어휘 Surrealism 초현실주의 recognizable 식별할 수 있는 portrayal 묘사 bizarre 기이한 depict 묘사하다 unpredictable 예측할 수 없는
illogical 비논리적인 inherit 계승하다, 물려받다 distorted 왜곡된 juxtapose 나란히 놓다, 병치하다 authentic 진정한 controversial 논란이 많은

독해가 쉬워지는 공무원 필수구문

동격을 나타내는 that 해석하기 Point 34 이 문장에서 the fact와 that its origin ~ Dada는 동격을 이룬다. 이처럼 that이 이끄는 절이 fact 뒤에 와서 명사와 동격을 이루는 경우, '그것의 기원이 ~이라는 사실'이라고 해석한다.

정답: ①

06 다음 글을 요약한 문장에서 빈칸에 들어갈 말로 가장 적절한 것은?

> Rainforests are classified as either tropical or temperate depending on where they are found. Both types experience heavy rainfall throughout the year, but they also have several dissimilar aspects. Tropical rainforests are warm, contain hundreds of plant species, and have trees whose ages mostly range from 50 to 100 years. The heights of trees found in tropical rainforests vary, creating vertical layers of vegetation. On the other hand, cool, temperate rainforests only harbor a few tree species, but they survive for much longer, up to 1,000 years. The trees occupy only the upper layer of vegetation and are among some of the tallest trees in the world. Broad-leaved trees thrive in tropical rainforests, whereas trees with needles or those that lose their leaves in the winter are found in temperate zones.

_____ produce distinct tree types.

① Only tropical rainforests

② Tropical and temperate rainforests

③ Only temperate rainforests

④ Neither tropical nor temperate rainforests

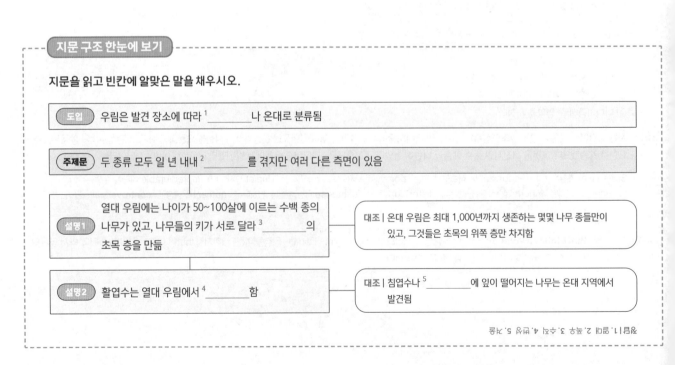

지문 구조 한눈에 보기

지문을 읽고 빈칸에 알맞은 말을 채우시오.

도입 │ 우림은 발견 장소에 따라 ¹_____ 나 온대로 분류됨

주제문 │ 두 종류 모두 일 년 내내 ²_____ 를 겪지만 여러 다른 측면이 있음

설명1 │ 열대 우림에는 나이가 50~100살에 이르는 수백 종의 나무가 있고, 나무들의 키가 서로 달라 ³_____ 의 초목 층을 만듦

대조 │ 온대 우림은 최대 1,000년까지 생존하는 몇몇 나무 종들만이 있고, 그것들은 초목의 위쪽 층만 차지함

설명2 │ 활엽수는 열대 우림에서 ⁴_____ 함

대조 │ 침엽수나 ⁵_____ 에 잎이 떨어지는 나무는 온대 지역에서 발견됨

정답 | 1. 열대 2. 분우 3. 수직 4. 번성 5. 겨울

지문분석

STEP 1
알아내야 하는 내용:
뚜렷이 구별되는 나무 종류를
산출하는 우림이 무엇인지

STEP 2
빈칸에 들어갈 내용을 '열대
및 온대 우림은(Tropical and
temperate rainforests)'이
라고 한 ②번이 정답이다.

> either A or B: A나 B 중 하나

Rainforests are classified / as either tropical or temperate / depending on where they are found. Both
우림은 분류된다　　　　열대나 온대 중 하나로　　　　그들이 발견되는 장소에 따라

types experience heavy rainfall / throughout the year, / but / they also have several dissimilar aspects.
두 종류 모두 폭우를 겪는다　　　일 년 내내　　그러나　　그것들은 또한 여러 다른 측면을 가지고 있다

Tropical rainforests are warm, / contain hundreds of plant species, / and have trees / whose ages
열대 우림은 따뜻하고　　　　수백 종의 식물을 포함하며　　　　그리고 나무들을 가지고 있다

> range from A to B: A에서 B까지 이르다　　　　　　　명사(trees)를 꾸며주는 과거분사

mostly range from 50 to 100 years. The heights of trees / found in tropical rainforests / vary, /
나이가 대부분 50에서 100살까지 이르는　　　나무들의 키는　　　열대 우림에서 발견되는　　　서로 다르다

creating vertical layers of vegetation. On the other hand, / cool, temperate rainforests / only harbor
그래서 수직의 초목 층들을 만든다　　　반면에　　　서늘하고 온난한 우림들은

> up to ~: 최대 ~까지

a few tree species, / but / they survive for much longer, / up to 1,000 years. The trees occupy / only
몇몇 나무 종만의 거처가 된다　하지만　그것들은 훨씬 더 오랫동안 생존한다　최대 1,000년까지　이 나무들은 차지한다

the upper layer of vegetation / and are among some of the tallest trees / in the world. Broad-leaved
초목의 위쪽 층만　　　　그리고 그들은 가장 큰 나무 중 일부이다　　세계에서

trees thrive / in tropical rainforests, / whereas / trees with needles / or those ★ that lose their leaves /
활엽수는 번성한다　열대 우림에서　　반면　　침엽수는　　혹은 그들의 나뭇잎을 잃는 것들은

in the winter / are found in temperate zones.
겨울에　　온대 지역에서 발견된다

Tropical and temperate rainforests / produce distinct tree types.
열대 및 온대 우림은　　　뚜렷이 구별되는 나무 종류를 산출한다

해석 우림은 발견되는 장소에 따라 열대나 온대 중 하나로 분류된다. 두 종류 모두 일 년 내내 폭우를 겪지만, 그것들은 또한 여러 다른 측면을 가지고 있다. 열대 우림은 따뜻하고, 수백 종의 식물을 포함하며, 나이가 대부분 50살에서 100살까지 이르는 나무들을 가지고 있다. 열대 우림에서 발견되는 나무들의 키는 서로 달라서, 수직의 초목 층들을 만든다. 반면에, 서늘하고 온난한 우림들은 몇몇 나무 종만의 거처가 되지만, 그것들은 최대 1,000년까지 훨씬 더 오랫동안 생존한다. 이 나무들은 초목의 위쪽 층만 차지하며 세계에서 가장 큰 나무 중 일부이다. 침엽수 혹은 겨울에 그들의 나뭇잎을 잃는 것들은 온대 지역에서 발견되는 반면, 활엽수는 열대 우림에서 번성한다.

> 열대 및 온대 우림은 뚜렷이 구별되는 나무 종류를 산출한다.

① 열대 우림만이
② 열대 및 온대 우림은
③ 온대 우림만이
④ 열대 우림도 아니고 온대 우림도 아닌

해설 지문 전반에 걸쳐 따뜻한 열대 우림에서 자라는 나무의 특성과 서늘한 온대 우림에서 자라는 나무의 특성을 비교하고 있으므로, '열대 및 온대 우림은'이라고 한 ②번이 정답이다.

어휘 classify 분류하다　dissimilar 다른　vertical 수직의, 세로의　vegetation 초목, 식물　harbor 거처가 되다　occupy 차지하다

독해가 쉬워지는 **공무원 필수구문**

명사를 꾸며주는 '주격 관계대명사 who / that / which ~' 해석하기 Point 16 이 문장에서 that lose ~ winter는 앞에 나온 명사 those를 꾸며주는 수식어이다. 이처럼 주격 관계대명사 that이 이끄는 절(that + 동사 ~)이 명사를 꾸며주는 경우, '~ 나뭇잎을 잃는 것들'이라고 해석한다.

정답: ②

07 다음 글의 내용을 가장 잘 요약한 것은?

The Electronic Frontier Foundation gathered representatives from the music industry, consumer rights groups, and the legal field to discuss how copyright law applies to digital music. In recent months, several lawsuits have been filed on behalf of music companies who feel that consumers are illegally sharing intellectual property. Consumer advocates, however, assert that downloading music online actually helps artists in the end. They argue that letting consumers download songs could help artists attract more fans. Despite prolonged efforts to narrow their differences, the two parties remain far apart, with neither side agreeing to a legal resolution to the matter.

① Musicians have filed multiple lawsuits to protect their music from being illegally downloaded.

② Advocates for consumers acknowledge the negative impacts of copyright law infringement.

③ Consumers and music industry professionals disagree on the application of copyright laws.

④ The music industry's attitude toward the illegal sharing of music has changed over time.

지문 구조 한눈에 보기

지문을 읽고 빈칸에 알맞은 말을 채우시오.

[도입] Electronic Frontier 재단에서 저작권법이 어떻게 디지털 음악에 적용되는지 논의하기 위해 관련 단체들의 대표자들을 소집했음

[주장1] 최근 몇 개월 동안, 소비자가 [1]_____으로 지적 재산을 공유하고 있다고 여기는 음악업체들을 대표하여 몇 건의 [2]_____이 제기되었음

[주장2] 소비자 대변인들은 [3]_____으로 음악을 다운로드 하는 것이 실제로 예술가를 돕는다고 주장함

근거 | 소비자가 음악을 다운로드하도록 허락하면 더 많은 팬들을 끌어들일 수 있음

[결론] 그들의 차이를 좁히기 위한 장기간에 걸친 [4]_____에도 불구하고, 두 당사자들은 모두 그 문제에 대한 법적 결의안에 동의하지 않은 채 의견이 분열되어 있음

정답 1. 불법적(으로) 2. 소송 3. 온라인 4. 노력

The Electronic Frontier Foundation / gathered representatives / from the music industry, / consumer
Electronic Frontier 재단은   대표자들을 소집했다   음악 업계로부터   소비자

rights groups, / and the legal field / to discuss / how copyright law applies to digital music. In recent
권리 단체들로부터   그리고 법조계로부터   논의하기 위해   저작권법이 어떻게 디지털 음악에 적용되는지
                                              ┌→ on behalf of ~: ~을 대표하여
months, / several lawsuits ⭐ have been filed / (on behalf of) music companies / who feel /
최근 몇 개월 동안   몇 건의 소송이 제기되었다   음악업체들을 대표하여   여기는

that consumers are illegally sharing / intellectual property. Consumer advocates, / however, / assert /
소비자가 불법으로 공유하고 있다고   지적 재산을   소비자 대변인들은   하지만   주장한다

that downloading music online / actually / helps artists / in the end. They argue / that letting consumers /
온라인으로 음악을 다운로드하는 것이   실제로   예술가들을 돕는다고 결과적으로는   그들은 주장한다   소비자에게 허락하는 것은
                              ┌→ help + 목적어 + 원형부정사
download songs / could (help artists attract) / more fans. Despite prolonged efforts / to narrow their
음악을 다운로드하도록 예술가들이 끌어들이도록 도울 수도 있다고 더 많은 팬들을   장기간에 걸친 노력에도 불구하고   그들의 차이를 좁히기 위한

differences, / the two parties remain far apart, / with neither side agreeing / to a legal resolution /
           두 당사자들은 의견이 분열되어 있다   두 편 중 어느 쪽도 동의하지 않는 채   법적 결의안에

to the matter.
그 문제에 대한

STEP 1
중심 내용:
소비자와 음악 업계 전문가들
의 주장

STEP 2
지문의 내용을 '소비자와 음
악 업계 전문가들은 저작권
법의 적용에 대해 의견이 일
치하지 않는다(Consumers
and music industry
professionals disagree
on the application of
copyright laws)'라고 요약한
③번이 정답이다.

Chapter 02
문단 요약 해커스공무원 영어 독해

해석 Electronic Frontier 재단은 저작권법이 어떻게 디지털 음악에 적용되는지 논의하기 위해 음악 업계, 소비자 권리 단체, 그리고 법조계로부터 대표자들을
소집했다. 최근 몇 개월 동안, 소비자가 불법으로 지적 재산을 공유하고 있다고 여기는 음악업체들을 대표하여 몇 건의 소송이 제기되었다. 하지만,
소비자 대변인들은 온라인으로 음악을 다운로드하는 것이 결과적으로는 실제로 예술가들을 돕는다고 주장한다. 그들은 소비자에게 음악을 다운로드하도록
허락하는 것은 예술가들이 더 많은 팬들을 끌어들이도록 도울 수도 있다고 주장한다. 그들의 차이를 좁히기 위한 장기간에 걸친 노력에도 불구하고, 두
당사자들은 두 편 중 어느 쪽도 그 문제에 대한 법적 결의안에 동의하지 않는 채 의견이 분열되어 있다.

① 음악가들은 자신의 음악이 불법으로 다운로드되는 것을 방지하기 위해 여러 차례 소송을 제기했다.
② 소비자를 옹호하는 사람들은 저작권법 침해가 미치는 부정적인 영향을 인정한다.
③ 소비자와 음악 업계 전문가들은 저작권법의 적용에 대해 의견이 일치하지 않는다.
④ 불법적인 음악 공유에 대한 음악 업계의 태도는 시간이 지나면서 변화해 왔다.

해설 지문 중간에서 최근 몇 개월 동안 소비자가 불법으로 지적 재산을 공유하고 있다고 여기는 음악업체들을 대표하여 몇 건의 소송이 제기되었다고 하고, 소비자
대변인들은 온라인으로 음악을 다운로드하는 것이 결과적으로는 실제로 예술가를 돕는다고 주장한다고 했으므로, '소비자와 음악 업계 전문가들은 저작권법의
적용에 대해 의견이 일치하지 않는다'라고 한 ③번이 정답이다.

어휘 lawsuit 소송   file (고소 등을) 제기하다   intellectual 지적인   advocate 대변인, 옹호자   infringement 침해, 위반

독해가 쉬워지는 공무원 필수구문

have + been + p.p. 형태의 동사 해석하기 Point 05 이 문장에서 동사는 have been filed이다. 이처럼 동사가 have + been + p.p.(have been filed)
의 형태로 쓰여 현재완료 수동의 의미를 가지는 경우 '(과거부터 현재까지) 소송이 제기되었다'라고 해석한다.

정답: ③

08 다음 글을 요약한 문장에서 빈칸에 들어갈 말로 가장 적절한 것은?

In many ways, we experience television in much the same way we do radio. Consider, for instance, how closely you have to listen to catch all the details of a news report or to grasp the plot of a drama. However, unlike a radio program, to understand what is going on, television viewers must catch visual elements as well. These may detract from what we hear, but they enhance the broadcast as a whole.

The attention that a television broadcast receives is _____.

① essentially only auditory

② merely visual unlike radio

③ both auditory and visual

④ difficult to determine despite its essence

┌─ **지문 구조 한눈에 보기** ─────────────────────────────────

지문을 읽고 빈칸에 알맞은 말을 채우시오.

| 설명1 | 우리는 라디오를 경험하는 것과 거의 같은 방식으로 텔레비전을 경험함 |

부연 | 사람들은 뉴스 보도의 모든 [1]_____이나 드라마의 [2]_____를 이해하기 위해 주의 깊게 들어야 함

| 설명2 | 라디오 프로그램과 달리, 텔레비전 시청자는 [3]_____적인 요소를 이해해야 함 |

부연 | 이것들은 우리가 듣는 것으로부터 주의를 돌릴 수도 있지만, 방송을 전체적으로 [4]_____함

정답 | 1. 세부사항 2. 줄거리 3. 시각 4. 강화

In many ways, / we experience television / in much the same way / we do radio. / Consider, /
여러모로　　　　우리는 텔레비전을 경험한다　　　거의 같은 방식으로　우리가 라디오를 경험하는 것과　생각해 보라

*= experience

for instance, / how closely you have to listen / to catch all the details of a news report / or to
예를 들어　　　당신이 얼마나 주의해서 들어야 하는지　　뉴스 보도의 모든 세부사항을 이해하기 위해서　　혹은

grasp the plot of a drama. However, / unlike a radio program, / to understand / what is going on, /
드라마의 줄거리를 이해하기 위해서　　하지만　　라디오 프로그램과 달리　　이해하기 위해서　무슨 일이 일어나고 있는지

television viewers must catch visual elements / as well. These may detract from what we hear, / but
텔레비전 시청자는 시각적인 요소를 이해해야 한다　　또한　　이것들은 우리가 듣는 것으로부터 주의를 돌릴 수도 있다　　그러나

*as a whole: 전체적으로

they enhance the broadcast / as a whole.
그것은 방송을 강화한다　　전체적으로

The attention / that a television broadcast receives / is both auditory and visual.
주의는　　　텔레비전 방송이 받는　　　청각적이면서 또한 시각적이다

STEP 1
알아내야 하는 내용:
텔레비전 방송이 받는 주의의
특징

STEP 2
빈칸에 들어갈 내용을 '청각적
이면서 또한 시각적인(both
auditory and visual)'이라
고 한 ③번이 정답이다.

Chapter 02
문단 요약 해커스공무원 영어 독해

해석 여러모로, 우리는 우리가 라디오를 경험하는 것과 거의 같은 방식으로 텔레비전을 경험한다. 예를 들어, 당신이 뉴스 보도의 모든 세부사항을 이해하기 위해서, 혹은 드라마의 줄거리를 이해하기 위해서 얼마나 주의하여 들어야 하는지 생각해 보라. 하지만, 라디오 프로그램과 달리, 무슨 일이 일어나고 있는지 이해하기 위해서, 텔레비전 시청자는 시각적인 요소 또한 이해해야 한다. 이것들은 우리가 듣는 것으로부터 주의를 돌릴 수도 있지만, 그것은 방송을 전체적으로 강화한다.

텔레비전 방송이 받는 주의는 청각적이면서 또한 시각적이다.

① 근본적으로 오로지 청각적인
② 라디오와 달리 단지 시각적인
③ 청각적이면서 또한 시각적인
④ 그것의 본질에도 불구하고 밝혀내기 어려운

해설 지문 앞부분에서 우리가 라디오를 경험하는 것과 거의 같은 방식으로 텔레비전을 경험한다고 한 후, 지문 중간에서 하지만 라디오 프로그램과 달리 텔레비전 시청자들은 시각적인 요소 또한 이해해야 한다고 했으므로, '청각적이면서 또한 시각적인'이라고 한 ③번이 정답이다.

어휘 closely 주의하여　grasp 이해하다, 움켜잡다　plot 줄거리　element 요소　detract from ~으로부터 주의를 돌리다　enhance 강화하다　attention 주의
essentially 근본적으로　merely 단지　essence 본질

독해가 쉬워지는 **공무원 필수구문**

병렬 관계를 나타내는 and / but / or 해석하기 [Point 35] 이 문장에서 or는 두 개의 to 부정사구 to catch all the details of a news report와 to grasp the plot of a drama를 연결하는 접속사이다. 이처럼 or는 문법적으로 동일한 형태의 구 또는 절을 연결하여 대등한 개념을 나타내므로, or가 연결하는 것이 무엇인지 파악하여 '뉴스 보도의 모든 세부사항을 이해하기 위해서, 혹은 드라마의 줄거리를 이해하기 위해서'라고 해석한다.

정답: ③

09 다음 글을 요약한 문장에서 빈칸 (A), (B)에 들어갈 말로 가장 적절한 것은?

Historians still disagree on where the name London comes from. The 12th-century priest Geoffrey of Monmouth wrote that the city was named after King Lud, a ruler of pre-Roman Britain. Centuries later, historian Alexander Jones claimed that London's name was derived from the Welsh *Llyn Dain*, referring to the River Thames that passes through the city. Similarly, in 1998, linguist Richard Coates stated that pre-Celtic peoples named the city *Plowonida*, or boat river, which indicates the width and depth of the Thames. Coates believed this name was then translated into the Celtic version *Lowonidonjon* before taking its modern English form.

The ____(A)____ of London's name is still ____(B)____ .

	(A)	(B)
①	origin	famous
②	origin	controversial
③	adoption	controversial
④	adoption	famous

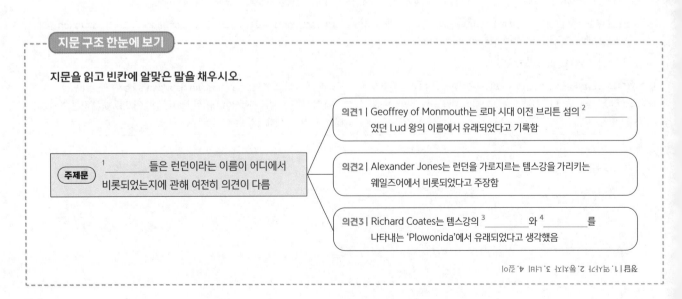

지문 구조 한눈에 보기

지문을 읽고 빈칸에 알맞은 말을 채우시오.

의견1 | Geoffrey of Monmouth는 로마 시대 이전 브리튼 섬의 [2]_____ 였던 Lud 왕의 이름에서 유래되었다고 기록함

주제문 | [1]_____들은 런던이라는 이름이 어디에서 비롯되었는지에 관해 여전히 의견이 다름

의견2 | Alexander Jones는 런던을 가로지르는 템스강을 가리키는 웨일스어에서 비롯되었다고 주장함

의견3 | Richard Coates는 템스강의 [3]_____와 [4]_____를 나타내는 'Plowonida'에서 유래되었다고 생각했음

정답 | 1. 역사가 2. 통치자 3. 너비 4. 깊이

Historians still disagree / on where the name London comes from. The 12th-century priest /
역사가들은 여전히 의견이 다르다　　런던이라는 이름이 어디에서 비롯되었는지에 관해　　　　12세기의 사제 /

→ be named after ~: ~의 이름을 따서 명명되다

Geoffrey of Monmouth wrote / that the city (was named after) King Lud, / a ruler of pre-Roman Britain.
Geoffrey of Monmouth는 기록했다　　　이 도시가 Lud 왕의 이름을 따서 명명되었다고　　로마 제국 시대 이전 브리튼 섬의 통치자였던

Centuries later, / historian Alexander Jones claimed / that London's name was (derived from) the
수 세기 후에　　역사가 Alexander Jones는 주장했다　　　런던의 이름이 유래되었다고
→ derive from ~: ~에서 유래되다

→ refer to: 가리키다, ~라고 부르다

Welsh *Llyn Dain*, / (referring to the River Thames / that passes through the city. Similarly, / in 1998, /
웨일즈어 'Llyn Dain'에서　　　템스강을 가리키는　　　그 도시를 가로지르는　　이와 비슷하게　1998년에 /

linguist Richard Coates stated / that pre-Celtic peoples named the city / *Plowonida*, or boat river, /
언어학자 Richard Coates는 주장했는데　　켈트족 이전 시대 사람들이 이 도시를 명명했다고　　'Plowonida', 즉 나룻배 강이라고

which indicates the width and depth / of the Thames. Coates believed / this name was then
이는 너비와 깊이를 나타낸다　　　　템스강의　　　　Coates는 생각했다　　이 이름이 그 후 바뀌었다고

translated / into the Celtic version *Lowonidonjon* / before taking its modern English form.
　　　　켈트어 'Lowonidonjon'으로　　　　　그것이 현대 영어의 형태가 되기 전에

The (A) origin of London's name / is still (B) controversial.
런던의 이름의 기원은　　　　여전히 논쟁의 여지가 있다

STEP 1
알아내야 하는 내용:
(A) 런던이라는 이름과 관련된 것
(B) 그것이 여전히 어떠한지

STEP 2
빈칸 (A)에 들어갈 내용을 '기원(origin)', 빈칸 (B)에 들어갈 내용을 '논쟁의 여지가 있는(controversial)'이라고 한 ②번이 정답이다.

해석 역사가들은 런던이라는 이름이 어디에서 비롯되었는지에 관해 여전히 의견이 다르다. 12세기의 사제 Geoffrey of Monmouth는 이 도시가 로마 제국 시대 이전 브리튼 섬의 통치자였던 Lud 왕의 이름을 따서 명명되었다고 기록했다. 수 세기 후에, 역사가 Alexander Jones는 런던의 이름이 그 도시를 가로지르는 템스강을 가리키는 웨일즈어 'Llyn Dain'에서 유래되었다고 주장했다. 이와 비슷하게, 1998년에, 언어학자 Richard Coates는 켈트족 이전 시대 사람들이 이 도시를 'Plowonida', 즉 나룻배 강이라고 명명했다고 주장했는데, 이것은 템스강의 너비와 깊이를 나타낸다. Coates는 이 이름이 그 후 현대 영어의 형태가 되기 전에 켈트어 'Lowonidonjon'으로 바뀌었다고 생각했다.

런던의 이름의 (A) 기원은 여전히 (B) 논쟁의 여지가 있다.

	(A)	(B)
①	기원	유명한
②	기원	논쟁의 여지가 있는
③	채택	논쟁의 여지가 있는
④	채택	유명한

해설 지문 앞부분에서 역사가들은 런던이라는 이름이 어디에서 비롯되었는지에 관해 의견이 다르다고 하고, 그 이름의 기원에 대한 여러 주장을 소개하고 있으므로, '기원', '논쟁의 여지가 있는'이라고 한 ②번이 정답이다.

어휘 **disagree** 의견이 다르다　**width** 너비　**depth** 깊이　**translate** 바꾸다, 번역하다　**controversial** 논쟁의 여지가 있는　**adoption** 채택

독해가 쉬워지는 **공무원 필수구문**

목적어 자리에 온 'that ~' 해석하기 Point 07 이 문장에서 that London's name ~ the city는 앞에 나온 동사 claimed의 목적어이다. 이처럼 **that**이 이끄는 절(that + 주어 + 동사 ~)이 목적어 자리에 온 경우, '런던의 이름이 ~에서 유래되었다고'라고 해석한다.

정답: ②

10 다음 글을 요약한 문장에서 빈칸에 들어갈 말로 가장 적절한 것을 고르시오.

Some of us see nothing wrong with the relentless pursuit of wealth and social status. But the trouble with human beings is that we are biologically programmed to want more. Throughout our evolutionary history, it was those who sought more resources and elevated social rank that survived and reproduced. By adopting this mentality in the modern world, however, we are destined to be unhappy. We will never stop striving for bigger and better, whether it is a larger house or a more prominent social circle. We will keep trying to climb the corporate ladder or earn a better spot in the social hierarchy, and when we fail, we will be frustrated. While success may give us momentary pleasure, it will not be long before our desire for more eventually reemerges.

Determination to acquire ever greater wealth and status is _____.

① a uniquely modern mentality

② the key to corporate success

③ likely to result in dissatisfaction

④ an important part of achieving happiness

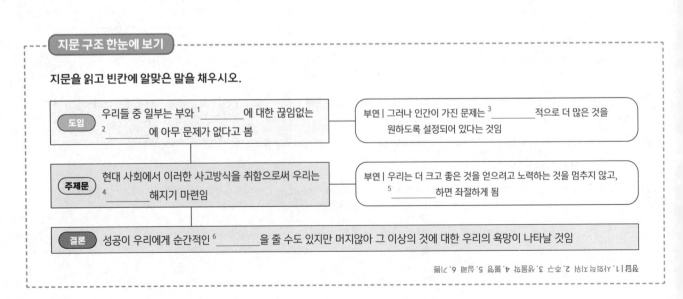

지문분석

Some of us see nothing wrong / with the relentless pursuit / of wealth and social status. But / the
우리들 중 일부는 아무 문제가 없다고 본다   끊임없는 추구에   부와 사회적 지위에 대한   그러나

trouble with human beings is / that we are biologically programmed / to want more. Throughout our
인간이 가진 문제는   우리가 생물학적으로 설정되어 있다는 것이다   더 많은 것을 원하도록

→ seek의 과거형 sought
evolutionary history, / it was those / who (sought) more resources / and elevated social rank / that
우리의 진화의 역사 동안   사람들이었다   더 많은 자원을 추구했던   그리고 높은 사회적 계급을

survived and reproduced. By adopting this mentality / in the modern world, / however, / we are
생존하고 번식한 것은   이 사고방식을 취함으로써   현대 사회에서   하지만   우리는

→ strive for ~: ~을 얻으려고 노력하다
destined to be unhappy. We will never stop / (striving for) bigger and better, / whether it is a larger
우리는 불행해지기 마련이다   우리는 결코 멈추지 않을 것이다   더 크고 좋은 것을 얻으려고 노력하는 것을   그것이 더 큰 집이든

house / or a more prominent social circle. We will keep trying / to climb the corporate ladder / or earn
혹은 더 유명한 사교계이든   우리는 끊임없이 노력할 것이다   승진하기 위해   혹은

a better spot / in the social hierarchy, / and when we fail, / we will be frustrated. While success may
더 좋은 위치를 얻기 위해   사회적 계층에서   그리고 우리가 실패하면   우리는 좌절할 것이다   성공이 우리에게 줄 수도 있지만

→ long before: 머지않아
give us / momentary pleasure, / it will not be (long before) / our desire for more / eventually reemerges.
순간적인 기쁨을   머지않아   그 이상의 것에 대한 우리의 욕망이   결국 다시 나타날 것이다

> Determination / to acquire ever greater wealth and status / is likely to result in dissatisfaction.
> 결심은   더 많은 부와 지위를 얻으려고 하는   불만을 낳을 가능성이 높다

STEP 1
알아내야 하는 내용:
부와 지위를 얻으려고 하는 결심의 특징

STEP 2
빈칸에 들어갈 내용을 '불만을 낳을 가능성이 높은(likely to result in dissatisfaction)'이라고 한 ③번이 정답이다.

해석 우리들 중 일부는 부와 사회적 지위에 대한 끊임없는 추구에 아무 문제가 없다고 본다. 그러나 인간이 가진 문제는 우리가 생물학적으로 더 많은 것을 원하도록 설정되어 있다는 것이다. 우리의 진화의 역사 동안, 생존하고 번식한 것은 더 많은 자원과 높은 사회적 계급을 추구했던 사람들이었다. 하지만, 이 사고방식을 현대 사회에서 취함으로써, 우리는 불행해지기 마련이다. 우리는 그것이 더 큰 집이든 더 유명한 사교계이든, 더 크고 좋은 것을 얻으려고 노력하는 것을 결코 멈추지 않을 것이다. 우리는 승진하거나 사회적 계층에서 더 좋은 위치를 얻기 위해 끊임없이 노력할 것이고, 우리가 실패하면 좌절할 것이다. 성공이 우리에게 순간적인 기쁨을 줄 수도 있지만, 머지않아 그 이상의 것에 대한 우리의 욕망이 결국 다시 나타날 것이다.

> 더 많은 부와 지위를 얻으려고 하는 결심은 불만을 낳을 가능성이 높다.

① 독특하게 현대적인 사고방식
② 기업 성공의 비결
③ 불만을 낳을 가능성이 높은
④ 행복의 성취에 있어서 중요한 부분

해설 지문 중간에서 더 많은 자원과 높은 사회적 계급을 추구하는 사고방식을 현대 사회에서 취함으로써 우리는 불행해지기 마련이라고 했으므로, '불만을 낳을 가능성이 높은'이라고 한 ③번이 정답이다.

어휘 relentless 끊임없는 biologically 생물학적으로 evolutionary 진화의 reproduce 번식하다, 복사하다 adopt 취하다, 채택하다 mentality 사고방식 prominent 유명한, 중요한 social circle 사교계 hierarchy 계층 momentary 순간적인 reemerge 다시 나타나다

독해가 쉬워지는 **공무원 필수구문**

명사를 꾸며주는 '주격 관계대명사 who / that / which ~' 해석하기 [Point 16] 이 문장에서 who sought ~ rank는 앞에 나온 명사 those를 꾸며주는 수식어이다. 이처럼 주격 관계대명사 who가 이끄는 절(who + 동사 ~)이 명사를 꾸며주는 경우, '~을 추구한 사람들'이라고 해석한다.

정답: ③

11 다음 글의 내용을 한 문장으로 요약하고자 한다. 빈칸 (A)와 (B)에 들어갈 말로 가장 적절한 것은?

> One of the most rapidly developing economies at the moment is Guyana, which is expected to see an average increase in GDP of 25.8 percent between 2022 and 2026. The majority of this tremendous expansion is due to the discovery of vast oil reserves, causing the country's production to rise from next to nothing in 2019 to more than 100,000 barrels per day just two years later. The increased revenue from the sale of oil is expected to be reinvested in public programs and a variety of industries, focusing mainly on the energy sector. However, some worries remain regarding corruption within the oil industry and that the profits may not reach their intended destinations.

> ⇒ The discovery of oil has caused the Guyanan economy to ___(A)___ rapidly, but there are still ___(B)___ about the misuse of income from oil sales.

	(A)	(B)		(A)	(B)
①	grow	concerns	②	operate	disagreements
③	grow	myths	④	operate	rules

지문 구조 한눈에 보기

지문을 읽고 빈칸에 알맞은 말을 채우시오.

도입 가이아나는 현재 가장 빠르게 ¹_____하는 국가 중 하나임

설명 2022년부터 2026년 사이에 ²_____가 평균 25.8 퍼센트 증가할 것으로 예상됨

부연 | 이 엄청난 발전의 대부분은 방대한 석유 ³_____의 발견 때문임

결론 석유 판매로부터 늘어난 수익은 주로 ⁴_____ 부문을 중심으로 재투자될 것으로 예상되지만, 석유 산업 내부의 ⁵_____와 이익이 그들이 의도했던 목적에 도달하지 않을 수 있다는 것에 대한 우려는 여전히 남아 있음

정답 | 1. 발전 2. GDP 3. 매장량 4. 에너지 5. 부패

지문분석

One of the most rapidly developing economies / at the moment / is Guyana, / which is expected /
가장 빠르게 발전하는 국가 중 하나는　　　　　　　현재　　　　가이아나이다　　　　이곳은 예상된다

to see an average increase in GDP of 25.8 percent / between 2022 and 2026. The majority of this
GDP가 평균 25.8퍼센트 증가할 것으로　　　　　　2022년부터 2026년 사이에

tremendous expansion is / due to the discovery of vast oil reserves, / causing the country's production
이 엄청난 발전의 대부분은　　　방대한 석유 매장량의 발견 때문이다　　　이는 그 나라의 생산량을 증가시켰다
　　　　　　　　　　↳ due to ~: ~ 때문에

to rise / from next to nothing in 2019 / to more than 100,000 barrels per day / just two years later.
~증가하는　　2019년에 거의 없는 상태에서　　　하루에 10만 배럴 이상으로　　　　불과 2년 후

The ★ increased revenue from the sale of oil / is expected to be reinvested / in public programs / and
석유 판매로부터의 늘어난 수익은　　　　　　　재투자될 것으로 예상된다　　　공공 프로그램에
↳ a variety of ~: 다양한 ~

a variety of industries, / focusing mainly on the energy sector. However, / some worries remain /
그리고 다양한 산업에　　　　　주로 에너지 부문을 중심으로　　　하지만　　일부 우려는 남아있다

regarding corruption / within the oil industry / and / that the profits / may not reach / their intended
부패에 대한　　　　　　석유 산업 내부의　　그리고　　수익이　　도달하지 않을 수 있다는　　그들이 의도했던

destinations.
목적에

> The discovery of oil / has caused the Guyanan economy / to (A) grow rapidly, / but there are still
> 석유의 발견은　　　　　가이아나의 경제를 ~하게 했다　　　빠르게 성장하게　　　하지만 여전히 우려가 있다
>
> (B) concerns / about the misuse of income from oil sales.
> 석유 판매로 인한 수익의 오용에 대한

STEP 1

알아내야 하는 내용:
(A) 석유의 발견이 가이아나의 경제를 어떻게 했는지
(B) 여전히 석유 판매로 인한 수익의 오용에 대한 무엇이 있는지

STEP 2

빈칸 (A)에 들어갈 내용을 '성장하다(grow)', 빈칸 (B)에 들어갈 내용을 '우려(concerns)'라고 한 ①번이 정답이다.

해석 가이아나는 현재 가장 빠르게 발전하는 국가 중 하나인데, 이곳은 2022년부터 2026년 사이에 GDP가 평균 25.8퍼센트 증가할 것으로 예상된다. 이 엄청난 발전의 대부분은 방대한 석유 매장량의 발견 때문인데, 이는 그 나라의 생산량을 2019년에 거의 없는 상태에서 불과 2년 후 하루에 10만 배럴 이상으로 증가시켰다. 석유 판매로부터의 늘어난 수익은 주로 에너지 부문을 중심으로 공공 프로그램과 다양한 산업에 재투자될 것으로 예상된다. 하지만, 석유 산업 내부의 부패와 이익이 그들이 의도했던 목적에 도달하지 않을 수 있다는 것에 대한 일부 우려는 여전히 남아있다.

> ⇒ 석유의 발견은 가이아나의 경제를 빠르게 (A) 성장하게 했지만, 여전히 석유 판매로 인한 수익의 오용에 대한 (B) 우려가 있다.

	(A)	(B)		(A)	(B)
①	성장하다	우려	②	운영하다	이견
③	성장하다	미신	④	운영하다	규칙

해설 지문 처음에서 가이아나가 방대한 석유 매장량의 발견으로 인해 현재 가장 빠르게 발전하는 국가 중 하나라고 설명하고 있고, 지문 마지막에서 석유 산업 내부의 부패와 이익이 그들이 의도했던 목적에 도달하지 않을 수 있다는 것에 대한 우려는 여전히 남아있다고 했으므로, '성장하다', '우려'라고 한 ①번이 정답이다.

어휘 economy (경제 주체로서의) 국가　average 평균　majority 대부분, 과반수　tremendous 엄청난　expansion 발전, 확장　vast 방대한　reserve 매장량
revenue 수익　reinvest 재투자하다　sector 부문, 분야　remain 남다　corruption 부패　misuse 오용, 악용　operate 운영하다, 작동하다
disagreement 이견, 불일치　myth 미신, 신화, 이야기

독해가 쉬워지는 **공무원 필수구문**

★ **명사를 꾸며주는 과거분사 해석하기 Point 15** 이 문장에서 increased는 뒤에 나온 명사 revenue를 꾸며주는 수식어이다. 이처럼 과거분사(increased)가 명사를 꾸며주는 경우, '늘어난 수익'이라고 해석한다.

정답: ①

12 다음 글의 내용을 한 문장으로 요약하고자 한다. 빈칸 (A)와 (B)에 들어갈 말로 가장 적절한 것은? [2021년 법원직 9급]

Microorganisms are not calculating entities. They don't care what they do to you any more than you care what distress you cause when you slaughter them by the millions with a soapy shower. The only time a pathogen cares about you is when it kills you too well. If they eliminate you before they can move on, then they may well die out themselves. This in fact sometimes happens. History, Jared Diamond notes, is full of diseases that "once caused terrifying epidemics and then disappeared as mysteriously as they had come." He cites the robust but mercifully transient English sweating sickness, which raged from 1485 to 1552, killing tens of thousands as it went, before burning itself out. Too much efficiency is not a good thing for any infectious organism.

*pathogen 병원체

The more ____(A)____ pathogens are, the faster it is likely be to ____(B)____ .

	(A)		(B)			(A)		(B)
①	weaker	–	disappear		②	weaker	–	spread
③	infectious	–	spread		④	infectious	–	disappear

지문 구조 한눈에 보기

지문을 읽고 빈칸에 알맞은 말을 채우시오.

도입 미생물은 ¹_____인 독립체가 아니며 그들이 당신에게 무엇을 하는지 신경 쓰지 않음

설명 병원체가 당신에 대해 신경 쓰는 유일한 때는 그것이 당신을 죽일 때임

부연1 | Jared Diamond는 역사가 한때 무서운 ²_____을 야기하고 그 후에 사라진 질병들로 가득 차 있다고 언급함

부연2 | 그는 ³_____의 발한병을 인용하는데, 이는 스스로를 소멸시킬 때까지 수만 명을 죽였음

주제문 전염성이 있는 유기체에게 과도한 ⁴_____은 좋은 것이 아님

정답 | 1. 계산적 2. 유행병 3. 영국 4. 효율

지문분석

Microorganisms are not calculating entities. They don't care / what they do to you / any more than you
미생물은 계산적 독립체가 아니다　　　　그들은 신경 쓰지 않는다　그들이 당신에게 무엇을 하는지　당신이 신경 쓰지 않는 것처럼

care / what distress you cause / when you slaughter them by the millions / with a soapy shower. The
　어떤 고통을 당신이 야기하는지　　　　당신이 그들을 수백만씩 학살할 때　　　　비눗물 샤워로

only time / a pathogen cares about you / is when it kills you / too well. If they eliminate you / before
유일한 때는　　병원체가 당신에 대해 신경 쓰는　　그것이 당신을 죽일 때이다　너무 잘　만일 그들이 당신을 제거하면
　　　　　　　　　　　　　　　　　　　　　　↑보어 자리에 온 의문사 when ~

they can move on, / then they may well die out themselves. This / in fact / sometimes happens.
　그들이 넘어가기 전에　　　그러면 그들 스스로도 당연히 사라질 것이다　이는　사실　　때때로 발생한다
　　　　　　　　　　　　↑may well ~: ~하는 것도 당연하다

History, / Jared Diamond notes, / is full of diseases / that "once caused terrifying epidemics / and then
역사는　　Jared Diamond는 언급한다　질병들로 가득 차 있다　　'한때 무서운 유행병을 야기한

disappeared / as mysteriously as they had come." He cites / the robust but mercifully transient /
그리고 그 후에 사라진　　　그들이 나타났던 것만큼 신비롭게'　　그는 인용하는데　　튼튼하지만 다행히도 일시적인

English sweating sickness, / which raged from 1485 to 1552, / killing tens of thousands / as it went, /
　영국의 발한병을　　　　이는 1485년에서 1552년까지 맹위를 떨쳤다　　수만 명을 죽이면서　　그것이 퍼짐에 따라

before burning itself out. Too much efficiency / is not a good thing / for any infectious organism.
스스로를 소멸시킬 때까지　　과도한 효율은　　좋은 것이 아니다　　전염성이 있는 유기체에게

The more (A) infectious pathogens are, / the faster it is likely be to (B) disappear.
미생물의 전염성이 더 강할수록　　　　　그것은 더 빠르게 사라질 가능성이 크다

STEP 1
알아내야 하는 내용:
(A) 미생물이 더 어떠할수록
(B) 미생물이 더 빠르게 어떻게 될 가능성이 높은지

STEP 2
빈칸(A)에 들어갈 내용을 '전염성이 있는(infectious)', 빈칸(B)에 들어갈 내용을 '사라지다(disappear)'라고 한 ④번이 정답이다.

해석　미생물은 계산적인 독립체가 아니다. 당신이 비눗물 샤워로 미생물을 수백만씩 학살할 때 어떤 고통을 야기하는지 신경 쓰지 않는 것처럼 그들이 당신에게 무엇을 하는지 신경 쓰지 않는다. 병원체가 당신에 대해 신경 쓰는 유일한 때는 그것이 당신을 죽일 때이다. 만약 그들이 넘어가기 전에 당신을 제거한다면, 그들 스스로도 당연히 사라질 것이다. 사실 이는 때때로 발생한다. Jared Diamond는 역사가 '한때 무서운 유행병을 야기하고 그 후에 그들이 나타났던 것만큼 신비롭게 사라진' 질병들로 가득 차 있다고 언급한다. 그는 튼튼하지만 다행히도 일시적인 영국의 발한병을 인용하는데, 이는 스스로를 소멸시킬 때까지 그것이 퍼짐에 따라 수만 명을 죽이면서 1485년에서 1552년까지 맹위를 떨쳤다. 전염성이 있는 유기체에게 과도한 효율은 좋은 것이 아니다.

미생물의 (A) 전염성이 더 강할수록, 그것은 더 빠르게 (B) 사라질 가능성이 크다.

	(A)	(B)		(A)	(B)
①	더 약한	– 사라지다	②	더 약한	– 퍼지다
③	전염성이 있는	– 퍼지다	④	전염성이 있는	– 사라지다

해설　지문 중간에서 미생물이 다른 곳으로 넘어가기 전에 당신을 제거하면 미생물 스스로도 사라지게 된다고 하고, 지문 뒷부분에서 전염성이 있는 유기체에게 과도한 효율은 좋은 것이 아니라고 했으므로, '전염성이 있는', '사라지다'라고 한 ④번이 정답이다.

어휘　microorganism 미생물　calculating 계산적인　slaughter 학살하다　eliminate 제거하다　terrifying 무서운　epidemic 유행병　cite 인용하다
robust 튼튼한　transient 일시적인　rage 맹위를 떨치다　infectious 전염성이 있는

독해가 쉬워지는 공무원 필수구문

원급 비교를 나타내는 'as ··· as ~' 구문 해석하기 Point 28　이 문장에서 as ··· as ~는 그들이 사라진 것(disappeared)을 그들이 나타났던 것(had come)과 비교하기 위해 사용된 원급 비교 구문이다. 이처럼 'as ··· as ~' 구문이 두 대상의 동등함을 나타내는 경우, '그들이 나타났던 것만큼 신비롭게'라고 해석한다.

정답: ④

Chapter 03

글의 감상

글의 분위기, 등장인물의 심경, 글의 종류 등 지문에 대한 전체적인 감상을 적절하게 표현한
보기를 고르는 문제 유형이다.

☐ 출제 경향

· 화자의 경험을 소개하는 글이나 소설의 일부 등 비교적 읽기 쉬운 주제의 지문이 자주 나온다.
· 글의 전체적인 분위기나 등장인물의 심경, 어조, 태도 등을 묻는 문제가 주로 출제된다.
· 광고, 설명서, 기사 등 글의 종류가 무엇인지 묻는 문제가 출제되기도 한다.

☐ STEP별 문제 풀이 전략

STEP 1 지문에 등장하는 표현에 유의하며 지문을 읽는다.

- 글의 분위기나 등장인물의 심경을 묻는 문제인 경우, '흥미로운', '명랑한' 등 분위기나 감정을 나타내는 표현에 집중하며 지문을
읽는다. 등장인물의 심경 변화를 묻는 문제의 경우, 지문의 초반과 후반의 표현 차이에 유의한다.

- 글의 종류를 묻는 문제인 경우, 글을 작성한 목적이 무엇인지 파악하는 데 집중하여 지문을 읽는다.

- 글의 분위기나 종류를 파악할 수 있는 표현이 직접적으로 드러나 있지 않은 경우, 지문에 등장하는 단어와 문맥을 통해 전체적인
분위기를 파악하는 데 집중한다.

STEP 2 글에 대한 감상을 가장 잘 표현한 보기를 선택한다.

- 글의 분위기나 등장인물의 심경을 묻는 문제인 경우, 지문을 읽으며 파악한 전체적인 감상을 가장 잘 표현한 보기를 정답으로
선택한다. 지문의 흐름이 중간에 달라지는 경우도 있으므로, 선택한 보기가 지문 전체에 대한 감상으로 적절한지 다시 한번
확인한다.

- 글의 종류를 묻는 문제인 경우, 지문을 읽으며 파악한 글의 목적과 보기에 있는 글의 종류를 비교하여 가장 적절한 보기를
정답으로 선택한다.

■ 전략 적용

다음 글에 나타난 Johnbull의 심경으로 가장 적절한 것은? [2021년 국가직 9급]

In the blazing midday sun, the yellow egg-shaped rock stood out from a pile of recently unearthed gravel. Out of curiosity, sixteen-year-old miner Komba Johnbull picked it up and fingered its flat, pyramidal planes. Johnbull had never seen a diamond before, but he knew enough to understand that even a big find would be no larger than his thumbnail. Still, the rock was unusual enough to merit a second opinion. Sheepishly, he brought it over to one of the more experienced miners working the muddy gash deep in the jungle. The pit boss's eyes widened when he saw the stone. "Put it in your pocket," he whispered. "Keep digging." The older miner warned that it could be dangerous if anyone thought they had found something big. So Johnbull kept shoveling gravel until nightfall, pausing occasionally to grip the heavy stone in his fist. Could it be?

① thrilled and excited

② painful and distressed

③ arrogant and convinced

④ detached and indifferent

STEP 1

지문에 등장하는 표현에 유의하며 지문 읽기
'호기심에', '특이한', '눈이 커졌다', '이게 혹시?' 와 같은 감정을 나타내는 표현과, '누군가 그들이 무언가 큰 것을 발견했다고 생각한다면 위험할 수도 있다고 경고했다'는 내용을 통해 흥분하고 들뜬 Johnbull의 심경을 파악할 수 있다.

STEP 2

글에 대한 감상을 가장 잘 표현한 보기 선택하기

지문을 읽으며 파악한 Johnbull의 심경을 '흥분하고 들뜬(thrilled and excited)'이라고 표현한 ①번이 정답이다.

해석 타는 듯이 더운 정오의 태양 아래에서, 최근에 파내어진 자갈 더미에서 노란 달걀 모양의 돌이 눈에 띄었다. 16살짜리 광부 Komba Johnbull은 호기심에 그것을 주워서 그것의 납작하고 피라미드 같은 면을 손으로 더듬었다. Johnbull은 이전에 다이아몬드를 본 적이 없었지만 큰 발견물도 그의 엄지손톱보다 더 크지 않을 것이라는 것을 이해할 만큼 충분히 알고 있었다. 그럼에도, 그 돌은 다른 사람의 의견을 받을 만큼 충분히 특이했다. 그는 소심하게 그것을 정글 깊은 곳의 진흙투성이의 갈라진 틈을 채굴하는 더 경험이 많은 광부들 중 한 명에게 가져갔다. 그 현장 감독이 돌을 보았을 때, 그의 눈이 커졌다. 그가 "네 주머니 안에 그것을 넣고,"라고 속삭였다. "계속 파." 그 더 나이 든 광부는 누군가 그들이 무언가 큰 것을 발견했다고 생각한다면 위험할 수도 있다고 경고했다. 그래서 Johnbull은 그 무거운 돌을 그의 주먹 안에 쥐기 위해 가끔 잠시 멈춰가며 해 질 녘까지 계속 자갈을 삽질했다. 이게 혹시?

① 흥분하고 들뜬
② 고통스럽고 괴로운
③ 오만하고 확신에 찬
④ 초연하고 무심한

어휘 blazing 타는 듯이 더운 unearth 파내다, 발굴하다 finger 손으로 더듬다, 만지다 merit 받을 만하다 sheepishly 소심하게 gash 갈라진 틈 nightfall 해 질 녘

정답: ①

앞에서 배운 STEP별 전략을 적용하여 문제를 풀어보자.

01 다음 글의 어조로 가장 알맞은 것은?

It is with great sadness that I announce the closure of the Birchwood Recreation Center. First opened by the city of Pine Grove in 1926, the center was a home away from home for generations of young people living in the city. It is where many of us first learned to swim, play basketball, and kick a soccer ball. Because the building was old, renovations were necessary if we wished to keep the recreation center open. However, the costs of adding new technology to the old building were deemed prohibitive. In light of recent budget cuts to the city's Parks and Recreation Department, we have made the extremely difficult decision to close Birchwood Recreation Center, effective April 1.

① persuasive   ② suspicious

③ regretful   ④ indifferent

지문 구조 한눈에 보기

지문을 읽고 빈칸에 알맞은 말을 채우시오.

도입 화자는 Birchwood 레크리에이션 센터의 ^{1} _____ 를 알리게 되어 매우 애석함

설명 건물이 낡았기 때문에 센터를 계속 개장하기를 바란다면 ^{2} _____ 는 불가피했음   부연 | 그러나, 낡은 건물에 새로운 ^{3} _____ 을 더하는 비용이 터무니없이 비쌈

결론 4월 1일부로 Birchwood 레크리에이션 센터를 폐쇄하는 어려운 ^{4} _____ 을 내리게 됨

정답 | 1. 폐쇄 2. 수리 3. 기술 4. 결정

지문분석

It is with great sadness / that I announce the closure / of the Birchwood Recreation Center. First
매우 애석합니다　　　제가 폐쇄를 알리게 된 것이　　　Birchwood 레크리에이션 센터의　　처음

opened / by the city of Pine Grove / in 1926, / the center was a home away from home / for
개장되었으며　파인 그로브 시에 의해　1926년에　본 센터는 집처럼 편안한 곳이었습니다
　　　　명사(people)를 꾸며주는 현재분사 ↗

generations of young people / living in the city. It is / where many of us first learned / to swim, /
여러 세대의 젊은이들에게　　이 도시에 사는　이곳은　우리 중 다수가 처음으로 배운 곳입니다　수영하는 것을

play basketball, / and kick a soccer ball. Because the building was old, / renovations were necessary /
농구하는 것을　　그리고 축구공을 차는 것을　　건물이 낡았기 때문에　　수리는 불가피했습니다
　　　　keep + 목적어 + 목적격 보어: ~을 계속 ~하게 하다 ↘

if we wished / to keep the recreation center open. However, / the costs of adding new technology /
우리가 바란다면　레크리에이션 센터를 계속 개장하기를　그러나　새로운 기술을 더하는 비용은

to the old building / were deemed prohibitive. In light of recent budget cuts / to the city's Parks and
낡은 건물에　터무니없이 비싸다고 생각되었습니다　최근의 예산 삭감을 고려하여　도시의 공원행정 관리부서에 대한

Recreation Department, / we have made the extremely difficult decision / to close Birchwood
　　　　저희는 몹시 어려운 결정을 내렸습니다　　Birchwood 레크리에이션 센터를 폐쇄하는
　　　effective (from) 날짜: (날짜) 부로 ↘

Recreation Center, / effective April 1.
　　　　4월 1일부로

STEP 1
감정 관련 표현:
매우 애석한, 몹시 어려운 결정

STEP 2
글의 어조를 '유감스러워하는
(regretful)'이라고　표현한
③번이 정답이다.

Chapter 03

글의 감상　해커스공무원 영어 독해

해석 제가 Birchwood 레크리에이션 센터의 폐쇄를 알리게 된 것이 매우 애석합니다. 본 센터는 1926년에 파인 그로브 시에 의해 처음 개장되었으며, 이 도시에 사는 여러 세대의 젊은이들에게 집처럼 편안한 곳이었습니다. 이곳은 우리 중 다수가 수영, 농구, 그리고 축구공을 차는 것을 처음으로 배운 곳입니다. 건물이 낡았기 때문에, 우리가 레크리에이션 센터를 계속 개장하기를 바란다면 수리는 불가피했습니다. 그러나, 낡은 건물에 새로운 기술을 더하는 비용은 터무니없이 비싸다고 생각되었습니다. 도시의 공원행정 관리부서에 대한 최근의 예산 삭감을 고려하여, 저희는 4월 1일부로 Birchwood 레크리에이션 센터를 폐쇄하는 몹시 어려운 결정을 내렸습니다.

① 설득력 있는　　　　② 의심스러워하는
③ 유감스러워하는　　　④ 무관심한

해설 지문에서 화자는 Birchwood 레크리에이션 센터의 폐쇄를 알리며 '매우 애석한', '몹시 어려운 결정'과 같은 표현을 통해 아쉬움을 드러내고 있다. 따라서 글의 어조를 '유감스러워하는'이라고 표현한 ③번이 정답이다.

어휘 announce 알리다, 발표하다　closure 폐쇄　renovation 수리　deem 생각하다　prohibitive 터무니없이 비싼　in light of ~을 고려하여
persuasive 설득력 있는　suspicious 의심스러워하는　indifferent 무관심한

독해가 쉬워지는 공무원 필수구문

보어 자리에 온 '의문사 ~' 해석하기 Point 10 이 문장에서 where many of us first learned ~ a soccer ball은 주어인 It(the center)을 보충 설명해주는
보어이다. 이처럼 의문사 where가 이끄는 절(where + 주어 + 동사 ~)이 주어의 의미를 보충해주는 보어인 경우, '우리 중 다수가 ~을 배운 곳'이라고 해석한다.

정답: ③

02 다음 글에서 주인공의 심경 변화를 가장 잘 나타낸 것은?

I visited France for the first time last summer when my friend was participating in an exchange program there. One day, my friend's classmate joined us at a café. Upon being introduced, I extended my hand. However, I was startled when, instead of taking my hand, the boy leaned in and kissed me lightly on both cheeks. I did not know what to do, so I simply laughed nervously. Seeing my confusion, my friend explained, "Cheek kissing is a normal way to greet people here. Don't worry!" I stayed in Paris for a few more weeks, and I quickly got used to the custom—so much so that I found myself greeting my friends the French way when I first returned to the States.

① uncertain → familiar

② perplexed → awkward

③ embarrassed → irritated

④ delighted → touched

지문 구조 한눈에 보기

지문을 읽고 빈칸에 알맞은 말을 채우시오.

| 도입 | 화자는 지난여름에 ¹_____를 처음으로 방문함 |

| 전개1 | 화자의 친구의 반 친구를 소개받았을 때, 그 소년이 화자와 악수를 하는 대신 양 볼에 가볍게 키스했고 화자는 깜짝 놀랐음 |

| 전개2 | 화자가 당황한 것을 알아채서, 화자의 친구는 그것이 프랑스에서 사람을 맞이하는 ²_____ 방법이라고 ³_____함 |

| 결말 | 화자는 그 ⁴_____에 빠르게 익숙해져서 미국에 돌아와서도 프랑스 방식으로 인사함 |

정답 1. 프랑스 2. 정상적인 3. 설명 4. 관습

지문분석

→ participate in ~: ~에 참가하다

I visited France for the first time / last summer / when my friend was participating in / an exchange
나는 프랑스를 처음으로 방문했다   지난여름에   내 친구가 참가하고 있을 때   교환 학생 프로그램에

program / there. One day, / my friend's classmate joined us / at a café. Upon being introduced, /
그곳에서   어느 날   내 친구의 반 친구가 우리와 합류했다   카페에서   소개를 받자마자

→ lean in: 기울이다

I extended my hand. However, / I was startled / when, / instead of taking my hand, / the boy leaned in /
나는 내 손을 내밀었다   하지만   나는 깜짝 놀랐다   했을 때   내 손을 잡는 대신   그 소년이 몸을 기울였을 때

and kissed me lightly / on both cheeks. / I did not know what to do, / so I simply laughed nervously.
그리고 가볍게 키스했을 때   양 볼 위에   나는 어쩔 줄 몰랐다   그래서 나는 그저 소심하게 웃었다

☆ Seeing my confusion, / my friend explained, / "Cheek kissing is a normal way / to greet people
나의 당황을 알아채서   내 친구는 설명했다   볼에 키스하는 것은 일반적인 방법이야   여기에서 사람을 맞이하는

→ for + 시간 표현: ~ 동안   → get used to ~: ~에 익숙해지다

here. Don't worry!" I stayed in Paris / for a few more weeks, / and I quickly got used to the custom /
걱정하지 마   나는 파리에 머물렀다   몇 주 동안 더   그리고 나는 그 관습에 빠르게 익숙해졌다

—so much so that / I found myself / greeting my friends / the French way / when I first returned / to
너무 그래서   나 자신을 발견했다   내 친구를 맞이하는   프랑스 방식으로   내가 처음 돌아갔을 때

the States.
미국으로

STEP 1
감정 관련 표현:
초반 – 놀란, 어쩔 줄 몰라서,
소심하게, 당황
후반 – 익숙해졌다

STEP 2
주인공의 심경 변화를 '확신이
없는(uncertain) → 친숙한
(familiar)'이라고 표현한 ①번
이 정답이다.

해석 내 친구가 프랑스에서 교환 학생 프로그램에 참가하고 있었던 지난여름에 나는 처음으로 그곳을 방문했다. 어느 날, 내 친구의 반 친구가 카페에서 우리와 합류했다. 소개를 받자마자, 나는 내 손을 내밀었다. 하지만, 나는 그 소년이 내 손을 잡는 대신에 몸을 기울여 내 양 볼 위에 가볍게 키스했을 때 깜짝 놀랐다. 나는 어쩔 줄 몰라서 그저 소심하게 웃었다. 나의 당황을 알아채서, 내 친구는 "볼에 키스하는 것은 여기에서 사람을 맞이하는 일반적인 방법이야. 걱정하지 마!"라고 설명했다. 나는 파리에 몇 주 동안 더 머물렀고, 그 관습에 빠르게 익숙해졌는데, 너무 익숙해져서 내가 처음 미국으로 돌아갔을 때 프랑스 방식으로 친구를 맞이하는 나 자신을 발견할 정도였다.

① 확신이 없는 → 친숙한　　② 당황한 → 어색한
③ 창피한 → 짜증이 난　　④ 기쁜 → 감동한

해설 지문에서 화자는 프랑스를 방문했을 때의 경험을 소개하며 '놀란', '어쩔 줄 몰라서', '소심하게', '당황'과 같은 표현을 통해 처음에는 프랑스식 인사법에 확신이 없었으나, '익숙해졌다'와 같은 표현을 통해 이후 새로운 문화에 익숙해졌음을 드러내고 있다. 따라서 주인공의 심경 변화를 '확신이 없는 → 친숙한'이라고 표현한 ①번이 정답이다.

어휘 participate 참가하다　extend 내밀다, 연장하다　startle 깜짝 놀라게 하다　nervously 소심하게, 초조하게　confusion 당황, 혼란　greet 맞이하다, 환영하다　custom 관습　perplexed 당황한　awkward 어색한　irritated 짜증이 난　delighted 기쁜

독해가 쉬워지는 **공무원 필수구문**

☆ **문장을 꾸며주는 분사구문 해석하기 - 이유 Point 24** 이 문장에서 분사구문 Seeing my confusion은 콤마 뒤에 나온 문장 전체를 꾸며주는 수식어이다.
이처럼 분사구문이 문장 앞에 올 경우, 종종 콤마 뒤 문장에 대한 이유를 나타내는데, 이때 분사구문은 '~을 알아채서'라고 해석한다.

정답: ①

03 다음 글에 나타난 Daniel의 심경으로 가장 적절한 것은?

> Sitting on the bench after his match, Daniel's knees rose and fell rapidly as he bounced his heels on the ground. This was not a nervous gesture, but one of focused anticipation. He reflected back on everything that had happened throughout the match: the way he avoided his opponent's gloves nimbly before every time he attacked with his fist. A smile spread across his face as he replayed the events in his mind. He had trained intensely for months at his boxing gym, and the work had clearly paid off. He had never felt so sure of his success; all that was left was to wait for the judges to announce the winner.

① doubtful and insecure

② indifferent and distracted

③ confident and certain

④ astonished and horrified

지문 구조 한눈에 보기

지문을 읽고 빈칸에 알맞은 말을 채우시오.

도입 경기가 끝난 후에 벤치에 앉아 있던 Daniel의 무릎은 집중한 ¹_____의 몸짓으로 빠르게 오르내림

전개1 Daniel이 경기 동안 상대가 공격할 때마다 상대의 글러브를 민첩하게 피한 일을 되돌아보며 얼굴에 ²_____가 번짐

전개2 Daniel은 체육관에서 몇 달간 강도 높게 ³_____을 했고, 그 일이 확실히 ⁴_____를 거둠

결말 Daniel은 자신의 성공에 대해 이렇게 ⁵_____한 적이 없었음

정답 1. 기대 2. 미소 3. 운동 4. 성과 5. 확신

Sitting on the bench after his match, / Daniel's knees rose and fell rapidly / as he bounced his heels /
경기가 끝난 후에 벤치에 앉아있던   Daniel의 무릎은 빠르게 오르내렸다   그가 그의 발뒤꿈치를 튕기면서

on the ground. This was not a nervous gesture, / but one of ☆ focused anticipation. He reflected back /
바닥에   이것은 긴장한 몸짓이 아니었다   하지만 집중한 기대의 몸짓이었다   그는 되돌아보았다

throughout + 기간: (기간) 내내

on everything / that had happened (throughout) the match: / the way he avoided his opponent's gloves
모든 일을   경기 내내 일어난   그가 상대의 글러브를 민첩하게 피했던 방식이다

시간을 나타내는 부사절 접속사

nimbly / before every time he attacked / with his fist. A smile spread across his face / (as) he replayed /
그가 공격하는 모든 순간 전에   그의 주먹으로   그의 얼굴에는 미소가 번졌다   그가 되짚는 동안

the events / in his mind. He had trained intensely / for months / at his boxing gym, / and the work
사건들을   그의 머릿속으로   그는 강도 높게 훈련을 했다   몇 달간   복싱 체육관에서   그리고 그 일은

had clearly paid off. He had never felt so sure of his success; / all that was left / was to wait for the
확실히 성과를 거두었다   그는 자신의 성공에 대해 이렇게 확신한 적이 없었다   이제 남은 것은   심사위원들을 기다리는 것뿐이었다

judges / to announce the winner.
승자를 발표하기를

STEP 1
전체적인 분위기:
Daniel은 자신의 성공에 대해 이렇게 확신한 적이 없었음

STEP 2
Daniel의 심경을 '자신 있고 확신하는(confident and certain)'이라고 표현한 ③번이 정답이다.

해석 경기가 끝난 후에 벤치에 앉아있던 Daniel의 무릎은 그가 그의 발뒤꿈치를 바닥에 튕기면서 빠르게 오르내렸다. 이것은 긴장한 몸짓이 아니라, 집중한 기대의 몸짓이었다. 그는 경기 내내 일어난 모든 일을 되돌아보았다. 바로 상대가 주먹으로 공격하는 모든 순간 전에 상대의 글러브를 민첩하게 피했던 방식이다. 그가 머릿속으로 사건들을 되짚는 동안 그의 얼굴에는 미소가 번졌다. 그는 복싱 체육관에서 몇 달간 강도 높게 훈련을 했고, 그 일은 확실히 성과를 거두었다. 그는 자신의 성공에 대해 이렇게 확신한 적이 없었다. 이제 남은 것은 심사위원들이 승자를 발표하기를 기다리는 것뿐이었다.

① 의심스럽고 불안한
② 무심하고 주의가 산만한
③ 자신 있고 확신하는
④ 놀라고 겁먹은

해설 지문에서 필자는 Daniel이 복싱 경기가 끝난 후에 경기 내내 일어난 모든 일을 되돌아보는 동안 얼굴에 미소가 번졌고, 자신의 성공에 대해 이렇게 확신한 적이 없었다고 설명하고 있다. 따라서 Daniel의 심경을 '자신 있고 확신하는'이라고 표현한 ③번이 정답이다.

어휘 heel 발뒤꿈치 gesture 몸짓 anticipation 기대 reflect 되돌아보다, 회고하다 avoid 피하다 opponent 상대 nimbly 민첩하게 fist 주먹 intensely 강도 높게, 격렬히 announce 발표하다 doubtful 의심스러운, 회의적인 insecure 불안한 indifferent 무심한, 무관심한 distracted 주의가 산만한 astonished 놀란 horrified 겁먹은

독해가 쉬워지는 **공무원 필수구문**

명사를 꾸며주는 과거분사 해석하기 Point 15 이 문장에서 focused는 뒤에 나온 명사 anticipation을 꾸며주는 수식어이다. 이처럼 과거분사(focused)가 명사를 꾸며주는 경우, '집중한 기대'라고 해석한다.

정답: ③

04 다음 글의 분위기로 가장 적절한 것은?

During a vacation to Venice, Italy, I had the opportunity to attend a party where people hide their identities by wearing masks. There was a certain thrill to being able to maneuver through the crowd without having to ever reveal my identity. Perhaps it was my anonymity, but I found myself talking to strangers without the slightest hesitation. That's when I met him; a tall, well-spoken man, with an unforgettable deep voice. Although we had only talked for a few minutes, it was as if he had known me all his life. Unfortunately, a group of people came between us, and we lost sight of each other. I searched for him all night, but since all the men were wearing black suits and masks, it was pointless. Disappointed, I left the party, and hailed a taxi. Just as I opened the door, a man asked, "Leaving already?" in a familiar deep voice.

① gloomy

② mysterious

③ hilarious

④ awkward

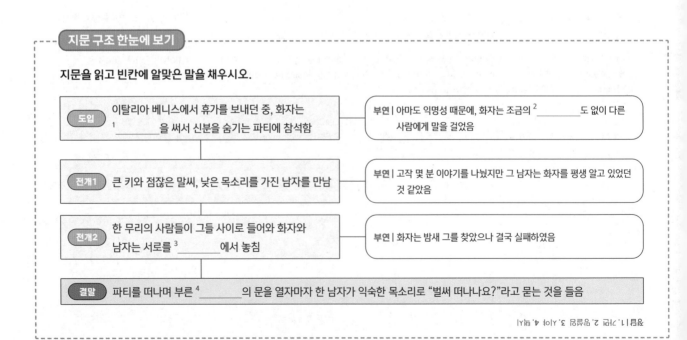

지문 구조 한눈에 보기

지문을 읽고 빈칸에 알맞은 말을 채우시오.

도입 | 이탈리아 베니스에서 휴가를 보내던 중, 화자는 1 _____ 을 써서 신분을 숨기는 파티에 참석함

부연 | 아마도 익명성 때문에, 화자는 조금의 2 _____ 도 없이 다른 사람에게 말을 걸었음

전개1 | 큰 키와 점잖은 말씨, 낮은 목소리를 가진 남자를 만남

부연 | 고작 몇 분 이야기를 나눴지만 그 남자는 화자를 평생 알고 있었던 것 같았음

전개2 | 한 무리의 사람들이 그들 사이로 들어와 화자와 남자는 서로를 3 _____ 에서 놓침

부연 | 화자는 밤새 그를 찾았으나 결국 실패하였음

결말 | 파티를 떠나며 부른 4 _____ 의 문을 열자마자 한 남자가 익숙한 목소리로 "벌써 떠나나요?"라고 묻는 것을 들음

정답 | 1. 가면 2. 망설임 3. 시야 4. 택시

During a vacation to Venice, Italy, / I had the opportunity / to attend a party / ⭐ where people
이탈리아 베니스에서의 휴가 중에   나는 기회를 가졌다   파티에 참석할   사람들이

hide their identities / by wearing masks. There was a certain thrill / to being able to maneuver /
그들의 신분을 숨기는   가면을 써서   약간의 설렘이 있었다   움직일 수 있는 것에

through the crowd / without having to ever reveal / my identity. Perhaps / it was my anonymity, /
군중 속을   전혀 드러낼 필요 없이   나의 신분을   아마   나의 익명성 때문이었다

but / I found myself / talking to strangers / without the slightest hesitation. That's ⟶명사절 접속사 when when I met him; /
그러나 나는 나 자신을 발견했다   모르는 사람에게 말을 거는   조금의 망설임도 없이   그것이 내가 그를 만난 때였다

a tall, well-spoken man, / with an unforgettable deep voice. Although we had only talked / for a
키가 크고 말씨가 점잖은 남자   잊을 수 없는 낮은 목소리를 가진   우리가 고작 얘기했음에도

⟶as if: 마치 ~처럼   ⟶all one's life: ~의 평생
few minutes, / it was as if he had known me / all his life. Unfortunately, / a group of people came
몇 분 동안   그는 마치 나를 알고 있었던 것만 같았다   그의 평생   안타깝게도   한 무리의 사람들이 우리 사이로 들어왔고

between us, / and we lost sight of each other. I searched for him / all night, / but / since all the men
그리고 우리는 서로를 시야에서 놓쳤다   나는 그를 찾았다   밤새   그러나   모든 남자들이

⟶과거분사로 시작하는 분사구문
were wearing / black suits and masks, / it was pointless. Disappointed, / I left the party, / and
입고 있었기 때문에   검은 정장과 가면을   그것은 무의미했다   실망한 채   나는 파티를 떠났다   그리고

hailed a taxi. Just as I opened the door, / a man asked, / "Leaving already?" / in a familiar deep voice.
택시를 불렀다   내가 문을 열자마자   한 남자가 물었다   벌써 떠나나요?   익숙한 낮은 목소리로

STEP 1
전체적인 분위기:
가면을 쓰고 신분을 숨기는 파티에서 만났던 남자를 우연히 다시 만난 것이 신기함

STEP 2
글의 분위기를 '신비한 (mysterious)'이라고 표현한 ②번이 정답이다.

Chapter 03
글의 감상 해커스공무원 영어 독해

해석 이탈리아 베니스에서의 휴가 중에, 나는 사람들이 가면을 써서 그들의 신분을 숨기는 파티에 참석할 기회를 가졌다. 나의 신분을 전혀 드러낼 필요 없이 군중 속을 움직일 수 있는 것에 약간의 설렘이 있었다. 아마 나의 익명성 때문이었겠지만, 나는 조금의 망설임도 없이 모르는 사람에게 말을 거는 나 자신을 발견했다. 그것이 내가 그를 만난 때였다. 키가 크고, 말씨가 점잖고, 잊을 수 없는 낮은 목소리를 가진 남자였다. 우리가 고작 몇 분 동안 얘기했음에도, 그는 마치 나를 그의 평생 알고 있었던 것만 같았다. 안타깝게도, 한 무리의 사람들이 우리 사이로 들어왔고, 우리는 서로를 시야에서 놓쳤다. 나는 밤새 그를 찾았지만, 모든 남자들이 검은 정장을 입고 가면을 쓰고 있었기 때문에, 그것은 무의미했다. 실망한 채, 나는 파티를 떠났고, 택시를 불렀다. 내가 문을 열자마자, 한 남자가 익숙한 낮은 목소리로 "벌써 떠나나요?"라고 물었다.

① 우울한   ② 신비한
③ 우스운   ④ 어색한

해설 지문에서 화자는 파티에서 만났지만 아쉽게 헤어진 남자를 우연히 다시 만나게 된 신기한 경험을 소개하고 있다. 따라서 글의 분위기를 '신비한'이라고 표현한 ②번이 정답이다.

어휘 identity 신분, 신원 maneuver 움직이다; 책략 reveal 드러내다 anonymity 익명성 hesitation 망설임 pointless 무의미한 hail 부르다, 묘사하다
familiar 익숙한 gloomy 우울한 hilarious 우스운 awkward 어색한

독해가 쉬워지는 **공무원 필수구문**

⭐ **명사를 꾸며주는 '관계부사 when / where / why / how ~' 해석하기** Point 18   이 문장에서 where people hide ~ masks는 앞에 나온 명사 a party
를 꾸며주는 수식어이다. 이처럼 관계부사 where가 이끄는 절(where + 주어 + 동사 ~)이 명사를 꾸며주는 경우, '사람들이 ~ 숨기는 파티'라고 해석한다.

정답: ②

05 다음 글에서 주인공의 심경 변화를 가장 잘 나타낸 것은?

One day, I saw a fisherman lying on the beach, basking in the sun, with his fishing pole stuck in the sand. I had just gotten a high-paying job and, feeling sure of myself, said, "Hey, you won't catch many fish like that. You should work harder." The fisherman asked, "To what end?" I replied, "So you can afford a boat and a bigger net." The fisherman asked back, "To what end?" Startled by the man's ignorance, I said, "So you can earn enough money to start a company and retire from working." Again, the man replied, "To what end?" I said, "So you can lie on the beach and lounge in the sun whenever you want." The man laughed at me and said, "What exactly do you think I'm doing?" As he continued to laugh, I slunk away, defeated. I had let my arrogance get the best of me, and I looked foolish.

① terrified → pleasant
② resentful → shocked
③ conceited → embarrassed
④ melancholy → sorrowful

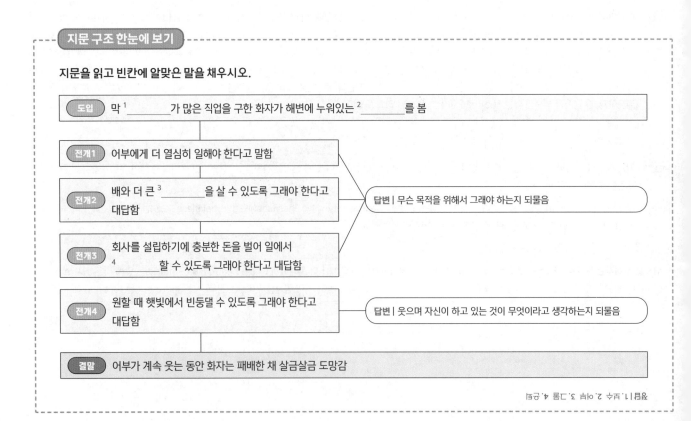

지문 구조 한눈에 보기

지문을 읽고 빈칸에 알맞은 말을 채우시오.

| 도입 | 막 ¹_____가 많은 직업을 구한 화자가 해변에 누워있는 ²_____를 봄 |

| 전개1 | 어부에게 더 열심히 일해야 한다고 말함 |

| 전개2 | 배와 더 큰 ³_____을 살 수 있도록 그래야 한다고 대답함 | → | 답변 | 무슨 목적을 위해서 그래야 하는지 되물음 |

| 전개3 | 회사를 설립하기에 충분한 돈을 벌어 일에서 ⁴_____ 할 수 있도록 그래야 한다고 대답함 |

| 전개4 | 원할 때 햇빛에서 빈둥댈 수 있도록 그래야 한다고 대답함 | → | 답변 | 웃으며 자신이 하고 있는 것이 무엇이라고 생각하는지 되물음 |

| 결말 | 어부가 계속 웃는 동안 화자는 패배한 채 살금살금 도망감 |

정답 | 1. 보수 2. 어부 3. 그물 4. 은퇴

지문분석

명사(fisherman)를 꾸며주는 현재분사
One day, / I saw a fisherman / (lying) on the beach, / basking in the sun / with his fishing pole stuck in
어느 날   나는 어부를 보았다   해변에 누워 있는   햇볕을 쬐고 있는   그의 낚싯대가 모래에 꽂혀있는 채

had + p.p. = 과거완료 시제
the sand. I (had just gotten) a high-paying job / and, / feeling sure of myself, / said, / "Hey, / you
모래에   나는 막 보수가 많은 직업을 구했었다   그리고   자신감에 차서   말했다   이봐요   당신은

won't catch many fish like that. You should work harder." The fisherman asked, / "To what end?" / I
그렇게 해서는 물고기를 많이 잡지 못해요   당신은 더 열심히 일해야 해요   그 어부가 물었다   무슨 목적을 위해서요

replied, / "So you can afford / a boat and a bigger net." The fisherman asked back, / "To what end?"
나는 대답했다   당신이 살 수 있도록요   배와 더 큰 그물을   그 어부는 되물었다   무슨 목적을 위해서요

⭐ Startled by the man's ignorance, / I said, / "So you can earn / enough money to start a company /
그 남자의 무지에 놀라서   나는 말했다   당신이 벌 수 있도록요   회사를 설립하기에 충분한 돈을

and retire from working." Again, / the man replied, / "To what end?" I said, / "So you can lie on the
그리고 일에서 은퇴할 수 있도록   다시   그 남자는 대답했다   무슨 목적을 위해서요 나는 말했다   당신이 해변에 누울 수 있도록요

beach / and lounge in the sun / whenever you want." The man laughed at me / and said, / "What
그리고 햇빛에서 빈둥댈 수 있도록   당신이 원할 때면 언제든지   그 남자는 나를 보고 웃었다   그리고 말했다

get the best of ~: ~을 이기다, 능가하다
exactly do you think / I'm doing?" As he continued to laugh, / I slunk away, / defeated. I had let my
당신은 대체 뭐라고 생각합니까   내가 하고 있는 것이   그가 계속해서 웃는 동안   나는 살금살금 도망갔다   패배한 채

arrogance (get the best of) me, / and I looked foolish.
나는 나의 오만이 나를 이기도록 했고   그리고 나는 바보 같아 보였다

STEP 1

감정 관련 표현:
초반 – 자신감에 차서
후반 – 패배한, 바보 같은

STEP 2

주인공의 심경 변화를 '자만하는(conceited) → 부끄러운(embarrassed)'이라고 표현한 ③번이 정답이다.

해석 어느 날, 나는 낚싯대를 모래에 꽂고 해변에 누워 햇볕을 쬐고 있는 어부를 보았다. 나는 막 보수가 많은 직업을 구했었고, 자신감에 차서, "이봐요, 그렇게 해서는 물고기를 많이 잡지 못해요. 당신은 더 열심히 일해야 해요."라고 말했다. 어부는 "무슨 목적을 위해서요?"라고 물었다. 나는 "당신이 배와 더 큰 그물을 살 수 있도록요."라고 대답했다. 어부가 되물었다. "무슨 목적을 위해서요?" 그 남자의 무지에 놀라서, 나는 "당신이 회사를 설립하기에 충분한 돈을 벌고 일에서 은퇴할 수 있도록요."라고 말했다. 그 남자는 다시 "무슨 목적을 위해서요?"라고 대답했다. 나는 "당신이 원할 때면 언제든지 해변에 누워 햇빛에서 빈둥댈 수 있도록요."라고 말했다. 남자는 나를 보고 웃었고 "당신은 내가 하고 있는 것이 대체 뭐라고 생각합니까?"라고 말했다. 그가 계속해서 웃는 동안, 나는 패배한 채 살금살금 도망갔다. 나는 나의 오만이 나를 이기도록 했고, 바보 같아 보였다.

① 무서워하는 → 즐거운   ② 분개하는 → 충격을 받은
③ 자만하는 → 부끄러운   ④ 우울한 → 슬픈

해설 지문에서 화자는 한 어부와의 일화를 소개하며 '자신감에 차서'와 같은 표현을 통해 처음에는 자만하는 마음으로 어부에게 충고했으나, '패배한, 바보 같은'과 같은 표현을 통해 이후 자신의 언동이 부끄러워졌음을 드러내고 있다. 따라서 주인공의 심경 변화를 '자만하는 → 부끄러운'이라고 표현한 ③번이 정답이다.

어휘 bask 햇볕을 쬐다 stick 꽂다, 찌르다 end 목적, 끝 net 그물 startle 놀라게 하다 ignorance 무지, 무식 retire 은퇴하다 lounge 빈둥대다
slink 살금살금 도망가다 defeated 패배한 arrogance 오만 resentful 분개하는 conceited 자만하는 melancholy 우울한 sorrowful 슬픈

독해가 쉬워지는 **공무원 필수구문**

⭐ **문장을 꾸며주는 분사구문 해석하기 – 이유** [Point 24] 이 문장에서 Startled ~ ignorance는 콤마 뒤에 나온 문장 전체를 꾸며주는 수식어이다. 이처럼 분사구문이 문장 앞에 올 경우, 종종 콤마 뒤 문장에 대한 이유를 나타내는데, 이때 분사구문은 '~에 놀라서'라고 해석한다.

정답: ③

06 다음 글의 어조로 가장 적절한 것은?

As astronauts, we would spend endless months training day in and day out. I can't count how many flights I've had in the simulator devices. There were days when I openly wondered if all the preparation would be worth it in the end. But when you finally make it up into space, and you get a moment or two to fix your gaze down on the earth, you are changed forever; seeing a slowly spinning globe sitting in the vast, lifeless expanse of space is simply amazing. The months of training fade into the background as the memory of seeing the earth from afar remains in your mind. All astronauts I've spoken to describe this moment as the most deeply spiritual one they've ever had. I can't help but agree. That experience was one of wonder and excitement.

① indifferent   ② anticipatory

③ reflective   ④ critical

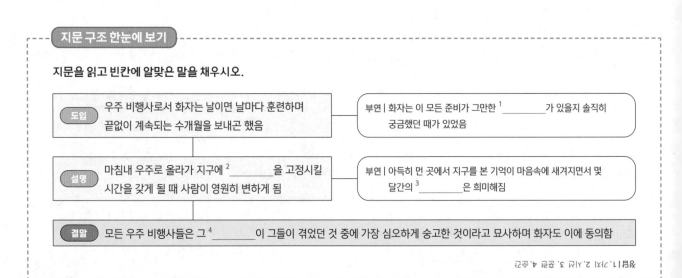

지문 구조 한눈에 보기

지문을 읽고 빈칸에 알맞은 말을 채우시오.

| 도입 | 우주 비행사로서 화자는 날이면 날마다 훈련하며 끝없이 계속되는 수개월을 보내곤 했음 | 부연 | 화자는 이 모든 준비가 그만한 ¹_____가 있을지 솔직히 궁금했던 때가 있었음 |

| 설명 | 마침내 우주로 올라가 지구에 ²_____을 고정시킬 시간을 갖게 될 때 사람이 영원히 변하게 됨 | 부연 | 아득히 먼 곳에서 지구를 본 기억이 마음속에 새겨지면서 몇 달간의 ³_____은 희미해짐 |

| 결말 | 모든 우주 비행사들은 그 ⁴_____이 그들이 겪었던 것 중에 가장 심오하게 숭고한 것이라고 묘사하며 화자도 이에 동의함 |

정답 | 1. 가치 2. 시선 3. 훈련 4. 순간

지문분석

As astronauts, / we would (spend) endless months / training day in and day out. I can't count /
→ spend + 시간 + -ing: ~하며 (시간을) 보내다
우주 비행사로서　　　우리는 끝없는 수개월을 보내곤 했다　　매일매일 훈련을 하며　　나는 셀 수 없다

how many flights / I've had / in the simulator devices. There were days / (when) I openly wondered /
→ 시간의 선행사(days)를 수식하는 관계부사
얼마나 많은 비행을　내가 했는지　모의실험 장치 안에서　　날들이 있었다　　내가 솔직히 궁금해했던 때

if all the preparation would be worth it / in the end. But / when you finally make it up / into space, /
이 모든 준비가 그만한 가치가 있을지　　결국　하지만　당신이 마침내 올라갔을 때　　우주로

and you get a moment or two / to (fix your gaze) / down on the earth, / you are changed forever; / seeing
→ fix one's gaze: 시선을 고정시키다, 응시하다
그리고 잠깐의 시간을 갖게 될 때　시선을 고정시킬　아래의 지구에　당신은 영원히 변하게 된다　보는 것은

a slowly spinning globe / sitting in / the vast, lifeless expanse of space / is simply amazing. The
천천히 회전하는 구체를 보는 것은　놓여　광활하고 생명체라고는 없는 공간에　그저 굉장하다

months of training / fade into the background / as the memory of seeing the earth / from afar /
몇 달간의 훈련은　희미해진다　지구를 본 기억이　아득히 먼 곳에서

remains in your mind. All astronauts / I've spoken to / describe this moment / as the most deeply
마음속에 남아　모든 우주 비행사는　내가 이야기해 본　그 순간을 묘사한다　가장 심오하게 숭고한 것이라고
→ can't help but ~: ~하지 않을 수 없다

spiritual one / they've ever had. I (can't help but) agree. That experience / was one of wonder and
그들이 겪었던 것 중에　나는 동의하지 않을 수 없다　그 경험은　경이롭고 흥분되는 것이었다

excitement.

STEP 1

전체적인 분위기:
우주비행사 훈련과 우주에서의 경험에 대한 생각에 잠겨 있음

STEP 2

글의 어조를 '사색적인(reflective)'이라고 표현한 ③번이 정답이다.

해석 우주 비행사로서, 우리는 매일매일 끝없는 훈련을 하며 수개월을 보내곤 했다. 나는 내가 모의실험 장치 안에서 얼마나 많은 비행을 했는지 셀 수 없다. 이 모든 준비가 결국 그만한 가치가 있을지 솔직히 궁금해했던 날들이 있었다. 하지만 당신이 마침내 우주로 올라가 아래의 지구에 시선을 고정시킬 잠깐의 시간을 갖게 될 때, 당신은 영원히 변하게 된다. 광활하고 생명체라고는 없는 공간에 놓여 천천히 회전하는 구체를 보는 것은 그저 굉장하다. 아득히 먼 곳에서 지구를 본 기억이 마음속에 남아 몇 달간의 훈련은 희미해진다. 내가 이야기해 본 모든 우주 비행사는 그 순간을 그들이 겪었던 것 중에 가장 심오하게 숭고한 것이라고 묘사한다. 나는 동의하지 않을 수 없다. 그 경험은 경이롭고 흥분되는 것이었다.

① 무관심한　　　　　② 예상하는
③ 사색적인　　　　　④ 비판적인

해설 지문에서 화자는 우주 비행사로서 오랜 훈련을 거친 후 가게 된 우주에서 지구를 내려다보았던 경이로운 경험을 되돌아보며 그 당시에 느꼈던 감정에 대해 이야기하고 있다. 따라서 글의 어조를 '사색적인'이라고 표현한 ③번이 정답이다.

어휘 astronaut 우주 비행사　simulator 모의실험 장치　gaze 시선　vast 광활한　fade 희미해지다, 바래다　spiritual 숭고한, 영적인　indifferent 무관심한　anticipatory 예상하는　reflective 사색적인, 묵상적인　critical 비판적인

독해가 쉬워지는 **공무원 필수구문**

목적어 자리에 온 'if / whether ~' 해석하기 Point 08 이 문장에서 if all the preparation ~ end는 앞에 나온 동사 wondered의 목적어이다. 이처럼 if가 이끄는 절(if + 주어 + 동사 ~)이 목적어 자리에 온 경우, '모든 준비가 그만한 가치가 있을지'라고 해석한다.

정답: ③

07 다음 글에서 주인공의 심경 변화를 가장 잘 나타낸 것은?

Over a period of two years, I fell into a serious depression. I was always tired, felt irritable, and was gaining weight. The timing coincided with my new job, which constantly required a lot of overtime and irregular hours. I figured the way I felt physically was an outgrowth of working so much. One day, I happened across a magazine article that described someone who had been in the same situation as mine. That individual was able to recover once he spoke to his manager about working regular hours. I decided I should do the same and met with my manager the next morning. I explained to him how much I loved my job, but said that my body and mind were being negatively affected by the long hours I worked. The manager was very understanding of my situation and adjusted my schedule so I would not have to work as much. About a week later, I felt refreshed and happy. All the symptoms I had been experiencing disappeared.

① enraged → exhausted

② miserable → anxious

③ confused → embarrassed

④ gloomy → relieved

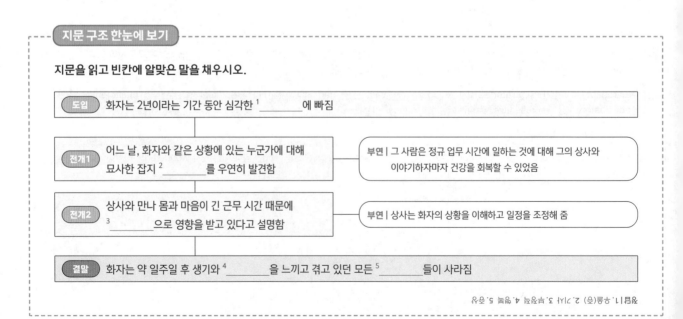

지문 구조 한눈에 보기

지문을 읽고 빈칸에 알맞은 말을 채우시오.

도입 화자는 2년이라는 기간 동안 심각한 ¹_____에 빠짐

전개1 어느 날, 화자와 같은 상황에 있는 누군가에 대해 묘사한 잡지 ²_____를 우연히 발견함 — 부연 | 그 사람은 정규 업무 시간에 일하는 것에 대해 그의 상사와 이야기하자마자 건강을 회복할 수 있었음

전개2 상사와 만나 몸과 마음이 긴 근무 시간 때문에 ³_____으로 영향을 받고 있다고 설명함 — 부연 | 상사는 화자의 상황을 이해하고 일정을 조정해 줌

결말 화자는 약 일주일 후 생기와 ⁴_____을 느끼고 겪고 있던 모든 ⁵_____들이 사라짐

정답 | 1. 우울증(감) 2. 기사 3. 부정적 4. 행복 5. 증상

지문분석

→ fall into ~: ~에 빠지다

Over a period of two years, / I (fell into) a serious depression. I was always tired, / felt irritable, / and was
2년이라는 기간 동안   나는 심각한 우울증에 빠졌다   나는 항상 피곤했고   짜증을 잘 냈고   그리고

→ coincide with ~: ~과 일치하다

gaining weight. The timing (coincided with) my new job, / which constantly required / a lot of overtime /
체중이 늘고 있었다   이 시기는 내가 새로운 직장을 다닐 때와 일치했는데   그곳은 끊임없이 요구했다   많은 양의 초과 근무와

and irregular hours. I figured / the way I felt physically / was an outgrowth / of working so much. One
불규칙한 근무 시간을   나는 생각했다   내가 신체적으로 느낀 것이   결과물이었다고   너무 많이 일한 것의   어느 날

day, / I happened across a magazine article / that described someone / who had been in the same
나는 한 잡지 기사를 우연히 발견했다   누군가를 묘사한   같은 상황에 있었던

→ be able to ~: ~할 수 있다

situation / as mine. That individual (was able to) recover / once he spoke to his manager / about
나와   그 사람은 건강을 회복할 수 있었다   그가 그의 상사에게 이야기하자마자

working regular hours. I decided / I should do the same / and met with my manager / the next morning.
정규 업무 시간에 일하는 것에 대해 나는 결심했다   똑같이 해야겠다고   그리고 내 상사와 만났다   다음 날 아침에

I explained to him / how much I loved my job, / but said / that my body and mind / were being
나는 그에게 설명했다   내가 얼마나 많이 내 직업을 좋아하는지   하지만 말했다   내 몸과 마음이

negatively affected / by the long hours / I worked. The manager was very understanding / of my
부정적으로 영향을 받고 있다고   긴 시간에 의해   내가 근무한   상사는 매우 이해심이 있었다   나의 상황에 대해

situation / and adjusted my schedule / so I would not have to work / as much. About a week later, /
그리고 내 일정을 조정해 주었다   내가 일하지 않아도 되도록   그렇게 많이   약 일주일 후

I felt refreshed and happy. All the symptoms / I had been experiencing / disappeared.
나는 생기와 행복을 느꼈다   모든 증상들이   내가 겪고 있던   사라졌다

STEP 1

감정 관련 표현:
초반 – 심각한 우울증, 피곤한,
짜증을 잘 내는
후반 – 생기와 행복

STEP 2

주인공의 심경 변화를 '우울한
(gloomy)   →   완화된
(relieved)'이라고   표현한
④번이 정답이다.

해석   2년이라는 기간 동안, 나는 심각한 우울증에 빠졌다. 나는 항상 피곤했고, 짜증을 잘 냈고, 체중이 늘고 있었다. 이 시기는 내가 새로운 직장을 다닐 때와
일치했는데, 그곳은 많은 양의 초과 근무와 불규칙한 근무 시간을 끊임없이 요구했다. 나는 내가 신체적으로 느낀 것이 너무 많이 일한 것의 결과물이었다고
생각했다. 어느 날, 나는 나와 같은 상황에 있었던 누군가를 묘사한 한 잡지 기사를 우연히 발견했다. 그 사람은 정규 업무 시간에 일하는 것에 대해 그의
상사와 이야기하자마자 건강을 회복할 수 있었다. 나는 똑같이 해야겠다고 결심했고 다음 날 아침에 내 상사와 만났다. 나는 그에게 내가 얼마나 많이 내
직업을 좋아하는지 설명했고, 하지만 내 몸과 마음이 내가 근무한 긴 시간에 의해 부정적으로 영향을 받고 있다고 말했다. 상사는 나의 상황에 대해 매우
이해심이 있었고 내가 그렇게 많이 일하지 않아도 되도록 일정을 조정해 주었다. 약 일주일 후, 나는 생기와 행복을 느꼈다. 내가 겪고 있던 모든 증상들이
사라졌다.

① 격분한 → 기진맥진한   ② 비참한 → 염려하는
③ 혼란스러운 → 부끄러운   ④ 우울한 → 완화된

해설   지문에서 화자는 새 직장을 다니며 겪게 된 일화를 소개하며 '심각한 우울증', '피곤한', '짜증을 잘 내는'과 같은 표현을 통해 처음에는 많은 양의 일 때문에
힘들었으나, '생기와 행복'과 같은 표현을 통해 이후 상황이 완화되었음을 드러내고 있다. 따라서 주인공의 심경 변화를 '우울한 → 완화된'이라고 표현한
④번이 정답이다.

어휘   depression 우울증 irritable 짜증을 잘 내는, 화가 난 irregular 불규칙한, 고르지 못한 outgrowth 결과물 adjust 조정하다 symptom 증상
enraged 격분한 miserable 비참한 anxious 염려하는, 불안한 gloomy 우울한

독해가 쉬워지는 **공무원 필수구문**

명사를 꾸며주는 '주격 관계대명사 who / that / which ~' 해석하기 Point 16   이 문장에서 that described ~ mine은 앞에 나온 명사 a magazine article
을 꾸며주는 수식어이다. 이처럼 주격 관계대명사 that이 이끄는 절(that + 동사 ~)이 명사를 꾸며주는 경우, '~을 묘사한 잡지 기사'라고 해석한다.

정답: ④

08 이 글의 종류로 가장 알맞은 것은?

Do you wish you could turn back the clock and regain youthful-looking skin? Fortunately, you can with our non-invasive collagen induction therapy (CIT) system. CIT is an affordable anti-aging treatment that has a lower risk of harmful side effects than lasers and delivers proven results in just a few sessions. Once the area to be treated is numbed, a device equipped with fine needles is used to create microscopic punctures. Immediately after the procedure, the body starts generating new collagen and elastin to fill in these tiny wounds. CIT smoothes away fine facial lines to reveal plump, glowing skin, so what are you waiting for? Stop by today for a free consultation with one of our certified dermatologists.

① Essay

② Article

③ Advertisement

④ Editorial

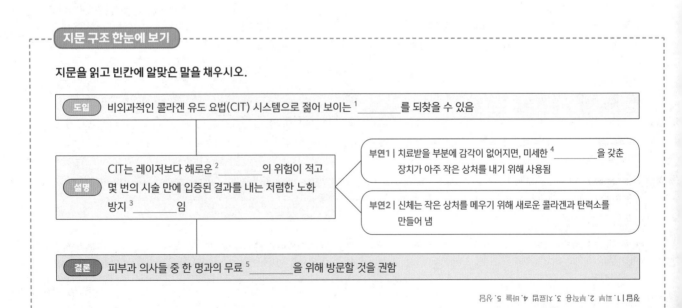

지문 구조 한눈에 보기

지문을 읽고 빈칸에 알맞은 말을 채우시오.

도입 비외과적인 콜라겐 유도 요법(CIT) 시스템으로 젊어 보이는 ¹_____를 되찾을 수 있음

설명 CIT는 레이저보다 해로운 ²_____의 위험이 적고 몇 번의 시술 만에 입증된 결과를 내는 저렴한 노화 방지 ³_____임

부연1 치료받을 부분에 감각이 없어지면, 미세한 ⁴_____을 갖춘 장치가 아주 작은 상처를 내기 위해 사용됨

부연2 신체는 작은 상처를 메우기 위해 새로운 콜라겐과 탄력소를 만들어 냄

결론 피부과 의사들 중 한 명과의 무료 ⁵_____을 위해 방문할 것을 권함

정답 1. 피부 2. 부작용 3. 치료법 4. 바늘 5. 상담

지문분석

반복되는 어구(regain youthful-looking skin) 생략

Do you wish / you could turn back the clock / and regain youthful-looking skin? Fortunately, / you can /
당신은 바라시나요 당신이 과거로 돌아갈 수 있기를 그리고 젊어 보이는 피부를 되찾을 수 있기를 다행히도 당신은 할 수 있습니다

STEP 1
글을 작성한 목적:
콜라겐 유도 요법(CIT)을 홍보
하기 위함

with our non-invasive collagen induction therapy (CIT) system. CIT is an affordable anti-aging
저희의 비외과적인 콜라겐 유도 요법 (CIT) 시스템으로 CIT는 저렴한 노화 방지 치료법입니다

STEP 2
글의 종류를 '광고
(Advertisement)'라고 표현
한 ③번이 정답이다.

treatment / that has a lower risk of harmful side effects / than lasers / and delivers proven results /
              해로운 부작용의 위험이 적은   레이저보다   그리고 입증된 결과를 내는

equipped with ~: ~을 갖춘

in just a few sessions. Once the area to be treated is numbed, / a device equipped with fine needles /
몇 번의 시술 만에   치료받을 부분에 감각이 없어지면   미세한 바늘을 갖춘 장치가

start + -ing: ~을 시작하다(= start to ~)

is used / ★ to create microscopic punctures. Immediately after the procedure, / the body starts
사용됩니다   아주 작은 상처를 내기 위해   이 과정 직후   신체는 만들어 내기 시작합니다

generating / new collagen and elastin / to fill in these tiny wounds. CIT smoothes away fine facial
만들어 내는   새로운 콜라겐과 탄력소를   이 작은 상처들을 메우기 위해   CIT는 미세한 얼굴의 주름을 없앱니다

lines / to reveal plump, glowing skin, / so / what are you waiting for? Stop by today / for a free
통통하고 빛나는 피부를 드러내기 위해   그러니   무엇을 기다리고 있으신가요   오늘 방문하세요   무료 상담을 위해

consultation / with one of our certified dermatologists.
               저희의 자격을 갖춘 피부과 의사들 중 한 명과의

해석 당신은 과거로 돌아가 젊어 보이는 피부를 되찾을 수 있기를 바라시나요? 다행히도, 당신은 저희의 비외과적인 콜라겐 유도 요법(CIT) 시스템으로 그렇게 할 수 있습니다. CIT는 레이저보다 해로운 부작용의 위험이 적고 몇 번의 시술 만에 입증된 결과를 내는 저렴한 노화 방지 치료법입니다. 치료받을 부분에 감각이 없어지면, 미세한 바늘을 갖춘 장치가 아주 작은 상처를 내기 위해 사용됩니다. 이 과정 직후, 신체는 이 작은 상처를 메우기 위해 새로운 콜라겐과 탄력소를 만들어 내기 시작합니다. CIT는 통통하고 빛나는 피부를 드러내기 위해 미세한 얼굴의 주름을 없앱니다, 그러니 무엇을 기다리고 있으신가요? 저희의 자격을 갖춘 피부과 의사들 중 한 명과의 무료 상담을 위해 오늘 방문하세요.

① 수필   ② 기사
③ 광고   ④ 사설

해설 지문에서 화자는 콜라겐 유도 요법을 소개하며 독자에게 무료 상담을 위해 방문할 것을 홍보하고 있다. 따라서 글의 종류를 서비스 홍보가 목적인 '광고'라고 표현한 ③번이 정답이다.

어휘 turn back the clock 과거로 돌아가다 non-invasive 비외과적인, 수술을 하지 않는 induction 유도 proven 입증된 numbed 감각이 없는, 마비된 fine 미세한 microscopic 아주 작은 puncture 상처 elastin 탄력소 wound 상처 smooth away 없애다, 제거하다 plump 통통한 glow 빛나다 certified 자격을 갖춘 dermatologist 피부과 의사 editorial 사설

독해가 쉬워지는 **공무원 필수구문**

동사나 문장을 꾸며주는 to 부정사 해석하기 [Point 19] 이 문장에서 to create microscopic punctures는 앞에 나온 동사 is used를 꾸며주는 수식어이다.
이처럼 to 부정사(to create ~)가 문장이나 동사를 꾸며주는 경우, '~을 내기 위해'라고 해석한다.

정답: ③

09 다음 글에 나타난 Lisa의 심경으로 가장 적절한 것은?

The music repeated again as Lisa held the phone to her ear. This must have been the hundredth time she had heard it, having spent hours on hold. The little song was intended to soothe callers, who had problems they needed to address and were already agitated. But Lisa couldn't see how it wouldn't have the opposite effect. The constant hum was a reminder that nobody had answered, and that Lisa had wasted hours of her day trying to get assistance fixing the company's mistake. She was already mad that the wrong products had been shipped to her, and now, for the third day in a row, she was unable to resolve the situation, making her even angrier.

① passionate and encouraged

② frustrated and irritated

③ impatient and desperate

④ ashamed and embarrassed

지문 구조 한눈에 보기

지문을 읽고 빈칸에 알맞은 말을 채우시오.

| 도입 | Lisa가 전화기를 그녀의 귀에 대고 있는 동안 ¹_____이 다시 반복됨 |

| 부연1 | Lisa는 통화가 ²_____된 채로 몇 시간을 보냈음 |

| 부연2 | 끊임없는 윙윙거리는 소리는 아무도 대답하지 않았고, 회사의 실수를 해결하는 데 도움을 받기 위해 하루의 몇 시간을 낭비했다는 것을 ³_____시켜주는 것이었음 |

| 결말 | Lisa는 이미 잘못된 상품이 ⁴_____되었다는 것에 화가 났고, 3일 연속으로 상황을 해결할 수 없는 것이 그녀를 더욱 화나게 만들었음 |

정답 1. 음악 2. 보류 3. 상기 4. 배송

지문분석

The music repeated again / as Lisa held the phone to her ear. This ⭐ must have been the hundredth
음악이 다시 반복되었다   Lisa가 전화기를 그녀의 귀에 대고 있는 동안   이번이 100번째임이 틀림없을 것이다

time / she had heard it, / having spent hours / on hold. The little song was intended to soothe callers, /
그녀가 그것을 들은 것은   몇 시간을 보냈기 때문에   보류된 채로   그 짧은 노래는 발신자들을 달래기 위한 것이었다
                    ↳(that/which) they ~: 목적격 관계대명사 생략

who had problems / (they) needed to address / and were already agitated. But / Lisa couldn't see /
문제가 있는   그들이 해결해야 할   그리고 이미 동요하고 있는   하지만   Lisa는 알 수 없었다
          ↳간접 의문문: 의문사 + 주어 + 동사

(how it wouldn't have) the opposite effect. The constant hum / was a reminder / that nobody had
그것이 어떻게 역효과를 가져오지 않을 수 있는 것인지   끊임없는 윙윙거리는 소리는   상기시켜주는 것이었다   아무도 대답하지 않았다는 것을

answered, / and / that Lisa had wasted hours of her day / trying to get assistance / fixing the
그리고   Lisa가 하루의 몇 시간을 낭비했다는 것을   도움을 받기 위해   그 회사의

company's mistake. She was already mad / that the wrong products had been shipped to her, /
실수를 해결하는 데   그녀는 이미 화가 났다   잘못된 상품이 그녀에게 배송되었다는 것에

and now, / for the third day in a row, / she was unable to resolve the situation, / making her even
그리고 이제   3일 연속으로   그녀는 상황을 해결할 수 없었다   그녀가 더욱 화가 났다

angrier.

STEP 1
감정 관련 표현:
이미 동요하고 있는, 화가 남,
더욱 화가 남

STEP 2
Lisa의 심경을 '짜증 나고 화가 난(frustrated and irritated)'이라고 표현한 ② 번이 정답이다.

해석   Lisa가 전화기를 그녀의 귀에 대고 있는 동안 음악이 다시 반복되었다. 그녀는 보류된 채로 몇 시간을 보냈기 때문에, 그것을 들은 것은 이번이 100번째임이 틀림없을 것이다. 그 짧은 노래는 발신자들을 달래기 위한 것인데, 그들은 해결해야 할 문제가 있고 이미 동요하고 있다. 하지만 Lisa는 그것이 어떻게 역효과를 가져오지 않을 수 있는 것인지 알 수 없었다. 끊임없는 윙윙거리는 소리는 아무도 대답하지 않았고, 그래서 Lisa가 그 회사의 실수를 해결하는 데 도움을 받기 위해 하루의 몇 시간을 낭비했다는 것을 상기시켜 주는 것이었다. 그녀는 이미 잘못된 상품이 그녀에게 배송되었다는 것에 화가 났고, 이제 3일 연속으로 상황을 해결할 수 없었기 때문에, 더욱 화가 났다.

① 열정적이고 고무된
② 짜증 나고 화가 난
③ 초조하고 절박한
④ 창피하고 부끄러운

해설   지문 전반에 걸쳐 필자는 Lisa가 잘못된 상품이 그녀에게 배송된 것을 해결하기 위해 해당 회사에 전화를 걸었는데 3일 연속으로 통화를 하지 못하고 음악만 들었다고 설명하고 있다. 따라서 Lisa의 심경을 '짜증 나고 화가 난'이라고 표현한 ②번이 정답이다.

어휘   on hold (전화에서) 보류의 (상태로)   soothe 달래다, 진정시키다   address 해결하다   agitate 동요시키다, 격앙시키다   opposite effect 역효과   constant 끊임없는   hum 윙윙거리는 소리   reminder 상기시키는 것   in a row 연속으로, 연달아   resolve 해결하다   frustrated 짜증 난, 좌절한   irritated 화가 난   impatient 초조한, 서두르는   desperate 절박한   ashamed 창피한

⭐ 독해가 쉬워지는 **공무원 필수구문**

조동사 + have + p.p. 형태의 동사 해석하기 Point 06 이 문장에서 동사는 must have been이다. 이처럼 조동사 must가 have p.p.(have been)와 함께 쓰이는 경우, '100번째임이 틀림없다'라고 해석한다.

정답: ②

10 다음 글에 나타난 Jefferson의 심경으로 가장 적절한 것은?

> For the last 12 months, every day had been consistently full of worry for Jefferson. He had received an alarming potential diagnosis a year ago, which had preoccupied his thoughts entirely. Last week, when he finally got his test results back, he felt as if a tremendous weight had been lifted from his shoulders. He felt like anything was possible, and he was excited to see what would happen. While the last year had felt like he was drowning, he now felt capable of breathing easily. He woke up ready to start the day, ready for whatever would happen. At this point, he had survived the worst, and he felt like nothing could possibly discourage him; there was no possible news he could receive that could cause any worry for him now. He felt truly free.

① pessimistic and cynical

② regretful and frightened

③ anxious and uneasy

④ relieved and carefree

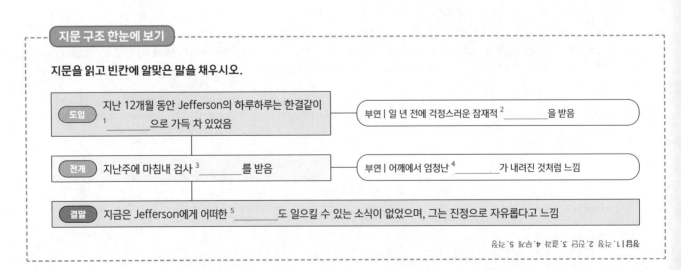

지문 구조 한눈에 보기

지문을 읽고 빈칸에 알맞은 말을 채우시오.

| 도입 | 지난 12개월 동안 Jefferson의 하루하루는 한결같이 ¹_____으로 가득 차 있었음 | 부연 | 일 년 전에 걱정스러운 잠재적 ²_____을 받음 |

| 전개 | 지난주에 마침내 검사 ³_____를 받음 | 부연 | 어깨에서 엄청난 ⁴_____가 내려진 것처럼 느낌 |

| 결말 | 지금은 Jefferson에게 어떠한 ⁵_____도 일으킬 수 있는 소식이 없었으며, 그는 진정으로 자유롭다고 느낌 |

정답 | 1. 걱정 2. 진단 3. 결과 4. 무게감 5. 걱정

For the last 12 months, / every day had been consistently full of worry / for Jefferson. He had received /
지난 12개월 동안   하루하루가 한결같이 걱정으로 가득 차 있었다   Jefferson에게는   그는 받았다

an alarming potential diagnosis / a year ago, / which had preoccupied / his thoughts / entirely.
걱정스러운 잠재적 진단을   일 년 전에   그것은 사로잡았다   그의 생각을   완전히

Last week, / when he finally got his test results back, / he felt / as if a tremendous weight / had been
지난주에   그가 마침내 검사 결과를 받았을 때   그는 느꼈다   마치 엄청난 무게가   내려진 것처럼

as if: 마치 ~처럼

lifted / from his shoulders. He felt like / anything was possible, / and / he was excited / to see what
그의 어깨에서   그는 ~라고 느꼈다   무엇이든 가능하다고   그리고   그는 신이 났다   무슨 일이 일어날지

would happen. While the last year had felt like he was drowning, / he now felt capable of breathing
상상하는 것이   지난해는 물에 빠지는 것처럼 느껴졌지만   그는 이제 숨을 쉽게 쉴 수 있다고 느꼈다

capable of: ~을 할 수 있는

easily. He woke up / ready to start the day, / ready for whatever would happen. At this point, /
그는 일어났다   하루를 시작할 준비가 되어   일어날 수 있는 어떤 일에도 준비가 되어   이 시점에서

he had survived the worst, / and / he felt like / nothing could possibly discourage him; /
그는 최악의 상황에서 살아남았다   그리고 그는 ~라고 느꼈다   그 무엇도 그를 낙담시킬 수 없다고

there was no possible news / he could receive / that could cause any worry / for him / now.
가능한 소식이 없었다   그가 받을 수 있는   어떠한 걱정도 일으킬 수 있는   그에게   지금은

He felt truly free.
그는 진정으로 자유롭다고 느꼈다

STEP 1

전체적인 분위기:
Jefferson은 검사 결과를 받은 이후 이제 그 무엇도 그를 낙담시킬 수 없다고 느낌

STEP 2

Jefferson의 심경을 '안심하고 걱정이 없는(relieved and carefree)'이라고 표현한 ④번이 정답이다.

해석 지난 12개월 동안, Jefferson에게는 하루하루가 한결같이 걱정으로 가득 차 있었다. 그는 일 년 전에 걱정스러운 잠재적 진단을 받았는데, 이것은 그의 생각을 완전히 사로잡았다. 지난주에, 그가 마침내 검사 결과를 받았을 때, 그는 마치 어깨에서 엄청난 무게가 내려진 것처럼 느꼈다. 그는 무엇이든 가능하다고 느꼈고, 무슨 일이 일어날지 상상하는 것이 신이 났다. 지난해는 물에 빠지는 것처럼 느껴졌지만, 그는 이제 숨을 쉽게 쉴 수 있다고 느꼈다. 그는 하루를 시작할 준비, 그리고 일어날 수 있는 어떤 일에도 준비가 되어 일어났다. 이 시점에서, 그는 최악의 상황에서 살아남았고, 그 무엇도 그를 낙담시킬 수 없다고 느꼈다. 지금은 그에게 어떠한 걱정도 일으킬 수 있는 그가 받을 수 있는 소식이 없었다. 그는 진정으로 자유롭다고 느꼈다.

① 비관적이고 냉소적인
② 후회하고 겁을 먹은
③ 걱정스럽고 불안한
④ 안심하고 걱정이 없는

해설 지문 전반에 걸쳐 필자는 Jefferson이 일 년 전에 걱정스러운 잠재적 진단을 받은 후에는 물에 빠지는 것처럼 느껴졌지만, 올해 검사 결과를 받고 난 후에는 그 무엇도 그를 낙담시킬 수 없다고 느꼈고 진정으로 자유롭게 느꼈다고 설명하고 있다. 따라서 Jefferson의 심경을 '안심하고 걱정이 없는'이라고 표현한 ④번이 정답이다.

어휘 consistently 한결같이, 지속적으로   alarming 걱정스러운, 놀라운   potential 잠재적인, 가능성 있는   diagnosis 진단   preoccupy 사로잡다, 몰두하다
entirely 완전히   tremendous 엄청난   weight 무게   discourage 낙담시키다   pessimistic 비관적인, 회의적인   cynical 냉소적인   regretful 후회하는
frightened 겁을 먹은, 두려움을 느끼는   uneasy 불안한

독해가 쉬워지는 **공무원 필수구문**

문장을 꾸며주는 '접속사 ~' 해석하기 Point 21 이 문장에서 While the last year ~ drowning은 뒤에 나온 문장 전체를 꾸며주는 수식어이다. 이처럼 접속사 While이 이끄는 절(While + 주어 + 동사 ~)이 문장을 꾸며주는 경우, '지난해는 그가 물에 빠지는 것처럼 느껴졌지만'이라고 해석한다.

정답: ④

11 다음 글에서 Davis의 심경 변화를 가장 잘 나타낸 것은?

The sunlight burned brightly, and through the thick haze of sand particles, it gave the air a yellow-orange tint, seemingly surrounding Davis entirely in the heat as he walked across the desert. He had been walking for more than a week since his little plane had crashed. Sweat poured down his brow, and his dehydration became worse. Feelings of being lucky to be alive had faded long before today. Now, he was certain he would not survive his journey. He was weary and exhausted, and wanted to lie down and accept his fate sooner or later. But his heart pounded as he went over the next hill. He smiled, his eyes filling with tears as he looked at the small town a few miles away.

① confused → angry

② thankful → resigned

③ proud → depressed

④ hopeless → relieved

지문 구조 한눈에 보기

지문을 읽고 빈칸에 알맞은 말을 채우시오.

[도입] Davis가 [1]_____을 가로질러 걸어가는 동안 그가 열기에 완전히 둘러싸여 있는 것처럼 보였음

[전개1] Davis는 작은 비행기가 [2]_____한 이후로 일주일 넘게 걷고 있었음

[전개2] 땀이 그의 이마에 쏟아졌고, 그의 [3]_____ 증상은 더 심해져서, 피곤하고 지쳤음

[결말] Davis가 다음 언덕을 넘었을 때 몇 마일 떨어진 작은 [4]_____을 바라보고 미소를 지음

정답 | 1. 사막 2. 추락 3. 탈수 4. 마을

지문분석

The sunlight burned brightly, / and / through the thick haze of sand particles, / it gave the air /
햇빛은 밝게 타올랐다　　　그리고　　　모래 입자들의 짙은 아지랑이 사이로　　　그것은 공기에 주었다
　　　　　　　　　　　　　　　　　　　　　　　　　　　　→ 시간을 나타내는 부사절 접속사

a yellow-orange tint, / seemingly surrounding Davis / entirely in the heat / as he walked across the
노란색-주황색 색조를　　　마치 Davis가 둘러싸여 있는 것처럼 보였다　　　열기에 완전히　　　그가 사막을 가로질러 걸어가는 동안
　　　　　→ had been -ing: 과거 완료 진행 시제

desert. He had been walking / for more than a week / since his little plane had crashed. ☆ Sweat
그는 걷고 있었다　　　　　일주일 넘게　　　　그의 작은 비행기가 추락한 이후로　　　　　　땀이

poured down his brow, / and / his dehydration became worse. Feelings of being lucky to be alive /
땀이 그의 이마에 쏟아졌다　　　그리고　　　그의 탈수 증상은 더 심해졌다　　　살아 있어 행운이라는 감정은

had faded long before today. Now, / he was certain / he would not survive / his journey. He was weary
오늘이 되기 오래전에 사라졌다　　　이제　　　그는 확신했다　　　그가 살아남지 못할 것이라고　　　그의 여정에서　　　그는 피곤하고

and exhausted, / and / wanted to lie down / and accept his fate / sooner or later. But / his heart
지쳤다　　　그리고　　　눕고 싶었다　　　그리고 그의 운명을 받아들이고 싶었다　　　머지않아　　　그러나　그의 심장은

pounded / as he went over the next hill. He smiled, / his eyes filling with tears / as he looked at the
두근거렸다　　　그가 다음 언덕을 넘었을 때　　　그는 미소를 지었다　　　그의 눈에 눈물을 머금은 채　　　그가 작은 마을을 보았을 때

small town / a few miles away.
작은 마을을　　　몇 마일 떨어진

STEP 1

감정 관련 표현:
초반 – 살아남지 못할 것이라고 확신함
후반 – 심장이 두근거림, 미소를 지음

STEP 2

Davis의 심경 변화를 '절망적인(hopeless) → 안도한(relieved)'이라고 표현한 ④번이 정답이다.

해석 햇빛은 밝게 타올랐고, 모래 입자들의 짙은 아지랑이 사이로, 그것(햇빛)은 공기에 노란색-주황색 색조를 주었는데, 마치 Davis가 사막을 가로질러 걸어가는 동안 그가 열기에 완전히 둘러싸여 있는 것처럼 보였다. 그는 그의 작은 비행기가 추락한 이후로 일주일 넘게 걷고 있었다. 땀이 그의 이마에 쏟아졌고, 그의 탈수 증상은 더 심해졌다. 살아 있어 행운이라는 감정은 오늘이 되기 오래전에 사라졌다. 이제, 그는 그의 여정에서 살아남지 못할 것이라고 확신했다. 그는 피곤하고 지쳤으며, 머지않아 누워서 그의 운명을 받아들이고 싶었다. 그러나 그가 다음 언덕을 넘었을 때 그의 심장은 두근거렸다. 그는 몇 마일 떨어진 작은 마을을 보았을 때 그의 눈에 눈물을 머금은 채 미소를 지었다.

① 혼란스러운 → 화가 난　　　② 감사하는 → 체념한
③ 자랑스러운 → 우울한　　　④ 절망적인 → 안도한

해설 지문 처음에서 필자는 Davis가 비행기가 추락한 이후로 일주일 넘게 걷고 있었고, 탈수 증상이 더 심해졌다고 한 뒤, '살아남지 못할 것이라고 확신했다'와 같은 표현을 통해 절망적인 상황임을 드러냈고, 이후 '심장이 두근거렸다', '미소를 지었다'와 같은 표현을 통해 안도했음을 나타내고 있다. 따라서 Davis의 심경 변화를 '절망적인 → 안도한'이라고 표현한 ④번이 정답이다.

어휘 thick (안개 따위가) 짙은　haze 아지랑이, 안개　particle 입자　tint 색조　sweat 땀　brow 이마, 눈썹　dehydration 탈수 증상　weary 피곤한, 지친　fate 운명　pound 두근거리다, 세차게 고동치다　resigned 체념한, 묵묵히 따르는　depressed 우울한　hopeless 절망적인

독해가 쉬워지는 **공무원 필수구문**

☆ **병렬 관계를 나타내는 and / but / or 해석하기** Point 35 이 문장에서 and는 두 개의 절 Sweat poured down his brow와 his dehydration became worse를 연결하는 접속사이다. 이처럼 and는 문법적으로 동일한 형태의 구 또는 절을 연결하여 대등한 개념을 나타내므로, and가 연결하는 것이 무엇인지 파악하여 '땀이 그의 이마에 쏟아졌고 그의 탈수 증상은 더 심해졌다'라고 해석한다.

정답: ④

12 다음 글에 나타난 화자의 심경으로 가장 적절한 것은? [2021년 법원직 9급]

> Our whole tribe was poverty-stricken. Every branch of the Garoghlanian family was living in the most amazing and comical poverty in the world. Nobody could understand where we ever got money enough to keep us with food in our bellies. Most important of all, though, we were famous for our honesty. We had been famous for honesty for something like eleven centuries, even when we had been the wealthiest family in what we liked to think was the world. We put pride first, honest next, and after that we believed in right and wrong. None of us would take advantage of anybody in the world.
>
> *poverty-stricken 가난에 시달리는

① peaceful and calm

② satisfied and proud

③ horrified and feared

④ amazed and astonished

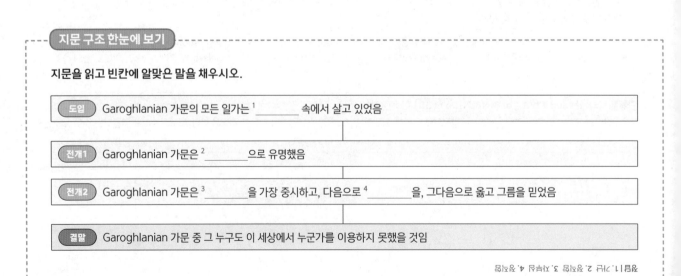

지문 구조 한눈에 보기

지문을 읽고 빈칸에 알맞은 말을 채우시오.

도입 Garoghlanian 가문의 모든 일가는 ¹_____ 속에서 살고 있었음

전개1 Garoghlanian 가문은 ²_____으로 유명했음

전개2 Garoghlanian 가문은 ³_____을 가장 중시하고, 다음으로 ⁴_____을, 그다음으로 옳고 그름을 믿었음

결말 Garoghlanian 가문 중 그 누구도 이 세상에서 누군가를 이용하지 못했을 것임

정답 1. 가난 2. 정직함 3. 자존심 4. 정직함

지문분석

Our whole tribe was poverty-stricken. Every branch / of the Garoghlanian family / was living / in the
우리 부족 전체는 가난에 시달렸다　　　모든 일가는　　　Garoghlanian 가문의　　　살고 있었다
→ 간접 의문문: 의문사 + 주어 + 동사

most amazing and comical poverty / in the world. Nobody could understand / where we ever got
가장 놀랍고 우스꽝스러운 가난 속에서　　세상에서　　아무도 이해할 수 없었다　　우리가 도대체 어디에서 돈을 구했는지

money / ~ enough to keep us / with food in our bellies. Most important of all, though, / we were
돈을　　우리가 유지하기에 충분한　　우리의 뱃속에 음식을 지닌 채로　　하지만 무엇보다도 가장 중요한 것은　　우리가

famous for our honesty. We had been famous for honesty / for something like eleven centuries, /
우리의 정직함으로 유명했다는 것이다　　우리는 정직함으로 유명했었다　　약 11세기 동안

even when we had been the wealthiest family / in what we liked to think was the world. We put pride
우리가 가장 부유한 가족이었을 때조차　　우리가 세상이었다고 생각하고 싶었던 곳에서　　우리는 자부심을 가장 중시한다
→ none of: ~ 중 아무것도

first, / honest next, / and after that / we believed in right and wrong. None of us / would take
다음으로 정직함을　　그리고 그다음에　　우리는 옳고 그름을 믿었다　　우리들 중 그 아무도　　

advantage of anybody / in the world.
누군가를 이용하지 못했을 것이다　　이 세상에서

STEP 1
전체적인 분위기:
화자의 부족이 정직함으로 유명했다는 것에 대해 설명함

STEP 2
화자의 심경을 '만족해하고 자랑스러워하는(satisfied and proud)'이라고 표현한 ②번이 정답이다.

해석　우리 부족 전체는 가난에 시달렸다. Garoghlanian 가문의 모든 일가는 세상에서 가장 놀랍고 우스꽝스러운 가난 속에서 살고 있었다. 우리의 뱃속에 음식을 지닌 채로 유지하기에 충분한 돈을 우리가 도대체 어디에서 구했는지 아무도 이해할 수 없었다. 하지만 무엇보다도 가장 중요한 것은 우리가 우리의 정직함으로 유명했다는 것이다. 약 11세기 동안 우리는 우리(자체)가 세상이었다고 생각하고 싶었던 곳에서 가장 부유한 가문이었을 때조차 정직함으로 유명했다. 우리는 자부심을 가장 중시하고, 다음으로 정직함을 (우선시하고), 그다음으로 우리는 옳고 그름을 믿었다. 우리들 중 그 아무도 이 세상에서 누군가를 이용하지 못했을 것이다.

① 평화롭고 차분한
② 만족해하고 자랑스러워하는
③ 겁에 질리고 무서워하는
④ 경악하고 깜짝 놀란

해설　지문 전반에 걸쳐 화자는 자신의 부족이 가난했지만 정직함으로 유명했다고 하고 있고 지문 뒷부분에서 화자의 부족은 자부심과 정직함을 중시하며 옳고 그름을 믿으며, 세상에서 자신들은 그 누구도 이용하지 못했을 것이라고 했으므로, 화자의 심경을 '만족해하고 자랑스러워하는'이라고 표현한 ②번이 정답이다.

어휘　branch 일가, 가족　comical 우스꽝스러운　put A first A를 가장 중시하다　take advantage of ~을 이용하다　horrified 겁에 질린
astonished 깜짝 놀란

독해가 쉬워지는 **공무원 필수구문**

정도를 나타내는 '… enough to ~' 구문 해석하기 Point 38　이 문장에서 … enough to ~는 충분한 정도를 나타내는 구문으로, 주어인 we(우리)가 충분한
돈을 가진(got money) 정도를 알려준다. 이처럼 '… **enough to ~**'구문이 정도를 나타내는 경우, '우리의 뱃속에 음식을 지닌 채로 유지하기에 충분한 돈'
이라고 해석한다.

정답: ②

gosi.Hackers.com

제가 공무원 시험에 단기간에 합격할 수 있었던
비결은 꾸준함이라 생각합니다.

저는 임용고시를 준비했던 고시생으로 2년 동안 꾸준히 영어를
접해왔고 교육학도 아예 모르는 수준이 아니었기에 공무원 시험을
준비하는 데에 어려움이 덜했습니다. 하지만, 그렇다고 영어나
교육학을 손 놓고 있지 않았습니다. 매일 같이 모르는 영어 단어를
외웠고, 다른 과목도 골고루 열심히 했기에 합격할 수 있었던 것 같습니다.

무엇보다도 중요한 것은 자신의 마음가짐이라 생각합니다.
이번 시험에 꼭 합격해야겠다는 마음가짐으로 공부를 해야 합격할 수 있습니다.
자신의 노력을 다했을 때 합격의 열매는 눈 앞에 와 있을 것입니다.

- 지방직 9급 합격자 강*애

해커스공무원 영어 독해 Reading

Section 2
세부 내용 파악 유형

내용 일치·불일치 파악

보기의 내용과 지문에 언급된 내용이 일치하는지, 혹은 일치하지 않는지를 묻는 문제 유형이다.

☐ 출제 경향

· 각 직렬 공무원 영어 시험에 매년 한 문제 이상 꼭 출제되는 최빈출 유형 중 하나이다.
· 지문 내용의 흐름과 보기 번호의 순서가 대부분 일치한다.

☐ STEP별 문제 풀이 전략

STEP 1 보기를 먼저 읽고 지문의 내용과 비교할 키워드를 파악한다.

주어진 보기를 먼저 읽고, 각 보기의 키워드를 통해 지문에서 어떤 내용을 찾아 비교해야 하는지를 파악한다.

보기   ① Humpback whales reach **maturity** between four and six years of age.
      혹등고래는 4살에서 6살 사이에 **성숙기**에 이른다.
      → 보기의 키워드인 '성숙기'와 관련된 내용을 지문에서 찾아 비교해야 함을 파악한다.

    ② Humpback whales are in great **danger of extinction**.
      혹등고래는 **멸종 위기**에 처해있다.
      → 보기의 키워드인 '멸종 위기'와 관련된 내용을 지문에서 찾아 비교해야 함을 파악한다.

STEP 2 지문에서 보기의 키워드와 관련된 부분을 찾아 내용을 비교한 후, 알맞은 보기를 선택한다.

· 각 보기의 키워드가 지문에서 그대로 언급되거나 바꾸어 표현된 부분을 찾아 하나씩 세부 내용을 비교하고, 일치하거나 일치하지 않는 보기를 선택한다. 이때, 보기의 내용이 지문에서 바꾸어 표현되는 경우가 많으므로 유의해야 한다.

보기   Humpback whales are in great **danger of extinction**. 혹등고래는 **멸종 위기**에 처해있다.

지문   Humpback whales are **on the verge of disappearing forever**. 혹등고래는 **영원히 사라질 지경**에 처해있다.
    → 보기에 언급된 danger of extinction이 지문에서는 on the verge of disappearing forever로 바꾸어 표현되었다.

· 일반적으로 생각했을 때 그럴듯한 보기를 정답으로 혼동하기 쉬우므로, 배경지식만으로 정답을 선택하지 않고 반드시 보기와 지문의 내용을 비교한 후 정답을 선택한다.

□ 전략 적용

다음 글의 내용과 일치하는 것은?　　　　　　　[2021년 국가직 9급]

The most notorious case of imported labor is of course the Atlantic slave trade, which brought as many as ten million enslaved Africans to the New World to work the plantations. But although the Europeans may have practiced slavery on the largest scale, they were by no means the only people to bring slaves into their communities: earlier, the ancient Egyptians used slave labor to build their pyramids, early Arab explorers were often also slave traders, and Arabic slavery continued into the twentieth century and indeed still continues in a few places. In the Americas some native tribes enslaved members of other tribes, and slavery was also an institution in many African nations, especially before the colonial period.

① African laborers voluntarily moved to the New World.
② Europeans were the first people to use slave labor.
③ Arabic slavery no longer exists in any form.
④ Slavery existed even in African countries.

STEP 1

보기를 먼저 읽고 지문의 내용과 비교할 키워드 파악하기

① 아프리카의 노동자들, 자발적으로 이동
② 유럽인들, 첫 번째 사람들
③ 아랍의 노예 제도, 존재하지 않음
④ 노예 제도, 아프리카 국가들

STEP 2

지문에서 보기의 키워드와 관련된 부분을 찾아 내용을 비교한 후, 알맞은 보기 선택하기

① X: 아프리카 노동자들은 노예가 되어 아메리카로 이동되었음
② X: 유럽인에 앞서 이집트인, 아랍인들이 노예를 활용했음
③ X: 아랍의 몇몇 장소에서는 지금도 노예 제도가 계속되고 있음
④ O: 아프리카 국가들에도 노예 제도가 있었음

해석　수입된 노동의 가장 악명 높은 사례는 물론 대서양 노예무역인데, 그것은 1,000만 명만큼 많은 농장에서 일할 노예가 된 아프리카인들을 아메리카로 데려왔다. 하지만, 유럽인들이 노예 제도를 가장 큰 규모로 시행했을지도 모르지만, 그들은 결코 그들의 공동체로 노예를 데려온 유일한 사람들은 아니었다. 초창기에, 고대 이집트인들은 그들의 피라미드를 건설하기 위해 노예 노동을 활용했고, 초기의 아랍인 탐험가들은 또한 대개 노예 상인이었으며, 아랍의 노예 제도는 20세기까지 계속되었고, 사실 지금도 몇몇 지역에서 계속된다. 아메리카에서 몇몇 토착 부족들은 다른 부족의 구성원들을 노예로 만들었으며, 노예 제도는 또한 특히 식민지 시대 이전의 많은 아프리카 국가들에서 관습이었다.

① 아프리카의 노동자들은 자발적으로 아메리카로 이동했다.
② 유럽인들은 노예 노동을 활용한 첫 번째 사람들이다.
③ 아랍의 노예 제도는 어떠한 형태로도 더 이상 존재하지 않는다.
④ 노예 제도는 심지어 아프리카 국가들에도 존재했다.

어휘　notorious 악명 높은　import 수입하다　enslaved 노예가 된　the New World 아메리카(신세계)　tribe 부족　colonial period 식민지 시대
voluntarily 자발적으로

정답: ④

Hackers Test

앞에서 배운 STEP별 전략을 적용하여 문제를 풀어보자.

01 다음 글의 내용과 일치하지 않는 것은?

> Evidence is mounting that the Maldives, a group of islands off the southern coast of India, is slowly sinking. Currently, the 1,200 islands sit at an average height of 1.5 meters above sea level, which makes it the country with the lowest elevation on the planet. But geologists predict that sea levels will rise over half a meter by the year 2100 as a result of global warming. In addition, the islands have soft soils that are constantly being eroded away by the force of incoming waves. These two factors combined present a serious long-term risk to the country, because if things don't change, the Maldives is expected to be entirely under water in 2250, leaving all of its residents without homes.

① The Maldives' elevation will drop 1.5 meters in the next century.

② Geologists think sea levels will continue to rise in the near future.

③ The sinking of the islands is made worse by the ongoing erosion of soil.

④ The Maldives is expected to sink completely by the year 2250.

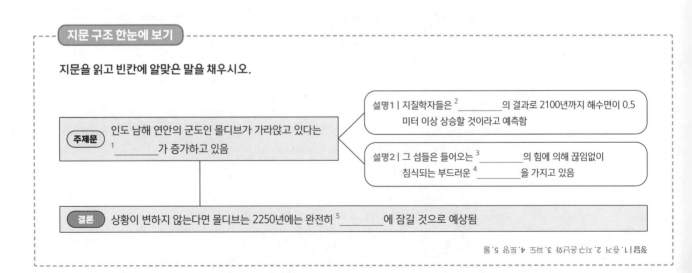

지문 구조 한눈에 보기

지문을 읽고 빈칸에 알맞은 말을 채우시오.

주제문 | 인도 남해 연안의 군도인 몰디브가 가라앉고 있다는 ¹_____가 증가하고 있음

설명1 | 지질학자들은 ²_____의 결과로 2100년까지 해수면이 0.5 미터 이상 상승할 것이라고 예측함

설명2 | 그 섬들은 들어오는 ³_____의 힘에 의해 끊임없이 침식되는 부드러운 ⁴_____을 가지고 있음

결론 | 상황이 변하지 않는다면 몰디브는 2250년에는 완전히 ⁵_____에 잠길 것으로 예상됨

정답 | 1. 증거 2. 지구온난화 3. 파도 4. 토양 5. 물

Evidence is mounting / that the Maldives, / a group of islands / off the southern coast of India, / is
증거가 증가하고 있다   몰디브가   군도인   인도 남해 연안의   is

slowly sinking. Currently, / the 1,200 islands sit at an average height / of 1.5 meters above sea level, /
서서히 가라앉고 있는   현재   그 1,200개의 섬은 평균 높이에 위치하는데   해발 1.5미터의

→ 5형식 동사 make: …를 ~로 만들다
which (makes) it the country / with the lowest elevation / on the planet. But / geologists predict /
이는 그것을 나라로 만든다   가장 낮은 해발고도를 가진   지구에서   하지만 지질학자들은 예측한다

→ as a result of ~: ~의 결과로
★ that sea levels will rise / over half a meter / by the year 2100 / (as a result of) global warming.
해수면이 상승할 것이라고   0.5미터 이상   2100년까지   지구 온난화의 결과로

→ be + being + p.p. = 현재진행 수동태
In addition, / the islands have soft soils / that (are constantly being eroded) away / by the force of
게다가   그 섬들은 부드러운 토양을 가지고 있다   끊임없이 침식되고 있는   들어오는 파도의 힘에 의해

incoming waves. These two factors combined / present a serious long-term risk / to the country, /
이 두 가지의 결합된 요인들은   심각한 장기적인 위험을 보여준다   이 나라에

because / if things don't change, / the Maldives is expected / to be entirely under water / in 2250, /
왜냐하면   상황이 변하지 않는다면   몰디브는 예상된다   완전히 물에 잠길 것으로   2250년에는

leaving all of its residents / without homes.
그곳의 모든 거주자들을 남겨놓으면서   집이 없는 채로

해석 인도 남해 연안의 군도인 몰디브가 서서히 가라앉고 있다는 증거가 증가하고 있다. 현재, 그 1,200개의 섬은 평균 해발 1.5미터에 위치하는데, 이는 그것을 지구에서 가장 낮은 해발고도를 가진 나라로 만든다. 하지만 지질학자들은 지구 온난화의 결과로 2100년까지 해수면이 0.5미터 이상 상승할 것이라고 예측한다. 게다가, 그 섬들은 들어오는 파도의 힘에 의해 끊임없이 침식되고 있는 부드러운 토양을 가지고 있다. 이 두 가지의 결합된 요인들은 이 나라에 심각한 장기적인 위험을 보여주는데, 왜냐하면 상황이 변하지 않는다면, 몰디브는 2250년에는 그곳의 모든 거주자들을 집이 없는 채로 남겨두면서 완전히 물에 잠길 것으로 예상되기 때문이다.

① 몰디브의 해발고도는 다음 세기에 1.5미터 낮아질 것이다.
② 지질학자들은 가까운 미래에 해수면이 계속 상승할 것이라고 생각한다.
③ 그 섬들의 침몰은 계속 진행 중인 토양 침식에 의해 악화된다.
④ 몰디브는 2250년까지 완전히 가라앉을 것으로 예상된다.

해설 ①번의 키워드인 elevation(해발고도)이 그대로 등장한 지문 주변의 내용에서 몰디브는 현재 평균 해발 1.5미터에 위치하여 지구에서 가장 낮은 해발고도를 가지고 있으며, 2100년까지 해수면이 0.5미터 이상 상승할 것이라고 했으므로, 몰디브의 해발고도가 다음 세기에 1.5미터 낮아질 것이라는 것은 지문의 내용과 다르다. 따라서 ①번이 지문의 내용과 일치하지 않는다.

어휘 mount 증가하다 sink 가라앉다, 침몰하다 elevation 해발고도 geologist 지질학자 predict 예측하다, 예언하다 erode 침식시키다, 풍화되다
long-term 장기적인 resident 거주자, 주민 ongoing 계속 진행 중인

독해가 쉬워지는 **공무원 필수구문**

목적어 자리에 온 'that ~' 해석하기 [Point 07] 이 문장에서 that sea levels ~ warming은 앞에 나온 동사 predict의 목적어이다. 이처럼 that이 이끄는 절
(that + 주어 + 동사 ~)이 목적어 자리에 온 경우, '~ 해수면이 상승할 것이라고'라고 해석한다.

정답: ①

02 Breakfast for All 프로그램에 관한 다음 글의 내용과 일치하는 것은?

https://BFA.DoA.org/introduction

Breakfast for All

INTRODUCTION | POLICY ISSUES | DATA | BREAKFAST FOR ALL | NEWS

HOME > BREAKFAST FOR ALL

Breakfast for All program

Breakfast for All is a program that provides university students with breakfast at a reduced price at school cafeterias. Currently, approximately 500,000 students are provided with breakfast. There are plans to double the budget for the program in the future. This budget expansion is in response to surveys that showed students were skipping their morning meal because of financial burden. Department officials hope the program will help to improve the eating habits of university students. According to a follow-up survey, 90 percent of students are content with the program and have realized the importance of breakfast thanks to the program.

① It has already doubled its current funding.

② It plans to offer dinner in the future.

③ It intends to improve the eating habits of students.

④ It helped students understand the importance of saving money.

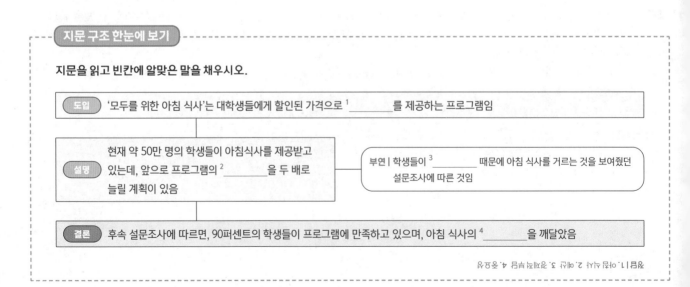

지문 구조 한눈에 보기

지문을 읽고 빈칸에 알맞은 말을 채우시오.

도입 '모두를 위한 아침 식사'는 대학생들에게 할인된 가격으로 ¹_____를 제공하는 프로그램임

설명 현재 약 50만 명의 학생들이 아침식사를 제공받고 있는데, 앞으로 프로그램의 ²_____을 두 배로 늘릴 계획이 있음

부연 | 학생들이 ³_____ 때문에 아침 식사를 거르는 것을 보여줬던 설문조사에 따른 것임

결론 후속 설문조사에 따르면, 90퍼센트의 학생들이 프로그램에 만족하고 있으며, 아침 식사의 ⁴_____을 깨달았음

정답 | 1. 아침 식사 2. 예산 3. 경제적 부담 4. 중요성

지문분석

→ provide A with B: A에게 B를 제공하다

Breakfast for All is a program / that (provides) university students with breakfast / at a reduced price /
'모두를 위한 아침 식사'는 프로그램입니다   대학생들에게 아침 식사를 제공하는   할인된 가격으로

at school cafeterias. Currently, / approximately 500,000 students are provided with breakfast.
학교 구내식당에서   현재   약 50만 명의 학생들이 아침 식사를 제공받고 있습니다

There are plans to double the budget for the program / in the future. This budget expansion is / in
프로그램의 예산을 두 배로 늘릴 계획이 있습니다   앞으로   이 예산 확대는

response to surveys / that showed students were skipping their morning meal / because of financial
설문조사에 따른 것입니다   학생들이 아침 식사를 거르는 것을 보여줬던   재정적 부담 때문에

burden. Department officials hope / the program will help to improve / the eating habits /
부담   부서 관계자들은 바랍니다   이 프로그램이 개선에 도움이 되기를   식습관의

of university students. According to a follow-up survey, / 90 percent of students are content with the
대학생들의   후속 설문조사에 따르면   90퍼센트의 학생들이 프로그램에 만족하고 있습니다

→ thanks to: ~ 덕분에

program / and have realized the importance of breakfast / (thanks to) the program.
그리고 아침 식사의 중요성을 깨달았습니다   프로그램 덕분에

해석 '모두를 위한 아침 식사' 프로그램

'모두를 위한 아침 식사'는 대학생들에게 학교 구내식당에서 할인된 가격으로 아침 식사를 제공하는 프로그램입니다. 현재, 약 50만 명의 학생들이 아침 식사를 제공받고 있습니다. 앞으로 프로그램의 예산을 두 배로 늘릴 계획이 있습니다. 이 예산 확대는 학생들이 재정적 부담 때문에 그들의 아침 식사를 거르는 것을 보여줬던 설문조사에 따른 것입니다. 부서 관계자들은 이 프로그램이 대학생들의 식습관 개선에 도움이 되기를 바랍니다. 후속 설문조사에 따르면, 90퍼센트의 학생들이 이 프로그램에 만족하고 있으며 프로그램 덕분에 아침 식사의 중요성을 깨달았다고 합니다.

① 그것의 현재 자금을 이미 두 배로 늘렸다.
② 앞으로 저녁 식사를 제공할 계획이다.
③ 학생들의 식습관을 개선하고자 한다.
④ 학생들이 저축하는 것의 중요성을 이해하는 데 도움이 되었다.

해설 ③번의 키워드인 improve the eating habits(식습관을 개선하다) 주변의 내용에서 부서 관계자들은 이 프로그램이 대학생들의 식습관 개선에 도움이 되기를 바란다고 했다. 따라서 ③번이 지문의 내용과 일치한다.

①번: 앞으로 프로그램의 예산을 두 배로 늘릴 계획이 있다고 했으므로, 현재 자금을 이미 두 배로 늘렸다는 것은 지문의 내용과 다르다.
②번: 앞으로 저녁 식사를 제공할 계획이라는 내용은 언급되지 않았다.
④번: 학생들이 저축하는 것의 중요성을 이해하는 데 도움이 되었는지에 대해서는 언급되지 않았다.

어휘 approximately 약, 대략 budget 예산 expansion 확대, 확장 financial 재정적인, 금융의 burden 부담, 짐 follow-up 후속의, 추가의
funding 자금, 재정

독해가 쉬워지는 **공무원 필수구문**

명사를 꾸며주는 '주격 관계대명사 who / that / which ~' 해석하기 [Point 16] 이 문장에서 that provides ~ cafeterias는 앞에 나온 명사 a program 을 꾸며주는 수식어이다. 이처럼 주격 관계대명사가 이끄는 절(that + 동사 ~)이 명사를 꾸며주는 경우, '아침 식사를 제공하는 프로그램'이라고 해석한다.

정답: ③

03 다음 글의 내용과 일치하는 것은?

The Vikings were a group of sailing people who were originally from parts of northern Europe. They were well-known for making boats better than any other civilization of their era. Their boats were both beautiful and well designed, and always had detailed carvings and dragon heads. They also featured a long, wide body, which was very stable. This was useful for traveling long distances in rough water or when battling other groups at sea. Because these boats were so superb, other cultures imitated them for centuries.

① 바이킹은 유럽 전역에 살았던 민족이었다.
② 바이킹 배는 항상 세밀하게 조각된 상을 특징으로 했다.
③ 바이킹 배는 안전성을 향상시키기 위해 가볍게 유지되었다.
④ 다른 문화들은 바이킹 배를 차지한 후 그 배를 사용했다.

지문 구조 한눈에 보기

지문을 읽고 빈칸에 알맞은 말을 채우시오.

도입 바이킹은 원래 유럽 북부 지역 출신의 ¹ _____ 하는 사람들의 집단이었으며 그들 시대의 다른 어떤 문명보다 더 나은 배를 만드는 것으로 알려졌었음

설명1 | 바이킹의 배는 아름답고 잘 ² _____ 되었으며, 언제나 정교한 조각과 용의 ³ _____ 를 가지고 있었음

설명2 | 바이킹의 배는 길고 넓은 선체를 특징으로 삼았는데, 그것은 매우 ⁴ _____ 이었음

설명3 | 바이킹의 배는 대단히 훌륭했기 때문에, 수 세기 동안 다른 ⁵ _____ 들이 그것들을 ⁶ _____ 했음

정답 | 1. 항해 2. 설계 3. 머리 4. 안정적 5. 문화 6. 모방

지문분석

The Vikings were a group of sailing people / (who) were originally from parts of northern Europe. They
바이킹은 항해하는 사람들의 집단이었다   원래 유럽의 북부 지역 출신의   그들은
　주격 관계대명사 who

were well-known / for making boats / better than any other civilization / of their era. Their boats
잘 알려졌었다   배를 만드는 것으로   다른 어떤 문명보다 더 나은   그들 시대의   그들의 배는

were both beautiful and well designed, / and always had detailed carvings and dragon heads. They
그들의 배는 아름답고 잘 설계되었으며   그리고 언제나 정교한 조각과 용의 머리를 가지고 있었다   그들은

also featured a long, wide body, / (which) was very stable. This was useful / for traveling long distances /
또한 길고 넓은 선체를 특징으로 삼았는데   그것은 매우 안정적이었다   이것은 유용했다   장거리를 여행하는데
　계속적 용법으로 쓰인 관계대명사 which

in rough water / or when battling other groups / at sea. Because these boats were so superb, / other
거친 물결에서   혹은 다른 집단과 싸울 때   바다에서   이러한 배들은 대단히 훌륭했기 때문에   다른

cultures imitated them / for centuries.
문화들이 그들을 모방했다   수 세기 동안

STEP 1
① 유럽 전역 거주
② 세밀하게 조각된 상
③ 안전성, 가벼움
④ 다른 문화, 바이킹 배

STEP 2
① X
② O
③ X
④ X

해석 바이킹은 원래 유럽 북부 지역 출신의 항해하는 사람들의 집단이었다. 그들은 그들 시대의 다른 어떤 문명보다 더 나은 배를 만드는 것으로 잘 알려졌었다. 그들의 배는 아름답고 잘 설계되었으며, 언제나 정교한 조각과 용의 머리를 가지고 있었다. 그것들은 또한 길고 넓은 선체를 특징으로 삼았는데, 그것은 매우 안정적이었다. 이것은 거친 물결에서 장거리를 여행하거나 바다에서 다른 집단과 싸울 때 유용했다. 이러한 배들은 대단히 훌륭했기 때문에, 수 세기 동안 다른 문화들이 그들을 모방했다.

해설 ②번의 키워드인 조각된 상을 바꾸어 표현한 지문의 carvings(조각) 주변의 내용에서 바이킹의 배에는 언제나 정교한 조각이 있었다는 것을 알 수 있다. 따라서 ②번이 지문의 내용과 일치한다.
　①번: 바이킹은 원래 유럽 북부 지역 출신의 항해하는 사람들의 집단이었다고 했으므로, 유럽 전역에 살았던 민족이었다는 것은 지문의 내용과 다르다.
　③번: 바이킹 배가 길고 넓은 선체를 특징으로 삼아 매우 안정적이었다고는 했지만, 안정성을 향상시키기 위해 가볍게 유지되었는지는 알 수 없다.
　④번: 바이킹의 배는 대단히 훌륭해서 수 세기 동안 다른 문화들이 그들의 배를 모방했다고는 했지만, 다른 문화들이 바이킹 배를 차지한 후에 그 배를 사용했는지는 알 수 없다.

어휘 be known for ~로 알려지다 carving 조각 feature 특징으로 삼다; 특색 stable 안정적인 distance 거리 battle 싸우다; 전투 superb 훌륭한, 최고의
imitate 모방하다

독해가 쉬워지는 **공무원 필수구문**

비교급을 사용해서 나타낸 최상급 해석하기 [Point 30] 이 문장에서 better than any other ~은 비교급을 사용하여 최상급을 나타내기 위해 사용된 구문이다. 이처럼 '비교급 than any other ~' 구문이 최상급을 나타내는 경우, '다른 어떤 문명보다 더 나은'이라고 해석한다.

정답: ②

04 Health Transit 서비스에 관한 다음 글의 내용과 일치하지 않는 것은?

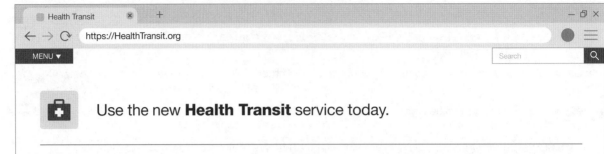

Use the new **Health Transit** service today.

Starting today, residents of rural communities with inadequate medical facilities can take advantage of the new Health Transit service. The new service is a joint project by the Ministry of Health and the Ministry of Rural Affairs. Once a week, the Health Transit bus, which is staffed by nurses and doctors, will visit underserved communities. It will provide routine medical care, such as checkups, blood pressure tests, and vision screenings. The government hopes that this new service will improve the well-being of rural residents who previously had to travel long distances for medical care, which often led them to skip visits and ignore problems.

① It serves people in places without healthcare facilities.

② It is a joint project by two government agencies.

③ Doctors and nurses will be aboard the bus.

④ Rural residents will travel long distances for the service.

지문 구조 한눈에 보기

지문을 읽고 빈칸에 알맞은 말을 채우시오.

도입 오늘부터 ¹_____ 시설이 부족한 농촌 지역 주민들은 새로운 '의료 운송 서비스'를 이용할 수 있음

설명1 보건복지부와 농림축산식품부의 ²_____ 사업임

설명2 일주일에 한 번씩 간호사와 의사가 배치된 '의료 운송 ³_____'가 취약 지역을 방문할 예정임 ─── **부연 |** 건강검진, 혈압 검사, 시력 검사와 같은 일상적인 진료를 제공함

결론 정부는 이 새로운 서비스가 농촌 주민들의 ⁴_____을 향상시키기를 바람

정답 | 1. 의료 2. 공동의 3. 버스 4. 안녕

Starting today, / residents of rural communities / with inadequate medical facilities / can take
오늘부터 　　　　　농촌 지역 주민들은 　　　　　　　　　　의료 시설이 부족한 　　　　　　　　~을 이용할 수 있습니다

take advantage of ~: ~을 이용하다

① 의료 시설이 없는 곳
② 두 정부 기관, 공동 사업
③ 의사와 간호사가 탑승
④ 먼 거리를 이동

advantage of / the new Health Transit service. The new service is a joint project / by the Ministry of
　　　　　　새로운 '의료 운송 서비스'를 　　　　이 새로운 서비스는 공동 사업입니다

Health and the Ministry of Rural Affairs. Once a week, / the Health Transit bus, / which is staffed by
보건복지부와 농림축산식품부의 　　　　　일주일에 한 번씩 　　　　'의료 운송 버스'가

① O
② O
③ O
④ X

nurses and doctors, / will visit underserved communities. It will provide routine medical care, / such
간호사와 의사가 배치된 　　　　취약 지역을 방문할 예정입니다 　　그것은 일상적인 진료를 제공할 것입니다

as checkups, blood pressure tests, and vision screenings. The government hopes / that this new
　　건강검진, 혈압 검사, 그리고 시력 검사와 같은 　　　　　　정부는 바랍니다 　　이 새로운 서비스가

service / will improve the well-being of rural residents / who previously had to travel long distances /
　　　　농촌 주민들의 건강을 향상시키기를 　　　　　이전에 먼 거리를 이동해야 했던

lead ... to ~: ...가 ~하게 이끌다

for medical care, / which often led them to skip visits / and ignore problems.
진료를 위해 　　　　그래서 종종 방문을 건너뛰게 했던 　　그리고 문제를 무시했던

해석 오늘 새로운 '의료 운송 서비스'를 이용해 보세요.

오늘부터, 의료 시설이 부족한 농촌 지역 주민들은 새로운 '의료 운송 서비스'를 이용할 수 있습니다. 이 새로운 서비스는 보건복지부와 농림축산식품부의 공동 사업입니다. 일주일에 한 번씩, 간호사와 의사가 배치된 '의료 운송 버스'가 취약 지역을 방문할 예정입니다. 그것(의료 운송 버스)은 건강검진, 혈압 검사, 그리고 시력 검사와 같은 일상적인 진료를 제공할 것입니다. 정부는 이 새로운 서비스가 이전에 진료를 위해 먼 거리를 이동해야 했기 때문에 종종 방문을 건너뛰고 문제를 무시했던 농촌 주민들의 건강을 향상시키기를 바랍니다.

① 의료 시설이 없는 곳의 사람들에게 서비스를 제공한다.
② 두 정부 기관의 공동 사업이다.
③ 의사와 간호사가 버스에 탑승할 예정이다.
④ 농촌 주민들은 서비스를 위해 먼 거리를 이동할 것이다.

해설 지문 중간에서 일주일에 한 번씩 간호사와 의사가 배치된 '의료 운송 버스'가 취약 지역을 방문할 예정이라고 했고, 지문 마지막에서 이전에 진료를 위해 먼 거리를 이동해야 했던 농촌 주민들의 건강을 향상시키기를 바란다고 했으므로, 농촌 주민들이 서비스를 위해 먼 거리를 이동할 것이라는 것은 지문의 내용과 다르다. 따라서 ④번이 지문의 내용과 일치하지 않는다.

어휘 rural 농촌의, 시골의　inadequate 부족한, 불충분한　facility 시설　take advantage of ~을 이용하다　joint 공동의　staff ~에 (직원을) 배치하다 underserved 취약한, 정부의 원조가 불충분한　checkup 건강검진　blood pressure 혈압　vision screening 시력 검사　agency 기관

독해가 쉬워지는 **공무원 필수구문**

★**명사를 꾸며주는 '주격 관계대명사 who / that / which ~' 해석하기** [Point 16] 이 문장에서 who previously ~ medical care는 앞에 나온 명사 rural residents를 꾸며주는 수식어이다. 이처럼 주격 관계대명사가 이끄는 절(who + 동사 ~)이 명사를 꾸며주는 경우, '이동해야 했던 농촌 주민들'이라고 해석한다.

정답: ④

05 글의 내용과 일치하지 않는 것을 고르시오.

> Written at the beginning of the 17th century, *Macbeth* is widely considered to be one of Shakespeare's greatest plays. *Macbeth* is a dramatized account of a real Scottish monarch. Much of the plot contains dark themes, with murder and supernatural events. The abundance of nighttime scenes and the reliance on offstage sound effects indicate that Shakespeare intended the play to be performed indoors, rather than in the open-air stadiums that were popular in England at the time. *Macbeth* has gained a reputation for being unlucky for performers. This is because of rumors that Shakespeare included actual spells from witches in the lines of certain characters. As a result, modern actors avoid saying the name of the play aloud before a performance and instead simply refer to it as "the Scottish play."

① A person who actually existed inspired *Macbeth*.

② *Macbeth* contains gloomy subject matter.

③ *Macbeth* was originally performed in outdoor theaters.

④ Actors believe that *Macbeth* causes bad luck.

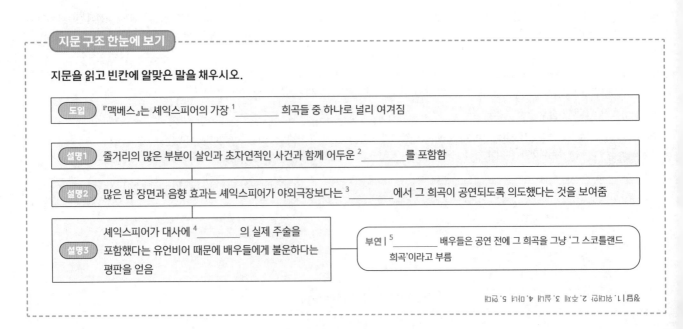

지문 구조 한눈에 보기

지문을 읽고 빈칸에 알맞은 말을 채우시오.

| 도입 | 『맥베스』는 셰익스피어의 가장 ¹_____ 희곡들 중 하나로 널리 여겨짐 |

| 설명1 | 줄거리의 많은 부분이 살인과 초자연적인 사건과 함께 어두운 ²_____를 포함함 |

| 설명2 | 많은 밤 장면과 음향 효과는 셰익스피어가 야외극장보다는 ³_____에서 그 희곡이 공연되도록 의도했다는 것을 보여줌 |

| 설명3 | 셰익스피어가 대사에 ⁴_____의 실제 주술을 포함했다는 유언비어 때문에 배우들에게 불운하다는 평판을 얻음 |

| 부연 | ⁵_____ 배우들은 공연 전에 그 희곡을 그냥 '그 스코틀랜드 희곡'이라고 부름 |

정답 | 1. 위대한 2. 주제 3. 실내 4. 마녀 5. 오늘날

지문분석

STEP 1
① 실존 인물, 맥베스
② 우울한 주제
③ 야외극장, 공연
④ 배우, 불행

STEP 2
① O
② O
③ X
④ O

⌐과거분사로 시작하는 분사구문
Written at the beginning of the 17th century, / *Macbeth* is widely considered / to be one of
　　　17세기 초에 쓰인　　　　　　　　　　　　　　『맥베스』는 널리 여겨진다

⌐명사(account)를 꾸며주는 과거분사
Shakespeare's greatest plays. *Macbeth* is a dramatized account / of a real Scottish monarch. Much of
셰익스피어의 가장 위대한 희곡들 중 하나로　　『맥베스』는 각색된 이야기이다　　실제 스코틀랜드 군주에 대한

the plot contains dark themes, / with murder and supernatural events. The abundance of nighttime
줄거리의 많은 부분은 어두운 주제를 포함한다　　　살인과 초자연적인 사건과 함께　　　　　다수의 밤 장면들

scenes / and the reliance on offstage sound effects / indicate / that Shakespeare intended / the
　　　그리고 무대 뒤 음향효과에 대한 의존은　　　　보여준다　　셰익스피어가 의도했다는 것을

⌐rather than ~: ~보다는
play to be performed indoors, / rather than in the open-air stadiums / that were popular in England /
그 희곡이 실내에서 공연되도록　　　　　야외극장보다는　　　　　　　잉글랜드에서 인기 있었던

at the time. *Macbeth* has gained a reputation / for being unlucky for performers. This is because of
　그 당시　　　　『맥베스』는 평판을 얻었다　　　　　배우들에게 불운하다는　　　이것은 유언비어 때문이다

rumors / that Shakespeare included actual spells / from witches / in the lines of certain characters.
　　　셰익스피어가 실제 주술을 포함했다는　　　　　마녀의　　　　특정 인물들의 대사에

As a result, / modern actors avoid saying / the name of the play / aloud / before a performance /
　그 결과　　현대 배우들은 말하는 것을 피한다　　　그 희곡의 이름을　　소리 내어　　공연 전에

⌐refer to … as ~: …을 ~라고 부르다
and instead / simply refer to it / as "the Scottish play."
그리고 대신　　　그냥 그것을 부른다　　'그 스코틀랜드 희곡'이라고

해석 17세기 초에 쓰인 『맥베스』는 셰익스피어의 가장 위대한 희곡들 중 하나로 널리 여겨진다. 『맥베스』는 실제 스코틀랜드 군주에 대한 각색된 이야기이다. 줄거리의 많은 부분은 살인과 초자연적인 사건과 함께 어두운 주제를 포함한다. 다수의 밤 장면들과 무대 뒤 음향효과에 대한 의존은 셰익스피어가 그 당시 잉글랜드에서 인기 있었던 야외극장보다는 실내에서 그 희곡이 공연되도록 의도했다는 것을 보여준다. 『맥베스』는 배우들에게 불운하다는 평판을 얻었다. 이것은 셰익스피어가 특정 인물들의 대사에 마녀의 실제 주술을 포함했다는 유언비어 때문이다. 그 결과, 현대 배우들은 공연 전에 그 희곡의 이름을 소리 내어 말하는 것을 피하고 대신 그냥 그것을 '그 스코틀랜드 희곡'이라고 부른다.

① 실제로 존재했던 인물이 『맥베스』에 영감을 주었다.
② 『맥베스』는 우울한 주제들을 포함한다.
③ 『맥베스』는 원래 야외극장에서 공연되었다.
④ 배우들은 『맥베스』가 불행을 가져온다고 믿는다.

해설 ③번의 키워드인 outdoor theaters(야외극장)를 바꾸어 표현한 지문의 the open-air stadiums(야외극장) 주변의 내용에서 셰익스피어는 『맥베스』가 야외극장보다는 실내에서 공연되도록 의도했다고 했으므로, 『맥베스』가 원래 야외극장에서 공연되었다는 것은 지문의 내용과 다르다. 따라서 ③번이 지문의 내용과 일치하지 않는다.

어휘 dramatize 각색하다　account 이야기, 계좌　monarch 군주　plot 줄거리　supernatural 초자연적인　abundance 다수, 풍부　offstage 무대 뒤의
indoor 실내의　open-air 야외의　reputation 평판, 명성　performer 배우　spell 주술　subject matter 주제

독해가 쉬워지는 공무원 필수구문

목적어 자리에 온 'that ~' 해석하기 [Point 07] 이 문장에서 that Shakespeare intended ~ at the time은 앞에 나온 동사 indicate의 목적어이다. 이처럼 that이 이끄는 절(that + 주어 + 동사 ~)이 목적어인 경우, '셰익스피어가 ~을 의도했다는 것을'이라고 해석한다.

정답: ③

06 다음 글의 내용과 일치하지 않는 것을 고르시오.

> One of the oldest debates in philosophy concerns whether humans have free will. Many thinkers consider free will to be a defining characteristic of humans, but some neuroscientists do not accept this premise. They assert that although we may have the illusion of being able to make a decision independent of outside forces, this impression is not real. For instance, according to multiple studies, our neurons are already prepared to make us perform certain simple actions up to 10 seconds before we become aware of our decision to act. Still, skeptics continue to say that if neuroscientists could one day accurately predict the final result of complicated decisions before the person making them is even aware of it, the evidence against free will would be far more compelling.

① Free will is often looked upon as a feature unique to human beings.

② Modern neuroscience supports the claims of those who believe in free will.

③ Scientific research indicates our brains get us ready to behave in specific ways.

④ Those who believe in free will want more proof from neuroscientists.

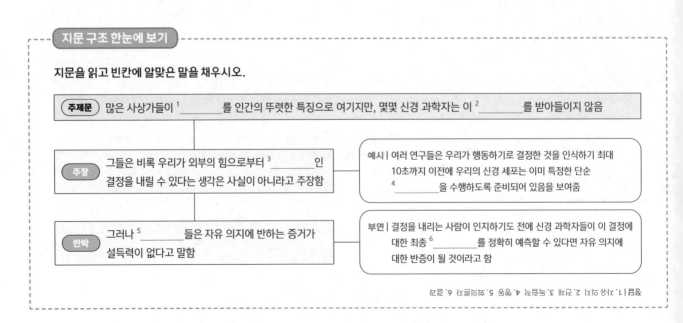

지문 구조 한눈에 보기

지문을 읽고 빈칸에 알맞은 말을 채우시오.

주제문 많은 사상가들이 ¹_____를 인간의 뚜렷한 특징으로 여기지만, 몇몇 신경 과학자는 이 ²_____를 받아들이지 않음

주장 그들은 비록 우리가 외부의 힘으로부터 ³_____인 결정을 내릴 수 있다는 생각은 사실이 아니라고 주장함

예시 여러 연구들은 우리가 행동하기로 결정한 것을 인식하기 최대 10초까지 이전에 우리의 신경 세포는 이미 특정한 단순 ⁴_____을 수행하도록 준비되어 있음을 보여줌

반박 그러나 ⁵_____들은 자유 의지에 반하는 증거가 설득력이 없다고 말함

부연 결정을 내리는 사람이 인지하기도 전에 신경 과학자들이 이 결정에 대한 최종 ⁶_____를 정확히 예측할 수 있다면 자유 의지에 대한 반증이 될 것이라고 함

정답 | 1. 자유 의지 2. 전제 3. 독립적 4. 행동 5. 회의론자 6. 결과

One of the oldest debates in philosophy / concerns ★ whether humans have free will. Many thinkers
철학에서 가장 오래된 논쟁 중 하나는   인간에게 자유 의지가 있는지와 관련된 것이다   많은 사상가들은

consider … to be ~: …을 ~으로 여기다
consider free will / to be a defining characteristic of humans, / but / some neuroscientists do not
자유 의지를 여긴다   인간의 뚜렷한 특징으로   하지만 몇몇 신경 과학자들은 이 전제를 받아들이지 않는다

accept this premise. They assert / that although we may have the illusion / of being able to make a
그들은 주장한다   우리가 환상을 가지고 있을 수 있지만   결정을 내릴 수 있다는

independent of ~: ~으로부터 독립적인
decision / independent of outside forces, / this impression is not real. For instance, / according to
외부의 힘으로부터 독립적인   이 생각은 사실이 아니라고   예를 들어 여러 연구들에 따르면

multiple studies, / our neurons are already prepared / to make us perform / certain simple actions /
우리의 신경 세포는 이미 준비되어 있다   우리가 수행하게 만들도록   특정한 단순 행동을

up to ~: 최대 ~까지
up to 10 seconds before / we become aware of our decision / to act. Still, / skeptics continue to say /
최대 10초까지 이전에   우리가 우리의 결정을 인식하게 되기   행동하기로 한 그런데도 회의론자들은 계속해서 말한다

that if neuroscientists could one day accurately predict / the final result of complicated decisions /
만약 신경 과학자들이 언젠가 정확히 예측할 수 있다면   복잡한 결정에 대한 최종 결과를

비교급 강조
before the person making them / is even aware of it, / the evidence against free will / would be far
결정을 내리는 사람이   그것을 인지하기도 전에   자유 의지에 반하는 증거가   훨씬

more compelling.
더 설득력 있을 것이라고

STEP 1
① 자유 의지, 인간의 특성
② 자유 의지, 주장 뒷받침
③ 뇌, 특정한 방식
④ 자유 의지, 증거

STEP 2
① O
② X
③ O
④ O

해석 철학에서 가장 오래된 논쟁 중 하나는 인간에게 자유 의지가 있는지와 관련된 것이다. 많은 사상가들이 자유 의지를 인간의 뚜렷한 특징으로 여기지만, 몇몇 신경 과학자들은 이 전제를 받아들이지 않는다. 그들은 우리가 외부의 힘으로부터 독립적인 결정을 내릴 수 있다는 환상을 가지고 있을 수 있지만, 이 생각은 사실이 아니라고 주장한다. 예를 들어, 여러 연구들에 따르면, 우리가 행동하기로 한 결정을 인식하게 되기 최대 10초까지 이전에 우리의 신경 세포가 이미 특정한 단순 행동을 수행하게 만들도록 준비되어 있다는 것을 보여준다. 그런데도, 회의론자들은 만약 언젠가 신경 과학자들이 결정을 내리는 사람이 그것을 인지하기도 전에 복잡한 결정에 대한 최종 결과를 정확히 예측할 수 있다면, 자유 의지에 반하는 증거가 훨씬 더 설득력 있을 것이라고 계속해서 말한다.

① 자유 의지는 흔히 인간에게만 있는 특성으로 여겨진다.
② 현대 신경 과학은 자유 의지를 믿는 사람들의 주장을 뒷받침한다.
③ 과학 연구는 우리의 뇌가 우리를 특정한 방식으로 행동하게 할 준비가 되게 한다고 보여준다.
④ 자유 의지를 믿는 사람들은 신경 과학자들로부터 더 많은 증거를 원한다.

해설 지문 앞부분에서 몇몇 신경 과학자들은 우리가 외부의 힘으로부터 독립적인 결정을 내릴 수 있다는 생각이 사실이 아니라고 주장한다고 했고, 지문 중간에서 여러 연구들이 우리의 신경 세포가 이미 특정한 행동을 수행하게 만들도록 준비되어 있다는 것을 보여준다고 했으므로, 현대 신경 과학이 자유 의지를 믿는 사람들의 주장을 뒷받침한다는 것은 지문의 내용과 반대이다. 따라서 ②번이 지문의 내용과 일치하지 않는다.

어휘 premise 전제 neuron 신경 세포 skeptic 회의론자 compelling 설득력 있는 look upon ~으로 여기다

독해가 쉬워지는 공무원 필수구문

★ **목적어 자리에 온 'if / whether ~' 해석하기** Point 08 이 문장에서 whether humans have free will은 앞에 나온 동사 concerns의 목적어이다. 이처럼 whether가 이끄는 절(whether + 주어 + 동사 ~)이 목적어 자리에 온 경우, '인간에게 자유 의지가 있는지'라고 해석한다.

정답: ②

07 본문의 내용과 일치하지 않는 것은?

In the field of astronomy, certain traditions are continued when naming newly discovered planets and moons in the solar system. All of the planets, with the exception of Earth and Uranus, are named for gods from Roman mythology. Similarly, when Galileo discovered the first moons of Jupiter, the tradition of naming astronomical bodies after mythological creatures was extended to planetary satellites as well. In fact, all of Jupiter's moons are named for either lovers of the god Jupiter or his offspring. Apart from Earth, Uranus is the only planet that doesn't follow the trend of taking Roman names. Uranus is named for a Greek god, and all of its moons are named for characters from the works of William Shakespeare.

① 지구는 로마 신의 이름을 따지 않은 유일한 행성이다.
② 로마 신화는 대부분의 행성 이름의 출처이다.
③ 갈릴레오는 목성의 위성을 최초로 발견한 사람이다.
④ 천왕성은 그리스 신의 이름을 따서 명명되었다.

--- **지문 구조 한눈에 보기** ---

지문을 읽고 빈칸에 알맞은 말을 채우시오.

> **도입** 천문학 분야에서는, 태양계에서 새로 발견된 행성과 위성의 이름을 지을 때 특정한 [1]_____이 이어짐

> **설명1** 지구와 천왕성을 제외한 모든 행성은 로마 신화의 [2]_____들의 이름을 따서 명명됨

> **설명2** 갈릴레오가 목성의 최초의 위성을 발견했을 때, 신화 속 인물의 이름을 따서 천체의 이름을 짓는 전통이 행성의 위성에까지 확장됨
>
> **부연** | 목성의 모든 위성은 주피터 신의 연인이나 [3]_____의 이름을 따서 명명됨

> **설명3** 지구를 제외하고, 천왕성은 로마 이름을 따르는 [4]_____를 따르지 않는 유일한 행성임
>
> **부연** | 천왕성은 그리스 신을 따서 명명되었고, 그것의 모든 [5]_____들은 셰익스피어의 작품 속 등장인물들의 이름을 따서 명명됨

정답 | 1. 전통 2. 신 3. 자식 4. 추세 5. 위성

지문분석

STEP 1
① 지구, 로마 신, 유일한 행성
② 로마 신화, 행성 이름
③ 갈릴레오, 목성의 위성 최초 발견
④ 천왕성, 그리스 신

In the field of astronomy, / certain traditions are continued / when naming newly discovered planets
천문학 분야에서는 　　　　특정한 전통이 이어진다 　　　　새로 발견된 행성과 위성의 이름을 지을 때

↱ with the exception of ~: ~을 제외한
and moons / in the solar system. All of the planets, / (with the exception of) Earth and Uranus, / are
태양계에서 　　　모든 행성은 　　　　　지구와 천왕성을 제외한

named for gods / from Roman mythology. Similarly, / when Galileo discovered the first moons of
신들의 이름을 따서 명명되었다 　　로마 신화의 　　　마찬가지로 　　　갈릴레오가 목성의 최초의 위성을 발견했을 때

STEP 2
① X
② O
③ O
④ O

Jupiter, / the tradition of naming astronomical bodies / after mythological creatures / was extended to
　　　천체의 이름을 짓는 전통이 　　　　신화 속 인물의 이름을 따서

planetary satellites / as well. In fact, / all of Jupiter's moons are named for / either lovers of the god
행성의 위성에까지 확장되었다 　또한 　사실 　　목성의 모든 위성은 이름을 따서 명명되었다 　　주피터 신의 연인이나 그의 자식의

↱ apart from ~: ~을 제외하고
Jupiter or his offspring. (Apart from) Earth, / Uranus is the only planet / ☆ that doesn't follow the trend /
　　　지구를 제외하고 　　　천왕성은 유일한 행성이다 　　그 추세를 따르지 않는

↱ be named for ~: ~의 이름을 따서 명명되다
of taking Roman names. Uranus (is named for) a Greek god, / and all of its moons are named for
로마 이름을 따오는 　　天왕성은 그리스 신의 이름을 따서 명명되었고 　그리고 그것의 모든 위성들은 등장인물들의 이름을 따서 명명되었다

characters / from the works of William Shakespeare.
윌리엄 셰익스피어의 작품 속의

해석　천문학 분야에서는, 태양계에서 새로 발견된 행성과 위성의 이름을 지을 때 특정한 전통이 이어진다. 지구와 천왕성을 제외한 모든 행성은 로마 신화의 신들의 이름을 따서 명명되었다. 마찬가지로, 갈릴레오가 목성의 최초의 위성을 발견했을 때, 신화 속 인물의 이름을 따서 천체의 이름을 짓는 전통이 행성의 위성에까지 또한 확장되었다. 사실, 목성의 모든 위성은 주피터 신의 연인이나 그의 자식의 이름을 따서 명명되었다. 지구를 제외하고, 천왕성은 로마 이름을 따오는 추세를 따르지 않는 유일한 행성이다. 천왕성은 그리스 신의 이름을 따서 명명되었고, 그것의 모든 위성들은 윌리엄 셰익스피어의 작품 속 등장인물들의 이름을 따서 명명되었다.

해설　①번의 키워드인 '지구' 주변의 내용에서 지구와 천왕성을 제외한 모든 행성은 로마 신화의 신들의 이름을 따서 명명되었다고 했으므로, 지구는 로마 신의 이름을 따지 않은 유일한 행성이라는 것은 지문의 내용과 다르다. 따라서 ①번이 지문의 내용과 일치하지 않는다.

어휘　astronomy 천문학　moon 위성　Uranus 천왕성　mythology 신화　Jupiter 목성, 주피터 신　planetary 행성의　satellite 위성　offspring 자식
　　　　trend 추세, 유행

독해가 쉬워지는 **공무원 필수구문**

☆ **명사를 꾸며주는 '주격 관계대명사 who / that / which ~' 해석하기** Point 16 이 문장에서 that doesn't follow ~ Roman names는 앞에 나온 명사 planet을 꾸며주는 수식어이다. 이처럼 주격 관계대명사 that이 이끄는 절(that + 동사 ~)이 명사를 꾸며주는 경우, '~을 따르지 않는 행성'이라고 해석한다.

정답: ①

08 다음 글의 내용과 일치하지 않는 것을 고르시오.

Henry Ford is famous for the design of an automobile affordable enough for the American public. However, his most lasting influence was the development of a system of mass production. The Ford Motor Company, established in 1903, revolutionized manufacturing by introducing new labor policies and methods of production. Ford offered his plant workers a daily wage of five dollars, roughly double the typical rate. He also introduced a standard eight-hour workday. This allowed him to lure away many of the best workers from his competitors. Within his plants, Ford combined labor specialization with the use of assembly lines to maximize production. The success of Ford's system led to its adoption by other US manufacturers, as well as many companies around the world.

① Ford designed the first car produced in the United States.

② Ford manufactured inexpensive cars for the general public.

③ Workers made more money working for Ford than for other companies.

④ Workers in Ford's plants were assigned to specific tasks.

지문 구조 한눈에 보기

지문을 읽고 빈칸에 알맞은 말을 채우시오.

| 도입 | 헨리 포드는 알맞은 가격의 자동차의 설계로 유명하지만, 그의 가장 오래 지속된 영향력은 ^{1}_____ 시스템의 개발이었음 |

| 주제문 | 포드 자동차 회사는 새로운 ^{2}_____ 정책과 생산 방식을 도입함으로써 제조업에 혁신을 일으켰음 |

| 설명1 | 포드는 공장 노동자에게 일반 임금의 거의 두 배의 일당을 제공했고 표준 근로시간을 도입함 | 결과 | 이것은 포드가 그의 ^{3}_____ 들로부터 최고의 노동자를 많이 끌어들일 수 있도록 함 |

| 설명2 | 그의 공장 내에서 포드는 생산을 ^{4}_____ 하기 위해 노동 전문화를 조립 라인의 사용과 결합함 |

| 결론 | 포드 시스템의 ^{5}_____ 은 전 세계의 많은 회사뿐만 아니라 다른 미국 제조업자들도 그 시스템을 채택하게 함 |

정답 | 1. 대량생산 2. 노동 3. 경쟁자 4. 극대화 5. 성공

지문분석

→ be famous for ~: ~로 유명하다

Henry Ford is famous for the design of an automobile / affordable enough for the American public.
헨리 포드는 자동차의 설계로 유명하다   미국 대중에게 충분히 알맞은 가격의

STEP 1
① 최초의 자동차 설계
② 저렴한 자동차 생산
③ 포드, 더 많은 돈
④ 특정한 업무 배정

However, / his most lasting influence was the development / of a system of mass production. The
하지만   그의 가장 오래 지속된 영향력은 개발이었다   대량 생산 시스템의

Ford Motor Company, / established in 1903, / revolutionized manufacturing / by introducing new
포드 자동차 회사는   1903년에 설립된   제조업에 혁신을 일으켰다

STEP 2
① X
② O
③ O
④ O

labor policies ★ and methods of production. Ford offered his plant workers / a daily wage of five
새로운 노동 정책과 생산 방식을 도입함으로써   포드는 그의 공장 노동자에게 제공했다   5달러의 일당을

dollars, / roughly double the typical rate. He also introduced a standard eight-hour workday. This
일반 임금의 거의 두 배에 달하는   그는 또한 표준이 되는 1일 8시간의 근로시간을 도입했다
→ allow … to ~: …가 ~할 수 있도록 하다

allowed him to lure away / many of the best workers / from his competitors. Within his plants, / Ford
이것은 그가 유인할 수 있도록 했다   최고의 노동자들을 많이   그의 경쟁자들로부터   그의 공장 내에서
부사 역할을 하는 to 부정사(~하기 위해)

combined labor specialization / with the use of assembly lines / to maximize production. The success
포드는 노동 전문화를 결합했다   조립 라인의 사용과   생산을 극대화하기 위해

of Ford's system / led to its adoption / by other US manufacturers, / as well as many companies /
포드 시스템의 성공은   그것의 채택으로 이어졌다   다른 미국 제조업자들에 의한   많은 회사뿐만 아니라

around the world.
전 세계의

해석 헨리 포드는 미국 대중에게 충분히 알맞은 가격의 자동차의 설계로 유명하다. 하지만, 그의 가장 오래 지속된 영향력은 대량 생산 시스템의 개발이었다. 1903년에 설립된 포드 자동차 회사는 새로운 노동 정책과 생산 방식을 도입함으로써 제조업에 혁신을 일으켰다. 포드는 그의 공장 노동자에게 일반 임금의 거의 두 배에 달하는 5달러의 일당을 제공했다. 그는 또한 표준이 되는 1일 8시간의 근로시간을 도입했다. 이것은 그가 그의 경쟁자들로부터 최고의 노동자들을 많이 유인할 수 있도록 했다. 그의 공장 내에서, 포드는 생산을 극대화하기 위해 노동 전문화를 조립 라인의 사용과 결합했다. 포드 시스템의 성공은 전 세계의 많은 회사뿐만 아니라 다른 미국 제조업자들에 의한 그 시스템의 채택으로 이어졌다.

① 포드는 미국에서 생산된 최초의 자동차를 설계했다.
② 포드는 일반 대중을 위한 저렴한 자동차를 생산했다.
③ 노동자들은 다른 회사들보다 포드를 위해 일하면서 더 많은 돈을 벌었다.
④ 포드 공장의 노동자들은 특정한 업무를 배정받았다.

해설 ①번의 키워드인 designed(설계했다)와 관련된 지문의 the design(설계) 주변의 내용에서 헨리 포드는 미국 대중에게 알맞은 가격의 자동차를 설계한 것으로 유명하다고 했지만, 그가 미국에서 생산된 최초의 자동차를 설계했는지는 알 수 없다. 따라서 ①번이 지문의 내용과 일치하지 않는다.

어휘 automobile 자동차 affordable (가격이) 알맞은 mass production 대량 생산 revolutionize 혁신을 일으키다 manufacturing 제조업 plant 공장 wage 임금 lure away from ~에서 유인해 꾀어내다 specialization 전문화 assembly line 조립 라인 maximize 극대화하다 adoption 채택, 입양 assign (업무·일 등을) 배정하다

독해가 쉬워지는 공무원 필수구문

병렬 관계를 나타내는 and / but / or 해석하기 Point 35 이 문장에서 and는 두 개의 명사구 new labor policies와 methods of production을 연결하는 접속사이다. 이처럼 and는 문법적으로 동일한 형태의 구 또는 절을 연결하여 대등한 개념을 나타내므로, and가 연결하는 것이 무엇인지 파악하여 '새로운 노동 정책과 생산 방식'이라고 해석한다.

정답: ①

09 NPOs에 대한 다음 글의 내용과 일치하는 것은?

Though it sounds contradictory, nonprofit organizations (NPOs) may legally generate profits from their activities. However, these funds must be used solely to continue or expand the organization's work. Although employees of the organization are paid salaries that match industry norms, they are not allowed to receive bonuses from any extra revenues. In addition, laws ban NPOs from participating in certain political activities. This is to ensure that NPOs remain as politically neutral as possible and focus on helping the communities they work in. Following these guidelines enables nonprofits to avoid paying government taxes, as the organizations often provide important public services that benefit society as a whole.

① 그들은 초과 수익으로 상여금을 받는다.
② 그들은 급여를 지급하기 위해 다른 단체에 의존한다.
③ 그들은 정당에 금전적인 지원을 제공해야 한다.
④ 그들은 정부에 세금을 낼 필요가 없다.

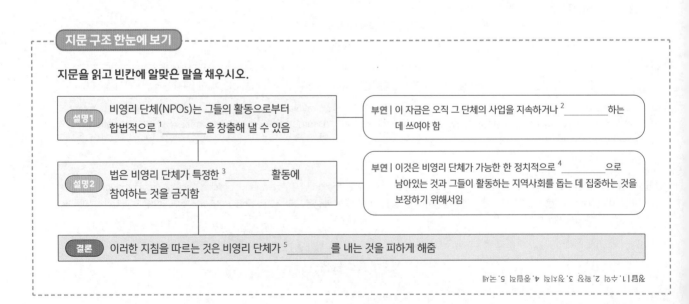

지문 구조 한눈에 보기

지문을 읽고 빈칸에 알맞은 말을 채우시오.

설명1 | 비영리 단체(NPOs)는 그들의 활동으로부터 합법적으로 ¹_____을 창출해 낼 수 있음

부연 | 이 자금은 오직 그 단체의 사업을 지속하거나 ²_____하는 데 쓰여야 함

설명2 | 법은 비영리 단체가 특정한 ³_____ 활동에 참여하는 것을 금지함

부연 | 이것은 비영리 단체가 가능한 한 정치적으로 ⁴_____으로 남아있는 것과 그들이 활동하는 지역사회를 돕는 데 집중하는 것을 보장하기 위해서임

결론 | 이러한 지침을 따르는 것은 비영리 단체가 ⁵_____를 내는 것을 피하게 해줌

정답 | 1. 수익 2. 확장 3. 정치적 4. 중립적 5. 세금

지문분석

Though it sounds contradictory, / nonprofit organizations (NPOs) may legally generate profits / from
모순되게 들리지만   비영리 단체(NPOs)는 합법적으로 수익을 창출해 낼 수 있다

their activities. However, / these funds must be used / solely to continue or expand / the organization's
그들의 활동으로부터   하지만   이 자금은 반드시 쓰여야 한다   오직 지속하거나 확장하는 데에만   그 단체의 사업을

work. Although employees of the organization are paid salaries / that match industry norms, / they are
그 단체의 직원들은 임금을 받기는 하지만   업계 표준에 맞는   그들은

not allowed / to receive bonuses / from any extra revenues. In addition, / laws ban NPOs from
허가되지 않는다   상여금을 받는 것이   어떠한 초과 수익에서 나오는   또한   법은 비영리 단체가 참여하는 것을 금지한다

participating / in certain political activities. This is to ensure / that NPOs remain / as politically neutral
특정한 정치적 활동에   이것은 보장하기 위함이다   비영리 단체가 남아있는 것   가능한 한 정치적으로 중립적으로
(that/which) they: 목적격 관계대명사 생략

as possible / and focus on helping the communities /they)work in. ★ Following these guidelines /
그리고 지역사회를 돕는 데 집중하는 것   그들이 활동하는   이 지침을 따르는 것은

enables nonprofits to avoid / paying government taxes, / as the organizations often provide /
비영리 단체가 피하게 해준다   국세를 내는 것을   이 단체들은 흔히 제공하기 때문에
→as a whole: 전체적으로

important public services / that benefit society as a whole.
중요한 공공 서비스를   사회에 전체적으로 혜택을 주는

STEP 1
① 수익, 상여금
② 급여, 다른 단체에 의존
③ 정당, 금전적 지원 제공
④ 정부, 세금

STEP 2
① X
② X
③ X
④ O

해석 모순되게 들리지만, 비영리 단체(NPOs)는 그들의 활동으로부터 합법적으로 수익을 창출해 낼 수 있다. 하지만, 이 자금은 반드시 오직 그 단체의 사업을 지속하거나 확장하는 데에만 쓰여야 한다. 그 단체의 직원들은 업계 표준에 맞는 임금을 받기는 하지만, 어떠한 초과 수익에서 나오는 상여금을 받는 것이 허가되지 않는다. 또한, 법은 비영리 단체가 특정한 정치적 활동에 참여하는 것을 금지한다. 이것은 비영리 단체가 가능한 한 정치적으로 중립적으로 남아있는 것과 그들이 활동하는 지역사회를 돕는 데 집중하는 것을 보장하기 위함이다. 이 단체들은 흔히 사회에 전체적으로 혜택을 주는 중요한 공공 서비스를 제공하기 때문에, 이 지침을 따르는 것은 비영리 단체가 국세를 내는 것을 피하게 해준다.

해설 지문 뒷부분에서 비영리 단체들이 이러한 지침(상여금이 없고 정치적 중립성을 지키는 것)을 따르는 것은 그들이 국세를 내지 않도록 해준다고 했으므로, 그들이 정부에 세금을 낼 필요가 없다는 것을 알 수 있다. 따라서 ④번이 지문의 내용과 일치한다.
①번: 비영리 단체의 직원들은 어떠한 초과 수익에서 나오는 상여금을 받는 것이 허가되지 않는다고 했으므로, 초과 수익으로 상여금을 받는다는 것은 지문의 내용과 다르다.
②번: 비영리 단체가 급여를 지급하기 위해서 다른 단체에 의존하는지에 대해서는 언급되지 않았다.
③번: 비영리 단체는 특정한 정치 활동에 참여하는 것이 법으로 금지되어 있다고 했으므로, 그들이 정당에 금전적인 지원을 제공해야 한다는 것은 지문의 내용과 다르다.

어휘 contradictory 모순된 nonprofit 비영리적인; 비영리 단체 organization 단체 legally 합법적으로 generate 창출하다, 발생하다 solely 오직
expand 확장하다 norm 표준 revenue 수익, 수입 neutral 중립적인

독해가 쉬워지는 **공무원 필수구문**

주어 자리에 온 동명사구 해석하기 **Point 01** 이 문장에서 주어는 Following these guidelines이다. 이처럼 동명사구(Following ~)가 주어인 경우, '~을
따르는 것은'이라고 해석한다.

정답: ④

10 다음 글의 내용과 일치하지 않는 것을 고르시오.

Recently, members of the British police force discovered the body of a man by a river. With nothing on his person to identify him, officers worried they would be unable to contact the man's relatives regarding his condition. However, they opted to try a new approach: facial recognition technology. In a matter of minutes, a scan of the man's face produced his name, address, and contact information, and his family was swiftly notified about the situation. If traditional methods had been used instead, correctly determining his identity could have taken a week or longer. However, the use of facial scans has also raised privacy concerns. While facial recognition technology was beneficial in this isolated situation, many worry that it could be exploited for unlawful financial gain or worse, such as a more serious criminal act.

① A body without any identification was found by a river.

② Facial recognition technology determined the man's identity within minutes.

③ The family of the man was contacted regarding his condition.

④ Many expect facial recognition technology will be used to benefit society.

지문 구조 한눈에 보기

지문을 읽고 빈칸에 알맞은 말을 채우시오.

도입	최근, 영국 경찰 구성원들은 강 옆에서 한 남자의 시신을 발견함	부연 | 그에게 그의 ¹_____ 을 확인할 것이 아무것도 없었으므로, 경찰관들은 그의 상태에 관하여 알려주지 못할 것을 걱정함
전개	경찰은 얼굴 인식 기술을 시도해 그 남자의 신원을 밝혀내고 그의 상태에 대해 가족들에게 신속히 통지함	부연 | 만약 기존의 방식이 사용되었다면, 그의 신원을 정확하게 밝혀내는 것은 일주일 이상 걸렸을 수도 있음
설명	하지만, 얼굴 스캔의 사용은 또한 ²_____ 에 대한 걱정을 높였음	부연 | 많은 사람들은 이것이 불법적인 ³_____ 이득이나 심각한 ⁴_____ 행위 등 부당하게 이용될 수 있음을 걱정함

정답 | 1. 신원 2. 사생활 3. 금전상의 4. 범죄

Recently, / members of the British police force / discovered the body of a man / by a river. With
최근에 영국 경찰 구성원들은 한 남자의 시신을 발견했다 강 옆에서

→ on one's person: 휴대하여, (몸에) 지니고
nothing (on his person) / to identify him, / officers worried / they would be unable to contact / the man's
그가 아무것도 휴대하고 있지 않으므로 그의 신원을 확인할 경찰관들은 걱정했다 연락하지 못할 것을 그 남자의

relatives / regarding his condition. However, / they opted to try / a new approach: / facial recognition
인척들에게 그의 상태에 관하여 하지만 그들은 시도해 보기로 선택했다 새로운 접근법을 얼굴 인식 기술

→ in a matter of + (시간): 불과 (시간) 만에
technology. (In a matter of minutes,) / a scan of the man's face produced / his name, address, and contact
불과 몇 분 만에 그 남자의 얼굴 스캔이 보여주었다 그의 이름, 주소, 그리고 연락처를

information, / and his family was swiftly notified / about the situation. **If traditional methods had**
그리고 그의 가족은 신속하게 통지받았다 상태에 대해 만약 기존의 방식이 사용되었다면

been used / instead, / correctly determining his identity / could have taken a week or longer. However, /
대신 그의 신원을 정확하게 밝혀내는 것은 일주일이나 그 이상 걸렸을 수도 있다 하지만

the use of facial scans / has also raised privacy concerns. While facial recognition technology was
얼굴 스캔의 사용은 또한 사생활에 대한 걱정을 높였다 얼굴 인식 기술이 유익했지만

beneficial / in this isolated situation, / many worry / that it could be exploited / for unlawful financial
이러한 단 한 번의 상황에 있어서는 많은 사람들은 걱정한다 이것이 부당하게 이용될 수 있음을 불법적인 금전적

gain or worse, / such as a more serious criminal act.
이득이나 더 나쁜 것을 위해 더 심각한 범죄 행위와 같은

STEP 1
① 신분증이 없는 시신
② 얼굴 인식 기술, 신원
③ 가족, 연락
④ 얼굴 인식 기술, 사회를 이롭게 함

STEP 2
① O
② O
③ O
④ X

해석 최근에, 영국 경찰 구성원들은 강 옆에서 한 남자의 시신을 발견했다. 그가 그의 신원을 확인할 아무것도 휴대하고 있지 않았으므로, 경찰관들은 그의 상태에 관하여 그 남자의 인척들에게 연락하지 못할 것을 걱정했다. 하지만, 그들은 새로운 접근법인 얼굴 인식 기술을 시도해 보기로 선택했다. 불과 몇 분 만에, 그 남자의 얼굴 스캔이 그의 이름, 주소, 그리고 연락처를 보여주었고, 그의 가족은 상태에 대해 신속하게 통지받았다. 만약 기존의 방식이 대신 사용되었다면, 그의 신원을 정확하게 밝혀내는 것은 일주일이나 그 이상 걸렸을 수도 있다. 하지만, 얼굴 스캔의 사용은 또한 사생활에 대한 걱정을 높였다. 얼굴 인식 기술이 이러한 단 한 번의 상황에 있어서는 유익했지만, 많은 사람들은 이것이 불법적인 금전적 이득이나 더 심각한 범죄 행위와 같은 더 나쁜 것을 위해 부당하게 이용될 수 있음을 걱정한다.

① 신분증이 없는 시신이 강 옆에서 발견되었다.
② 얼굴 인식 기술이 몇 분 이내에 그 남자의 신원을 밝혀냈다.
③ 그 남자의 가족은 그의 상태에 관하여 연락을 받았다.
④ 많은 사람들이 얼굴 인식 기술이 사회를 이롭게 하기 위해 사용될 것이라고 기대한다.

해설 ④번의 키워드인 facial recognition technology(얼굴 인식 기술), benefit society(사회를 이롭게 하다)와 관련된 지문의 내용에서 많은 사람들이 얼굴 인식 기술이 불법적인 금전적 이득이나 더 심각한 범죄 행위와 같은 더 나쁜 것을 위해 부당하게 사용될 수 있음을 걱정한다고 했으므로, 많은 사람들이 얼굴 인식 기술이 사회를 이롭게 하기 위해 사용될 것이라고 기대한다는 것은 지문의 내용과 다르다. 따라서 ④번이 지문의 내용과 일치하지 않는다.

어휘 relative 인척 swiftly 신속하게 identity 신원, 정체성 isolated 단 한번의, 고립된 exploit 이용하다

독해가 쉬워지는 **공무원 필수구문**

과거 상황을 반대로 가정하는 가정법 해석하기 [Point 26] 이 문장에서 If ~ had been used ~, ~ could have taken ~은 가정법 과거완료 구문으로, 기존의 방식이 사용되지 않았던 과거의 상황을 반대로 가정하여 말하고 있다. 이처럼 가정법 과거완료(**If + 주어 + had + p.p., 주어 + could + have + p.p.**) 구문은, '만약 기존의 방식이 대신 사용되었다면, 그의 신원을 정확하게 밝혀내는 것은 일주일이나 그 이상 걸렸을 수도 있다'라고 해석한다.

정답: ④

11 다음 글의 내용과 일치하지 않는 것은?

Many people question whether government taxes on unhealthy products are an appropriate way for the government to collect revenue from citizens. For instance, in Canada, taxes make up nearly 70 percent of the total price of certain goods, such as tobacco products. In the case of items containing tobacco, money from their sales is used to pay the cost of public health treatment for people with smoking-related illnesses. Using similar reasoning, some countries are proposing a tax on sugary sodas. This is because greater sugar consumption is linked to higher obesity and diabetes rates. To be sure, taxing beverages might be effective in preventing lifestyle-related diseases. Yet, many people argue that preserving personal freedom of choice is the most important priority and that such taxes violate this freedom.

① Harmful products are subject to added charges in Canada.

② Certain Canadian government revenues are spent on health services.

③ A government-determined tax has been levied against sugary beverages.

④ Sweetened soft drink consumption correlates with certain medical conditions.

지문 구조 한눈에 보기

지문을 읽고 빈칸에 알맞은 말을 채우시오.

주제문 사람들은 건강에 해로운 제품에 부과되는 세금이 정부가 시민으로부터 수익을 모으는 ¹_____ 방법인지 의문을 제기함

예시1 캐나다에서는 세금이 담배 제품과 같은 특정 상품의 총 가격의 거의 70퍼센트를 차지함

부연 | 담배가 들어 있는 제품의 판매로 인한 돈은 ²_____과 관련된 질병이 있는 사람들을 위한 공공 보건 치료 비용을 부담하는 데 사용됨

예시2 일부 국가는 ³_____이 든 청량음료에 대한 세금 부과를 제안하고 있음

부연 | 이것은 더 많은 설탕 섭취량이 더 높은 비만율 및 당뇨병 발병률과 연관되어 있기 때문임

결론 많은 사람들은 개인적인 ⁴_____의 자유를 지키는 것이 가장 중요하며 이러한 세금은 이 자유를 침해한다고 주장함

정답 1. 적절한 2. 흡연 3. 설탕 4. 선택

지문분석

Many people question / whether government taxes on unhealthy products / are an appropriate way /
많은 사람들이 의문을 제기한다   건강에 해로운 제품에 부과되는 정부 세금이   적절한 방법인지

make up: 차지하다
for the government to collect revenue / from citizens. For instance, / in Canada, / taxes (make up) nearly
      정부가 수익을 모으는   시민으로부터   예를 들어   캐나다에서는   세금이 거의 70퍼센트를 차지한다

70 percent / of the total price / of certain goods, / such as tobacco products. In the case of items /
      총 가격의   특정 상품의   담배 제품과 같은   제품의 경우

containing tobacco, / money from their sales / is used to pay / the cost of public health treatment /
      담배가 들어 있는   그것들의 판매로 인한 돈은   부담하는 데 사용된다   공공 보건 치료 비용을

for people with smoking-related illnesses. Using similar reasoning, / some countries are proposing /
      흡연과 관련된 질병이 있는 사람들을 위한   비슷한 논리를 사용하여   일부 국가는 제안하고 있다

tax on ~: ~에 대한 세금
a (tax on) sugary sodas. This is / because greater sugar consumption is linked / to higher obesity and
설탕이 든 청량음료에 대한 세금 부과를 이것은   더 많은 설탕 섭취량이 연관되어 있기 때문이다   더 높은 비만율 및 당뇨병 발병률과

diabetes rates. To be sure, / taxing beverages might be effective / in preventing lifestyle-related
당뇨병 발병률과   틀림없이   음료에 대한 세금 부과는 효과적일 수도 있다   생활 방식과 관련된 질병을 예방하는 데

접속사로 쓰인 yet
diseases. (Yet), / many people argue / that preserving personal freedom of choice / is the most
      하지만   많은 사람들은 주장한다   개인적인 선택의 자유를 지키는 것이   가장 중요한 우선 사항이라는 것을

important priority / and that such taxes / violate this freedom.
      가장 중요한 우선 사항이라는 것을 그리고 그러한 세금은 이 자유를 침해한다고

해석 많은 사람들이 건강에 해로운 제품에 부과되는 정부 세금이 정부가 시민으로부터 수익을 모으는 적절한 방법인지 의문을 제기한다. 예를 들어, 캐나다에서는, 세금이 담배 제품과 같은 특정 상품의 총 가격의 거의 70퍼센트를 차지한다. 담배가 들어 있는 제품의 경우, 그것들의 판매로 인한 돈은 흡연과 관련된 질병이 있는 사람들을 위한 공공 보건 치료 비용을 부담하는 데 사용된다. 비슷한 논리를 사용하여, 일부 국가는 설탕이 든 청량음료에 대한 세금 부과를 제안하고 있다. 이것은 더 많은 설탕 섭취량이 더 높은 비만율 및 당뇨병 발병률과 연관되어 있기 때문이다. 틀림없이, 음료에 대한 세금 부과는 생활 방식과 관련된 질병을 예방하는 데 효과적일 수도 있다. 하지만, 많은 사람들은 개인적인 선택의 자유를 지키는 것이 가장 중요한 우선 사항이며 그러한 세금은 이 자유를 침해한다고 주장한다.

① 캐나다에서는 해로운 제품이 추가 세금의 대상이다.
② 특정 캐나다 정부 수입은 의료 서비스에 사용된다.
③ 정부에 의해 결정된 세금이 설탕이 든 음료에 부과되었다.
④ 설탕이 든 탄산음료의 소비는 특정 질병과 상관관계가 있다.

해설 ③번의 키워드인 sugary beverages(설탕이 든 음료)를 바꾸어 표현한 지문의 sugary sodas(설탕이 든 청량음료) 주변의 내용에서 일부 국가에서 설탕이 든 청량음료에 세금을 부과하는 것을 제안하고 있다고 했으므로, 정부에 의해 결정된 세금이 설탕이 든 음료에 부과되었다는 것은 지문의 내용과 다르다. 따라서 ③번이 지문의 내용과 일치하지 않는다.

어휘 appropriate 적절한 revenue 수익 reasoning 논리, 논법 propose 제안하다 obesity 비만 diabetes 당뇨병 preserve 지키다, 보호하다 priority 우선 사항 levy 부과하다, 징수하다

독해가 쉬워지는 **공무원 필수구문**

목적어 자리에 온 'if / whether ~' 해석하기 [Point 08] 이 문장에서 whether government taxes ~ citizens는 앞에 나온 동사 question의 목적어이다. 이처럼 **whether**가 이끄는 절(whether + 주어 + 동사 ~)이 목적어 자리에 온 경우, '~ 정부 세금이 적절한 방법인지'라고 해석한다.

정답: ③

12 다음 글의 내용과 일치하지 않는 것은?

Are you getting enough choline? Chances are, this nutrient isn't even on your radar. It's time choline gets the attention it deserves. A shocking 90 percent of Americans aren't getting enough choline, according to a recent study. Choline is essential to health at all ages and stages, and is especially critical for brain development. Why aren't we getting enough? Choline is found in many different foods but in small amounts. Plus, the foods that are rich in choline aren't the most popular: think liver, egg yolks and lima beans. Taylor Wallace, who worked on a recent analysis of choline intake in the United States, says, "There isn't enough awareness about choline even among health-care professionals because our government hasn't reviewed the data or set policies around choline since the late '90s."

① A majority of Americans are not getting enough choline.

② Choline is an essential nutrient required for brain development.

③ Foods such as liver and lima beans are good sources of choline.

④ The importance of choline has been stressed since the late '90s in the U.S.

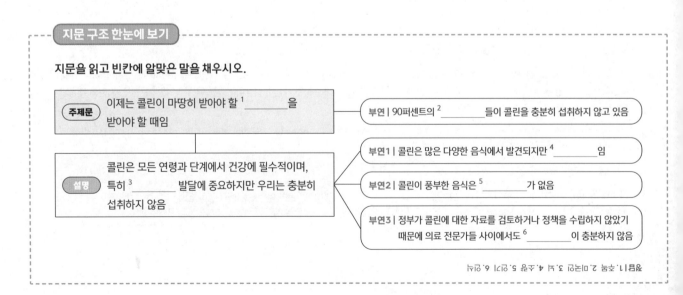

지문 구조 한눈에 보기

지문을 읽고 빈칸에 알맞은 말을 채우시오.

| 주제문 | 이제는 콜린이 마땅히 받아야 할 [1]_____ 을 받아야 할 때임 |

부연 | 90퍼센트의 [2]_____ 들이 콜린을 충분히 섭취하지 않고 있음

| 설명 | 콜린은 모든 연령과 단계에서 건강에 필수적이며, 특히 [3]_____ 발달에 중요하지만 우리는 충분히 섭취하지 않음 |

부연1 | 콜린은 많은 다양한 음식에서 발견되지만 [4]_____ 임

부연2 | 콜린이 풍부한 음식은 [5]_____ 가 없음

부연3 | 정부가 콜린에 대한 자료를 검토하거나 정책을 수립하지 않았기 때문에 의료 전문가들 사이에서도 [6]_____ 이 충분하지 않음

정답 | 1. 주의 2. 미국인 3. 뇌 4. 소량 5. 인기 6. 인식

지문분석

Are you getting enough choline? Chances are, / this nutrient isn't even on your radar. It's time /
당신은 콜린을 충분히 섭취하고 있는가 아마도 이 영양소는 당신의 관심사에도 없을 것이다 이제는 ~할 때이다

choline gets the attention / it deserves. A shocking 90 percent of Americans / aren't getting enough
콜린이 주목을 받을 마땅히 받아야 할 충격적인 90퍼센트의 미국인들이 콜린을 충분히 섭취하지 않고 있다

→ according to ~: ~에 따르면
choline, / (according to) a recent study. Choline is essential to health / at all ages and stages, /
최근의 연구에 따르면 콜린은 건강에 필수적이다 모든 연령과 단계에서

and is especially critical / for brain development. Why aren't we getting enough? Choline ★ is found /
그리고 특히 중요하다 뇌 발달에 우리는 왜 충분히 섭취하지 않는가 콜린은 발견된다

in many different foods / but in small amounts. Plus, / the foods that are rich in choline / aren't the
많은 다양한 음식에서 하지만 소량이다 게다가 콜린이 풍부한 음식은 가장

most popular: / think liver, egg yolks and lima beans. Taylor Wallace, who worked on a recent analysis
인기 있는 것이 아니다 간, 달걀노른자, 그리고 리마콩을 생각해 보라 미국에서의 콜린 섭취에 대한 최근의 분석을 진행한 Taylor Wallace는 말한다

of choline intake in the United States, says, / "There isn't enough awareness about choline / even
콜린에 대한 인식이 충분하지 않다

→ ~ 사이에(셋 이상의 그룹 사이)
(among) health-care professionals / because our government hasn't reviewed the data / or set policies
심지어 의료 전문가들 사이에서도 우리 정부가 자료를 검토하지 않았기 때문에 또는 콜린에 대한 정책을

around choline / since the late '90s."
수립하지 않거나 90년대 후반 이후로

STEP 1
① 미국인, 콜린 충분히 섭취 못함
② 뇌 발달, 필수 영양소
③ 간, 리마콩, 콜린 공급원
④ 90년대 후반, 콜린의 중요성 강조

STEP 2
① O
② O
③ O
④ X

해석 당신은 콜린을 충분히 섭취하고 있는가? 아마도, 이 영양소는 당신의 관심사에도 없을 것이다. 이제는 콜린이 마땅히 받아야 할 주목을 받을 때이다. 최근의 연구에 따르면, 충격적인 90퍼센트의 미국인들이 콜린을 충분히 섭취하지 않고 있다. 콜린은 모든 연령과 단계에서 건강에 필수적이며, 특히 뇌 발달에 중요하다. 우리는 왜 충분히 섭취하지 않는가? 콜린은 많은 다양한 음식에서 발견되지만, 소량이다. 게다가, 콜린이 풍부한 음식은 가장 인기 있는 것이 아니다. 간, 달걀노른자, 그리고 리마콩을 생각해 보라. 미국에서의 콜린 섭취에 대한 최근의 분석을 진행한 Taylor Wallace는 "우리 정부가 90년대 후반 이후로 콜린에 대한 자료를 검토하거나 정책을 수립하지 않았기 때문에 심지어 의료 전문가들 사이에서도 콜린에 대한 인식이 충분하지 않다"고 말한다.

① 대다수의 미국인들은 콜린을 충분히 섭취하지 못하고 있다.
② 콜린은 뇌 발달에 필요한 필수적인 영양소이다.
③ 간과 리마콩과 같은 음식은 콜린의 좋은 공급원이다.
④ 미국에서는 90년대 후반부터 콜린의 중요성이 강조되어 왔다.

해설 지문 마지막에서 Taylor Wallace는 미국 정부가 90년대 후반 이후로 콜린에 대한 자료를 검토하거나 정책을 수립하지 않았기 때문에 심지어 의료 전문가들 사이에서도 콜린에 대한 인식이 충분하지 않다고 말한다고 했으므로 미국에서는 90년대 후반부터 콜린의 중요성이 강조되어 왔다는 것은 지문의 내용과 다르다. 따라서 ④번이 지문의 내용과 일치하지 않는다.

어휘 choline 콜린(비타민 B 복합체의 하나) nutrient 영양소 radar 관심사, 탐지기 essential 필수적인 critical 중요한 liver 간 yolk 노른자 analysis 분석 intake 섭취 awareness 인식 policy 정책 majority 대다수 stress 강조하다

독해가 쉬워지는 **공무원 필수구문**

be + p.p. 형태의 동사 해석하기 **Point 04** 이 문장에서 동사는 is found이다. 이처럼 동사가 be + p.p.(is found)의 형태로 쓰여 수동의 의미를 가지는 경우, '발견된다'라고 해석한다.

정답: ④

Chapter 05

지칭 대상 파악

밑줄 친 부분이 가리키는 것이 무엇인지 찾거나, 여러 개의 밑줄 중 가리키는 대상이 다른
하나를 찾는 문제 유형이다.

최근 5개년 출제 비율
'20~'24 국·지·서·법·국회(2024.04.기준)

☐ 출제 경향

· 지문에 밑줄 친 단어나 어구가 1개 등장하고, 지문의 내용을 바탕으로 this나 it과 같은 단어 또는 the situation과 같은 특정 어구가
가리키는 것을 찾는 문제가 주로 출제된다.
· 지문에 밑줄 친 단어나 어구가 여러 개 등장하고, 이들 중 가리키는 것이 나머지와 다른 하나를 찾는 문제가 출제되기도 한다.

☐ STEP별 문제 풀이 전략

STEP 1 밑줄이 있는 문장을 읽고, 지문에서 찾아야 하는 것이 무엇인지 파악한다.

- 밑줄 친 부분이 가리키는 것을 찾는 문제인 경우, 밑줄이 있는 문장을 먼저 읽고 지문에서 찾아야 하는 것이 무엇인지 파악한다.

  지문   **This** was the only means of communicating with deaf people. 이것은 청각장애인과의 유일한 의사소통 수단이었다.

  ➞ 지문에서 청각장애인과의 유일한 의사소통 수단이 무엇인지 찾아야 함을 파악한다.

- 밑줄 친 부분이 가리키는 것이 나머지와 다른 하나를 찾는 문제인 경우, 지문을 처음부터 읽으며 첫 번째 밑줄 친 부분이
가리키는 것이 무엇인지 먼저 파악한다.

STEP 2 밑줄 친 부분이 가리키는 것을 찾고, 가장 적절한 보기를 정답으로 선택한다.

- 밑줄 친 부분이 가리키는 것을 찾는 문제인 경우, 찾아야 하는 내용에 유의하며 지문을 읽는다. 밑줄 친 부분이 가리키는 것이
무엇인지 찾으면 이를 그대로 언급하거나 가장 알맞게 바꾸어 표현한 보기를 정답으로 선택한다.

- 밑줄 친 부분이 가리키는 것이 나머지와 다른 것을 찾는 문제인 경우, 첫 번째 밑줄 친 부분이 가리키는 것과 나머지 밑줄 친
부분들이 가리키는 것을 비교하며 지문을 읽는다. 대부분 밑줄이 있는 부분의 바로 앞이나 뒤에서 가리키는 대상을 찾을 수
있으므로, 이 부분에 특히 유의한다. 각 밑줄이 가리키는 것을 찾으면, 가리키는 것이 나머지와 다른 보기를 정답으로 선택한다.

□ 전략 적용

밑줄 친 the issue가 가리키는 내용으로 가장 적절한 것은?　[2020년 법원직 9급]

Nine-year-old Ryan Kyote was eating breakfast at home in Napa, California, when he saw the news: an Indiana school had taken a 6-year-old's meal when her lunch account didn't have enough money. Kyote asked if that could happen to his friends. When his mom contacted the school district to find out, she learned that students at schools in their district had, all told, as much as $25,000 in lunch debt. Although the district says it never penalized students who owed, Kyote decided to use his saved allowance to pay off his grade's debt, about $74—becoming the face of a movement to end lunch-money debt. When California Governor Gavin Newsom signed a bill in October that banned "lunch shaming," or giving worse food to students with debt, he thanked Kyote for his "empathy and his courage" in raising awareness of **the issue**. "Heroes," Kyote points out, "come in all ages."

STEP 1

밑줄이 있는 문장을 읽고, 지문에서 찾아야 하는 것이 무엇인지 파악하기

지문에서 찾아야 하는 것이 캘리포니아 주지사가 Kyote에게 감사를 표한 그 문제임을 확인한다.

STEP 2

밑줄 친 부분이 가리키는 것을 찾고, 가장 적절한 보기를 정답으로 선택하기

지문을 읽으며 그 문제는 학생들이 점심 급식비 빚을 가지고 있는 것임을 알 수 있다. 이를 '이 지역구의 점심값을 낼 형편이 되지 않는 많은 학생들은 점심값 빚을 지고 있었다(Many students in the district who could not afford lunch were burdened with lunch debt.)'라고 바꾸어 표현한 ④번이 정답이다.

① The governor signed a bill to decline lunch items to students with lunch debt.

② Kyote's lunch was taken away because he ran out of money in his lunch account.

③ The school district with financial burden cut the budget failing to serve quality meals.

④ Many students in the district who could not afford lunch were burdened with lunch debt.

해석　9살의 Ryan Kyote가 인디애나주의 한 학교가 그녀의 점심 계좌에 충분한 돈이 없자 6살 아이의 식사를 빼앗았다는 뉴스를 봤을 때, 그는 캘리포니아 나파에 위치한 집에서 아침을 먹고 있었다. Kyote는 그의 친구들에게 이런 일이 일어날 수 있는지 물어보았다. 그의 엄마가 알아보기 위해서 교육청에 연락했을 때, 그녀는 그들 지역에 있는 학교의 학생들은 점심값 빚이 모두 합해서 2만 5천 달러만큼 있었다는 것을 알았다. 비록 교육청은 빚이 있는 학생들을 절대 불리하게 만들지는 않았다고 말하지만, Kyote는 그의 학년의 빚을 갚기 위해, 약 74달러의 모아둔 용돈을 사용하기로 결심했고 이것은 점심값 빚을 청산하기 위한 운동의 양상이 되었다. 10월에 캘리포니아 주지사 Gavin Newsom이 빚이 있는 학생들에게 '점심 창피 주기'나 좋지 않은 음식을 주는 것을 금지하는 법안에 서명했을 때, 그는 Kyote에게 이 문제에 대한 인식을 높이기 위한 그의 '공감과 용기'에 고마워했다. Kyote는 "영웅들은 모든 연령대에서 나온다"라고 언급했다.

① 주지사는 점심값 빚이 있는 학생들에게 점심 제공을 거부하는 법안에 서명했다.
② Kyote는 그의 점심 계좌의 돈을 다 써버려서 점심을 빼앗겼다.
③ 경제적 부담이 있는 교육청은 예산을 절감해서 좋은 질의 식사를 제공하지 못했다.
④ 이 지역구의 점심값을 낼 형편이 되지 않는 많은 학생들은 점심값 빚을 지고 있었다.

어휘　all told 모두 합해서　penalize 불리하게 만들다, 처벌하다　owe 빚이 있다　allowance 용돈　pay off 갚다　bill 법안, 지폐　shame 창피를 주다; 부끄러움　empathy 공감　decline 거부하다　run out of ~을 다 써버리다　afford ~할 형편이 되다

정답: ④

앞에서 배운 STEP별 전략을 적용하여 문제를 풀어보자.

01 다음 글에서 밑줄 친 표현이 가리키는 것은?

After a long, exhausting day at work, Richard left the office in a very annoyed and frustrated emotional state. He drove home with gritted teeth as he went over the troubles of the day. Even after arriving at his house, he just could not seem to relax. Sensing his mood, his wife Claire decided to leave him alone. However, the couple's dog, Rocky, seemed blissfully unaware of Richard's irritation. As soon as Richard entered the living room and sat in his chair, Rocky came bouncing down the hallway, jumped on his lap, and began licking his face. Richard looked at his furry companion and found it hard to keep a straight face. As his displeasure gave way to laughter, he couldn't help but realize that <u>the situation</u> was unnecessary.

① resolving work issues

② arguing with his wife

③ his upset state

④ the dog's affection

지문 구조 한눈에 보기

지문을 읽고 빈칸에 알맞은 말을 채우시오.

도입 ¹ _____ 에서의 길고 고단한 하루 뒤에, Richard는 매우 짜증이 나고 좌절감을 느끼는 감정 상태로 퇴근함

전개1 그의 기분을 감지했기 때문에, 그의 아내 Claire는 그를 혼자 있게 해 주기로 결정함

전개2 하지만, 그 부부의 애완견 Rocky는 Richard의 ² _____ 을 알아차리지 못하는 듯했음

부연 | Richard가 거실에 들어와 오자마자, Rocky는 복도를 따라 달려와, 그의 무릎 위에 뛰어올랐고, 그의 얼굴을 핥기 시작했음

결말 Richard는 Rocky를 바라보았고 ³ _____ 한 얼굴을 하고 있기가 어렵다고 생각했음

부연 | 그의 ⁴ _____ 가 ⁵ _____ 으로 바뀌면서, 그는 그 상황이 불필요했다는 것을 깨달았음

정답 | 1. 직장 2. 짜증 3. 무표정 4. 언짢음 5. 웃음

지문분석

STEP 1

찾아야 하는 것:
Richard가   불필요하다고
깨달은 상황

STEP 2

'그 상황'을 '그의 기분 나쁜 상태(his upset state)'라고 표현한 ③번이 정답이다.

After a long, exhausting day at work, / Richard left the office / in a very annoyed and frustrated
직장에서의 길고 고단한 하루 뒤에   Richard는 퇴근했다   매우 짜증이 나고 좌절감을 느끼는 감정 상태로

emotional state. He drove home / with gritted teeth / as he went over the troubles / of the day. Even
                    그는 집으로 운전해왔다   이를 악물고   문제들을 거듭 살피면서   그날의
                                                                 → 이유를 나타내는 분사구문(~ 때문에)
after arriving at his house, / he just could not seem to relax. Sensing his mood, / his wife Claire
집에 도착한 뒤에도   그는 그저 편히 쉴 수 없는 것 같았다   그의 기분을 감지했기 때문에   그의 아내 Claire는

decided / to leave him alone. However, / the couple's dog, Rocky, / seemed blissfully unaware /
결정했다   그를 혼자 있게 해 주기로   하지만   그 부부의 애완견 Rocky는   속 편하게도 알아차리지 못하는 듯했다

of Richard's irritation. As soon as Richard entered the living room / and sat in his chair, / Rocky came /
Richard의 짜증을   Richard가 거실에 들어오자마자   그리고 그의 의자에 앉자마자   Rocky는 왔다

bouncing down the hallway, / jumped on his lap, / and began licking his face. Richard looked
복도를 따라 달려서   그의 무릎 위에 뛰어올랐고   그리고 그의 얼굴을 핥기 시작했다   Richard는
                                                          → keep a straight face: 무표정한 얼굴을 하다
at his furry companion / and found   it hard / to keep a straight face. As his displeasure gave way to
그의 털북숭이 친구를 바라보았다   그리고 어렵다고 생각했다   무표정한 얼굴을 하고 있기가   그의 화가 웃음으로 바뀌면서
                          → can't help but ~: ~하지 않을 수 없다
laughter, / he couldn't help but realize / that the situation was unnecessary.
그는 깨달을 수밖에 없었다   그 상황이 불필요했다는 것을

해석 직장에서의 길고 고단한 하루 뒤에, Richard는 매우 짜증이 나고 좌절감을 느끼는 감정 상태로 퇴근했다. 그는 그날의 문제들을 거듭 살피면서 이를 악물고 집으로 운전해 왔다. 집에 도착한 뒤에도, 그는 그저 편히 쉴 수 없는 것 같았다. 그의 기분을 감지했기 때문에, 그의 아내 Claire는 그를 혼자 있게 해 주기로 결정했다. 하지만, 그 부부의 애완견 Rocky는 속 편하게도 Richard의 짜증을 알아차리지 못하는 듯했다. Richard가 거실에 들어와 그의 의자에 앉자마자, Rocky는 복도를 따라 달려서 왔고, 그의 무릎 위에 뛰어올랐고, 그의 얼굴을 핥기 시작했다. Richard는 그의 털북숭이 친구를 바라보았고 무표정한 얼굴을 하고 있기가 어렵다고 생각했다. 그의 화가 웃음으로 바뀌면서, 그는 그 상황이 불필요했다는 것을 깨달을 수밖에 없었다.

① 직장 문제를 해결하는 것
② 그의 아내와 논쟁하는 것
③ 그의 기분 나쁜 상태
④ 개의 애정

해설 지문 전반에 걸쳐 직장에서 고단한 하루를 보낸 Richard는 짜증이 나고 좌절감을 느끼는 감정 상태로 퇴근했지만 그의 기분을 눈치채지 못하고 달려와 얼굴을 핥기 시작한 애완견 Rocky 덕분에 화가 웃음으로 바뀌었다는 일화를 소개하고 있다. 따라서 the situation은 '그의 기분 나쁜 상태'를 가리키므로, ③번이 정답이다.

어휘 exhausting 고단한, 피로하게 하는 frustrated 좌절감을 느끼는 grit (이를) 악물다 blissfully 속 편하게, 행복에 넘쳐서 irritation 짜증
lap 무릎, 한 바퀴 companion 친구, 동반자 displeasure 화남 give way to ~으로 바뀌다 affection 애정

독해가 쉬워지는 공무원 필수구문

목적어 자리에 온 가짜 목적어 it 해석하기 [Point 09] 이 문장에서 동사 found의 진짜 목적어는 it이 아니라 to keep a straight face이다. 이처럼 긴 진짜 목적어를 대신해 가짜 목적어 it이 목적어 자리에 온 경우, 가짜 목적어 it은 해석하지 않고 뒤에 있는 진짜 목적어인 **to 부정사**를 가짜 목적어 it의 자리에 넣어 '무표정한 얼굴을 하고 있기가'라고 해석한다.

정답: ③

02 다음 글의 밑줄 친 부분의 의미로 가장 적절한 것은?

Watch Mr. Wizard first aired in 1951 and was hosted by Don Herbert. The show quickly became a pioneering children's educational television program. The show featured simple science experiments that kids could conduct themselves using only items found around the typical home. More than anything, this feature made the program a hit among parents, children, and critics alike. Children loved feeling like scientists, and parents were glad to see their kids doing something educational. In all, 541 episodes were broadcast before it was finally cancelled in 1965; however, the popular program remained a cult classic nearly half a century after being taken off the air.

① its educational benefit

② its entertaining skits

③ its comedic value

④ its high ratings

지문 구조 한눈에 보기

지문을 읽고 빈칸에 알맞은 말을 채우시오.

도입 1951년에 처음 방송되어 Don Herbert에 의해 진행되었던 『Watch Mr. Wizard』는 단숨에 ¹_____ 아동 교육 텔레비전 프로그램이 되었음

설명1 그 프로그램은 일반적인 가정집 주변에서 발견되는 재료만을 사용하여 아이들이 스스로 할 수 있는 간단한 과학 ²_____을 특징으로 삼았음

부연1 | 이 특징이 그 프로그램을 부모들, 아이들, ³_____들 사이에서 똑같이 인기 있게 만들었음

부연2 | 어린이들은 ⁴_____가 된 것 같은 기분을 느끼는 것을 매우 좋아했고 부모들은 자녀가 무언가 교육적인 것을 하는 모습을 보고 기뻐했음

설명2 그 프로그램은 1965년에 결국 폐지되었으나 종영된 후 거의 반세기 동안 인기 있는 명작으로 남았음

정답 | 1. 선구적인 2. 실험 3. 비평가 4. 과학자

지문분석

STEP 1
찾아야 하는 것:
『Watch Mr. Wizard』를 인기 있게 만든 특징

Watch Mr. Wizard first aired in 1951 / and was hosted by Don Herbert. The show quickly became /
『Watch Mr. Wizard』는 1951년에 처음 방송되었다   그리고 Don Herbert에 의해 진행되었다   그 프로그램은 단숨에 되었다

a pioneering children's educational television program. The show featured / simple science
선구적인 아동 교육 텔레비전 프로그램이   그 프로그램은 특징으로 삼았다   간단한 과학
└ 목적격 관계대명사 that   └ 강조 용법으로 쓰인 재귀대명사

experiments /(that) kids could conduct (themselves) / using only items / found around the typical home.
실험을   아이들이 스스로 할 수 있는   재료만을 사용하여   일반적인 가정집 주변에서 발견되는

STEP 2
'이 특징'을 '그것의 교육적 혜택
(its educational benefit)'이
라고 표현한 ①번이 정답이다.

More than anything, / this feature made the program a hit / among parents, children, and critics /
무엇보다도   이 특징이 그 프로그램을 인기 있게 만들었다   부모들, 아이들, 그리고 비평가들 사이에서

alike. Children loved feeling like scientists, / and parents were glad / to see their kids /   doing
똑같이 아이들은 과학자가 된 듯한 기분을 느끼는 것을 좋아했다   그리고 부모들은 기뻐했다   그들의 자녀들을 보면서
          └ -thing으로 끝나는 명사: 형용사가 뒤에서 수식

(something educational). In all, / 541 episodes were broadcast / before it was finally cancelled /
무언가 교육적인 것을 하는 것을   총   541편이 방송되었다   그것이 결국 폐지되기 전까지

in 1965; / however, / the popular program remained a cult classic / nearly half a century / after being
1965년에   하지만   그 인기 있는 프로그램은 인기 있는 명작으로 남았다   거의 반세기 동안

taken off the air.
종영된 후

해석 『Watch Mr. Wizard』는 1951년에 처음 방송되었고 Don Herbert에 의해 진행되었다. 그 프로그램은 단숨에 선구적인 아동 교육 텔레비전 프로그램이 되었다. 그 프로그램은 일반적인 가정집 주변에서 발견되는 재료만을 사용하여 아이들이 스스로 할 수 있는 간단한 과학 실험을 특징으로 삼았다. 무엇보다도, 이 특징이 그 프로그램을 부모들, 아이들, 그리고 비평가들 사이에서 똑같이 인기 있게 만들었다. 아이들은 과학자가 된 듯한 기분을 느끼는 것을 좋아했고, 부모들은 그들의 자녀들이 무언가 교육적인 것을 하는 것을 보면서 기뻐했다. 그것이 1965년에 결국 폐지되기 전까지, 총 541편이 방송되었다. 하지만, 그 인기 있는 프로그램은 종영된 후 거의 반세기 동안 인기 있는 명작으로 남았다.

① 그것의 교육적 혜택
② 그것의 재미있는 촌극
③ 그것의 희극적 가치
④ 그것의 높은 평점

해설 지문 중간에서 이 프로그램은 아이들이 스스로 할 수 있는 간단한 과학 실험을 특징으로 삼았는데, 아이들은 과학자가 된 듯한 기분을 느끼는 것을 좋아했고 부모들은 자녀들이 무언가 교육적인 것을 하는 모습을 보고 기뻐했다고 했다. 따라서 this feature는 '그것의 교육적 혜택'을 가리키므로, ①번이 정답이다.

어휘 **air** 방송되다; 방송 **host** 진행하다 **pioneering** 선구적인, 개척적인 **feature** 특징으로 삼다; 특징 **conduct** 하다, 진행하다 **typical** 일반적인, 보통의
cult 인기 있는, 유행하는 **classic** 명작; 일류의 **skit** 촌극, 농담 **rating** 평점

독해가 쉬워지는 공무원 필수구문

보어 자리에 온 분사 해석하기 [Point 11] 이 문장에서 doing something educational은 목적어인 their kids를 보충 설명해주는 보어이다. 이처럼 현재분사 (doing)가 보어 자리에 와서 목적어의 의미를 보충해주는 경우, '그들의 자녀들이 ~을 하는 것'이라고 해석한다.

정답: ①

03 다음 글에서 밑줄 친 표현이 가리키는 것은?

Neuroimaging is a process in which researchers create detailed image maps of the human brain. Using machines that send waves to the brain, its entire structure can be plotted out. A single image can offer enough information to diagnose a serious disease, but the comparison of multiple images over time is an even more powerful tool. With the latter approach, scientists and psychologists can better understand the long-term impacts of certain actions on the brain. For instance, doctors can use neuroimaging to see how an accident has damaged a person's brain or how a person's mind changes as they age. One limitation of neuroimaging, however, is its high cost. This downside has prevented the technology from being available to everyone.

① diagnosing brain disease
② viewing a single image
③ comparing brain images over time
④ plotting the brain's structure

지문 구조 한눈에 보기

지문을 읽고 빈칸에 알맞은 말을 채우시오.

도입 신경 촬영법은 연구원들이 인간의 두뇌에 대한 상세한 영상 ¹_____를 만들어 내는 방법임

설명1 하나의 영상이 질병을 진단하는 데 충분한 정보를 제공할 수 있지만, 시간의 경과에 따른 여러 개의 영상을 ²_____하는 것이 훨씬 더 강력한 도구임

부연1 후자의 방법으로, 특정 행동이 뇌에 미치는 ³_____ 영향을 더 잘 이해할 수 있음

부연2 의사는 사고가 사람의 뇌에 어떻게 손상을 입혔는지, 혹은 나이가 들면서 사람의 ⁴_____이 어떻게 변하는지 살펴보기 위해 신경 촬영법을 사용할 수 있음

설명2 신경 촬영법의 한 가지 제약은 그것의 높은 ⁵_____이며 이는 그 기술을 모든 사람이 이용할 수는 없게 만들었음

정답 1. 지도 2. 비교 3. 장기적인 4. 생각 5. 비용

Neuroimaging is a process / in which researchers create / detailed image maps of the human brain.
신경 촬영법은 방법이다　　　연구원들이 만들어 내는　　　인간의 두뇌에 대한 상세한 영상 지도를
　　　　　　　　　　　　　　　　전치사 + 관계대명사

STEP 1
찾아야 하는 것:
앞서 언급된 방법 중 두 번째 방법

Using machines / ★ that send waves to the brain, / its entire structure can be plotted out. A single
기계를 사용해서　　　뇌에 파장을 보내는　　　그것의 전체적인 구조가 그려질 수 있다

image can offer enough information / to diagnose a serious disease, / but / the comparison of
하나의 영상이 충분한 정보를 제공할 수 있다　　심각한 질병을 진단하는 데　　하지만　여러 개의 영상을 비교하는 것이

STEP 2
'후자의 방법'을 '시간의 경과에 따른 뇌 영상을 비교하는 것(comparing brain images over time)'이라고 표현한 ③번이 정답이다.

multiple images / over time / is an even more powerful tool. With the latter approach, / scientists and
시간의 경과에 따른　　훨씬 더 강력한 도구이다　　후자의 방법으로　　과학자와 심리학자는
　　　　　　　　비교급(more powerful) 강조

psychologists can better understand / the long-term impacts of certain actions / on the brain.
더 잘 이해할 수 있다　　특정 행동의 장기적인 영향을　　뇌에 미치는
동사(understand)를 수식하는 부사

For instance, / doctors can use neuroimaging / to see / how an accident has damaged / a person's
예를 들어　　의사는 신경 촬영법을 사용할 수 있다　살펴보기 위해　사고가 어떻게 손상을 입혔는지　사람의 뇌
　　　　　　　　　　　　　　부사 역할을 하는 to 부정사: ~하기 위해

brain / or how a person's mind changes / as they age. One limitation of neuroimaging, / however, /
혹은 사람의 생각이 어떻게 변하는지　　그들이 나이가 들면서　신경 촬영법의 한 가지 제약은　하지만

is its high cost. This downside has prevented the technology / from being available to everyone.
그것의 높은 비용이다　이러한 단점은 그 기술을 막았다　　모든 사람에게 이용 가능하게 되는 것을

해석 신경 촬영법은 연구원들이 인간의 두뇌에 대한 상세한 영상 지도를 만들어 내는 방법이다. 뇌에 파장을 보내는 기계를 사용해서 그것의 전체적인 구조가 그려질 수 있다. 하나의 영상이 심각한 질병을 진단하는 데 충분한 정보를 제공할 수 있지만, 시간의 경과에 따른 여러 개의 영상을 비교하는 것이 훨씬 더 강력한 도구이다. 후자의 방법으로, 과학자와 심리학자는 특정 행동이 뇌에 미치는 장기적인 영향을 더 잘 이해할 수 있다. 예를 들어, 의사는 사고가 사람의 뇌에 어떻게 손상을 입혔는지, 혹은 나이가 들면서 사람의 생각이 어떻게 변하는지 살펴보기 위해 신경 촬영법을 사용할 수 있다. 하지만, 신경 촬영법의 한 가지 제약은 그것의 높은 비용이다. 이러한 단점은 그 기술이 모든 사람에게 이용 가능하게 되는 것을 막았다.

① 뇌 질환을 진단하는 것
② 하나의 영상을 보는 것
③ 시간의 경과에 따른 뇌 영상을 비교하는 것
④ 뇌 구조를 그리는 것

해설 밑줄이 있는 문장의 바로 앞 문장에 제시된 두 가지 방법 중 후자(the latter approach)는 '시간의 경과에 따른 뇌 영상을 비교하는 것'을 가리키므로, ③번이 정답이다.

어휘 neuroimaging 신경 촬영법　plot 그리다, 나타내다　diagnose 진단하다　comparison 비교　approach 방법; 접근하다　psychologist 심리학자
limitation 제약　downside 단점, 부정적인 면　diagnose 진단하다

독해가 쉬워지는 **공무원 필수구문**

명사를 꾸며주는 '주격 관계대명사 who / that / which ~' 해석하기 Point 16 | 이 문장에서 that send waves to the brain은 앞에 나온 명사 machines를 꾸며주는 수식어이다. 이처럼 주격 관계대명사 that이 이끄는 절(that + 동사 ~)이 명사를 꾸며주는 경우, '~을 보내는 기계'라고 해석한다.

정답: ③

04 다음 글의 밑줄 친 부분의 의미로 가장 적절한 것은?

Scientists have long discussed what caused dinosaurs to die out. In the past, they suggested that massive volcanoes were to blame. However, another possibility has been proposed. Some are claiming that Earth was struck by an asteroid or meteor. This theory is based on research that includes geological surveys of an enormous impact crater in Chicxulub, Mexico. The Chicxulub Crater's size, location, and date of origin suggest that it was created around the time when many species of dinosaur went extinct. The environmental effect of such a large impact would have been devastating. It would have eliminated most food sources for dinosaurs and led to centuries of subfreezing temperatures. To date, the impact hypothesis is the most widely accepted explanation for this mysterious event.

① destruction of the environment

② change in climate

③ reduction of food sources

④ end of the dinosaurs

지문 구조 한눈에 보기

지문을 읽고 빈칸에 알맞은 말을 채우시오.

| 도입 | 과학자들은 무엇이 ¹_____ 을 멸종하게 했는지에 대해 오랫동안 논의해 왔음 |

| 설명1 | 과거에, 그들은 거대한 ²_____ 들이 원인이라고 말했음 |

| 설명2 | 일부 사람들은 지구가 소행성이나 ³_____ 에 충돌했다고 주장하는데, 이 이론은 멕시코 칙술루브의 거대한 충돌 분화구에 대한 연구에 기초함 |

> 설명1 | 칙술루브 분화구의 크기, ⁴_____, 생성 날짜는 이것이 많은 종의 공룡이 멸종될 즈음에 생성되었음을 암시함
>
> 설명2 | 그러한 큰 충돌의 환경적인 영향은 대단히 파괴적이어서 공룡을 위한 식량 자원의 대부분을 없애고 수 세기에 걸친 ⁵_____ 의 기온을 초래했을 것임

| 결론 | 현재까지 충돌 가설은 이 불가사의한 사건에 대한 가장 널리 받아들여지는 설명임 |

정답 1. 공룡 2. 화산 3. 운석 4. 위치 5. 영하

Scientists have long discussed / what caused dinosaurs to die out. In the past, / they suggested / that
과학자들은 오랫동안 논의해 왔다　　　무엇이 공룡을 멸종하게 했는지에 대해　　　과거에　　　그들은 말했다

→ die out: 멸종하다, 자취를 감추다

→ be to blame: ~이 원인이다, 책임이 있다

massive volcanoes were to blame. However, / another possibility has been proposed. Some are
거대한 화산들이 원인이라고　　　하지만　　　또 다른 가능성이 제시되었다　　　일부 사람들은

claiming / that Earth was struck / by an asteroid or meteor. This theory / is based on research / that
주장하고 있다　　지구가 충돌했다고　　소행성이나 운석에　　이 이론은　　연구에 기초한다

includes geological surveys / of an enormous impact crater / in Chicxulub, Mexico. The Chicxulub
지질 조사를 포함한　　　거대한 충돌 분화구에 대한　　　멕시코의 칙술루브에 있는　　칙술루브 분화구의

Crater's size, location, / and date of origin suggest / that it was created / around the time / when
크기, 위치　　그리고 생성 날짜는 암시한다　　이것이 생성되었다는 것을　　시기 즘음

→ such a + 형용사 + 명사

many species of dinosaur went extinct. The environmental effect / of such a large impact / would
많은 종의 공룡이 멸종된　　　환경적인 영향은　　　그러한 큰 충돌의

→ would have p.p.: ~했을 것이다

have been devastating. It would have eliminated / most food sources for dinosaurs / and led to
대단히 파괴적이었을 것이다　　　그것은 없앴을 것이다　　　공룡을 위한 식량 자원의 대부분을

centuries of subfreezing temperatures. To date, / the impact hypothesis / is the most widely accepted
그리고 수 세기에 걸친 영하의 기온을 초래했을 것이다　　현재까지　　충돌 가설은　　가장 널리 받아들여지는 설명이다

explanation / for this mysterious event.
　　　이 불가사의한 사건에 대한

STEP 1
찾아야 하는 것:
충돌 가설로 설명할 수 있는 불가사의한 사건

STEP 2
'이 불가사의한 사건'을 '공룡의 멸종(end of the dinosaurs)'이라고 표현한 ④번이 정답이다.

해석 과학자들은 무엇이 공룡을 멸종하게 했는지에 대해 오랫동안 논의해 왔다. 과거에, 그들은 거대한 화산들이 원인이라고 말했다. 하지만, 또 다른 가능성이 제시되었다. 일부 사람들은 지구가 소행성이나 운석에 충돌했다고 주장하고 있다. 이 이론은 멕시코의 칙술루브에 있는 거대한 충돌 분화구에 대한 지질 조사를 포함한 연구에 기초한다. 칙술루브 분화구의 크기, 위치, 그리고 생성 날짜는 이것이 많은 종의 공룡이 멸종된 시기 즘음에 생성되었다는 것을 암시한다. 그러한 큰 충돌의 환경적인 영향은 대단히 파괴적이었을 것이다. 그것은 공룡을 위한 식량 자원의 대부분을 없애고 수 세기에 걸친 영하의 기온을 초래했을 것이다. 현재까지, 충돌 가설은 이 불가사의한 사건에 대한 가장 널리 받아들여지는 설명이다.

① 환경의 파괴
② 기후의 변화
③ 식량 자원의 감소
④ 공룡의 멸종

해설 지문 앞부분에서 과학자들은 무엇이 공룡을 멸종하게 했는지에 대해 오랫동안 논의해 왔다고 하고, 이어서 공룡 멸종의 원인에 대해 충돌 가설을 포함한 몇 가지 가설들을 소개하고 있다. 따라서 this mysterious event는 '공룡의 멸종'을 가리키므로, ④번이 정답이다.

어휘 be to blame 원인이다 asteroid 소행성 meteor 운석 geological 지질의 survey 조사 impact 충돌, 충격 crater 분화구, 구멍 extinct 멸종된 devastating 대단히 파괴적인 eliminate 없애다 subfreezing 영하의, 빙점하의 hypothesis 가설 destruction 파괴 reduction 감소, 축소

독해가 쉬워지는 **공무원 필수구문**

명사를 꾸며주는 '관계부사 when / where / why / how ~' 해석하기 [Point 18] 이 문장에서 when many species ~ extinct는 앞에 나온 명사 the time을 꾸며주는 수식어이다. 이처럼 관계부사 when이 이끄는 절(when + 주어 + 동사 ~)이 명사를 꾸며주는 경우, '많은 종의 공룡이 멸종된 시기'라고 해석한다.

정답: ④

05 밑줄 친 it이 가리키는 대상이 나머지 셋과 다른 것은?

Once, a prince received a beautiful falcon as a gift. It was the most handsome bird in the kingdom, but there was just one problem: the bird sat on its branch and would not fly. Every day the prince tried to coax his pet off of ① it, with no luck. Several unsuccessful weeks passed, until the prince heard about an old man who was a master bird handler. The man was brought to the prince, who showed him the sad situation. "Look. All he does is sit on ② it, day in and day out." The bird handler replied, "Leave ③ it to me, young prince." The next day, the prince awoke to see his magnificent falcon flying high in the air. The prince jumped for joy. "How did you do it?" "Simple," said the man, "You know the branch your beloved bird always sits on? I cut ④ it."

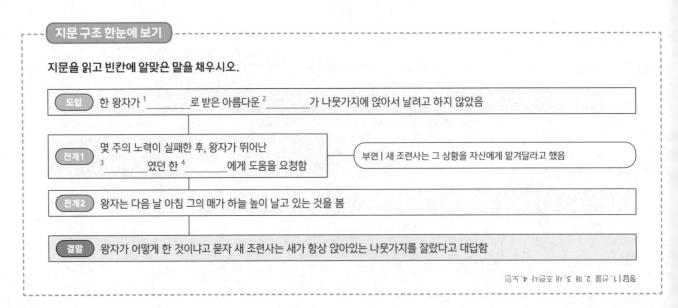

지문 구조 한눈에 보기

지문을 읽고 빈칸에 알맞은 말을 채우시오.

도입 한 왕자가 ¹_____로 받은 아름다운 ²_____가 나뭇가지에 앉아서 날려고 하지 않았음

전개1 몇 주의 노력이 실패한 후, 왕자가 뛰어난 ³_____였던 한 ⁴_____에게 도움을 요청함 ── 부연 | 새 조련사는 그 상황을 자신에게 맡겨달라고 했음

전개2 왕자는 다음 날 아침 그의 매가 하늘 높이 날고 있는 것을 봄

결말 왕자가 어떻게 한 것이냐고 묻자 새 조련사는 새가 항상 앉아있는 나뭇가지를 잘랐다고 대답함

정답 | 1. 선물 2. 매 3. 새 조련사 4. 노인

지문분석

STEP 1

찾아야 하는 것:
가리키는 대상이 다른 it

STEP 2

①, ②, ④: 나뭇가지
③: 새가 나뭇가지에만 앉아
있는 상황

Once, / a prince received a beautiful falcon / as a gift. It was the most handsome bird / in the
옛날에　　　한 왕자가 아름다운 매를 받았다　　　선물로　　　그것은 가장 멋진 새였다

kingdom, / but / there was just one problem: / the bird sat on its branch / and would not fly. Every day /
왕국에서　그러나　　한 가지 문제가 있었다　　　그 새는 나뭇가지에 앉았다　그리고 날려고 하지 않았다　매일

the prince tried to coax his pet / off of ① it, / with no luck. Several unsuccessful weeks passed, / until
왕자는 그의 애완동물을 구슬리려고 노력했다　그것에서 떠나도록　성공하지 못했다　　실패한 몇 주가 지나갔다

the prince heard about an old man / 　 who was a master bird handler. The man was brought to the
왕자가 한 노인에 대해 듣게 될 때까지　　뛰어난 새 조련사였던　　　그 남자는 왕자에게 불려 갔고
　　　　　　　　　　　　　　　　└ 4형식 동사 show + 간접 목적어 + 직접 목적어

prince, / who showed him the sad situation. "Look. All he does / is sit on ② it, / day in and day out."
왕자는　　그에게 슬픈 상황을 보여주었다　　　　보아라 그가 하는 일이라곤 이것 위에 앉아있는 것이다　매일

The bird handler replied, / "Leave ③ it to me, / young prince." The next day, / the prince awoke to see /
새 조련사는 대답했다　　　이것을 제게 맡겨주십시오　어린 왕자님　　　다음날　　　왕자는 깨어나서 보았다
　　　　　　　　　　　　　　　　　　　　　　　　　　　　　　결과를 나타내는 to 부정사: ~해서 ↗

his magnificent falcon / flying high in the air. The prince jumped for joy. "How did you do it?" "Simple," /
그의 참으로 아름다운 매가　　하늘 높이 날고 있는 것을　　왕자는 기뻐서 날뛰었다　　어떻게 한 것이냐　　간단합니다
　　　　　　　　　　　　　　(that/which) your ~: 목적격 관계대명사 생략

said the man, / "You know the branch / your beloved bird always sits on? I cut ④ it."
그 남자가 말했다　　　나뭇가지를 아시지요　　당신의 사랑하는 새가 항상 앉아있는　제가 그것을 잘랐습니다

해석 옛날에, 한 왕자가 아름다운 매를 선물로 받았다. 그것은 왕국에서 가장 멋진 새였지만, 한 가지 문제가 있었다. 그 새는 나뭇가지에 앉아서 날려고 하지 않았다. 왕자는 매일 그의 애완동물이 ① 그것에서 떠나도록 구슬리려고 노력했고, 성공하지 못했다. 왕자가 뛰어난 새 조련사였던 한 노인에 대해 듣게 될 때까지 실패한 몇 주가 지나갔다. 그 남자는 왕자에게 불려 갔고, 왕자는 그에게 슬픈 상황을 보여 주었다. "보아라. 그가 하는 일이라곤 매일 ② 이것 위에 앉아있는 것이다." 새 조련사는 "③ 이것을 제게 맡겨주십시오, 어린 왕자님."이라고 대답했다. 다음날, 왕자는 깨어나서 그의 참으로 아름다운 매가 하늘 높이 날고 있는 것을 보았다. 왕자는 기뻐서 날뛰었다. "어떻게 한 것이냐?" "간단합니다," 그 남자가 말했다. "당신의 사랑하는 새가 항상 앉아있는 나뭇가지를 아시지요? 제가 ④ 그것을 잘랐습니다."

해설 ①, ②, ④번 모두 매가 앉아있는 나뭇가지를 가리키지만, ③번은 매가 날려고 하지 않고 나뭇가지에만 앉아있는 문제 상황을 가리키므로, ③번이 정답이다.

어휘 falcon 매　branch 나뭇가지　coax 구슬리다　master 뛰어난; 명인　handler 조련사　day in and day out 매일, 날이면 날마다
magnificent 참으로 아름다운　beloved 사랑하는

독해가 쉬워지는 공무원 필수구문

명사를 꾸며주는 '주격 관계대명사 who / that / which ~' 해석하기 Point 16　이 문장에서 who was a master bird handler는 앞에 나온 명사 an old man을 꾸며주는 수식어이다. 이처럼 주격 관계대명사 who가 이끄는 절(who + 동사 ~)이 명사를 꾸며주는 경우, '뛰어난 새 조련사였던 한 노인'이라고 해석한다.

정답: ③

06 다음 글에서 밑줄 친 표현이 가리키는 것은?

Modern ice hockey is based on field hockey, a popular game among European immigrants and British soldiers in Canada in the 19th century. J. G. Creighton created and implemented formal rules for the game in 1875 in Montreal, Canada. Although ice hockey is a game of speed and skill, it has always been viewed as somewhat violent due to the acceptance of checking—using one's body to knock down opposing players. However, despite <u>this element of the game</u>, ice hockey has become a recognized and respected sport around the world, being included in the Winter Olympics in 1924.

① popularity
② talent
③ violence
④ competition

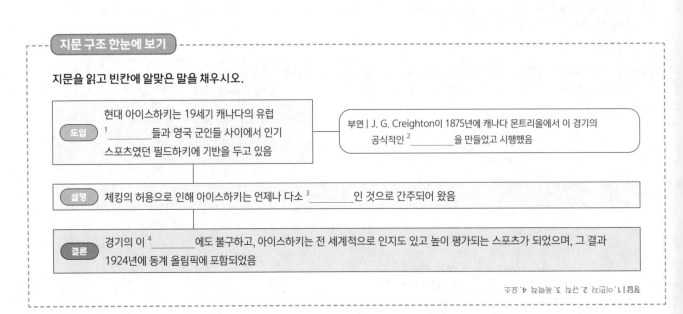

지문 구조 한눈에 보기

지문을 읽고 빈칸에 알맞은 말을 채우시오.

도입 현대 아이스하키는 19세기 캐나다의 유럽 1_____들과 영국 군인들 사이에서 인기 스포츠였던 필드하키에 기반을 두고 있음

부연 | J. G. Creighton이 1875년에 캐나다 몬트리올에서 이 경기의 공식적인 2_____을 만들었고 시행했음

설명 체킹의 허용으로 인해 아이스하키는 언제나 다소 3_____인 것으로 간주되어 왔음

결론 경기의 이 4_____에도 불구하고, 아이스하키는 전 세계적으로 인지도 있고 높이 평가되는 스포츠가 되었으며, 그 결과 1924년에 동계 올림픽에 포함되었음

정답 | 1. 이민자 2. 규칙 3. 폭력적 4. 요소

지문분석

→ be based on: ~에 기반을 두다, 기초하다

Modern ice hockey / is based on field hockey, / a popular game / among European immigrants and
현대 아이스하키는　　　　필드하키에 기반을 두고 있다　　인기 있는 경기였던　　　유럽 이민자들과 영국 군인들 사이에서

British soldiers / in Canada / in the 19th century. J. G. Creighton created and implemented / formal
캐나다의　　　　19세기에　　　　　　　J.G. Creighton이 만들었고 시행했다

rules for the game / in 1875 in Montreal, Canada. Although ice hockey is a game / of speed and skill, /
이 경기의 공식적인 규칙을　　1875년에 캐나다 몬트리올에서　　아이스하키가 경기이긴 하지만　　빠른 속도와 기술의

→ 현재완료 수동태
it has always been viewed / as somewhat violent / due to the acceptance of checking / —using one's
그것은 언제나 간주되어 왔다　　다소 폭력적인 것으로　　　체킹의 허용으로 인해　　　신체를 사용하는

body / to knock down opposing players. However, / despite this element of the game, / ice hockey
상대방 선수를 쓰러뜨리기 위해　　　하지만　　　경기의 이 요소에도 불구하고　　　아이스하키는

has become / a recognized and respected sport / around the world, / ★ being included in the Winter
되었다　　　인지도 있고 높이 평가되는 스포츠가　　　전 세계적으로　　　그 결과 동계 올림픽에 포함되었다

Olympics / in 1924.
1924년에

STEP 1
찾아야 하는 것:
아이스하키가 인지도 있고
높이 평가받은 것과 반대되는
부정적인 요소

STEP 2
'경기의 이 요소'를 '폭력성
(violence)'이라고 표현한
③번이 정답이다.

해석 현대 아이스하키는 19세기에 캐나다의 유럽 이민자들과 영국 군인들 사이에서 인기 있는 경기였던 필드하키에 기반을 두고 있다. J. G. Creighton이 1875년에 캐나다 몬트리올에서 이 경기의 공식적인 규칙을 만들었고 시행했다. 아이스하키가 빠른 속도와 기술의 경기이긴 하지만, 상대방 선수를 쓰러뜨리기 위해 신체를 사용하는 체킹의 허용으로 인해 그것은 언제나 다소 폭력적인 것으로 간주되어 왔다. 하지만, 경기의 이 요소에도 불구하고, 아이스하키는 전 세계적으로 인지도 있고 높이 평가되는 스포츠가 되었으며, 그 결과 1924년에 동계 올림픽에 포함되었다.

① 대중성
② 재능
③ 폭력성
④ 경쟁

해설 지문 중간에서 아이스하키는 상대 선수를 쓰러뜨리기 위해 신체를 사용하는 체킹을 허용하는 것 때문에 언제나 다소 폭력적인 것으로 간주되어 왔다고 했다. 따라서 this element of the game은 '폭력성'을 가리키므로, ③번이 정답이다.

어휘 immigrant 이민자 implement 시행하다 formal 공식적인 acceptance 허용, 용인 knock down 쓰러뜨리다 opposing 상대방의 recognized 인지도 있는 respected 높이 평가되는, 훌륭한

독해가 쉬워지는 **공무원 필수구문**

문장을 꾸며주는 분사구문 해석하기 – 결과 **Point 22** 이 문장에서 분사구문 being included ~ in 1924는 콤마 앞에 나온 문장 전체를 꾸며주는 수식어이다. 이처럼 분사구문이 문장 뒤에 올 경우, 종종 앞 문장에 대한 결과를 나타내는데, 이때 분사구문은 '그 결과 ~에 포함되었다'라고 해석한다.

정답: ③

07 다음 글에서 밑줄 친 부분의 뜻으로 가장 적절한 것은?

After working at his new company for several weeks, Charles came to appreciate a couple of things that made his current work environment much more comfortable than his previous one. To begin with, management actively encouraged communication and cooperation between members of different departments to solve problems and achieve goals. This was important to Charles because he had struggled to get information and assistance from many of his coworkers at his old job. In addition, his new company maintained an open-door policy to ensure that employees could bring up problems, suggestions, or questions to their supervisors. In contrast, management at Charles's previous workplace had been very unapproachable and made no effort to seek the opinions or address the concerns of staff. These differences positively affected his productivity and increased his sense of job satisfaction. As a result, Charles was able to finally see <u>what the atmosphere of his last job had been like</u>.

① Focusing on project goals and deadlines
② Pressuring employees to work overtime
③ Discouraging workers from filing complaints
④ Making it difficult to interact with others

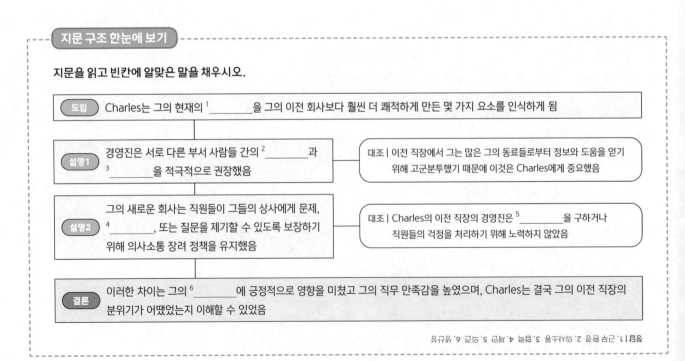

지문분석

After working at his new company / for several weeks, / Charles (came to appreciate) / a couple of
그의 새로운 회사에서 일한 후에   몇 주 동안   Charles는 인식하게 되었다   몇 가지 요소를
(come to ~: ~하게 되다)

things / that made his current work environment / much more comfortable / than his previous (one).
그의 현재의 근무 환경을 만든   훨씬 더 쾌적하게   그의 이전 근무 환경보다
(= work environment)

To begin with, / management actively encouraged / communication and cooperation / between
먼저   경영진은 적극적으로 권장했다   의사소통과 협력을

members of different departments / ☆ to solve problems and achieve goals. This was important to
서로 다른 부서 사람들 간의   문제를 해결하고 목표를 달성하기 위해   이것은 Charles에게 중요했다

Charles / because he had struggled / to get information and assistance / from many of his coworkers /
     그가 고군분투했기 때문에   정보와 도움을 얻기 위해   많은 그의 동료들로부터

at his old job. In addition, / his new company maintained an open-door policy / to ensure / that
그의 이전 직장에서   게다가   그의 새로운 회사는 의사소통 장려 정책을 유지했다   보장하기 위해

employees could bring up / problems, suggestions, or questions / to their supervisors. In contrast, /
직원들이 제기할 수 있도록   문제, 제안, 또는 질문을   그들의 상사에게   대조적으로
(make ~ effort: ~한 노력을 하다)

management at Charles's previous workplace / had been very unapproachable / and (made no effort) /
Charles의 이전 직장의 경영진은   말을 붙이기가 매우 어려웠다   그리고 노력하지 않았다

to seek the opinions / or address the concerns of staff. These differences / positively affected his
의견을 구하기 위해   또는 직원들의 걱정을 처리하기 위해   이러한 차이는   그의 생산성에 긍정적으로 영향을 미쳤다
(be able to ~: ~을 할 수 있다)

productivity / and increased his sense of job satisfaction. As a result, / Charles (was able to) finally see /
그리고 그의 직무 만족감을 높였다   그 결과   Charles는 결국 이해할 수 있었다

what the atmosphere of his last job / had been like.
그의 이전 직장의 분위기가   어땠었는지

STEP 1
찾아야 하는 것:
그의 이전 직장의 분위기

STEP 2
'그의 이전 직장의 분위기'를 '다른 사람과 소통하기 어렵게 만드는 것(Making it difficult to interact with others)'이라고 표현한 ④번이 정답이다.

해석 몇 주 동안 새로운 회사에서 일한 후에, Charles는 그의 현재의 근무 환경을 그의 이전 근무 환경보다 훨씬 더 쾌적하게 만든 몇 가지 요소를 인식하게 되었다. 먼저, 경영진은 문제를 해결하고 목표를 달성하기 위해 서로 다른 부서 사람들 간의 의사소통과 협력을 적극적으로 권장했다. 그의 이전 직장에서 그가 많은 그의 동료들로부터 정보와 도움을 얻기 위해 고군분투했기 때문에 이것은 Charles에게 중요했다. 게다가, 그의 새로운 회사는 직원들이 그들의 상사에게 문제, 제안, 또는 질문을 제기할 수 있도록 보장하기 위해 의사소통 장려 정책을 유지했다. 대조적으로, Charles의 이전 직장의 경영진은 말을 붙이기가 매우 어려웠고 의견을 구하거나 직원들의 걱정을 처리하기 위해 노력하지 않았다. 이러한 차이는 그의 생산성에 긍정적으로 영향을 미쳤고 그의 직무 만족감을 높였다. 그 결과, Charles는 그의 이전 직장의 분위기가 어땠었는지 결국 이해할 수 있었다.

① 프로젝트 목표와 마감 기한에 집중하는 것
② 직원들이 초과 근무하도록 압력을 가하는 것
③ 근로자들이 불평을 제기하는 것을 단념시키는 것
④ 다른 사람과 소통하기 어렵게 만드는 것

해설 지문 전반에 걸쳐 그의 이전 직장에서는 동료들에게서 정보와 도움을 얻는 것이 힘들었고, 경영진은 직원들과 소통하려 노력하지 않았다고 설명하고 있다. 따라서 what the atmosphere of his last job had been like는 '다른 사람과 소통하기 어렵게 만드는 것'을 가리키므로, ④번이 정답이다.

어휘 appreciate 인식하다, 감사하다   unapproachable 말을 붙이기 어려운, 접근하기 어려운   address 처리하다, 다루다   file 제기하다

독해가 쉬워지는 **공무원 필수구문**

동사나 문장을 꾸며주는 to 부정사 해석하기 [Point 19] 이 문장에서 to solve problems and achieve goals는 앞에 나온 문장을 꾸며주는 수식어이다. 이처럼 **to 부정사(to solve ~)**가 문장을 꾸며주는 경우, '문제를 해결하고 목표를 달성하기 위해'라고 해석한다.

정답: ④

08 다음 글에서 밑줄 친 표현이 가리키는 것은?

Despite having persevered through innumerable obstacles to enter the elite world of academia, <u>this group</u> still faces numerous barriers every day. No matter how intelligent they are or how many articles they have published, these people are too often evaluated by their colleagues or students on the basis of their race and nationality. They are given snap judgments based on characteristics that are wholly irrelevant to intellect—skin tone, accent, dress, or customs. The university campus, which should be a place of higher learning and broader attitudes, also has its instances of racism and prejudice, just like the rest of the world. For them, job interviews are a struggle to be taken seriously and there are always extra obstacles in the way of promotions and tenure.

① disabled people

② women

③ ethnic minorities

④ the elderly

지문 구조 한눈에 보기

지문을 읽고 빈칸에 알맞은 말을 채우시오.

주제문: ¹_____의 엘리트 사회에 들어가기 위해 무수한 장애물을 견디어 냈음에도 이 집단은 여전히 거대한 장벽을 매일 마주함

사례1 | 똑똑하거나 많은 논문을 발표해도, 이 집단의 구성원들은 그들의 ²_____과 국적에 근거하여 평가받음

사례2 | 그들은 피부색, 억양, 복장, 또는 ³_____과 같이 지적 능력과 완전히 무관한 특징들로 평가받음

사례3 | 고등 교육과 관대한 사고방식의 장소여야 할 대학 캠퍼스 또한 ⁴_____과 편견의 사례가 있음

사례4 | 이 집단에게는, 면접은 심각하게 받아들여지는 힘든 일이며 ⁵_____과 재임의 길에도 추가적인 장애물들이 있음

정답 | 1. 학계 2. 인종 3. 인종 4. 인종차별 5. 승진

지문분석

→ 전치사 despite + 동명사의 완료형(having p.p.)

Despite having persevered / through innumerable obstacles / to enter the elite world of academia, /
견디어 냈음에도 불구하고   무수한 장애물을   학계의 엘리트 사회에 들어가기 위해

this group still faces numerous barriers / every day. No matter how intelligent they are / or / how
이 집단은 여전히 무수한 장벽들을 마주한다   매일   그들이 아무리 똑똑해도   혹은

many articles they have published, / these people ☆ are too often evaluated / by their colleagues or
그들이 아무리 많은 논문을 발표해도   이 사람들은 너무 자주 평가받는다   그들의 동료나 학생에게
                                    → on the basis of ~: ~에 근거하여

students / on the basis of their race and nationality. They are given snap judgments / based on
students   그들의 인종과 국적에 근거하여   그들은 성급한 평가를 받는다
                    → 주격 관계대명사 that

characteristics / that are wholly irrelevant to intellect / —skin tone, accent, dress, or customs.
특징들을 근거로   지적 능력과 완전히 무관한   피부색, 억양, 복장, 또는 관습과 같이

The university campus, / which should be a place / of higher learning and broader attitudes, / also
대학 캠퍼스는   장소여야 할   고등 교육과 관대한 사고방식의   또한

has its instances / of racism and prejudice, / just like the rest of the world. For them, / job interviews
또한 사례가 있다   인종 차별과 편견의   세계의 다른 곳과 마찬가지로   그들에게는   면접은 힘든 일이다

are a struggle / to be taken seriously / and there are always extra obstacles / in the way of promotions
                심각하게 받아들여지는   그리고 항상 추가적인 장애물들이 있다

and tenure.
승진과 재임의 길에

STEP 1
찾아야 하는 것:
학계의 엘리트 사회에서 무수한 장애물을 마주하는 집단

STEP 2
'이 집단'을 '소수 인종(ethnic minorities)'이라고 표현한 ③번이 정답이다.

해석 학계의 엘리트 사회에 들어가기 위해 무수한 장애물을 견디어 냈음에도 불구하고, 이 집단은 여전히 무수한 장벽들을 매일 마주한다. 그들이 아무리 똑똑해도, 혹은 아무리 많은 논문을 발표해도, 이 사람들은 너무 자주 그들의 인종과 국적에 근거하여 그들의 동료나 학생에게 평가받는다. 그들은 피부색, 억양, 복장, 또는 관습과 같이 지적 능력과 완전히 무관한 특징들을 근거로 성급한 평가를 받는다. 고등 교육과 관대한 사고방식의 장소여야 할 대학 캠퍼스 또한 세계의 다른 곳과 마찬가지로 인종 차별과 편견의 사례가 있다. 그들에게는, 면접은 심각하게 받아들여지는 힘든 일이며 승진과 재임의 길에 항상 추가적인 장애물들이 있다.

① 장애인
② 여성
③ 소수 인종
④ 노인

해설 지문 중간에서 이 집단의 사람들은 인종이나 국적을 근거로 동료나 학생에게 자주 평가받으며, 피부색, 억양, 복장, 또는 관습과 같이 지적 능력과 완전히 무관한 특징들을 근거로 성급한 평가를 받는다고 했다. 따라서 this group은 '소수 인종'을 가리키므로, ③번이 정답이다.

어휘 persevere 견디어 내다, 인내하다 innumerable 무수한 evaluate 평가하다 race 인종, 경주 nationality 국적 snap 성급한, 즉석의 irrelevant 무관한 intellect 지적 능력 accent 억양, 어투 attitude 사고방식, 태도 prejudice 편견 tenure 재임, 종신 재직권 ethnic minority 소수 인종

독해가 쉬워지는 공무원 필수구문

be + p.p. 형태의 동사 해석하기 Point 04 이 문장에서 동사는 are (too often) evaluated이다. 이처럼 동사가 be + p.p.(are evaluated)의 형태로 쓰여 수동의 의미를 가지는 경우, '평가받는다'라고 해석한다.

정답: ③

09 다음 글에서 밑줄 친 표현이 가리키는 것은?

Knights dominated the battlefield throughout medieval European history. They had little to fear in battle, because they were covered in layers of heavy armor, carried large swords, and were mounted on massive horses. Knights were also widely respected due to their knowledge of war and their development of innovative and complex fighting strategies. However, the arrival of powerful bows and crossbows changed all of this. The time and money required to train a knight were wasted if arrows could kill him easily. The effectiveness of <u>this new equipment</u> was demonstrated at the Battle of Crecy, during which a small force of English soldiers with longbows destroyed a much larger army comprised mainly of French knights.

① heavier new armor
② powerful bows and crossbows
③ swords used by mounted soldiers
④ novel fighting strategies

지문 구조 한눈에 보기

지문을 읽고 빈칸에 알맞은 말을 채우시오.

| **도입** | 기사들은 중세 유럽의 역사 내내 ¹_____를 지배했음 |

> **부연1 |** 그들은 겹겹의 무거운 ²_____으로 덮여 있었고, 커다란 칼을 지니고 거대한 말 위에 타고 있었기 때문에 전투에서 두려울 것이 없었음

> **부연2 |** 기사들은 또한 전쟁에 대한 ³_____과 혁신적이고 복합적인 전투 ⁴_____의 개발 덕분에 널리 존경받았음

| **주제문** | 하지만, 강력한 활과 ⁵_____의 도입은 이 모든 것을 변화시켰음 |

> **부연1 |** 화살이 기사를 쉽게 죽일 수 있었다면 기사를 훈련시키는 데 요구되는 ⁶_____과 돈은 낭비되었음

> **부연2 |** 크레시 전투에서, 긴 활을 가진 소규모 병력의 영국 병사들이 대부분 프랑스 기사들로 구성된 훨씬 더 규모가 큰 부대를 격파했음

정답1 | 전쟁터 2. 갑옷 3. 지식 4. 전략 5. 석궁 6. 시간

Knights dominated the battlefield / throughout medieval European history. They had little to fear /
기사는 전쟁터를 지배했다　　　　　　중세 유럽의 역사 내내　　　　　　　　그들은 두려울 것이 거의 없었다

throughout + 기간: (기간) 내내

in battle, / because they were covered / in layers of heavy armor, / carried large swords, / and were
전투에서　　　　그들이 덮여 있었기 때문에　　　　겹겹의 무거운 갑옷으로　　　　커다란 칼을 지녔기 때문에

in layers: 겹겹이

mounted on massive horses. Knights were also widely respected / due to their knowledge of war /
그리고 거대한 말 위에 올라타 있었기 때문에　　　기사들은 또한 널리 존경받았다　　　　전쟁에 대한 지식 덕분에

and their development / of innovative and complex fighting strategies. However, / the arrival of
그리고 그들의 개발 덕분에　　　혁신적이고 복합적인 전투 전략의　　　　하지만　　　　~의 도입은

powerful bows and crossbows / changed all of this. The time and money / ★ required to train a knight /
강력한 활과 석궁의 도입은　　　이 모든 것을 변화시켰다　　　시간과 돈은　　　　기사를 훈련시키는 데 요구되는

were wasted / if arrows could kill him easily. The effectiveness of this new equipment / was
낭비되는 것이었다　　화살이 기사를 쉽게 죽일 수 있다면　　　이 새로운 장비의 유효성은

demonstrated / at the Battle of Crecy, / during which a small force of English soldiers / with longbows /
입증되었는데　　　크레시 전투에서　　　이 전투 동안 소규모 병력의 영국 병사들이　　　긴 활을 가진

전치사 + 관계대명사

destroyed a much larger army / comprised mainly of French knights.
훨씬 더 규모가 큰 부대를 격파했다　　　대부분 프랑스 기사들로 구성된

comprise of ~: ~로 구성되다

STEP 1

찾아야 하는 것:
크레시 전투에서 유효성이
입증된 새로운 장비

STEP 2

'이 새로운 장비'를 '강력한
활과 석궁(powerful bows
and crossbows)'이라고 표
현한 ②번이 정답이다.

해석　기사들은 중세 유럽의 역사 내내 전쟁터를 지배했다. 그들은 전투에서 두려울 것이 거의 없었는데, 그들이 겹겹의 무거운 갑옷으로 덮여 있었고, 커다란
칼을 지녔으며, 거대한 말 위에 올라타 있었기 때문이다. 기사들은 또한 전쟁에 대한 지식과 그들의 혁신적이고 복합적인 전투 전략의 개발 덕분에 널리
존경받았다. 하지만, 강력한 활과 석궁의 도입은 이 모든 것을 변화시켰다. 화살이 기사를 쉽게 죽일 수 있다면 기사를 훈련시키는 데 요구되는 시간과 돈은
낭비되는 것이었다. 이 새로운 장비의 유효성은 크레시 전투에서 입증되었는데, 이 전투 동안 긴 활을 가진 소규모 병력의 영국 병사들이 대부분 프랑스
기사들로 구성된 훨씬 더 규모가 큰 부대를 격파했다.

① 더 무거운 새 갑옷
② 강력한 활과 석궁
③ 말을 탄 병사에 의해 사용된 칼
④ 새로운 전투 전략

해설　지문 뒷부분에서 강력한 활과 석궁의 도입이 모든 것을 변화시켰으며, 크레시 전투에서 긴 활을 가진 소규모 병력의 영국 병사들이 프랑스 기사로 구성된
훨씬 더 규모가 큰 부대를 격파했다고 했다. 따라서 this new equipment는 '강력한 활과 석궁'을 가리키므로, ②번이 정답이다.

어휘　dominate 지배하다, 군림하다　battlefield 전쟁터　medieval 중세의　armor 갑옷　mount 올라타다, 시작하다　innovative 혁신적인　complex 복합적인
crossbow 석궁　effectiveness 유효성　demonstrate 입증하다, 시위하다　force 병력, 물리력　novel 새로운

독해가 쉬워지는 **공무원 필수구문**

명사를 꾸며주는 과거분사 해석하기 [Point 15] 이 문장에서 required to train a knight는 앞에 나온 명사 The time and money를 꾸며주는 수식어이다.
이처럼 과거분사(required ~)가 명사를 꾸며주는 경우, '~을 하는 데 요구되는 시간과 돈'이라고 해석한다.

정답: ②

10 다음 글의 밑줄 친 부분의 의미로 가장 적절한 것은?

Agricultural subsidies are funds the government provides to farm owners. They can be used to encourage the production of certain types of crops. The United States budgets approximately 20 billion dollars per year for direct subsidies to farmers. However, there is growing support for these types of payments to be stopped. Many people view subsidies as unnecessary and wasteful. These critics claim that they encourage unprofitable practices and are taken advantage of by large agricultural corporations. In addition, subsidies cause problems in foreign policy. Trading partners consider them to be unfair advantages as they allow domestic farmers to sell their products at artificially low prices. Nevertheless, politicians from regions that depend on these payments oppose their removal from the budget. As a result, it is unlikely that <u>changes</u> will be made in the near future.

① No longer providing financial support to farmers
② Increasing international trade in agriculture products
③ The reducing of the role of corporations in farming
④ Producing specific agricultural products
⑤ Separating politics and agriculture completely

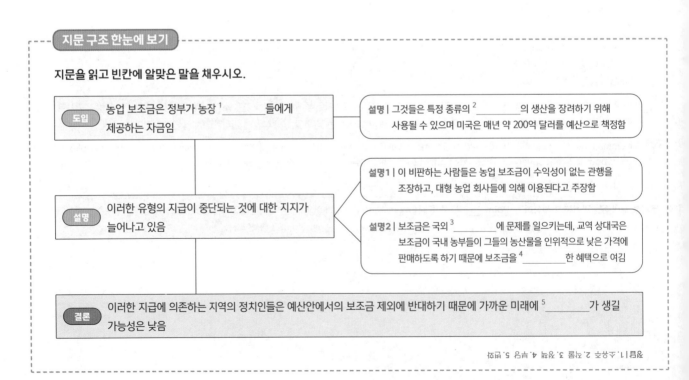

지문 구조 한눈에 보기

지문을 읽고 빈칸에 알맞은 말을 채우시오.

도입 농업 보조금은 정부가 농장 1_____ 들에게 제공하는 자금임

설명 | 그것들은 특정 종류의 2_____의 생산을 장려하기 위해 사용될 수 있으며 미국은 매년 약 200억 달러를 예산으로 책정함

설명 | 이러한 유형의 지급이 중단되는 것에 대한 지지가 늘어나고 있음

설명 1 | 이 비판하는 사람들은 농업 보조금이 수익성이 없는 관행을 조장하고, 대형 농업 회사들에 의해 이용된다고 주장함

설명 2 | 보조금은 국외 3_____에 문제를 일으키는데, 교역 상대국은 보조금이 국내 농부들이 그들의 농산물을 인위적으로 낮은 가격에 판매하도록 하기 때문에 보조금을 4_____한 혜택으로 여김

결론 이러한 지급에 의존하는 지역의 정치인들은 예산안에서의 보조금 제외에 반대하기 때문에 가까운 미래에 5_____가 생길 가능성은 낮음

정답 | 1. 소유주 2. 작물 3. 정책 4. 부당 5. 변화

Agricultural subsidies are funds / the government provides to farm owners. They can be used /
농업 보조금은 자금이다　　　　　　　정부가 농장 소유주들에게 제공하는　　　　　그것들은 사용될 수 있다

to encourage the production / of certain types of crops. The United States budgets / approximately
생산을 장려하기 위해　　　　　　　특정 종류의 작물의　　　　　　미국은 예산으로 책정한다　　　약

20 billion dollars per year / for direct subsidies to farmers. However, / there is growing support /
매년 약 200억 달러를　　　　　농부에게 주어지는 직접 보조금으로　　　하지만　　　　지지가 늘어나고 있다
　　　↳ to 부정사의 의미상 주어

for these types of payments to be stopped. Many people view subsidies / as unnecessary and wasteful.
이러한 유형의 지급이 중단되는 것에 대한　　　　많은 사람들은 보조금을 여긴다　　　불필요하고 낭비적인 것으로
　　　　　　　　　　　　　　　　　　　　　　　　　　　　　　↳ take advantage of ~: ~을 이용하다

These critics claim / that they encourage unprofitable practices / and are taken advantage of / by
이 비판하는 사람들은 주장한다　　　그것들이 수익성 없는 관행을 조장한다고　　　그리고 이용된다고

large agricultural corporations. In addition, / subsidies cause problems / in foreign policy. Trading
대형 농업 회사들에 의해　　　　게다가　　　보조금은 문제를 일으킨다　　　국외 정책에
　　　　　　　↳ consider ··· to be ~: ···을 ~으로 여기다

partners consider them / to be unfair advantages / as they allow domestic farmers / to sell their
교역 상대국은 그것들을 여긴다　　부당한 혜택으로　　　그것들이 국내 농부들에게 허용하기 때문에　그들의 농산물을 판매하도록

products / at artificially low prices. Nevertheless, / politicians from regions / that depend on these
농산물을　인위적으로 낮은 가격에　　그럼에도 불구하고　　지역의 정치인들은　　이러한 지급에 의존하는

payments / oppose their removal from the budget. As a result, / it is unlikely / that changes will be
예산안에서의 보조금 제외에 반대한다　　　그 결과　　가능성은 낮다　　변화가 생길

made / in the near future.
가까운 미래에

STEP 1
찾아야 하는 것:
가능성이 낮은 변화

STEP 2
'변화'를 '농부들에게 재정적인 지원을 더 이상 제공하지 않는 것(No longer providing financial support to farmers)'이라고 표현한 ①번이 정답이다.

해석 농업 보조금은 정부가 농장 소유주들에게 제공하는 자금이다. 그것들은 특정 종류의 작물의 생산을 장려하기 위해 사용될 수 있다. 미국은 농부에게 주어지는 직접 보조금으로 매년 약 200억 달러를 예산으로 책정한다. 하지만, 이러한 유형의 지급이 중단되는 것에 대한 지지가 늘어나고 있다. 많은 사람들은 보조금을 불필요하고 낭비적인 것으로 여긴다. 이 비판하는 사람들은 그것들이 수익성이 없는 관행을 조장하고 대형 농업 회사들에 의해 이용된다고 주장한다. 게다가, 보조금은 국외 정책에 문제를 일으킨다. 교역 상대국은 그것들(보조금)이 국내 농부들에게 그들의 농산물을 인위적으로 낮은 가격에 판매하도록 허용하기 때문에 그것들을 부당한 혜택으로 여긴다. 그럼에도 불구하고, 이러한 지급에 의존하는 지역의 정치인들은 예산안에서의 보조금 제외에 반대한다. 그 결과, 가까운 미래에 변화가 생길 가능성은 낮다.

① 농부들에게 재정적인 지원을 더 이상 제공하지 않는 것
② 농산물의 국제 무역을 증대하는 것
③ 농업에서 기업의 역할을 축소하는 것
④ 특정 농산물을 생산하는 것
⑤ 정치와 농업을 완전히 구별하는 것

해설 지문 전반에 걸쳐 농업 보조금 중단을 지지하는 의견이 늘고 있다고 한 후, 밑줄 친 부분의 앞 문장에서 그럼에도 불구하고 농업 보조금에 의존하는 지역의 정치인들은 보조금을 예산안에서 제외하는 것을 반대한다고 했다. 따라서 changes는 '농부들에게 재정적인 지원을 더 이상 제공하지 않는 것'을 가리키므로, ①번이 정답이다.

어휘 subsidy 보조금　budget 예산을 책정하다　approximately 약, 대략　unprofitable 수익성이 없는　domestic 국내의, 가정의　removal 제외

독해가 쉬워지는 **공무원 필수구문**

동사나 문장을 꾸며주는 to 부정사 해석하기 Point 19 이 문장에서 to encourage ~ crops는 앞에 나온 동사 can be used를 꾸며주는 수식어이다. 이처럼 to 부정사(to encourage ~)가 동사를 꾸며주는 경우, '~을 장려하기 위해'라고 해석한다.

정답: ①

11 밑줄 친 부분이 지칭하는 대상이 다른 것은? [2019년 서울시 9급 (6월 시행)]

Dracula ants get their name for the way they sometimes drink the blood of their own young. But this week, ① the insects have earned a new claim to fame. Dracula ants of the species *Mystrium camillae* can snap their jaws together so fast, you could fit 5,000 strikes into the time it takes us to blink an eye. This means ② the blood-suckers wield the fastest known movement in nature, according to a study published this week in the journal *Royal Society Open Science*. Interestingly, the ants produce their record-breaking snaps simply by pressing their jaws together so hard that ③ they bend. This stores energy in one of the jaws, like a spring, until it slides past the other and lashes out with extraordinary speed and force—reaching a maximum velocity of over 200 miles per hour. It's kind of like what happens when you snap your fingers, only 1,000 times faster. Dracula ants are secretive predators as ④ they prefer to hunt under the leaf litter or in subterranean tunnels.

지문 구조 한눈에 보기

지문을 읽고 빈칸에 알맞은 말을 채우시오.

도입 이번 주에, 드라큘라 개미들은 새로운 유명세의 이유를 얻었음

설명1 드라큘라 개미는 아주 빠르게 그들의 ¹_____을 함께 붙도록 꽉 물 수 있음

부연 그들은 우리가 눈을 깜빡이는 데 걸리는 시간에 5,000번의 타격을 가할 수 있고, 이는 한 연구에 따르면 자연에서 가장 빠르다고 알려진 ²_____을 행사한다는 것을 의미함

설명2 그 개미들은 단순히 그들의 턱을 함께 매우 세게 누름으로써 기록적인 꽉 물기를 만들어 냄

부연1 이것은 시속 200마일이 넘는 최대 속도에 도달하면서 다른 쪽 턱을 놀라운 속도와 힘으로 강타할 때까지 용수철처럼 한쪽 턱에 ³_____를 저장함

부연2 이것은 손가락을 탁 소리가 나도록 움직일 때 일어나는 일과 비슷하지만 1,000배 더 빠른 것임

부연3 낙엽 아래나 ⁴_____ 터널 안에서 사냥하는 것을 선호하기 때문에 드라큘라 개미는 비밀스러운 포식자들임

정답 1. 턱 2. 움직임 3. 에너지 4. 지하

지문분석

STEP 1
찾아야 하는 것:
가리키는 대상이 다른 것

STEP 2
①, ②, ④ 드라큘라 개미
③ 개미의 턱

Dracula ants get their name / for the way / they sometimes drink the blood / of their own young. But /
드라큘라 개미는 그들의 이름을 얻는다   방법으로 인해   그들이 때때로 피를 마시는   자기 새끼의   하지만

this week, / ① the insects have earned / a new claim to fame. Dracula ants of the species *Mystrium*
이번 주에   이 곤충들은 얻었다   새로운 유명세의 이유를   'Mystrium camillae' 종의 드라큘라 개미는

camillae / can snap their jaws together / so fast, / you could fit 5,000 strikes / into the time / it takes
그들의 턱을 함께 붙도록 꽉 물 수 있다   아주 빠르게   5,000번의 타격을 가할 수 있다   시간 동안에   우리가 걸리는

us / to blink an eye. This means / ② the blood-suckers wield / the fastest known movement / in
눈을 깜빡이는 데   이것은 의미한다   그 흡혈 동물들이 행사한다는 것을   가장 빠르다고 알려진 움직임을

according to ~: ~에 따르면
nature, / according to a study / published this week / in the journal *Royal Society Open Science*.
자연에서   한 연구에 따르면   이번 주에 발표된   『Royal Society Open Science』지에서

Interestingly, / the ants produce their record-breaking snaps / simply by pressing their jaws together /
흥미롭게도   그 개미들은 그들의 기록적인 꽉 물기를 만들어 낸다   단순히 그들의 턱을 함께 누름으로써

so hard / that ③ they bend. This stores energy / in one of the jaws, / like a spring, / until it slides past
매우 세게   그것들이 구부러지도록   이것은 에너지를 저장한다   한쪽 턱에   용수철처럼   그것이 다른 쪽 턱을 미끄러지듯이 지나칠
the other(jaw): 정해진 것 중 남은 것의 (다른 쪽의)
the other / and lashes out / with extraordinary speed and force / —reaching a maximum velocity /
   그리고 강타할 때까지   놀라운 속도와 힘으로   최대 속도에 도달한다

of over 200 miles per hour. It's kind of like what happens / when you snap your fingers, /
시속 200마일이 넘는   이것은 일어나는 일과 비슷하다   당신이 손가락을 탁 소리가 나도록 움직일 때

prefer to ~: ~하는 것을 선호하다
only 1,000 times faster. Dracula ants are secretive predators / as ④ they prefer to hunt / under the
단지 1,000배 더 빠르다   드라큘라 개미들은 비밀스러운 포식자들이다   그들이 사냥하는 것을 선호하기 때문에
이유를 나타내는 부사절 접속사

leaf litter / or in subterranean tunnels.
낙엽 아래에서   혹은 지하 터널 안에서

해석 드라큘라 개미는 그들이 때때로 자기 새끼의 피를 마시는 방법으로 인해 그들의 이름을 얻는다. 하지만 이번 주에, ① 이 곤충들은 새로운 유명세의 이유를 얻었다. 'Mystrium camillae' 종의 드라큘라 개미는 아주 빠르게 그들의 턱을 함께 붙도록 꽉 물 수 있어서, 우리가 눈을 깜빡이는 데 걸리는 시간에 5,000 번의 타격을 가할 수 있다. 이번 주에 『Royal Society Open Science』지에서 발표된 연구에 따르면, 이것은 ② 그 흡혈 동물들이 자연에서 가장 빠르다고 알려진 움직임을 행사한다는 것을 의미한다. 흥미롭게도, 그 개미들은 ③ 그것들이 구부러지도록 단순히 그들의 턱을 매우 세게 함께 누름으로써 그들의 기록적인 꽉 물기를 만들어 낸다. 이것은 다른 쪽 턱을 미끄러지듯이 지나쳐 놀라운 속도와 힘으로 강타할 때까지 용수철처럼 한쪽 턱에 에너지를 저장하며, 시속 200마일이 넘는 최대 속도에 도달한다. 이것은 당신이 손가락을 탁 소리가 나도록 움직일 때 일어나는 일과 비슷한데, 단지 1,000배 더 빠르다. ④ 그들이 낙엽 아래나 지하 터널 안에서 사냥하는 것을 선호하기 때문에 드라큘라 개미는 비밀스러운 포식자들이다.

해설 ①, ②, ④번 모두 드라큘라 개미를 가리키지만, ③번은 개미의 턱을 가리키므로 ③번이 정답이다.

어휘 earn 얻다   claim to fame 유명세의 이유   snap 꽉 물다, 탁 소리가 나도록 재빨리 움직이다   jaw 턱   blink (눈을) 깜빡이다   blood-sucker 흡혈 동물
wield 행사하다   record-breaking 기록적인   store 저장하다   spring 용수철   slide 미끄러지듯이 움직이다   lash out 강타하다
extraordinary 놀라운, 대단한   velocity 속도   secretive 비밀스러운, 숨기는   predator 포식자   leaf litter 낙엽   subterranean 지하의

독해가 쉬워지는 **공무원 필수구문**

명사를 꾸며주는 과거분사 해석하기 [Point 15] 이 문장에서 published this week은 앞에 나온 명사 a study를 꾸며주는 수식어이다. 이처럼 과거분사
(published ~)가 명사를 꾸며주는 경우, '이번 주에 발표된 연구'라고 해석한다.

정답: ③

12 다음 밑줄 친 This system이 의미하는 바로 가장 적절한 것은?

[2018년 법원직 9급]

In order to meet the demands of each course, Escoffier modernized meal preparation by dividing his kitchens into five different sections. The first section made cold dishes and organized the supplies for the whole kitchen. The second section took care of soups, vegetables, and desserts. The third dealt with dishes that were roasted, grilled, or fried. The fourth section focused only on sauces, and the last was for making pastries. This allowed restaurant kitchens to make their dishes much more quickly than in the past. If a customer ordered eggs Florentine, for example, one section would cook the eggs, another would make the sauce, and yet another would make the pastry. Then, the head chef would assemble the dish before it was served to the customer. This system was so efficient that it is still used in many restaurants today.

① The competition of the different sections in the kitchen

② The extended room for preparing the necessary ingredients

③ The distribution of the separate dishes to the customer by the head chef

④ The kitchen being divided into different sections to prepare a meal

---

지문 구조 한눈에 보기

지문을 읽고 빈칸에 알맞은 말을 채우시오.

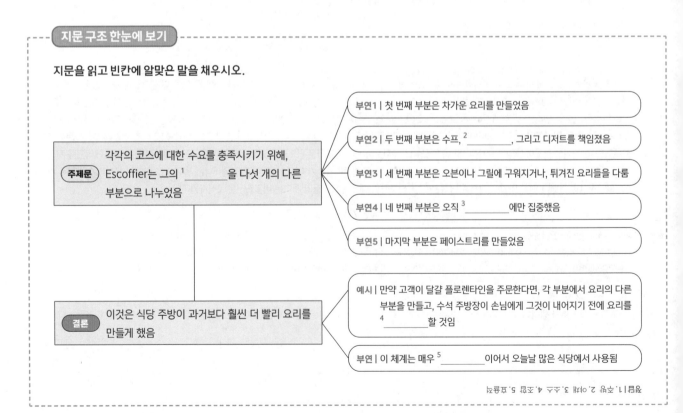

주제문 각각의 코스에 대한 수요를 충족시키기 위해, Escoffier는 그의 ¹_____ 을 다섯 개의 다른 부분으로 나누었음	부연1 │ 첫 번째 부분은 차가운 요리를 만들었음
	부연2 │ 두 번째 부분은 수프, ²_____, 그리고 디저트를 책임졌음
	부연3 │ 세 번째 부분은 오븐이나 그릴에 구워지거나, 튀겨진 요리들을 다룸
	부연4 │ 네 번째 부분은 오직 ³_____ 에만 집중했음
	부연5 │ 마지막 부분은 페이스트리를 만들었음
결론 이것은 식당 주방이 과거보다 훨씬 더 빨리 요리를 만들게 했음	예시 │ 만약 고객이 달걀 플로렌타인을 주문한다면, 각 부분에서 요리의 다른 부분을 만들고, 수석 주방장이 손님에게 그것이 내어지기 전에 요리를 ⁴_____할 것임
	부연 │ 이 체계는 매우 ⁵_____이어서 오늘날 많은 식당에서 사용됨

정답 | 1. 주방 2. 야채 3. 소스 4. 조립 5. 효율적

지문분석

→ in order to ~: ~하기 위해(= to ~)

(In order to) meet the demands / of each course, / Escoffier modernized meal preparation / by dividing
수요를 충족시키기 위해　　　각각의 코스에 대한　　　Escoffier는 식사 준비를 현대화했다　　　그의 주방을 나눔으로써

his kitchens / into five different sections. The first section made cold dishes / and organized the
다섯 개의 다른 부분으로　　　첫 번째 부분은 차가운 요리를 만들었다　　　그리고 용품을 정리했다

supplies / for the whole kitchen. The second section took care / of soups, vegetables, and desserts.
주방 전체를 위해　　　두 번째 부분은 책임졌다　　　수프, 야채, 그리고 디저트를

→ deal with ~: ~을 다루다

The third (dealt with) dishes / that were roasted, grilled, or fried. The fourth section focused only on
세 번째는 요리들을 다루었다　　　오븐에 구워지거나, 그릴에 구워지거나, 혹은 튀겨진　　　네 번째 부분은 오직 소스에만 집중했고

sauces, / and the last was for making pastries. This allowed restaurant kitchens / to make their dishes /
그리고 마지막은 페이스트리를 만들기 위한 곳이었다　　　이것은 식당 주방이　　　그들의 요리를 만들게 했다

much more quickly / than in the past. ★ If a customer ordered eggs Florentine, / for example, / one
훨씬 더 빨리　　　과거보다　　　만약 고객이 달걀 플로렌타인을 주문한다면　　　예를 들어

section would cook the eggs, / another would make the sauce, / and yet another would make the
한 부분은 달걀을 요리하고　　　다른 부분은 소스를 만들고　　　그리고 또 다른 부분은 페이스트리를 만들 것이다

pastry. Then, / the head chef would assemble the dish / before it was served / to the customer.
그러고 나서　　　수석 주방장이 요리를 조합할 것이다　　　그것이 내어지기 전에　　　손님에게

→ so … that ~: 매우 …해서 ~하다

This system was (so efficient / that) it is still used / in many restaurants today.
이 체계는 매우 효율적이어서　　　그것은 여전히 사용된다　　　오늘날 많은 식당에서

STEP 1

찾아야 하는 것:
효율적이어서 오늘날 많은 식당에서 여전히 사용되는 체계

STEP 2

'이 체계'를 '식사를 준비하기 위해 다른 부분들로 나뉘어 있는 주방(The kitchen being divided into different sections to prepare a meal)'이라고 표현한 ④번이 정답이다.

Chapter 05

지칭 대상 파악 해커스공무원 영어 독해

해석 각각의 코스에 대한 수요를 충족시키기 위해, Escoffier는 그의 주방을 다섯 개의 다른 부분으로 나눔으로써 식사 준비를 현대화했다. 첫 번째 부분은 차가운 요리를 만들었고 주방 전체를 위해 용품을 정리했다. 두 번째 부분은 수프, 야채, 그리고 디저트를 책임졌다. 세 번째는 오븐에 구워지거나, 그릴에 구워지거나, 혹은 튀겨진 요리들을 다루었다. 네 번째 부분은 오직 소스에만 집중했고, 마지막은 페이스트리를 만들기 위한 곳이었다. 이것은 식당 주방이 과거보다 훨씬 더 빨리 요리를 만들게 했다. 예를 들어, 만약 고객이 달걀 플로렌타인을 주문한다면, 한 부분은 달걀을 요리하고, 다른 부분은 소스를 만들고, 또 다른 부분은 페이스트리를 만들 것이다. 그러고 나서, 수석 주방장이 손님에게 그것이 내어지기 전에 요리를 조합할 것이다. <u>이 체계</u>는 매우 효율적이어서 그것은 오늘날 많은 식당에서 여전히 사용된다.

① 주방에서 다른 부분들의 경쟁
② 필요한 재료를 준비하기 위한 확장된 공간
③ 수석 주방장의 고객을 위한 별개의 요리 분배
④ 식사를 준비하기 위해 다른 부분들로 나누어 있는 주방

해설 지문 앞부분에서 Escoffier는 각 코스에 대한 수요를 충족시키기 위해 그의 주방을 다섯 개의 부분으로 나누어 식사 준비를 현대화했다고 하고, 이어서 각각의 부분에서 담당하는 역할을 설명하고 있다. 따라서 <u>This system</u>은 '식사를 준비하기 위해 다른 부분들로 나뉘어 있는 주방'을 의미하므로, ④번이 정답이다.

어휘 modernize 현대화하다　organize 정리하다, 준비하다　supply 용품, 비품　take care of ~을 책임지다　roast (오븐에) 굽다　grill 그릴(석쇠)에 굽다　head chef 주방장　assemble 조합하다　serve (요리를) 내다　efficient 효율적인　ingredient 재료, 성분　distribution 분배, 배급

독해가 쉬워지는 **공무원 필수구문**

현재 상황을 반대로 가정하는 가정법 해석하기 | Point 25 | 이 문장에서 If ~ ordered ~, ~ would cook ~은 가정법 과거 구문으로, 고객이 달걀 플로렌타인을 주문하지 않은 현재의 상황을 반대로 가정하여 말하고 있다. 이처럼 '가정법 과거(If + 주어 + 과거동사, 주어 + would + 동사원형)' 구문은, '만약 고객이 달걀 플로렌타인을 주문한다면, ~을 만들 것이다'라고 해석한다.

정답: ④

gosi.Hackers.com

끝은 있습니다. 그 결과가 어떻든 인생에 있어 긍정적인
전환점이 되어줄 것입니다. 당신은 여전히 능력이 있는
사람이며, 어딘가에서 인정받을 수 있는 인재입니다.

공부하고 있다고 주눅들 필요 없습니다. 앞으로 비상하는
미래를 위해 투자하고 있을 뿐, 누구나가 정상에 다다르기 위한
준비가 필요한 것처럼 당신들도 준비하는 중일 뿐입니다.
주눅들지 마세요. 그리고 포기하지 마세요.

– 지방직 9급 합격자 정*미

Section 3
추론 유형

빈칸 완성① 단어·구·절

지문에 포함된 빈칸에 들어가기에 가장 적절한 단어·구·절을 고르는 문제 유형이다.

☐ 출제 경향

· 매년 공무원 영어 시험에 빠지지 않고 출제되는 최빈출 문제 유형 중 하나이다.
· 주로 한 개의 빈칸이 제시되지만, 두 개의 빈칸이 제시되고 각 빈칸에 알맞은 단어 또는 어구를 고르는 문제가 출제되기도 한다.

☐ STEP별 문제 풀이 전략

STEP 1 빈칸이 있는 문장과 그 주변을 통해 빈칸에 들어갈 내용이 무엇인지 파악한다.

지문을 읽기 전, 먼저 빈칸이 있는 문장과 그 주변을 읽고 빈칸에 들어갈 내용이 무엇인지 파악한다.

지문　　Investigations into **recent oil spills** have revealed that ＿＿＿＿＿＿＿＿.
최근의 **기름 유출**에 대한 조사들은 ＿＿＿＿＿＿＿라는 것을 밝혀냈다.

→ 빈칸에 기름 유출에 대한 조사들이 밝혀낸 내용이 들어가야 함을 파악한다.

STEP 2 지문을 읽고 빈칸에 들어가기에 가장 적절한 보기를 선택한다.

· 지문을 읽으며 전체적인 흐름을 파악하고, 지문의 내용을 바탕으로 빈칸에 들어가기에 가장 적절한 보기를 선택한다. 특히, 빈칸에 들어갈 내용에 대한 단서는 주로 빈칸이 있는 문장의 앞이나 뒤에서 찾을 수 있다.

지문　　Researchers once **believed that oil spills only affected the surface of the ocean. However,** investigations into recent oil spills have revealed that ＿＿＿＿＿＿＿＿.
연구원들은 한때 기름 유출이 바다의 표면에만 영향을 미친다고 믿었다. 그러나, 최근의 기름 유출에 대한 조사는 ＿＿＿＿＿＿라는 것을 밝혀냈다.

정답　　deep-water plant and animal life can be impacted.
심해 식물과 동물이 영향을 받을 수 있다.

→ '기름 유출이 바다의 표면에만 영향을 미친다는 믿음'과 '그러나'라는 접속사를 통해 빈칸에는 과거의 믿음과 반대되는 내용인 '심해 식물과 동물이 영향을 받을 수 있다'가 들어가기에 적절함을 알 수 있다.

· 빈칸 주변에 자주 등장하는 표현을 익혀두면 지문의 흐름을 쉽게 파악할 수 있다.

대조·전환	but/however/yet 하지만, 그러나	instead 대신	on the other hand 반면에
이유	for this reason 이러한 이유로	because ~때문에	that is why ~한 이유이다
결론	now 이제　　so 따라서	then 그러면, 그다음에	thus/therefore 그러므로

전략 적용

밑줄 친 부분에 들어갈 말로 적절한 것을 고르시오.　　　[2024년 국가직 9급]

It is important to note that for adults, social interaction mainly occurs through the medium of language. Few native-speaker adults are willing to devote time to interacting with someone who does not speak the language, with the result that the adult foreigner will have little opportunity to engage in meaningful and extended language exchanges. In contrast, the young child is often readily accepted by other children, and even adults. For young children, language is not as essential to social interaction. So-called 'parallel play', for example, is common among young children. They can be content just to sit in each other's company speaking only occasionally and playing on their own. Adults rarely find themselves in situations where _____ _____.

① language does not play a crucial role in social interaction

② their opinions are readily accepted by their colleagues

③ they are asked to speak another language

④ communication skills are highly required

STEP 1

빈칸이 있는 문장과 그 주변을 통해 빈칸에 들어갈 내용이 무엇인지 파악하기

빈칸에는 성인이 어떠한 상황에 처하는 경우가 거의 없는지에 대한 내용이 들어가야 함을 파악한다.

STEP 2

지문을 읽고 빈칸에 들어가기에 가장 적절한 보기 선택하기

지문 앞부분에서 성인의 경우 사회적 상호작용은 주로 언어라는 매개체를 통해 발생한다는 점에 유의하는 것이 중요하다고 했으므로 '성인들은 언어가 사회적 상호작용에서 중요한 역할을 하지 않는(language does not play a crucial role in social interaction) 상황에 처하는 경우가 거의 없다'는 문장을 완성하는 ①번이 정답이다.

해석　성인의 경우, 사회적 상호작용은 주로 언어라는 매개체를 통해 발생한다는 점에 유의하는 것이 중요하다. 해당 언어를 구사하지 못하는 사람과 상호작용하는데 기꺼이 시간을 할애하려는 원어민인 성인은 거의 없으며, 그 결과 성인 외국인은 의미 있고 확장된 언어 교환에 참여할 기회가 거의 없게 될 것이다. 대조적으로, 어린아이는 종종 다른 아이들, 그리고 심지어 어른들에게도 쉽게 받아들여진다. 어린아이들에게, 언어는 사회적 상호작용에서 그만큼 필수적인 것은 아니다. 예를 들어, 소위 '병행 놀이'는 어린아이들 사이에서 흔하다. 그들은 가끔씩만 서로의 친구와 앉아서 이야기하고 혼자 노는 것만으로도 만족할 수 있다. 성인들은 <u>언어가 사회적 상호작용에서 중요한 역할을 하지 않는</u> 상황에 처하는 경우가 거의 없다.

① 언어가 사회적 상호작용에서 중요한 역할을 하지 않는다
② 그들의 의견은 그들의 동료들에게 쉽게 받아들여진다
③ 그들은 다른 언어를 말하도록 요청받는다
④ 의사소통 능력이 매우 요구된다

어휘　**note** 유의하다　**medium** 매개체　**devote** 할애하다, 헌신하다　**readily** 쉽게　**engage in** ~에 참여하다　**meaningful** 의미 있는　**extended** 확장된
parallel play 병행 놀이(유아가 같은 종류의 장난감을 사용하면서 나란히 앉아 놀이를 하나, 실제로 장난감을 함께 나누면서 놀이하는 것이 아니라 각각 독립적으로 하는 놀이)　**content** 만족하는　**occasionally** 가끔씩, 때때로

정답: ①

01 다음 중 밑줄 친 부분에 들어갈 가장 적절한 말은?

The Galapagos Islands are home to some of the most unique flora and fauna. One reason for this is that the land masses are separated from the South American mainland by over 900 kilometers of ocean, making the arrival of new plants and animals highly unlikely. It is thought that the first plants and animals to colonize the remote islands millions of years ago flew, swam, or floated in unintentionally. While many died due to the harsh conditions, some survived and established populations. Because the islands themselves also differ in terms of their terrain, elevation, and climate, individuals of the same species evolved distinct physical structures and behaviors to match the particular conditions of their habitats. This is why _____.

① tourism is increasingly common on the islands

② animals on the islands are on the brink of extinction

③ local species are spreading across the world

④ Galapagos wildlife exists nowhere else

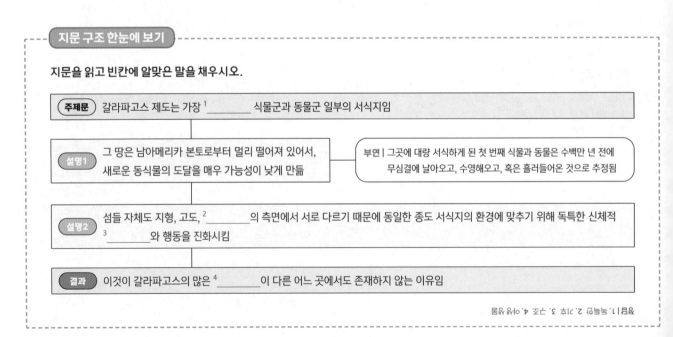

지문 구조 한눈에 보기

지문을 읽고 빈칸에 알맞은 말을 채우시오.

주제문 갈라파고스 제도는 가장 ¹_____ 식물군과 동물군 일부의 서식지임

설명1 그 땅은 남아메리카 본토로부터 멀리 떨어져 있어서, 새로운 동식물의 도달을 매우 가능성이 낮게 만듦

부연 그곳에 대량 서식하게 된 첫 번째 식물과 동물은 수백만 년 전에 무심결에 날아오고, 수영해오고, 혹은 흘러들어온 것으로 추정됨

설명2 섬들 자체도 지형, 고도, ²_____의 측면에서 서로 다르기 때문에 동일한 종도 서식지의 환경에 맞추기 위해 독특한 신체적 ³_____와 행동을 진화시킴

결과 이것이 갈라파고스의 많은 ⁴_____이 다른 어느 곳에서도 존재하지 않는 이유임

정답 | 4, 독특한 1. 2. 기후 3. 구조 4. 야생 동물

지문분석

→ be home to ~: ~의 서식지이다

The Galapagos Islands (are home to) / some of the most unique flora and fauna. One reason for this is /
갈라파고스 제도는 서식지이다   가장 독특한 식물군과 동물군 일부의   이것에 대한 한 가지 이유는

that the land masses are separated / from the South American mainland / by over 900 kilometers of
그 광대한 땅이 떨어져 있기 때문이다   남아메리카 본토로부터   해양 900킬로미터 이상

ocean, / ⭐ making the arrival of new plants and animals / highly unlikely. It is thought / that the first
그래서 새로운 식물과 동물의 도달을 만든다   매우 가능성이 낮게   추정된다   첫 번째

plants and animals / to colonize the remote islands / millions of years ago / flew, swam, / or floated in /
첫 번째 식물과 동물은   이 외딴섬에 대량 서식하게 된   수백만 년 전에   날아오고, 수영하고 혹은 흘러들어온 것으로

unintentionally. While many died / due to the harsh conditions, / some survived / and established
무심결에   다수가 소멸했지만   혹독한 환경으로 인해   일부는 살아남았다   그리고 개체 수를 안정시켰다

→ 이유를 나타내는 표현   → in terms of ~: ~의 측면에서

populations. (Because) the islands themselves also differ / (in terms of) their terrain, elevation, and
그 섬들 자체도 서로 다르기 때문에   지형, 고도, 그리고 기후의 측면에서

climate, / individuals of the same species evolved / distinct physical structures and behaviors / to
동일한 종의 개체들은 진화시켰다   독특한 신체적 구조와 행동을

match the particular conditions / of their habitats. This is why / Galapagos wildlife / exists nowhere
특별한 환경에 맞추기 위해   그들의 서식지의   이것이 이유이다   갈라파고스의 야생 생물이   다른 어느 곳에도 존재하지 않는

else.

STEP 1
빈칸에 들어갈 내용:
갈라파고스 섬 생태계의 특징
으로 나타난 결과

STEP 2
빈칸에 들어갈 내용을 '갈라파
고스의 야생 생물이 다른 어
느 곳에서도 존재하지 않는다
(Galapagos wildlife exists
nowhere else)'라고 한 ④번
이 정답이다.

해석 갈라파고스 제도는 가장 독특한 식물군과 동물군 일부의 서식지이다. 이것에 대한 한 가지 이유는 그 광대한 땅이 남아메리카 본토로부터 해양 900
킬로미터 이상 떨어져 있어서, 새로운 식물과 동물의 도달을 매우 가능성이 낮게 만들기 때문이다. 수백만 년 전에 이 외딴섬에 대량 서식하게 된 첫 번째
식물과 동물은 무심결에 날아오고, 수영해오고, 혹은 흘러들어온 것으로 추정된다. 다수가 혹독한 환경으로 인해 소멸했지만, 일부는 살아남았고 개체 수를
안정시켰다. 그 섬들 자체도 지형, 고도, 그리고 기후의 측면에서 서로 다르기 때문에, 동일한 종의 개체들은 그들의 서식지의 특별한 환경에 맞추기 위해
독특한 신체적 구조와 행동을 진화시켰다. 이것이 갈라파고스의 야생 생물이 다른 어느 곳에서도 존재하지 않는 이유이다.

① 그 섬에서 관광이 점점 더 흔해지고 있다
② 그 섬의 동물들이 멸종의 직전에 처해 있다
③ 지역의 종들이 전 세계로 퍼지고 있다
④ 갈라파고스의 야생 생물이 다른 어느 곳에서도 존재하지 않는다

해설 빈칸 앞 문장에 동일한 종의 개체들이 갈라파고스 섬의 특별한 환경에 맞추기 위해 독특한 신체적 구조나 행동을 진화시켰다는 내용이 있으므로, 이것이
'갈라파고스의 야생 생물이 다른 어느 곳에서도 존재하지 않는' 이유라고 한 ④번이 정답이다.

어휘 flora 식물군 fauna 동물군 colonize 대량 서식하다 terrain 지형 elevation 고도 on the brink of ~의 직전에 처해 있는 extinction 멸종

독해가 쉬워지는 **공무원 필수구문**

문장을 꾸며주는 분사구문 해석하기 - 결과 Point 22 이 문장에서 분사구문 making ~ highly unlikely는 콤마 앞에 나온 문장 전체를 꾸며주는 수식어이다.
이처럼 분사구문이 문장 뒤에 올 경우, 종종 앞 문장에 대한 결과를 나타내는데, 이때 분사구문은 '그래서 (그 결과) ~의 도달을 매우 가능성이 낮게 만든다'
라고 해석한다.

정답: ④

02 빈칸에 들어갈 말로 가장 적절한 것을 고르시오.

> Sociologists have an alternate theory for what draws a person to a prospective mate. It is generally acknowledged that our preconceived standard of what makes a good partner includes desirable personal characteristics and similarities in beliefs, tastes and morals, but a study shows that negative attraction may be more instrumental for many individuals. Instead of seeking attractive qualities, these people tend to fixate on those attributes that they find less appealing. Hence, if someone disapproves of individuals with a tendency to be impatient and unwilling to wait, people with these traits are automatically deemed _____.

① neutral

② hasty

③ approachable

④ unlikable

지문 구조 한눈에 보기

지문을 읽고 빈칸에 알맞은 말을 채우시오.

> **도입** ¹_____들은 무엇이 한 사람을 미래의 짝에게 끌리게 하는지에 대한 서로 다른 이론을 갖고 있음

> **설명** 무엇이 좋은 ²_____가 되도록 하는지에 대한 우리의 사전에 형성된 기준은 호감이 가는 ³_____과 신념, 취향, 도덕에서의 비슷한 점 등으로 일반적으로 생각됨

> **반론** 한 연구는 ⁴_____ 끌림이 많은 사람들에게 더 중요할 수도 있다는 것을 보여줌

> **설명 |** 이러한 사람들은 그들이 덜 ⁵_____이라고 생각하는 특성에 집착하는 경향이 있음

> **예시 |** 누군가 참을성이 없는 사람들을 못마땅해한다면, 그러한 특성이 있는 사람들을 무의식적으로 호감이 가지 않는다고 여김

Sociologists have an alternate theory / for what draws a person / to a prospective mate. It is generally
사회학자들은 서로 다른 이론을 가지고 있다   무엇이 한 사람을 끌리게 하는지에 대한   미래의 짝에게   일반적으로 인정받는다

acknowledged / that our preconceived standard / of what makes a good partner / includes desirable
우리의 사전에 형성된 기준은   무엇이 좋은 배우자가 되도록 하는지에 대한   호감이 가는 성격과

personal characteristics and similarities / in beliefs, tastes and morals, / but / a study shows / that
비슷한 점들을 포함한다고   신념, 취향, 그리고 도덕에서의   하지만   한 연구는 보여준다
→ 전환을 나타내는 표현

negative attraction / may be more instrumental / for many individuals. Instead of seeking attractive
부정적인 끌림이   더 중요할 수도 있다는 것을   많은 사람들에게   매력적인 특징을 찾는 대신
5형식 동사 find의 목적격 보어

qualities, / these people tend to fixate on / those attributes / that they find less appealing. Hence, /
이러한 사람들은 집착하는 경향이 있다   그 특성들에   그들이 덜 매력적이라고 생각하는   이런 이유로
→ disapprove of ~: ~을 못마땅해하다

if someone disapproves of individuals / with a tendency / ☆ to be impatient and unwilling to wait, /
만약 누군가가 사람들을 못마땅해한다면   성향을 가진   참을성이 없고 기다리는 것을 싫어하는

people with these traits / are automatically deemed unlikable.
그러한 특성이 있는 사람들은   무의식적으로 호감이 가지 않는다고 여겨진다

STEP 1
빈칸에 들어갈 내용:
사람들이 덜 매력적이라고
생각하는 특성에 대해 반응
하는 경향

STEP 2
빈칸에 들어갈 내용을 '호감이
가지 않는(unlikable)'이라고
한 ④번이 정답이다.

해석   사회학자들은 무엇이 한 사람을 미래의 짝에게 끌리게 하는지에 대한 서로 다른 이론을 가지고 있다. 무엇이 좋은 배우자가 되도록 하는지에 대한 우리의
사전에 형성된 기준은 호감이 가는 성격과 신념, 취향, 그리고 도덕에서의 비슷한 점들을 포함한다고 일반적으로 인정받지만, 한 연구는 부정적인 끌림이
많은 사람들에게 더 중요할 수도 있다는 것을 보여준다. 매력적인 특징을 찾는 대신, 이러한 사람들은 그들이 덜 매력적이라고 생각하는 특성들에 집착하는
경향이 있다. 이런 이유로, 만약 누군가가 참을성이 없고 기다리는 것을 싫어하는 성향을 가진 사람들을 못마땅해한다면, 그러한 특성이 있는 사람들은
무의식적으로 호감이 가지 않는다고 여겨진다.

① 중립적인
② 성급한
③ 가까이하기 쉬운
④ 호감이 가지 않는

해설   빈칸이 있는 문장의 앞 문장에서 많은 사람들은 그들이 덜 매력적이라고 생각하는 특성들에 집착하는 경향이 있다고 하는 내용이 있으므로, 만약 누군가가
참을성이 없고 기다리는 것을 싫어하는 성향을 가진 사람들을 못마땅해한다면, 그러한 특성이 있는 사람들은 무의식적으로 '호감이 가지 않는'다고
여겨진다고 한 ④번이 정답이다.

어휘   alternate 서로 다른 prospective 미래의, 가망이 있는 acknowledge 인정하다, 승인하다 preconceived 사전에 형성된 desirable 호감이 가는, 바람직한
instrumental 중요한, 주된 역할을 하는 fixate on 집착하다 attribute 특성, 속성 appealing 매력적인, 애원하는 tendency 성향, 경향
impatient 참을성이 없는 trait 특성 deem 여기다, 생각하다 approachable 가까이하기 쉬운

독해가 쉬워지는 공무원 필수구문

명사를 꾸며주는 to 부정사 해석하기 [Point 13] 이 문장에서 to be impatient and unwilling to wait은 앞에 나온 명사 a tendency를 꾸며주는 수식어이다.
이처럼 to 부정사(to be impatient ~)가 명사를 꾸며주는 경우 '참을성이 없고 기다리는 것을 싫어하는 성향'이라고 해석한다.

정답: ④

03 밑줄 친 부분에 들어갈 말로 가장 알맞은 것은?

Latin became a dead language in the 7th century when it stopped being used for everyday communication. However, it continued to have a number of specialized functions. Until very recently, Latin was used by the Catholic church for all of its ceremonies. Latin was also _____ _____ during the medieval and Renaissance periods. Most universities held classes in Latin, and academic texts were almost always written in it. Even in modern times, this tradition continues. Professionals in fields such as medicine, zoology, and botany often use Latin terminology.

① replaced by other European languages

② considered the language of scholars

③ altered into a more modern form

④ ignored by the Catholic church in Europe

지문 구조 한눈에 보기

지문을 읽고 빈칸에 알맞은 말을 채우시오.

주제문 라틴어는 일상생활에 쓰이지 않지만 많은 전문적인 [1] _____ 을 계속해서 지녔음

예시 1 아주 최근까지, 라틴어는 가톨릭교회의 모든 [2] _____ 에 사용되었음

예시 2 라틴어는 또한 중세 시대와 르네상스 시대 동안 학자들의 언어로 여겨짐

부연 대부분의 대학은 라틴어로 수업을 실시했고, [3] _____ 교재는 거의 항상 라틴어로 쓰여짐

예시 3 심지어 현대에도 의학, 동물학, 그리고 식물학 [4] _____ 들은 흔히 라틴어로 된 전문 용어를 사용함

정답 1. 기능 2. 의식 3. 학술 4. 분야

Latin became a dead language / in the 7th century / when it ⟨stopped being⟩ used / for everyday
라틴어는 안 쓰는 말이 되었다   7세기에   그것이 쓰이지 않게 된   일상적인 의사소통에

→ stop + -ing: ~하는 것을 그만두다, 멈추다

communication. However, / it continued to have / ⟨a number of⟩ specialized functions. Until very
하지만   그것은 계속해서 지녔다   많은 전문적인 기능을   아주 최근까지

→ a number of ~: 많은 ~

recently, / Latin was used by the Catholic church / for all of its ceremonies. Latin was also
라틴어는 가톨릭교회에 의해 사용되었다   그것의 모든 의식에   라틴어는 또한 여겨졌다

considered / the language of scholars / during the medieval and Renaissance periods. Most
학자들의 언어로   중세 시대와 르네상스 시대 동안

universities held classes in Latin, / and academic texts / were almost always ⟨written in⟩ it. Even in
대부분의 대학은 라틴어로 수업을 실시했고   그리고 학술 교재는   거의 항상 그것으로 쓰여졌다

→ written in ~(언어): ~로 쓰여진

modern times, / this tradition continues. Professionals in fields / such as medicine, zoology, and botany /
심지어 현대에도   이 전통은 계속된다   분야의 전문가들은   의학, 동물학, 그리고 식물학과 같은

often use Latin terminology.
흔히 라틴어로 된 전문 용어를 사용한다

STEP 1
빈칸에 들어갈 내용:
중세 시대와 르네상스 시대
동안의 라틴어의 위상

STEP 2
빈칸에 들어갈 내용을 '학자들의
언어로 여겨지는(considered
the language of scholars)'
이라고 한 ②번이 정답이다.

해석 라틴어는 그것이 일상적인 의사소통에 쓰이지 않게 된 7세기에 안 쓰는 말이 되었다. 하지만, 그것은 많은 전문적인 기능을 계속해서 지녔다. 아주 최근까지, 라틴어는 가톨릭교회에 의해 모든 의식에 사용되었다. 라틴어는 또한 중세 시대와 르네상스 시대 동안 학자들의 언어로 여겨졌다. 대부분의 대학은 라틴어로 수업을 실시했고, 학술 교재는 거의 항상 그것으로 쓰여졌다. 심지어 현대에도, 이 전통은 계속된다. 의학, 동물학, 그리고 식물학과 같은 분야의 전문가들은 흔히 라틴어로 된 전문 용어를 사용한다.

① 다른 유럽 언어들에 의해 대체된
② 학자들의 언어로 여겨지는
③ 더 현대적인 형태로 바뀐
④ 유럽의 가톨릭교회에게 무시당한

해설 빈칸 뒤 문장에 대부분의 대학은 라틴어로 수업을 실시했고 학술 교재는 거의 항상 라틴어로 쓰여졌다는 내용이 있으므로, '학자들의 언어로 여겨지는'
이라고 한 ②번이 정답이다.

어휘 dead language 안 쓰는 말, 사어   specialized 전문적인   function 기능   medieval 중세의   zoology 동물학   botany 식물학   terminology 전문 용어
replace 대체하다   scholar 학자   alter 바꾸다   ignore 무시하다

독해가 쉬워지는 **공무원 필수구문**

명사를 꾸며주는 '관계부사 when / where / why / how ~' 해석하기 [Point 18] 이 문장에서 when it stopped ~ communication은 앞에 나온 명사 the
7th century를 꾸며주는 수식어이다. 이처럼 관계부사 when이 이끄는 절(when + 주어 + 동사 ~)이 명사를 꾸며주는 경우, '그것이 ~에 쓰이지 않게 된
7세기'라고 해석한다.

정답: ②

04 다음 글의 빈칸 (A), (B)에 들어갈 말로 적절한 것은?

People in search of career opportunities tend to use the Internet as their ___(A)___ resource. It is convenient, free, and provides access to useful job sites. However, many experts recommend that people shouldn't wholly depend on it and should explore secondary avenues as well, such as participating in job fairs. The most obvious advantage of a job fair is that an attendee can interact with the people who do the hiring at many different companies. In effect, a job fair provides one with a chance to interview for a position without having to submit a résumé. Another reason to attend a job fair is to expand one's professional network by interacting with others. It is important to ___(B)___ relationships with people who work in the same field because doing so can improve a person's chances of finding a job. This is because information about companies seeking employees can be shared among the members of a network.

	(A)	(B)		(A)	(B)
①	unique	remember	②	worthwhile	circumvent
③	primary	cultivate	④	ambiguous	develop

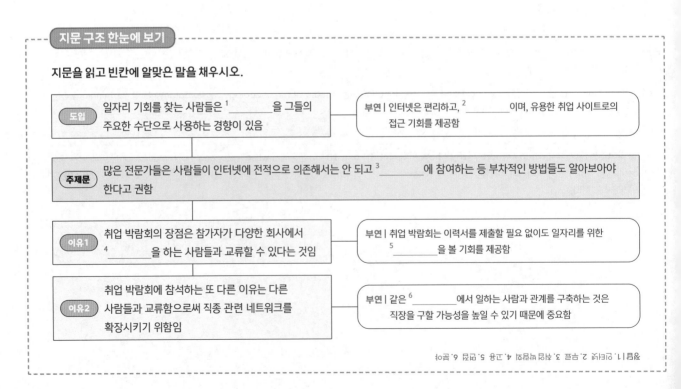

지문 구조 한눈에 보기

지문을 읽고 빈칸에 알맞은 말을 채우시오.

도입 | 일자리 기회를 찾는 사람들은 ¹_____을 그들의 주요한 수단으로 사용하는 경향이 있음

부연 | 인터넷은 편리하고, ²_____이며, 유용한 취업 사이트로의 접근 기회를 제공함

주제문 | 많은 전문가들은 사람들이 인터넷에 전적으로 의존해서는 안 되고 ³_____에 참여하는 등 부차적인 방법들도 알아보아야 한다고 권함

이유1 | 취업 박람회의 장점은 참가자가 다양한 회사에서 ⁴_____을 하는 사람들과 교류할 수 있다는 것임

부연 | 취업 박람회는 이력서를 제출할 필요 없이도 일자리를 위한 ⁵_____을 볼 기회를 제공함

이유2 | 취업 박람회에 참석하는 또 다른 이유는 다른 사람들과 교류함으로써 직종 관련 네트워크를 확장시키기 위함임

부연 | 같은 ⁶_____에서 일하는 사람과 관계를 구축하는 것은 직장을 구할 가능성을 높일 수 있기 때문에 중요함

정답 | 1. 인터넷 2. 무료 3. 취업 박람회 4. 고용 5. 면접 6. 분야

→ in search of ~: ~을 찾는

→ tend to ~: ~하는 경향이 있다

People in search of career opportunities / tend to use the Internet / as their (A) primary resource. It is
일자리 기회를 찾는 사람들은 　　　　　　　　　인터넷을 사용하는 경향이 있다 　　　　　그들의 주요한 수단으로

STEP 1
빈칸에 들어갈 내용:
(A) 일자리를 찾는 사람들이 인터넷을 어떤 수단으로 사용하는지
(B) 같은 분야에서 일하는 사람들과의 관계를 어떻게 하는 것이 중요한지

convenient, free, / and provides access to useful job sites. However, / many experts recommend /
그것은 편리하고, 무료이며 　　　그리고 유용한 취업 사이트로의 접근 기회를 제공한다 　　하지만 　　　　많은 전문가들은 권한다

that people shouldn't wholly depend on it / and should explore secondary avenues / as well, / such as
사람들이 그것에 전적으로 의존해서는 안 된다고 　　　　그리고 부차적인 방법들도 알아보아야 한다고 　　또한

participating in job fairs. The most obvious advantage of a job fair is / that an attendee can interact
취업 박람회에 참여하는 것과 같은 　　　취업 박람회의 가장 분명한 장점은 　　　　참가자가 사람들과 교류할 수 있다는 것이다

STEP 2
빈칸 (A)에 들어갈 내용을 '주요한(primary)', 빈칸 (B)에 들어갈 내용을 '구축하다(cultivate)'라고 한 ③번이 정답이다.

with the people / who do the hiring / at many companies. In effect, / a job fair provides one
　　　　　　　고용을 하는 　　　다양한 회사에서 　　실제로 　　취업 박람회는 사람에게 기회를 제공한다

with a chance / to interview for a position / without having to submit a résumé. Another reason to
　　일자리를 위한 면접을 볼 　　　　　　이력서를 제출할 필요 없이 　　　취업 박람회에 참석하는 또 다른 이유는

attend a job fair / is to expand one's professional network / by interacting with others. It is important /
취업 박람회에 참석하는 것은 사람의 직종 관련 네트워크를 확장시키기 위함이다 / 다른 사람들과 교류함으로써 / 중요하다

= cultivate relationships with people

to (B) cultivate relationships with people / who work in the same field / because doing so can improve /
　　사람들과의 관계를 구축하는 것은 　　　　같은 분야에서 일하는 　　그렇게 하는 것이 높일 수 있기 때문이다

a person's chances of finding a job. This is because / information about companies / seeking
직장을 구할 개인의 가능성을 　　　이것은 왜냐하면 　　회사들에 대한 정보가 　　직원을 구하는

employees / can be shared / among the members of a network.
공유될 수 있기 때문이다 　　네트워크 구성원들 사이에서

해석 일자리 기회를 찾는 사람들은 인터넷을 그들의 (A) 주요한 수단으로 사용하는 경향이 있다. 그것은 편리하고, 무료이며, 유용한 취업 사이트로의 접근 기회를 제공한다. 하지만, 많은 전문가들은 사람들이 그것에 전적으로 의존해서는 안 되고 취업 박람회에 참여하는 것과 같은 부차적인 방법들도 또한 알아보아야 한다고 권한다. 취업 박람회의 가장 분명한 장점은 참가자가 다양한 회사에서 고용을 하는 사람들과 교류할 수 있다는 것이다. 실제로, 취업 박람회는 이력서를 제출할 필요 없이 일자리를 위한 면접을 볼 기회를 제공한다. 취업 박람회에 참석하는 또 다른 이유는 다른 사람들과 교류함으로써 직종 관련 네트워크를 확장시키기 위함이다. 같은 분야에서 일하는 사람들과의 관계를 (B) 구축하는 것은 개인의 직장을 구할 가능성을 높일 수 있기 때문에 중요하다. 이것은 직원을 구하는 회사들에 대한 정보가 네트워크 구성원들 사이에서 공유될 수 있기 때문이다.

(A)	(B)		(A)	(B)
① 독특한	기억하다		② 가치가 있는	피하다
③ 주요한	구축하다		④ 애매한	발전시키다

해설 (A) 뒤 문장에 전문가들은 일자리 기회를 찾을 때 사람들이 인터넷에 전적으로 의존해서는 안 되고 취업 박람회와 같은 부차적인 방법들도 알아보아야 한다는 내용이 있으므로, 빈칸에는 '주요한'이 나와야 적절하다. (B) 앞 문장에 취업 박람회에 참석하면 다른 사람들과 교류하여 직종 관련 네트워크를 확장시킬 수 있다는 내용이 있으므로, 빈칸에는 '구축하다'가 나와야 적절하다. 따라서 ③번이 정답이다.

어휘 resource 수단, 자원　avenue 방법, 방안　job fair 취업 박람회　attendee 참가자　seek 구하다　worthwhile 가치가 있는　circumvent 피하다 primary 주요한　cultivate (관계를) 구축하다, 쌓다　ambiguous 애매한

독해가 쉬워지는 **공무원 필수구문**

주어 자리에 온 가짜 주어 it 해석하기 Point 03 이 문장에서 주어는 It이 아니라 to cultivate ~ field이다. 이처럼 긴 진짜 주어를 대신해 가짜 주어 it이 주어 자리에 온 경우, 가짜 주어 it은 해석하지 않고 뒤에 있는 진짜 주어 **to 부정사(to cultivate ~)**를 가짜 주어 it의 자리에 넣어 '~와 관계를 구축하는 것은'이라고 해석한다.

정답: ③

Chapter 06
빈칸 완성① 단어·구·절 해커스공무원 영어 독해

05 밑줄 친 부분에 들어갈 말로 가장 적절한 것은?

Linguists hold that human language is both recursive and generative, meaning that it can build upon itself and transmit an unlimited number of ideas. Animal communication, on the other hand, is considered much more limited in that it is a closed system with a finite set of sounds that cannot be extended or communicate varied information. However, _____ for some animals. A bonobo named Kanzi at the Yerkes Primate Research Center can communicate using a lexigram keyboard, which has pictures instead of letters. By pressing the picture-based keys in different sequences to add more information, Kanzi can communicate an infinite number of thoughts and concepts to his handlers.

① conveying more complex thoughts through symbols is possible

② transmitting thoughts through sounds is impossible

③ language proficiency plays a part

④ no communication system exists

지문 구조 한눈에 보기

지문을 읽고 빈칸에 알맞은 말을 채우시오.

도입 ¹_____들은 인간의 언어가 되풀이되고 생성력이 있다고 생각하며, 이것은 언어가 무한한 수의 생각을 전할 수 있다는 것을 의미함

부연 | 반면에, 동물들의 ²_____은 확장되거나 다양한 정보를 전달할 수 없는 일련의 한정된 음성으로 이루어진 폐쇄적인 체계라는 점에서 훨씬 더 제한적이라고 여겨짐

예시 | Kanzi라는 이름의 보노보 원숭이는 그림 문자 키보드를 사용하여 의사소통을 할 수 있음

주제문 하지만, 일부 동물들은 기호를 통해 더 복잡한 생각을 전달하는 것이 가능함

부연 | 더 많은 ³_____를 추가하기 위해 그림을 기반으로 한 키를 서로 다른 순서로 눌러 무한한 수의 생각과 개념을 그의 조련사에게 전달할 수 있음

정답 | 1. 언어학자 2. 의사소통 3. 정보

지문분석

Linguists hold / that human language is both recursive and generative, / meaning / that it can build /
언어학자들은 생각한다   인간의 언어가 되풀이되고 생성력이 있다고   이는 의미한다 그것이 창조할 수 있다는 것을

STEP 1
빈칸에 들어갈 내용:
동물들의 의사소통이 제한적이라고 여겨지는 것과 대조되는 특징

upon itself / and transmit an unlimited number of ideas. Animal communication, / on the other hand, /
그 자체로   그리고 무한한 수의 생각을 전할 수 있다는 것을   동물들의 의사소통은   반면에

→in that ~: ~라는 점에서

is considered much more limited / in that it is a closed system / with a finite set of sounds / that
훨씬 더 제한적이라고 여겨진다   폐쇄적인 체계라는 점에서   일련의 한정된 음성으로 이루어진

대조를 나타내는 표현

STEP 2
빈칸에 들어갈 내용을 '기호를 통해 더 복잡한 생각을 전달하는 것이 가능하다(conveying more complex thoughts through symbols is possible)'고 한 ①번이 정답이다.

cannot be extended / or communicate varied information. However / 　 conveying more complex
확장될 수 없는   혹은 다양한 정보를 전달할 수 없는   하지만   더 복잡한 생각을 전달하는 것이

thoughts / through symbols / is possible for some animals. A bonobo named Kanzi / at the Yerkes
기호를 통해   일부 동물들에게는 가능하다   Kanzi라는 이름의 보노보 원숭이는

Primate Research Center / can communicate using a lexigram keyboard, / which has pictures instead
Yerkes Primate Research Center의   그림 문자 키보드를 사용하여 의사소통을 할 수 있는데   그것은 문자 대신 그림을 가지고 있다

of letters. By pressing the picture-based keys / in different sequences / to add more information, /
그림을 기반으로 한 키를 누름으로써   서로 다른 순서로   더 많은 정보를 추가하기 위해

Kanzi can communicate / an infinite number of thoughts and concepts / to his handlers.
Kanzi는 전달할 수 있다   무한한 수의 생각과 개념을   그의 조련사에게

해석 언어학자들은 인간의 언어가 되풀이되고 생성력이 있다고 생각하며, 이는 그것이 그 자체로 창조하고 무한한 수의 생각을 전달할 수 있다는 것을 의미한다. 반면에, 동물들의 의사소통은 확장되거나 다양한 정보를 전달할 수 없는 일련의 한정된 음성으로 이루어진 폐쇄적인 체계라는 점에서 훨씬 더 제한적이라고 여겨진다. 하지만, 일부 동물들에게는 기호를 통해 더 복잡한 생각을 전달하는 것이 가능하다. Yerkes Primate Research Center의 Kanzi라는 이름의 보노보 원숭이는 그림 문자 키보드를 사용하여 의사소통을 할 수 있는데, 그것은 문자 대신 그림을 가지고 있다. 더 많은 정보를 추가하기 위해 그림을 기반으로 한 키를 서로 다른 순서로 누름으로써, Kanzi는 무한한 수의 생각과 개념을 그의 조련사에게 전달할 수 있다.

① 기호를 통해 더 복잡한 생각을 전달하는 것이 가능하다
② 소리로 생각을 전달하는 것은 불가능하다
③ 언어 실력이 관여한다
④ 의사소통 체계가 존재하지 않는다

해설 지문 앞부분에서 동물들의 의사소통이 인간의 의사소통에 비해 훨씬 더 제한적이라고 여겨진다고 했지만, 빈칸 뒷부분에서 Kanzi라는 보노보 원숭이가 그림을 기반으로 한 키보드의 키를 서로 다른 순서로 누름으로써 무한한 수의 생각과 개념을 전달할 수 있다는 예시를 들고 있으므로, '기호를 통해 더 복잡한 생각을 전달하는 것이 가능하다'고 한 ①번이 정답이다.

어휘 recursive 되풀이되는, 반복되는 generative 생성력이 있는, 발생하는 transmit 전하다, 전송하다 unlimited 무한한, 무제한의 finite 한정된, 유한한
extend 확장하다 lexigram 그림 문자 infinite 무한한, 끝없는 handler 조련사 proficiency 실력, 능숙(도) play a part 관여하다, 일조하다
exist 존재하다

독해가 쉬워지는 **공무원 필수구문**

주어 자리에 온 동명사구 해석하기 Point 01 이 문장에서 주어는 conveying more complex thoughts through symbols이다. 이처럼 동명사구(conveying ~)가 주어 자리에 온 경우 '기호를 통해 더 복잡한 생각을 전달하는 것이'라고 해석한다.

정답: ①

06 밑줄 친 부분에 들어갈 말로 가장 적절한 것은?

Does formal education inspire learners to have an inquiring mind? In point of fact, school curriculums tend to make learning tedious. Students are subjected to long lectures delivered in a flat tone of voice. The lecture topics may be uninteresting. And recently, reforms in school policy have made getting high test scores more important than actual learning. Students are often forced to memorize and study for hours after school to get better scores. It's no wonder that many students gradually lose interest in studying and stop paying attention in the classroom. When they show these signs, they are actually rebelling against a system that makes learning very difficult. There was a time when learning was a lot easier and more exciting. Young children in preschools or at home were allowed to explore and learn in a hands-on manner. Not only did they absorb more, but they did it with enjoyment. Perhaps educators need to examine why children seem to learn better when they are given greater freedom and _____.

① less academic pressure

② access to higher-level materials

③ more individual attention

④ additional time to study

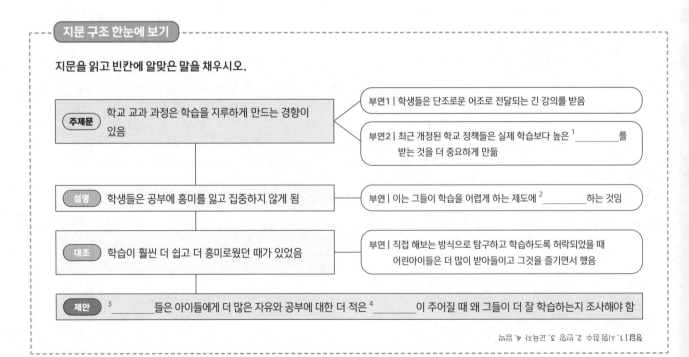

지문 구조 한눈에 보기

지문을 읽고 빈칸에 알맞은 말을 채우시오.

| 주제문 | 학교 교과 과정은 학습을 지루하게 만드는 경향이 있음 |

부연1 | 학생들은 단조로운 어조로 전달되는 긴 강의를 받음

부연2 | 최근 개정된 학교 정책들은 실제 학습보다 높은 [1]_____를 받는 것을 더 중요하게 만듦

| 설명 | 학생들은 공부에 흥미를 잃고 집중하지 않게 됨 |

부연 | 이는 그들이 학습을 어렵게 하는 제도에 [2]_____ 하는 것임

| 대조 | 학습이 훨씬 더 쉽고 더 흥미로웠던 때가 있었음 |

부연 | 직접 해보는 방식으로 탐구하고 학습하도록 허락되었을 때 어린아이들은 더 많이 받아들이고 그것을 즐기면서 했음

| 제안 | [3]_____들은 아이들에게 더 많은 자유와 공부에 대한 더 적은 [4]_____이 주어질 때 왜 그들이 더 잘 학습하는지 조사해야 함 |

정답 | 1. 시험 점수 2. 반항 3. 교육자 4. 압박

지문분석

Does formal education inspire learners / to have an inquiring mind? In point of fact, / school
　　정규 교육은 학습자들을 고무하는가　　　　　　　　　탐구심을 갖도록　　　　　　　실제로는

curriculums tend to make learning / tedious. Students / are subjected to long lectures / delivered in a
　　학교 교과 과정은 학습을 만드는 경향이 있다　　지루하게　　학생들은　　　　　긴 강의를 받는다

flat tone of voice. The lecture topics may be uninteresting. And recently, / reforms in school policy /
단조로운 어조로 전달되는　　　　　강의 주제들이 흥미롭지 않을 수도 있다　　　　그리고 최근에　　　학교 정책에서의 개정들은

have made getting high test scores / more important / than actual learning. Students are often forced /
　　높은 시험 점수를 받는 것을 만들었다　　　　더 중요하게　　　실제 학습보다　　　　학생들은 종종 강요받는다

　　　　　　　　　　　　　　　　　　　　　　　　　　　　　　　→ it is no wonder ~: ~하는 것은 놀랄 일도 아니다
to memorize and study / for hours after school / to get better scores. It's no wonder / that many
　　암기하고 공부하도록　　　　방과 후에 몇 시간 동안　　　더 좋은 점수를 받기 위해　　놀랄 일도 아니다

students / gradually lose interest in studying / and stop paying attention / in the classroom. When
많은 학생들이　　　점차적으로 공부에 흥미를 잃는 것은　　그리고 집중하지 않는 것은　　　교실에서

they show these signs, / they are actually rebelling / against a system / that makes learning very
　그들이 이러한 징후를 보일 때　　그들은 사실 반항하고 있는 것이다　　제도에 대항하여　　　학습을 매우 어렵게 만드는

　　　　　　　　　　　　　　　　　　　　　→ 비교급(easier) 강조
difficult. There was a time / when learning was a lot easier / and more exciting. Young children in
　　때가 있었다　　　　　　학습이 훨씬 더 쉬웠던　　　그리고 더 흥미로웠던

　　　　　　　　　　　　　　　　　　　　　　→ in a ~ manner: ~한 방식으로
preschools or at home / were allowed to explore and learn / in a hands-on manner. Not only did
유치원이나 가정에서의 어린아이들은　　　탐구하고 학습하도록 허락되었다　　　직접 해보는 방식으로　　　Not only did

they absorb more, / but they did it with enjoyment. Perhaps / educators need to examine / why
그들은 더 많은 것을 받아들였을 뿐만 아니라　그들은 그것을 즐기며 했다　　어쩌면　　　교육자들은 조사해야 한다

children seem to learn better / when they are given / greater freedom and less academic pressure.
왜 아이들이 더 잘 학습하는 것처럼 보이는지　　　그들에게 주어질 때　　　더 많은 자유와 공부에 대한 더 적은 압박이

STEP 1

빈칸에 들어갈 내용:
아이들에게 무엇이 주어질 때
그들이 더 잘 학습하는지

STEP 2

빈칸에 들어갈 내용을 '공부에 대한 더 적은 압박(less academic pressure)'이라고 한 ①번이 정답이다.

해석　정규 교육은 학습자들이 탐구심을 갖도록 고무하는가? 실제로는, 학교 교과 과정은 학습을 지루하게 만드는 경향이 있다. 학생들은 단조로운 어조로 전달되는 긴 강의를 받는다. 강의 주제들이 흥미롭지 않을 수도 있다. 그리고 최근에, 학교 정책에서의 개정들은 실제 학습보다 높은 시험 점수를 받는 것을 더 중요하게 만들었다. 학생들은 종종 더 좋은 점수를 받기 위해 방과 후에 몇 시간 동안 암기하고 공부하도록 강요받는다. 많은 학생들이 점차적으로 공부에 흥미를 잃고 교실에서 집중하지 않는 것은 놀랄 일도 아니다. 그들이 이러한 징후를 보일 때, 그들은 사실 학습을 매우 어렵게 만드는 제도에 반항하고 있는 것이다. 학습이 훨씬 더 쉽고 더 흥미로웠던 때가 있었다. 유치원이나 가정에서의 어린아이들은 직접 해보는 방식으로 탐구하고 학습하도록 허락되었다. 그들은 더 많은 것을 받아들였을 뿐만 아니라, 그들은 그것을 즐기며 했다. 어쩌면 교육자들은 아이들에게 더 많은 자유와 공부에 대한 더 적은 압박이 주어질 때 왜 그들이 더욱 잘 학습하는 것처럼 보이는지 조사해야 한다.

① 공부에 대한 더 적은 압박　　　　② 더 높은 수준의 자료에 대한 접근
③ 더 많은 개인적인 관심　　　　　　④ 추가적인 공부 시간

해설　지문 중간에서 학생들은 종종 더 좋은 점수를 받기 위해 방과 후에 몇 시간 동안 암기하고 공부하도록 강요받는다고 했고, 빈칸 앞 문장에서 직접 해보는 방식으로 탐구하고 학습하도록 허락되었을 때 그들이 더 많은 것을 받아들였다고 했으므로, 아이들에게 '공부에 대한 더 적은 압박'이 주어질 때 그들이 더욱 잘 학습하는 것처럼 보인다고 한 ①번이 정답이다.

어휘　inquiring 탐구심이 있는　tedious 지루한　rebel 반항하다　hands-on 직접 해보는　absorb 받아들이다, 흡수하다

독해가 쉬워지는 **공무원 필수구문**

부정어가 문장 앞에 온 도치 구문 해석하기 [Point 32]　이 문장처럼 부정어(not only)가 문장 앞에 와서 도치가 일어난 경우, 주어(they), 조동사(did), 동사 (absorb)가 무엇인지 빠르게 파악한 다음 '주어(그들은) + 조동사 + 동사(받아들였다)'의 순서대로 해석한다.

정답: ①

07 밑줄 친 부분에 들어갈 말로 가장 적절한 것은?

It's so common today to accumulate items that we do not need. Over time, these items add up and clutter our homes. We are reluctant to get rid of them because they might have sentimental value, or we think that we may need them someday. However, living in a home that is crowded with things can be stressful; research has shown that the visual distraction of clutter reduces our ability to focus and makes us feel more anxious and depressed. Creating a more peaceful living space starts by _____. Take a look at your closet. Do you wear every piece of clothing regularly? If you're like most people, the answer is no. If something in your living space serves no purpose and you have not used it in months, getting rid of it can be freeing.

① keeping similar objects grouped together

② setting a small, manageable goal

③ getting more storage boxes and organizers

④ reviewing the items you have

지문 구조 한눈에 보기

지문을 읽고 빈칸에 알맞은 말을 채우시오.

| 도입 | 오늘날 우리가 필요하지 않은 물건들을 쌓아두는 것은 매우 흔한 일임 | 부연 | 그것들이 ^{1}_____인 가치가 있을 수도 있고, 언젠가는 그것이 필요할지도 모른다고 생각하기 때문에 물건들을 없애는 것을 꺼림 |

| 주제문 | 물건들이 가득한 집에 사는 것은 ^{2}_____가 될 수 있음 |

| 문제 | 어질러진 물건의 시각적인 ^{3}_____은 우리의 집중하는 능력을 저하시키고 우리를 더 ^{4}_____하고 우울하게 만듦 |

| 해결책 | 더 평화로운 생활 공간을 만드는 것은 가지고 있는 물건들을 ^{5}_____하는 것부터 시작됨 | 부연 | 생활 공간에 있는 무언가가 아무 ^{6}_____이 없다면, 그것을 없애는 것은 자유로울 수 있음 |

정답 | 1. 감상적 2. 스트레스 3. 시각적인 4. 불안 5. 검토 6. 목적

지문분석

목적격 관계대명사 that
★ It's so common today / to accumulate items / (that) we do not need. Over time, / these items add up /
오늘날 매우 흔한 일이다   물건들을 쌓아두는 것은   우리가 필요하지 않은   시간이 지남에 따라   이러한 물건들이 쌓인다

and clutter our homes. We are reluctant / to get rid of them / because they might have sentimental
그리고 우리의 집을 어지른다   우리는 꺼린다   그것들을 없애는 것을   그것들이 감상적인 가치가 있을 수도 있기 때문에

주어 자리에 온 동명사구
value, / or we think / that we may need them / someday. However, / (living in a home) / that is crowded
또는 우리가 생각한다 우리가 그것들을 필요로 할지도 모른다고 언젠가   그러나   집에 사는 것은   물건들로 가득 찬

with things / can be stressful; / research has shown / that the visual distraction of clutter / reduces
스트레스가 될 수 있다   연구는 보여주었다   어질러진 물건의 시각적인 산만함은

our ability to focus / and makes us feel / more anxious and depressed. Creating a more peaceful
우리의 집중하는 능력을 저하시킨다 그리고 우리를 느끼게 만든다 더 불안하고 우울하게   더 평화로운 생활 공간을 만드는 것은

living space / starts by reviewing the items you have. Take a look at your closet. Do you wear / every
당신이 가지고 있는 물건들을 확인하는 것부터 시작한다   당신의 옷장을 살펴보라   당신은 입는가

piece of clothing / regularly? If you're like most people, / the answer is no. If something in your living
모든 옷을   정기적으로   당신이 대부분의 사람들과 같다면   답은 '아니오'이다   만약 당신의 생활 공간에 있는 무언가가

space / serves no purpose / and you have not used it / in months, / getting rid of it / can be freeing.
아무 소용이 없다면   그리고 당신이 그것을 사용하지 않았다면   몇 달 동안   그것을 없애는 것은   자유로울 수 있다

STEP 1
빈칸에 들어갈 내용:
더 평화로운 생활 공간을 만들기 위해 무엇부터 시작해야 하는지

STEP 2
빈칸에 들어갈 내용을 '당신이 가지고 있는 물건들을 확인하는 것(reviewing the items you have)'이라고 한 ④번이 정답이다.

해석 오늘날 우리가 필요하지 않은 물건들을 쌓아두는 것은 매우 흔한 일이다. 시간이 지남에 따라, 이러한 물건들이 쌓이고 우리의 집을 어지른다. 우리는 그것들이 감상적인 가치가 있을 수도 있고, 언젠가 우리가 그것을 필요로 할지도 모른다고 생각하기 때문에 그것들을 없애는 것을 꺼린다. 그러나, 물건들로 가득 찬 집에 사는 것은 스트레스가 될 수 있다. 연구에 따르면 어질러진 물건의 시각적인 산만함은 우리의 집중하는 능력을 저하시키고 우리를 더 불안하고 우울하게 만든다. 더 평화로운 생활 공간을 만드는 것은 당신이 가지고 있는 물건들을 확인하는 것부터 시작된다. 당신의 옷장을 살펴보라. 당신은 모든 옷을 정기적으로 입는가? 당신이 대부분의 사람들과 같다면, 답은 '아니오'이다. 만약 당신의 생활 공간에 있는 무언가가 아무 소용이 없고 당신이 몇 달 동안 그것을 사용하지 않았다면, 그것을 없애는 것은 자유로울 수 있다.

① 비슷한 물건들을 그룹으로 함께 모아두는 것
② 작고 관리할 수 있는 목표를 설정하는 것
③ 더 많은 보관함과 정리함을 구하는 것
④ 당신이 가지고 있는 물건들을 확인하는 것

해설 빈칸 뒤 문장에 당신의 옷장을 살펴보고, 만약 생활 공간에 있는 무언가가 아무 소용이 없고 몇 달 동안 그것을 사용하지 않았다면 그것을 없애는 것은 자유로울 수 있다는 내용이 있으므로, 더 평화로운 생활 공간을 만드는 것은 '당신이 가지고 있는 물건들을 확인하는 것'부터 시작된다고 한 ④번이 정답이다.

어휘 accumulate 쌓다, 축적하다 clutter 어지르다; 어질러진 물건 reluctant 꺼리는, 주저하는 get rid of ~을 없애다, 제거하다 sentimental 감상적인, 정서적인 distraction 산만함 manageable 관리할 수 있는

독해가 쉬워지는 **공무원 필수구문**

주어 자리에 온 가짜 주어 it 해석하기 [Point 03] 이 문장에서 주어는 It이 아니라 to accumulate items이다. 이처럼 긴 진짜 주어를 대신해 가짜 주어 it이 주어 자리에 온 경우, 가짜 주어 it은 해석하지 않고 뒤에 있는 진짜 주어 to 부정사(to accumulate ~)를 가짜 주어 it의 자리에 넣어 '물건들을 쌓아두는 것은' 이라고 해석한다.

정답: ④

08 밑줄 친 부분에 들어갈 말로 가장 알맞은 것은?

Advances in diagnostic technology and medical knowledge have made it possible for people to take preventative measures against common diseases. For instance, medical practitioners today generally advise patients at risk of high blood pressure to get 30 minutes of daily aerobic exercise. It would seem that patients concerned about their well-being would follow their doctors' recommendations. However, many claim that it is hard to commit to 30 minutes of aerobics every day. Most say they are too busy, but if they are honest with themselves, they will admit that exercise is simply a low priority. When they visit the doctor later and are told that their blood pressure is still too high, they can become _____ their health conditions and obsess about looking for ways to treat them.

① more surly over   ② more anxious about

③ less sensitive to   ④ less aware of

지문 구조 한눈에 보기

지문을 읽고 빈칸에 알맞은 말을 채우시오.

도입 — 진단 기술과 의학 ¹_____의 진보는 사람들이 일반적인 ²_____들에 대한 예방 조치를 취하는 것을 가능하게 만들었음

예시 | 의사들은 고혈압의 위험이 있는 환자들에게 매일 30분씩 유산소 운동을 하는 것을 권고함

설명 — 건강을 걱정하는 환자들은 의사의 권고사항을 따를 것처럼 보임

반론 — 많은 사람들이 매일 운동하는 것은 어렵다고 주장하지만, 사실은 그저 ³_____가 낮은 것임

재반론 — 나중에 의사를 방문해서 그들의 ⁴_____이 여전히 너무 높다는 말을 들으면, 그들은 건강 상태에 대해 더욱 ⁵_____해질 수 있으며 그들을 치료할 방법을 찾는 데 강박감을 가질 수 있음

정답 | 1. 지식 2. 질병 3. 우선순위 4. 혈압 5. 불안

Advances / in diagnostic technology and medical knowledge / have made ★ it possible / for people
진보는   진단 기술과 의학 지식의   가능하게 만들었다

STEP 1
빈칸에 들어갈 내용:
사람들이 의사에게서 혈압이 여전히 높다는 말을 들으면 어떻게 될 수 있는지

to take preventative measures / against common diseases. For instance, / medical practitioners
사람들이 예방 조치를 취하는 것을   일반적인 질병들에 대한   예를 들어   오늘날의 의사들은

today / generally advise / patients at risk of high blood pressure / to get 30 minutes of daily aerobic
일반적으로 권고한다   고혈압의 위험이 있는 환자들에게   매일 30분씩 유산소 운동을 하는 것을
                      ↗ at risk of ~: ~의 위험이 있는

STEP 2
빈칸에 들어갈 내용을 '~에 대해 더욱 불안해하는(more anxious about)'이라고 한 ②번이 정답이다.

exercise. It would seem / that patients concerned about their well-being / would follow their doctors'
~인 것처럼 보인다   그들의 건강을 걱정하는 환자들은   그들의 의사의 권고사항들을 따를 것처럼

recommendations. However, / many claim / that it is hard / to commit to 30 minutes of aerobics /
                하지만   많은 사람들은 주장한다   어렵다고   30분간의 유산소 운동에 전념하는 것이

every day. Most say / they are too busy, / but / if they are honest with themselves, / they will admit /
매일   대다수는 말한다   그들이 너무 바쁘고   그러나   만약 그들이 스스로에게 정직하게 말한다면   그들은 인정할 것이다

that exercise is simply a low priority. When they visit the doctor later and are told / that their blood
운동이 그저 낮은 우선순위라는 것을   그들이 나중에 의사를 방문해서 들을 때   그들의 혈압이

pressure is still too high, / they can become more anxious / about their health conditions / and obsess
그들의 혈압이 여전히 너무 높다는 것을   그들은 더욱 불안해질 수 있다   그들의 건강 상태에 대해   그리고

about looking for ways / to treat them.
방법을 찾는 데 강박감을 가질 수 있다   그들을 치료할
        ↗ 형용사 역할을 하는 to 부정사(~할)

해석 진단 기술과 의학 지식의 진보는 사람들이 일반적인 질병들에 대한 예방 조치를 취하는 것을 가능하게 만들었다. 예를 들어, 오늘날의 의사들은 고혈압의 위험이 있는 환자들에게 매일 30분씩 유산소 운동을 하는 것을 일반적으로 권고한다. 그들의 건강을 걱정하는 환자들은 그들의 의사의 권고사항들을 따를 것처럼 보인다. 하지만, 많은 사람들은 매일 30분간의 유산소 운동에 전념하는 것이 어렵다고 주장한다. 대다수는 그들이 너무 바쁘다고 말하지만, 만약 그들이 스스로에게 정직하게 말한다면, 그들은 운동이 그저 낮은 우선순위라는 것을 인정할 것이다. 그들이 나중에 의사를 방문해서 그들의 혈압이 여전히 너무 높다는 것을 들을 때, 그들은 그들의 건강 상태에 대해 더욱 불안해질 수 있으며 그들을 치료할 방법을 찾는 데 강박감을 가질 수 있다.

① ~에 대해 더욱 퉁명스러운   ② ~에 대해 더욱 불안해하는
③ ~에 대해 덜 민감한   ④ ~에 대해 덜 인식하는

해설 빈칸이 있는 문장에 의사에게서 혈압이 여전히 너무 높다는 말을 들으면 치료할 방법을 찾는 데 강박감을 가질 수 있다는 내용이 있으므로, 그들의 건강 상태'에 대해 더욱 불안해하는'이라고 한 ②번이 정답이다.

어휘 diagnostic 진단의   preventative 예방의   medical practitioner (개업) 의사   aerobic 유산소의   admit 인정하다   obsess 강박감을 갖다
anxious 불안한

독해가 쉬워지는 **공무원 필수구문**

목적어 자리에 온 가짜 목적어 it 해석하기 [Point 09] 이 문장에서 동사 made의 진짜 목적어는 it이 아니라 to ~ measures이다. 이처럼 긴 진짜 목적어를 대신해 가짜 목적어 it이 목적어 자리에 온 경우, 가짜 목적어 it은 해석하지 않고 진짜 목적어인 **to 부정사**를 가짜 목적어 it의 자리에 넣어 '~을 취하는 것을' 이라고 해석한다.

정답: ②

09 밑줄 친 부분에 들어갈 말로 가장 알맞은 것은?

> The world dislikes all-embracing uncertainty. A historic stock market crash can have disastrous results: the consequences roll like aftershocks, each causing damage in one place after another. In a pandemic too, _____ : the world is jolted by the decline of each national economy. In both stock market crashes and pandemics, the impact is on a micro and a macro scale. Households and economies are forced to grapple with recession and the stoppage of services. Just as a stock market crash can cause the shrinking of economies and the passage of emergency measures to cope with disruption, pandemics do the same: the quality of life declines as people downsize their lives to avoid becoming infected.

① the effects are of an extensive nature

② rescue efforts are also dramatic

③ measures have a critical use

④ no rescue system is in place

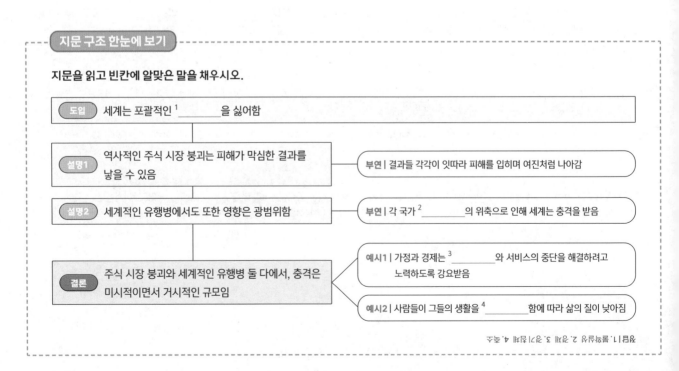

지문 구조 한눈에 보기

지문을 읽고 빈칸에 알맞은 말을 채우시오.

도입 세계는 포괄적인 ¹_____을 싫어함

설명1 역사적인 주식 시장 붕괴는 피해가 막심한 결과를 낳을 수 있음 — 부연 | 결과들 각각이 잇따라 피해를 입히며 여진처럼 나아감

설명2 세계적인 유행병에서도 또한 영향은 광범위함 — 부연 | 각 국가 ²_____의 위축으로 인해 세계는 충격을 받음

결론 주식 시장 붕괴와 세계적인 유행병 둘 다에서, 충격은 미시적이면서 거시적인 규모임 — 예시1 | 가정과 경제는 ³_____와 서비스의 중단을 해결하려고 노력하도록 강요받음 / 예시2 | 사람들이 그들의 생활을 ⁴_____함에 따라 삶의 질이 낮아짐

정답 | 1. 불확실성 2. 경제 3. 경기침체 4. 축소

The world dislikes all-embracing uncertainty. A historic stock market crash / can have disastrous
세계는 포괄적인 불확실성을 싫어한다   역사적인 주식 시장 붕괴는   피해가 막심한 결과를 낳을 수 있다

results: / the consequences roll like aftershocks, / each causing damage / in one place after another.
결과들은 여진처럼 나아간다   각각이 피해를 입히며   한 군데 이후 다른 데 잇따라

In a pandemic too, / the effects are of an extensive nature: / the world ☆ is jolted / by the decline of
세계적인 유행병에서도   영향은 광범위한 성격의 것이다   세계는 충격을 받는다

each national economy. In both stock market crashes and pandemics, / the impact / is on a micro and
각 국가 경제의 위축으로 인해   주식 시장 붕괴와 세계적인 유행병 둘 다에서   충격은   미시적이면서

a macro scale. Households and economies / are forced to grapple with / recession and the stoppage
거시적인 규모이다   가정과 경제는   해결하려고 노력하도록 강요받는다   경기 침체와 서비스의 중단을

of services. Just as a stock market crash can cause / the shrinking of economies / and the passage
주식 시장 붕괴가 야기할 수 있는 것처럼   경기 위축을   그리고 긴급 조치 법안 처리를

of emergency measures / to cope with disruption, / pandemics do the same: / the quality of life
붕괴에 대처하기 위한   세계적인 유행병도 같은 것을 한다   삶의 질이 낮아진다

declines / as people downsize their lives / to avoid becoming infected.
          사람들이 그들의 생활을 축소함에 따라   감염되는 것을 피하기 위해

STEP 1
빈칸에 들어갈 내용:
세계적인 유행병의 영향과
관련된 것

STEP 2
빈칸에 들어갈 내용을 '영
향은 광범위한 성격의 것이
다(the effects are of an
extensive nature)'라고 한
①번이 정답이다.

해석 세계는 포괄적인 불확실성을 싫어한다. 역사적인 주식 시장 붕괴는 피해가 막심한 결과를 낳을 수 있다. 각각이 한 군데 이후 다른 데 잇따라 피해를 입히며 결과들은 여진처럼 나아간다. 세계적인 유행병에서도, 영향은 광범위한 성격의 것이다. 각 국가 경제의 위축으로 인해 세계는 충격을 받는다. 주식 시장 붕괴와 세계적인 유행병 둘 다에서, 충격은 미시적이면서 거시적인 규모이다. 가정과 경제는 경기 침체와 서비스의 중단을 해결하려고 노력하도록 강요받는다. 주식 시장 붕괴가 경기 위축과 붕괴에 대처하기 위한 긴급 조치 법안 처리를 야기할 수 있는 것처럼, 세계적인 유행병도 같은 것을 한다. 사람들이 감염되는 것을 피하기 위해 그들의 생활을 축소함에 따라 삶의 질이 낮아진다.

① 영향은 광범위한 성격의 것이다
② 구조를 위한 노력 역시 극적이다
③ 조치들은 대단히 중요한 쓰임새를 가지고 있다
④ 어떠한 구조 시스템도 준비되어 있지 않다

해설 빈칸 앞 문장에서 역사적인 주식 시장 붕괴가 여진처럼 한 군데 이후 다른 데 잇따라 피해를 입히며 나아간다고 하고, 빈칸이 있는 문장에서 세계적인 유행병에서도 각 국가 경제의 위축으로 인해 세계가 충격을 받는다고 했으므로, '영향은 광범위한 성격의 것이다'라고 한 ①번이 정답이다.

어휘 dislike 싫어하다 uncertainty 불확실성 disastrous 피해가 막심한, 처참한 aftershock 여진 pandemic 세계적인 유행병 jolt 충격을 주다 micro 미시적인
macro 거시적인 grapple with ~을 해결하려고 노력하다 recession 경기 침체 disruption 붕괴 infect 감염시키다 in place 준비가 되어 있는

독해가 쉬워지는 **공무원 필수구문**

be + p.p. 형태의 동사 해석하기 **Point 04** 이 문장에서 동사는 is jolted이다. 이처럼 동사가 be + p.p.(is jolted)의 형태로 쓰여 수동의 의미를 가지는
경우, '충격을 받다'라고 해석한다.

정답: ①

10 다음 글의 (A)와 (B)에 들어갈 말로 적절한 것은?

Fridtjof Nansen was a Norwegian explorer who utilized an _____(A)_____ strategy in his attempt to become the first explorer to reach the North Pole. Nansen was fascinated by the story of the *Jeannette*—an abandoned ship that had become trapped in the polar ice and had drifted for hundreds of kilometers. He believed that if a ship became lodged at the right location though, the movement of the ice fields could carry it to the North Pole. In 1891, Nansen decided to carry out the risky venture. He constructed a ship that was designed to withstand the extreme pressure that results from being frozen in such an environment. Departing from Norway in July of 1893, Nansen traveled northward in search of the polar ice. By October, the ship got stuck as he had planned. However, the ice pack drifted in a northwesterly direction, making it impossible to reach the North Pole. Although Nansen's expedition was _____(B)_____, his innovative method of transportation allowed him to voyage further north than any previous explorer.

	(A)	(B)		(A)	(B)
①	audacious	exemplary	②	analogous	exemplary
③	analogous	unsuccessful	④	audacious	unsuccessful

지문 구조 한눈에 보기

지문을 읽고 빈칸에 알맞은 말을 채우시오.

도입 | Fridtjof Nansen은 북극에 도달한 최초의 탐험가가 되기 위해 대담한 ¹_____을 이용한 노르웨이인 탐험가임

전개1 | Nansen은 극빙에 갇혀 표류했던 버려진 배인 'Jeannette'의 이야기에 매료되었음 — **부연** | 그는 만약 배가 적절한 장소에 박힌다면, 극빙원의 움직임이 배를 북극까지 옮길 수 있을 것이라고 생각함

전개2 | 1891년에, Nansen은 그 ²_____ 모험을 수행하기로 결심함 — **부연** | 그는 결빙으로 인한 극심한 ³_____을 견딜 수 있는 배를 건조함

전개3 | 1893년 7월에 노르웨이를 출발하여 10월에는 배가 계획했던 대로 박힘

전개4 | 하지만 유빙군이 북서쪽 방향으로 표류해서 북극에 도달하는 것이 불가능하게 되었음

요약 | Nansen의 탐험은 실패했지만 그의 ⁴_____ 이동 방법은 그가 이전의 그 어느 탐험가보다 북쪽으로 향하도록 했음

정답 | 1. 전략 2. 위험천만한 3. 압력 4. 혁신적인

지문분석

STEP 1
빈칸에 들어갈 내용:
- (A) Nansen이 이용한 전략이 어떠했는지
- (B) Nansen의 모험 결과가 어떠했는지

STEP 2
빈칸 (A)에 들어갈 내용을 '대담한(audacious)', 빈칸(B)에 들어갈 내용을 '실패한(unsuccessful)'이라고 한 ④번이 정답이다.

Fridtjof Nansen was a Norwegian explorer / who utilized an **(A)** audacious strategy / in his attempt /
Fridtjof Nansen은 노르웨이인 탐험가였다   대담한 전략을 이용한   그의 시도에서

to become the first explorer / to reach the North Pole. Nansen was fascinated / by the story of the
최초의 탐험가가 되기 위한   북극에 도달할   Nansen은 매료되었다   'Jeannette'의 이야기에

Jeannette / —an abandoned ship / that had become trapped in the polar ice / and had drifted for
                버려진 배인   극빙에 갇히게 되었던

(과거완료 시제)

hundreds of kilometers. He believed / that if a ship became lodged / at the right location / though, /
그리고 수백 킬로미터를 표류했던   그는 생각했다   만약 배가 박힌다면   적절한 장소에   그래도

the movement of the ice fields / could carry it to the North Pole. In 1891, / Nansen decided to carry
극빙원의 움직임이   배를 북극까지 옮길 수 있을 것이라고   1891년에   Nansen은 수행하기로 결심했다

(be designed to ~: ~하도록 설계되다)

out / the risky venture. He constructed a ship / that was designed to withstand / the extreme
그 위험한 모험을   그는 배를 건조했다   견디도록 설계된   극심한 압력을

pressure / that results from being frozen / in such an environment. Departing from Norway / in July
결빙으로 인한   그러한 환경에서   노르웨이에서 출발하여   7월에

(in search of ~: ~을 찾아서)

of 1893, / Nansen traveled northward / in search of the polar ice. By October, / the ship got stuck / as
1893년 7월에   Nansen은 북쪽으로 여행했다   극빙을 찾아   10월에   그 배는 박혔다

(결과를 나타내는 분사구문(그래서 ~하다))

he had planned. However, / the ice pack drifted / in a northwesterly direction, / making it impossible /
그가 계획했던 대로   하지만   유빙군이 표류했다   북서쪽 방향으로   불가능하게 만들었다

to reach the North Pole. Although Nansen's expedition was **(B)** unsuccessful, / his innovative method
북극에 도달하는 것을   비록 Nansen의 모험은 실패했지만   그의 혁신적인 이동 방법은

of transportation / allowed him to voyage further north / than any previous explorer.
그가 더 북쪽으로 항해하게 했다   이전의 그 어느 탐험가보다

해석 | Fridtjof Nansen은 북극에 도달한 최초의 탐험가가 되기 위한 그의 시도에서 (A) 대담한 전략을 이용한 노르웨이인 탐험가였다. Nansen은 극빙에 갇혀 수백 킬로미터를 표류했던 버려진 배인 'Jeannette'의 이야기에 매료되었다. 그는 만약 배가 적절한 장소에 박힌다면, 그래도, 극빙원의 움직임이 배를 북극까지 옮길 수 있을 것이라고 생각했다. 1891년에, Nansen은 그 위험한 모험을 수행하기로 결심했다. 그는 그러한 환경에서 결빙으로 인한 극심한 압력을 견디도록 설계된 배를 건조했다. 1893년 7월에 노르웨이에서 출발하여, Nansen은 극빙을 찾아 북쪽으로 여행했다. 10월에, 배는 그가 계획했던 대로 박혔다. 하지만 유빙군이 북서쪽 방향으로 표류해서 북극에 도달하는 것을 불가능하게 만들었다. 비록 Nansen의 모험은 (B) 실패했지만, 그의 혁신적인 이동 방법은 그가 이전의 그 어느 탐험가보다 더 북쪽으로 항해하게 했다.

(A)	(B)		(A)	(B)
① 대담한	모범적인		② 유사한	모범적인
③ 유사한	실패한		④ 대담한	실패한

해설 | (A) 뒤 문장에 Nansen은 표류된 배의 이야기에 매료되어 위험한 모험을 시도했다는 내용이 있으므로, 빈칸에는 '대담한'이 나와야 적절하다. (B) 앞 문장에 Nansen의 유빙군은 북서쪽으로 표류해서 북극에 도달하지 못했다는 내용이 있으므로, 빈칸에는 '실패한'이 나와야 적절하다. 따라서 ④번이 정답이다.

어휘 | fascinated 매료된 withstand 견디다 innovative 혁신적인 voyage 항해하다 audacious 대담한 exemplary 모범적인

독해가 쉬워지는 **공무원 필수구문**

명사를 꾸며주는 '주격 관계대명사 who / that / which ~' 해석하기 [Point 16] 이 문장에서 that ~ environment는 앞에 나온 명사 a ship을 꾸며주는 수식어이다. 이처럼 주격 관계대명사 that이 이끄는 절(that + 동사 ~)이 명사를 꾸며주는 경우, '~하도록 설계된 배'라고 해석한다.

정답: ④

11 밑줄 친 부분에 들어갈 말로 가장 적절한 것을 고르시오. [2021년 지방직 9급]

As more and more leaders work remotely or with teams scattered around the nation or the globe, as well as with consultants and freelancers, you'll have to give them more _____. The more trust you bestow, the more others trust you. I am convinced that there is a direct correlation between job satisfaction and how empowered people are to fully execute their job without someone shadowing them every step of the way. Giving away responsibility to those you trust can not only make your organization run more smoothly but also free up more of your time so you can focus on larger issues.

① work   ② rewards

③ restrictions   ④ autonomy

지문 구조 한눈에 보기

지문을 읽고 빈칸에 알맞은 말을 채우시오.

주제문 점점 더 많은 리더들이 원격으로, 혹은 ¹_____들과 프리랜서들 뿐만 아니라 국가나 세계에 흩어져 있는 팀들과 일함에 따라, 당신은 그들에게 더 많은 자율성을 주어야 할 것임

부연 | 당신이 더 많은 ²_____을 줄수록 다른 사람들은 당신을 더 많이 신뢰함

설명 필자는 직업 만족도와 권한을 가진 사람이 어떻게 매 순간 그들을 따라다니는 사람 없이 그들의 업무를 완전히 수행하려고 하는지 사이에 직접적인 ³_____이 있다고 확신함

결론 당신이 신뢰하는 사람들에게 책임을 주는 것은 당신의 ⁴_____이 더 부드럽게 작동하도록 할 뿐만 아니라 또한 당신이 더 큰 문제들에 집중할 수 있도록 더 많은 당신의 시간을 자유롭게 해줌

정답 | 11. ④ 1. 컨설턴트 2. 신뢰 3. 연관성 4. 조직

As more and more leaders work remotely / or with teams / scattered around the nation or the globe, /
점점 더 많은 리더들이 원격으로 일함에 따라   혹은 팀들과 일함에 따라   국가나 세계에 뿔뿔이 흩어져 있는

→비교급 + and + 비교급: 점점 더 ~한

→A as well as B: B뿐만 아니라 A도

as well as with consultants and freelancers, / you'll have to give them / more autonomy. The more
상담가들과 프리랜서들뿐만 아니라   당신은 그들에게 주어야 할 것이다   더 많은 자율성을

trust you bestow, / the more others trust you. I am convinced / that there is a direct correlation /
당신이 더 많은 믿음을 줄수록 다른 사람들은 당신을 더 많이 신뢰한다   나는 확신한다   직접적인 연관성이 있다고

between job satisfaction / and how empowered people / are to fully execute their job / without someone
직업 만족도와   권한을 가진 사람이 어떻게   그들의 업무를 완전히 수행하려고 하는지 사이에

shadowing them / every step of the way. Giving away responsibility / to those you trust / can not
그들을 따라다니는 사람 없이   매 순간   책임을 주는 것은   당신이 신뢰하는 사람들에게

only make your organization run / more smoothly / but also free up more of your time / so you can
당신의 조직이 작동하도록 할 뿐만 아니라   더 부드럽게   또한 더 많은 당신의 시간을 자유롭게 해준다

focus on larger issues.
그래서 당신이 더 큰 문제들에 집중할 수 있도록

STEP 1
빈칸에 들어갈 내용:
원격으로 일함에 따라 리더들이 다른 사람들에게 더 많이 주어야 하는 것

STEP 2
빈칸에 들어갈 내용을 '자율성 (autonomy)'이라고 한 ④번이 정답이다.

해석 점점 더 많은 리더들이 원격으로, 혹은 상담가들과 프리랜서들뿐만 아니라 국가나 세계에 뿔뿔이 흩어져 있는 팀들과 일함에 따라, 당신은 그들에게 더 많은 자율성을 주어야 할 것이다. 당신이 더 많은 믿음을 줄수록, 다른 사람들은 당신을 더 많이 신뢰한다. 나는 직업 만족도와 권한을 가진 사람이 어떻게 매 순간 그들을 따라다니는 사람 없이 그들의 업무를 완전히 수행하려고 하는지 사이에 직접적인 연관성이 있다고 확신한다. 당신이 신뢰하는 사람들에게 책임을 주는 것은 당신의 조직이 더 부드럽게 작동하도록 할 뿐만 아니라 또한 당신이 더 큰 문제들에 집중할 수 있도록 더 많은 당신의 시간을 자유롭게 해준다.

① 일   ② 보상
③ 제약   ④ 자율성

해설 빈칸 뒤 문장에 당신이 더 많은 믿음을 줄수록 다른 사람들은 당신을 더 많이 신뢰한다는 내용이 있으므로, 다른 사람들에게 주어야 하는 것을 '자율성'이라고 한 ④번이 정답이다.

어휘 remotely 원격으로, 멀리서 scattered 뿔뿔이 흩어져 있는 consultant 상담가 bestow 주다, 수여하다 correlation 연관성, 상관관계 empower 권한을 주다 shadow 따라다니다 restriction 제약 autonomy 자율성

독해가 쉬워지는 **공무원 필수구문**

병렬 관계를 나타내는 **'not only A but (also) B' 구문 해석하기** Point 36 이 문장에서 not only ~ but also ~는 make your organization ~ smoothly 와 free up ~ larger issues를 연결하는 접속사이다. 이처럼 **'not only A but (also) B'** 구문의 A에는 기본이 되는 내용, B에는 첨가하는 내용이 나오며, '~이 작동하도록 할 뿐만 아니라 ~을 자유롭게 해준다'라고 해석한다.

정답: ④

12 밑줄 친 부분에 들어갈 말로 알맞은 것은? [2023년 국가직 9급]

In recent years, the increased popularity of online marketing and social media sharing has boosted the need for advertising standardization for global brands. Most big marketing and advertising campaigns include a large online presence. Connected consumers can now zip easily across borders via the internet and social media, making it difficult for advertisers to roll out adapted campaigns in a controlled, orderly fashion. As a result, most global consumer brands coordinate their digital sites internationally. For example, Coca-Cola web and social media sites around the world, from Australia and Argentina to France, Romania, and Russia, are surprisingly _____. All feature splashes of familiar Coke red, iconic Coke bottle shapes, and Coca-Cola's music and "Taste the Feeling" themes.

① experimental
② uniform
③ localized
④ diverse

지문 구조 한눈에 보기

지문을 읽고 빈칸에 알맞은 말을 채우시오.

도입 최근에 온라인 마케팅과 소셜 미디어 공유의 높아진 인기는 글로벌 브랜드에 대한 광고 ¹_____의 필요성을 북돋음

설명 연결된 소비자들은 ²_____과 소셜 미디어를 통해 국경을 쉽게 넘나들 수 있는데, 이는 광고주들이 캠페인을 통제되고 질서정연한 방식으로 시작하는 것을 어렵게 만듦

결과 대부분의 글로벌 소비자 브랜드는 그들의 디지털 사이트를 국제적으로 ³_____하게 함

예시 전 세계의 ⁴_____ 웹 사이트와 소셜 미디어 사이트는 똑같음

정답 1. 표준화 2. 인터넷 3. 동일 4. 코카콜라

지문분석

STEP 1

빈칸에 들어갈 내용:
전 세계 코카콜라 웹 사이트
와 소셜 미디어 사이트의 특징

STEP 2

빈칸에 들어갈 내용을 '똑같은
(uniform)'이라고 한 ②번이
정답이다.

In recent years, / the increased popularity / of online marketing and social media sharing / has boosted
　　최근에　　　　　　　높아진 인기는　　　　　온라인 마케팅과 소셜 미디어 공유의　　　　　필요성을 북돋웠다

the need / for advertising standardization / for global brands. Most big marketing and advertising
　　　　　광고 표준화의　　　　　글로벌 브랜드에 대한　　대부분의 대규모 마케팅과 광고 캠페인은

campaigns / include a large online presence. ★ Connected consumers / can now zip easily across
대규모의 온라인상에서의 존재감을 포함한다　　　　연결된 소비자들은　　　　이제 국경을 쉽게 넘나들 수 있다
　　via: ~을 통해　　　　　　　　　　　　　　　　결과를 나타내는 분사구문

borders / via the internet and social media, / making it difficult for advertisers / to roll out adapted
　　　인터넷과 소셜 미디어를 통해　　　　　광고주들을 어렵게 만든다　　　　적합한 캠페인을 시작하는 것을

campaigns / in a controlled, orderly fashion. As a result, / most global consumer brands coordinate /
　　　　통제되고 질서정연한 방식으로　　　결과적으로　　　대부분의 글로벌 소비자 브랜드는 동등하게 한다

their digital sites / internationally. For example, / Coca-Cola web and social media sites around the
그들의 디지털 사이트를　　국제적으로　　예를 들어　　전 세계의 코카콜라 웹 사이트와 소셜 미디어 사이트는

world, / from Australia and Argentina / to France, Romania, and Russia, / are surprisingly uniform.
　호주와 아르헨티나부터　　　　프랑스, 루마니아, 그리고 러시아에 이르기까지　　　놀랍게도 똑같다

All feature / splashes of familiar Coke red, / iconic Coke bottle shapes, / and Coca-Cola's music and
전부 특징으로 한다　친숙한 코카콜라 빨간색의 물방울들을　　상징적인 콜라병 모양을　　　그리고 코카콜라의 음악과

"Taste the Feeling" themes.
'이 맛, 이 느낌' 테마를

해석 최근에, 온라인 마케팅과 소셜 미디어 공유의 높아진 인기는 글로벌 브랜드에 대한 광고 표준화의 필요성을 북돋웠다. 대부분의 대규모 마케팅과 광고 캠페인은 대규모의 온라인상에서의 존재감을 포함한다. 연결된 소비자들은 이제 인터넷과 소셜 미디어를 통해 국경을 쉽게 넘나들 수 있고, 이는 광고주들이 적합한 캠페인을 통제되고 질서정연한 방식으로 시작하는 것을 어렵게 만든다. 결과적으로, 대부분의 글로벌 소비자 브랜드는 그들의 디지털 사이트를 국제적으로 동등하게 한다. 예를 들어, 호주와 아르헨티나부터 프랑스, 루마니아, 그리고 러시아에 이르기까지, 전 세계의 코카콜라 웹 사이트와 소셜 미디어 사이트는 놀랍게도 <u>똑같다</u>. 전부 친숙한 코카콜라 빨간색의 물방울들, 상징적인 콜라병 모양, 그리고 코카콜라의 음악과 '이 맛, 이 느낌' 테마를 특징으로 한다.

① 실험의
② 똑같은
③ 국한된
④ 다양한

해설 지문 앞부분에서 최근에 온라인 마케팅과 소셜 미디어 공유의 높아진 인기는 글로벌 브랜드에 대한 광고 표준화의 필요성을 북돋웠다고 했고, 지문 뒷부분에서 대부분의 글로벌 소비자 브랜드는 그들의 디지털 사이트를 국제적으로 동등하게 하는데, 코카콜라 웹 사이트는 전부 친숙한 코카콜라 빨간색의 물방울들, 상징적인 콜라병 모양, 그리고 코카콜라의 음악과 '이 맛, 이 느낌' 테마를 특징으로 한다고 했다. 따라서 전 세계의 코카콜라 웹 사이트와 소셜 미디어 사이트는 놀랍게도 '똑같다'라고 한 ②번이 정답이다.

어휘 popularity 인기 advertising 광고 standardization 표준화 online presence 온라인상에서의 존재감, 영향력 consumer 소비자 border 국경
via (특정한 사람·시스템 등을) 통해 roll out 시작하다, 출시하다 adapted 적합한, 알맞은 fashion 방식 coordinate 동등하게 하다, 조정하다
feature ~을 특징으로 하다 iconic 상징적인 experimental 실험의 uniform 똑같은 localize ~을 국한시키다

독해가 쉬워지는 공무원 필수구문

명사를 꾸며주는 과거분사 해석하기 Point 15 이 문장에서 Connected는 뒤에 나온 명사 consumers를 꾸며주는 수식어이다. 이처럼 과거분사(Connected)
가 명사를 꾸며주는 경우, '연결된 소비자들'이라고 해석한다.

정답: ②

Chapter 07

빈칸 완성② 연결어

지문에 제시된 빈칸에 들어가기에 가장 적절한 연결어를 고르는 문제 유형이다.

☐ 출제 경향

· 지문 내에는 한 개나 두 개의 빈칸이 제시된다.
· 빈칸 두 곳 중 한 곳에는 연결어를, 나머지 한 곳에는 단어·구·절을 넣는 문제가 나오기도 한다.

☐ STEP별 문제 풀이 전략

STEP 1 빈칸 앞뒤에 있는 문장을 읽고 두 문장 사이의 논리적 관계를 파악한다.

● 빈칸 앞뒤에 있는 문장을 읽고 두 문장 사이의 논리적 관계를 파악한다. 빈칸 앞뒤로 서로 대조되는 내용을 제시하거나, 빈칸 앞에 나온 내용에 대한 결론을 빈칸 뒤 문장에 제시하는 논리적 관계가 자주 나온다.

대조   Recently, a number of questionable diets have taken the world by storm. _____, experts warn that these can be very unhealthy.

최근에, 많은 미심쩍은 식이요법이 세계를 사로잡았다. _____, 전문가들은 이것들이 매우 건강하지 않을 수 있다고 경고한다.

→ 빈칸 뒤의 내용이 빈칸 앞의 내용과 대조되므로, however(하지만)와 같은 연결어가 들어갈 수 있음을 파악한다.

결론   Many of these effects can cause permanent damage. _____, you should consult with a health care provider before beginning a diet regimen.

이 영향들 중 다수는 영구적인 피해를 야기할 수 있다. _____, 당신은 식이요법을 시작하기 전에 의료인과 상담해야 한다.

→ 빈칸 뒤의 내용이 빈칸 앞의 내용의 결론이므로, therefore(그러므로)와 같은 연결어가 들어갈 수 있음을 파악한다.

● 빈칸 앞뒤에 있는 문장만으로 둘 사이의 논리적 관계를 파악하기 힘든 경우, 지문 전체를 읽고 지문의 흐름에 따른 두 문장 간의 논리적 관계를 파악한다.

STEP 2 빈칸 앞뒤 문장 사이의 논리적 관계를 가장 잘 표현한 보기를 선택한다.

● 빈칸 앞뒤 문장 사이의 논리적 관계를 가장 잘 표현한 보기를 선택하고, 지문의 전체적인 흐름이 자연스러운지 확인한다.

● 보기로 자주 등장하는 연결어들을 파악해두면 쉽게 정답을 고를 수 있다.

대조·전환	but/however/yet 하지만, 그러나	in contrast/conversely 대조적으로	while/whereas 반면에
	instead 대신	on the other hand/on the contrary 반면에	
결론·요약	thus/therefore 그러므로	accordingly 따라서	consequently 결과적으로
	eventually 결국	in conclusion 결론적으로	in short/in sum 요약하면
양보	despite/in spite of ~에도 불구하고	nevertheless/nonetheless 그럼에도 불구하고	
	although/even though 비록 ~이지만	otherwise 그렇지 않으면	after all 어찌 되었든
예시	for instance/for example 예를 들어		
첨가·부연	in addition/besides/furthermore/moreover 게다가, 더욱이		what's more 한술 더 떠서
유사	similarly/likewise 마찬가지로		

전략 적용

(A)와 (B)에 들어갈 말로 가장 적절한 것은?

[2022년 지방직 9급]

Duration shares an inverse relationship with frequency. If you see a friend frequently, then the duration of the encounter will be shorter. Conversely, if you don't see your friend very often, the duration of your visit will typically increase significantly. _____(A)_____, if you see a friend every day, the duration of your visits can be low because you can keep up with what's going on as events unfold. If, however, you only see your friend twice a year, the duration of your visits will be greater. Think back to a time when you had dinner in a restaurant with a friend you hadn't seen for a long period of time. You probably spent several hours catching up on each other's lives. The duration of the same dinner would be considerably shorter if you saw the person on a regular basis. _____(B)_____, in romantic relationships the frequency and duration are very high because couples, especially newly minted ones, want to spend as much time with each other as possible. The intensity of the relationship will also be very high.

	(A)	(B)
①	For example	Conversely
②	Nonetheless	Furthermore
③	Therefore	As a result
④	In the same way	Thus

STEP 1

빈칸 앞뒤에 있는 문장을 읽고 두 문장 사이의 논리적 관계 파악하기

(A) 빈칸 앞 문장은 친구를 자주 보지 않는다면 만남의 지속 시간이 늘어날 것이라는 내용이고, 빈칸 뒤 문장은 그에 대한 예시임을 파악한다.
(B) 빈칸 앞 문장은 정기적으로 보는 사람이라면 식사 지속 시간이 짧아질 것이라는 내용이고, 빈칸 뒤 문장은 최근에 생겨난 연인일 경우 빈도와 지속 시간이 매우 높다는 내용이므로 두 문장이 대조 관계임을 파악한다.

STEP 2

빈칸 앞뒤 문장 사이의 논리적 관계를 가장 잘 표현한 보기 선택하기

(A) 빈칸 앞뒤의 예시 관계와 (B) 빈칸 앞뒤의 대조 관계를 가장 잘 표현한 ① (A) '예를 들어 (For example)' – (B) '반대로(Conversely)'가 정답이다.

해석 지속 시간은 빈도와 반비례 관계를 갖는다. 만약 당신이 한 친구를 자주 만난다면, 만남의 지속 시간은 더 짧을 것이다. 반대로, 만약 당신이 친구를 자주 보지 않는다면, 당신의 만남의 지속 시간은 일반적으로 상당히 늘어날 것이다. (A) 예를 들어, 만약 당신이 매일 친구를 본다면, 당신은 일이 전개될 때 무엇이 일어나고 있는지에 대해 계속 알 수 있기 때문에 만남의 지속 시간이 저조할 수 있다. 그러나, 만약 당신이 오직 일 년에 두 번 친구를 만난다면, 당신의 만남의 지속 시간은 더 커질 것이다. 당신이 오랜 기간 동안 보지 못했던 친구와 식당에서 저녁을 먹었던 때를 생각해 보아라. 당신은 아마도 서로의 삶에 대한 소식을 주고받는 데 몇 시간을 보냈을 것이다. 만약 당신이 그 사람을 정기적으로 본다면 같은 저녁 식사의 지속 시간은 상당히 짧아질 것이다. (B) 반대로, 연인 관계에서, 연인들, 특히 최근에 생겨난 연인들은 가능한 한 많은 시간을 서로와 보내고 싶어 하기 때문에 빈도와 지속 시간이 매우 높다. 관계의 강렬함 또한 매우 높을 것이다.

	(A)	(B)
①	예를 들어	반대로
②	그럼에도 불구하고	게다가
③	그러므로	결과적으로
④	같은 방법으로	따라서

어휘 duration 지속 시간 inverse 반비례의, 역의 frequency 빈도, 주파수 encounter 만남; 만나다, 접하다 keep up with ~에 대해 계속 알다, ~을 따라잡다 unfold 전개되다, 펴다 catch up on 소식을 주고받다 minted 최근에 생겨난 intensity 강렬함, 격렬함

정답: ①

Hackers Test

앞에서 배운 STEP별 전략을 적용하여 문제를 풀어보자.

01 다음 글의 빈칸에 들어갈 말로 가장 적절한 것을 고르시오.

King Arthur and the Knights of the Round Table are characters in an ancient British legend. The round table, because it lacks a head, is symbolic of the equality that Arthur and his knights shared. An imitation of King Arthur's legendary round table, bearing the names of the knights around its edge, is hung in the Great Hall of Winchester Castle in Hampshire, England. Although people know it is not the actual round table mentioned in the Arthurian legend, Winchester's table has become a tourist attraction. _____, the castle is packed with several hundred visitors during tours.

① Accordingly

② Overall

③ In addition

④ Nonetheless

지문 구조 한눈에 보기

지문을 읽고 빈칸에 알맞은 말을 채우시오.

도입 아서 왕과 원탁의 기사들은 고대 영국 ¹_____의 등장인물임

설명1 원탁은 상석이 없기 때문에 아서 왕과 그의 기사들이 공유했던 ²_____을 상징함

설명2 원탁의 ³_____이 잉글랜드 햄프셔에 있는 윈체스터 성의 그레이트 홀에 걸려있음

부연 1 사람들은 그것이 아서 왕 전설에 언급된 실제 원탁이 아니라는 것을 알지만, 윈체스터의 탁자는 ⁴_____가 됨

부연 2 그 결과, 그 성은 관광 시간에 수백 명의 ⁵_____으로 가득 참

정답 1. 전설 2. 평등 3. 모조품 4. 관광명소 5. 방문객

지문분석

King Arthur and the Knights of the Round Table / are characters in an ancient British legend. The
아서 왕과 원탁의 기사들은 　　　　　　　　　　고대 영국 전설의 등장인물이다

round table, / because it lacks a head, / is symbolic of the equality / ★ that Arthur and his knights
원탁은 　　상석이 없기 때문에 　　평등을 상징한다 　　아서 왕과 그의 기사들이 공유했던
→ 타동사 lack(~이 없다)

shared. An imitation of King Arthur's legendary round table, / bearing the names of the knights /
아서 왕의 전설적인 원탁의 모조품이 　　　　기사들의 이름이 있는

around its edge, / is hung / in the Great Hall of Winchester Castle in Hampshire, England. Although
그것의 가장자리 둘레에 　걸려 있다 　잉글랜드 햄프셔에 있는 윈체스터 성의 그레이트 홀에

people know / it is not the actual round table / mentioned in the Arthurian legend, / Winchester's table
사람들은 알긴 하지만 　그것이 실제 원탁이 아니라는 것을 　아서 왕 전설에 언급된 　윈체스터의 탁자는

has become a tourist attraction. Accordingly, / the castle is packed with / several hundred visitors /
윈체스터의 탁자는 관광 명소가 되었다 　따라서 　그 성은 가득 찬다 　수백 명의 방문객으로
→ be packed with ~: ~로 가득 차다

during tours.
관광 시간에

STEP 1
빈칸 앞뒤 문장의 논리 관계: 결론

STEP 2
'결론'을 나타내는 연결어인 ① Accordingly(따라서)가 정답이다.

해석　아서 왕과 원탁의 기사들은 고대 영국 전설의 등장인물이다. 원탁은 상석이 없기 때문에, 아서 왕과 그의 기사들이 공유했던 평등을 상징한다. 그것의 가장자리 둘레에 기사들의 이름이 있는 아서 왕의 전설적인 원탁의 모조품이 잉글랜드 햄프셔에 있는 윈체스터 성의 그레이트 홀에 걸려 있다. 사람들은 그것이 아서 왕 전설에 언급된 실제 원탁이 아니라는 것을 알긴 하지만, 윈체스터의 탁자는 관광 명소가 되었다. 따라서, 그 성은 관광 중에 수백 명의 방문객으로 가득 찬다.

① 따라서　　② 전반적으로
③ 게다가　　④ 그럼에도 불구하고

해설　빈칸 앞 문장은 윈체스터 성에 있는 탁자가 아서 왕 전설에 언급된 실제 원탁이 아니지만 관광 명소가 되었다는 내용이고, 빈칸 뒤 문장은 윈체스터 성이 방문객들로 가득 찬다는 결과적인 내용이다. 따라서 결론을 나타내는 연결어인 ① Accordingly(따라서)가 정답이다.

어휘　knight 기사　character 등장인물, 주인공　legend 전설　symbolic 상징적인　equality 평등　imitation 모조품, 모방　bear 있다, 지니다
mention 언급하다　attraction 명소, 끌림

독해가 쉬워지는 공무원 필수구문

명사를 꾸며주는 '목적격 관계대명사 that / which ~' 해석하기 Point 17 이 문장에서 that Arthur and his knights shared는 앞에 나온 명사 the equality 를 꾸며주는 수식어이다. 이처럼 목적격 관계대명사가 이끄는 절(that + 주어 + 동사 ~)이 명사를 꾸며주는 경우, '아서 왕과 그의 기사들이 공유했던 평등' 이라고 해석한다.

정답: ①

02

다음 글의 (A), (B)에 들어갈 말로 가장 적절한 것은?

The United States remains one of the few developed nations without a national health care system. Those in favor of the current system believe that a capitalistic structure demonstrates the country's high regard for health care. _____(A)_____, those opposed to the present system point out that having to choose a health care provider is a complex step that makes it harder to receive health care services. They assert that a national health care system would remove restrictions on which hospitals and doctors patients may choose. Those in favor of the current system claim that taxes would necessarily be raised in order for the government to establish a national health care system. _____(B)_____, many who oppose the present system have found that the average person would ultimately save money, even with higher taxes, by not having to spend exorbitant amounts on private insurance.

	(A)	(B)		(A)	(B)
①	Thus	In fact	②	However	Yet
③	Thus	Despite this	④	However	Additionally

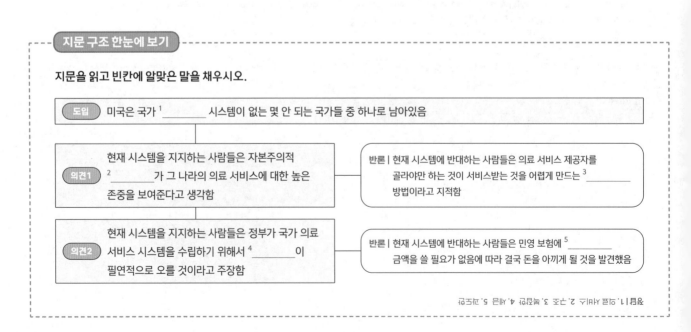

The United States remains / one of the few developed nations / without a national health care system.
미국은 남아있다 　　　　몇 안 되는 선진국들 중 하나로 　　　　국가 의료 서비스 시스템이 없는

Those (in favor of) the current system / believe / ☆ that a capitalistic structure demonstrates / the
in favor of ~: ~을 지지하는
현재 시스템을 지지하는 사람들은 　　생각한다 　　　　자본주의적 구조가 보여준다고

country's high regard for health care. (A) However, / those opposed to the present system / point out /
그 나라의 의료 서비스에 대한 높은 존중을 　　하지만 　　현재 시스템에 반대하는 사람들은 　　지적한다

that (having) to choose a health care provider / is a complex step / that makes (it) harder to receive
주어 자리에 온 동명사구 　　　　　　　　　가목적어 it
의료 서비스 제공자를 선택해야만 하는 것은 　　　복잡한 방법이라고 　　의료 서비스를 받는 것을 어렵게 만드는

health care services. They assert / that a national health care system / would remove restrictions / on
그들은 주장한다 　　국가 의료 서비스 시스템이 　　　제한을 없앨 것이라고

which hospitals and doctors patients may choose. Those in favor of the current system / claim / that
환자가 어떤 병원이나 의사를 선택할지에 대한 　　　현재 시스템을 지지하는 사람들은 　　주장한다

taxes would necessarily be raised / in order (for the government) to establish / a national health care
to 부정사의 의미상 주어
세금이 필연적으로 오를 것이라고 　　　정부가 수립하기 위해서 　　　국가 의료 서비스 시스템을

system. (B) Yet, / many who oppose the present system / have found / that the average person /
그러나 　　현재 시스템에 반대하는 많은 사람들은 　　발견했다 　　평범한 사람이

would ultimately save money, / even with higher taxes, / by not having to spend exorbitant amounts /
결국 돈을 아끼게 될 것을 　　더 높은 세금에도 　　과도한 금액을 쓸 필요가 없음에 따라

on private insurance.
민영 보험에

STEP 1
빈칸 앞뒤 문장의 논리 관계:
— (A) 대조
— (B) 대조

STEP 2
빈칸 (A)에 대조를 나타내
는 연결어 However(하지만),
빈칸 (B)에도 대조를 나타내
는 연결어 Yet(그러나)이 있는
②번이 정답이다.

해석 미국은 국가 의료 서비스 시스템이 없는 몇 안 되는 선진국들 중 하나로 남아있다. 현재 시스템을 지지하는 사람들은 자본주의적 구조가 그 나라의 의료 서비스에 대한 높은 존중을 보여준다고 생각한다. (A) 하지만, 현재 시스템에 반대하는 사람들은 의료 서비스 제공자를 선택해야만 하는 것은 의료 서비스를 받는 것을 어렵게 만드는 복잡한 방법이라고 지적한다. 그들은 국가 의료 서비스 시스템이 환자가 어떤 병원이나 의사를 선택할지에 대한 제한을 없앨 것이라고 주장한다. 현재 시스템을 지지하는 사람들은 정부가 국가 의료 서비스 시스템을 수립하기 위해서 세금이 필연적으로 오를 것이라고 주장한다. (B) 그러나, 현재 시스템에 반대하는 많은 사람들은 민영 보험에 과도한 금액을 쓸 필요가 없음에 따라 평범한 사람이 더 높은 세금에도 결국 돈을 아끼게 될 것을 발견했다.

	(A)	(B)		(A)	(B)
①	따라서	사실	②	하지만	그러나
③	따라서	이것에도 불구하고	④	하지만	게다가

해설 (A)와 (B) 빈칸 앞 문장은 현재 시스템을 지지하는 사람들의 생각이나 주장에 대한 내용이고, (A)와 (B) 빈칸 뒤 문장은 현재 시스템에 반대하는 사람들의 생각이나 발견에 대한 내용이다. 따라서, (A)에는 대조를 나타내는 연결어인 However(하지만)를, (B)에도 대조를 나타내는 연결어인 Yet(그러나)을 넣어야 한다. 따라서 ②번이 정답이다.

어휘 developed nation 선진국 capitalistic 자본주의적인 point out 지적하다 restriction 제한 ultimately 결국 exorbitant 과도한

독해가 쉬워지는 **공무원 필수구문**

목적어 자리에 온 'that ~' 해석하기 [Point 07] 이 문장에서 that a capitalistic ~ care는 앞에 나온 동사 believe의 목적어이다. 이처럼 that이 이끄는 절 (that + 주어 + 동사 ~)이 목적어 자리에 온 경우, '자본주의적 구조가 ~을 보여준다고'라고 해석한다.

정답: ②

03 밑줄 친 부분에 들어갈 표현으로 가장 적절한 것은?

Many people believe investing is an intelligent strategy for ensuring financial stability in old age. However, what they fail to realize is the importance of time. Investment specialists say that the sooner one begins to invest, no matter how little the amount, the more lucrative the investment becomes due to the compound interest that accumulates as time passes. This basically means that it is better to invest a little early on rather than a larger amount later in life. _____, not everyone has extra income to start investing at an early age. Because of this, many people do not begin saving for retirement until they are well into their 40s or 50s, but this is often too late for the majority of individuals. According to experts, more than half of US workers will likely have no choice but to reduce their current standard of living once they retire.

① Above all

② For instance

③ Eventually

④ Unfortunately

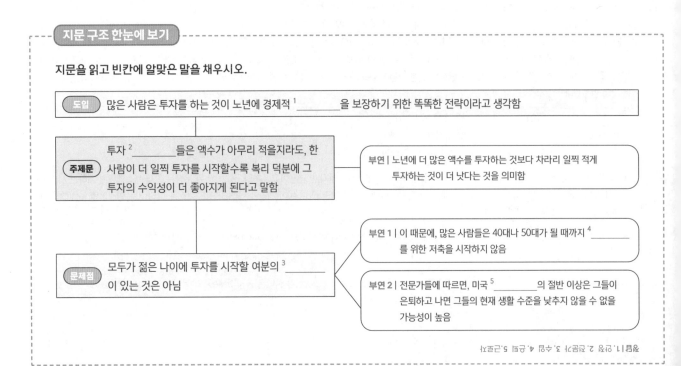

지문 구조 한눈에 보기

지문을 읽고 빈칸에 알맞은 말을 채우시오.

도입) 많은 사람은 투자를 하는 것이 노년에 경제적 1_____을 보장하기 위한 똑똑한 전략이라고 생각함

주제문) 투자 2_____들은 액수가 아무리 적을지라도, 한 사람이 더 일찍 투자를 시작할수록 복리 덕분에 그 투자의 수익성이 더 좋아지게 된다고 말함

부연 | 노년에 더 많은 액수를 투자하는 것보다 차라리 일찍 적게 투자하는 것이 더 낫다는 것을 의미함

문제점) 모두가 젊은 나이에 투자를 시작할 여분의 3_____이 있는 것은 아님

부연 1 | 이 때문에, 많은 사람들은 40대나 50대가 될 때까지 4_____를 위한 저축을 시작하지 않음

부연 2 | 전문가들에 따르면, 미국 5_____의 절반 이상은 그들이 은퇴하고 나면 그들의 현재 생활 수준을 낮추지 않을 수 없을 가능성이 높음

정답 1. 안정 2. 전문가 3. 수입 4. 은퇴 5. 근로자

지문분석

→ (that) investing ~: 명사절 접속사 that 생략

Many people believe / investing is an intelligent strategy / for ensuring financial stability in old age.
많은 사람들은 생각한다   투자를 하는 것이 똑똑한 전략이라고   노년에 경제적 안정을 보장하기 위한

STEP 1
빈칸 앞뒤 문장의 논리 관계:
부정적인 내용 부연

However, / what they fail to realize is / the importance of time. Investment specialists say / that ☆ the
그러나   그들이 깨닫지 못하는 것은   시간의 중요성이다   투자 전문가들은 말한다

STEP 2
'부정적인 내용의 부연'
을 나타내는 연결어인
④ Unfortunately(유감스럽게
도)가 정답이다.

sooner one begins to invest, / no matter how little the amount, / the more lucrative the investment
한 사람이 더 일찍 투자를 시작할수록   액수가 아무리 적을지라도   그 투자는 수익성이 더 좋아지게 된다고

becomes / due to the compound interest / that accumulates as time passes. This basically means /
   복리 덕분에   시간이 지남에 따라 축적되는   이것은 기본적으로 의미한다

→ be better to ~: ~하는 것이 더 낫다

that it is better to invest a little / early on / rather than a larger amount / later in life. Unfortunately, /
적게 투자하는 것이 더 낫다는 것을   일찍   더 많은 액수를 투자하는 것 보다   노년에   유감스럽게도

not everyone has extra income / to start investing / at an early age. Because of this, / many people do
모두가 여분의 수입이 있는 것은 아니다   투자를 시작할   젊은 나이에   이 때문에   많은 사람들이

not begin saving for retirement / until they are well into their 40s or 50s, / but / this is often too late /
은퇴를 위한 저축을 시작하지 않는다   그들이 40대나 50대가 될 때까지   그러나   이것은 보통 너무 늦다

for the majority of individuals. According to experts, / more than half of US workers / will likely have
대대수의 사람들에게   전문가들에 따르면   미국 근로자의 절반 이상은   하지 않을 수 없을 가능성이 높다

no choice / but to reduce their current standard of living / once they retire.
   그들의 현재 생활 수준을 낮추는   그들이 은퇴하고 나면

해석 많은 사람들은 투자를 하는 것이 노년에 경제적 안정을 보장하기 위한 똑똑한 전략이라고 생각한다. 그러나, 그들이 깨닫지 못하는 것은 시간의 중요성이다. 투자 전문가들은 액수가 아무리 적을지라도, 한 사람이 더 일찍 투자를 시작할수록 시간이 지남에 따라 축적되는 복리 덕분에 그 투자는 수익성이 더 좋아지게 된다고 말한다. 이것은 기본적으로 노년에 더 많은 액수를 투자하는 것보다 일찍 적게 투자하는 것이 더 낫다는 것을 의미한다. <u>유감스럽게도</u>, 모두가 젊은 나이에 투자를 시작할 여분의 수입이 있는 것은 아니다. 이 때문에, 많은 사람들이 그들이 40대나 50대가 될 때까지 은퇴를 위한 저축을 시작하지 않지만, 대다수의 사람들에게 이것은 보통 너무 늦다. 전문가들에 따르면, 미국 근로자의 절반 이상은 그들이 은퇴하고 나면 그들의 현재 생활 수준을 낮추지 않을 수 없을(낮춰야만 할) 가능성이 높다.

① 무엇보다도   ② 예를 들어
③ 결국   ④ 유감스럽게도

해설 빈칸 앞 문장은 적은 액수의 돈을 일찍 투자하는 것이 노년에 더 많은 액수의 돈을 투자하는 것보다 더 낫다고 하고, 빈칸 뒤 문장은 모두가 젊은 나이에 투자를 시작할 여분의 수입이 있는 것은 아니라는 내용이므로, 부정적인 내용을 부연 설명하는 연결어인 ④ Unfortunately(유감스럽게도)가 정답이다.

어휘 invest 투자하다 intelligent 똑똑한, 지능적인 strategy 전략 ensure 보장하다 stability 안정 lucrative 수익성이 좋은 compound interest 복리
accumulate 축적되다, 모이다 retirement 은퇴

독해가 쉬워지는 **공무원 필수구문**

비례 관계를 나타내는 'the 비교급 …, the 비교급 ~' 구문 해석하기 [Point 29] 이 문장에서 the sooner …, the more ~는 투자를 시작하는 것에 변화가 생김에 따라, 수익성이 이에 비례하여 어떻게 되는지를 비교하기 위해 사용된 비교 구문이다. 이처럼 'the 비교급 …, the 비교급 ~' 구문이 두 대상의 비례적인 관계를 나타내는 경우, '더 일찍 투자를 시작할수록, 그 투자는 수익성이 더 좋아지게 된다'라고 해석한다.

정답: ④

04 다음 글의 빈칸 (A), (B)에 들어갈 말로 가장 적절한 것을 고르시오.

Exercise can be simply defined as "bodily exertion," or an activity in which one has an elevated heart rate. ____(A)____ , playing a team sport like basketball or soccer, which involves running around and constantly moving, is a valid form of exercise. Additionally, lifting weights makes use of muscles that otherwise are not put through much daily stress. ____(B)____ , activities such as short walks and lifting household objects do not really qualify as exercise, because they are easy to do and involve relatively little exertion, sweating, or heavy breathing.

	(A)	(B)
①	Nonetheless	However
②	Instead	Similarly
③	However	In general
④	Therefore	Conversely

지문 구조 한눈에 보기

지문을 읽고 빈칸에 알맞은 말을 채우시오.

(도입) 운동은 '신체의 격렬한 활동'이나, 사람이 높은 ¹_____를 가지는 활동이라고 간단히 정의될 수 있음

(설명) 이리저리 뛰어다니고 끊임없이 움직이는 것을 수반하는 농구나 축구와 같은 단체 경기를 하는 것은 틀림없는 운동의 한 형태임

부연 | 게다가, 역기를 들어 올리는 것은 그렇지 않으면 많은 일상적인 압력을 겪게 되지 않는 ²_____을 사용함

(대조) 단기간 걷기와 ³_____의 물건들을 들어 올리는 것과 같은 ⁴_____들은 사실 운동으로서의 기준에 부합하지 않음

부연 | 그것들은 하기 쉽고, 상대적으로 격렬한 활동, 땀 흘리는 것, 또는 숨을 거칠게 쉬는 것을 거의 수반하지 않기 때문임

정답 | 1. 심박수 2. 근육 3. 가정 4. 활동

Exercise can be simply defined / as "bodily exertion," / or an activity / in which one has an elevated
운동은 간단히 정의될 수 있다   '신체의 격렬한 활동'이라고   혹은 활동이라고   사람이 높은 심박수를 가지는

전치사 + 관계대명사

heart rate. (A) Therefore, / ☆ playing a team sport / like basketball or soccer, / which involves running
따라서   단체 경기를 하는 것은   농구나 축구와 같은   이리저리 뛰어다니고

around and constantly moving, / is a valid form of exercise. Additionally, / lifting weights / makes
이리저리 뛰어다니고 끊임없이 움직이는 것을 수반하는   틀림없는 운동의 한 형태이다   게다가   역기를 들어 올리는 것은   근육을 사용한다

be put through ~: ~을 겪게 되다

use of muscles / that otherwise are not put through / much daily stress. (B) Conversely, / activities /
근육을 사용한다   그렇지 않으면 겪게 되지 않는   많은 일상적인 압력을   반면에   활동들은

such as short walks and lifting household objects / do not really qualify as exercise, / because they
단기간 걷기와 가정의 물건들을 들어 올리는 것과 같은   사실 운동으로서의 기준에 부합하지 않는데   그들은 하기 쉽기 때문이다

are easy to do / and involve relatively little exertion, / sweating, / or heavy breathing.
그리고 상대적으로 격렬한 활동을 거의 수반하지 않기 때문이다   땀 흘리는 것   또는 숨을 거칠게 쉬는 것

해석 운동은 '신체의 격렬한 활동', 혹은 사람이 높은 심박수를 가지는 활동이라고 간단히 정의될 수 있다. (A) 따라서, 이리저리 뛰어다니고 끊임없이 움직이는 것을 수반하는 농구나 축구와 같은 단체 경기를 하는 것은 틀림없는 운동의 한 형태이다. 게다가, 역기를 들어 올리는 것은 그렇지 않으면 많은 일상적인 압력을 겪게 되지 않는 근육을 사용한다. (B) 반면에, 단기간 걷기와 가정의 물건들을 들어 올리는 것과 같은 활동들은 사실 운동으로서의 기준에 부합하지 않는데, 왜냐하면 그들은 하기 쉽고 상대적으로 격렬한 활동, 땀 흘리는 것, 또는 숨을 거칠게 쉬는 것을 거의 수반하지 않기 때문이다.

	(A)	(B)
①	그럼에도 불구하고	하지만
②	대신에	유사하게
③	하지만	일반적으로
④	따라서	반면에

해설 (A) 빈칸 앞 문장은 운동의 정의에 대한 내용이고, (A) 빈칸 뒤 문장은 농구나 축구와 같은 단체 경기는 운동의 한 형태라는 결론적인 내용이다. 따라서, 빈칸에는 결론을 나타내는 연결어 Therefore(따라서)를 넣어야 한다. (B) 빈칸 앞 문장은 역기를 들어 올리면 근육을 쓰게 된다는 내용이고, (B) 빈칸 뒤 문장은 단기간 걷기와 가정의 물건을 들어 올리는 것은 운동이 아니라는 대조적인 내용이다. 따라서, 빈칸에는 대조를 나타내는 연결어 Conversely(반면에)를 넣어야 한다. 따라서 ④번이 정답이다.

어휘 exertion 격렬한 활동, (힘·권력 등의) 행사   involve 수반하다, 포함하다   constantly 끊임없이   valid 틀림없는, 타당한   weight 역기, 무거운 물건, 무게   household 가정의; 가족   qualify 기준에 부합하다, 자격을 얻다   relatively 상대적으로   sweat 땀을 흘리다; 땀

독해가 쉬워지는 **공무원 필수구문**

주어 자리에 온 동명사구 해석하기 Point 01 이 문장에서 주어는 playing a team sport이다. 이처럼 동명사구(playing ~)가 주어 자리에 온 경우, '단체 경기를 하는 것은'이라고 해석한다.

정답: ④

05 밑줄 친 부분에 들어갈 말로 가장 적절한 것은?

When Allied and Japanese forces arrived on the Pacific Islands during World War II, many members of tribal populations there knew nothing about the outside world. So they believed that the trucks, motorcycles, candy, and other goods brought by military personnel were of divine origin. This belief led to the rise of "cargo cults"—religious movements based on the premise that the spirits would deliver these goods if the proper rituals were performed. Once military personnel were withdrawn from the islands, the tribes built piers for boats and landing strips for planes in the hopes that they would return. When this did not happen, the popularity of these cults declined dramatically, and most have ceased to exist today. _____, some of the more isolated tribal groups remain unaware, holding festivals and waiting patiently for the day they will once again be blessed.

① Likewise
② Moreover
③ Still
④ Consequently

지문 구조 한눈에 보기

지문을 읽고 빈칸에 알맞은 말을 채우시오.

도입 제2차 세계대전 중에 연합군과 일본군이 태평양 제도에 도착함

설명1 그곳의 많은 부족민들이 ¹_____에 대해 전혀 몰랐기 때문에 군인들이 가져온 트럭, 오토바이, 사탕, 그리고 다른 물품이 ²_____ 기원을 가지고 있다고 믿었음

설명2 이러한 믿음은 적절한 ³_____이 행해지면 정령들이 물품들을 전해줄 것이라는 전제에 근거한 종교 운동인 '적화 신앙'의 발생으로 이어짐

부연 | 군인들이 그 섬에서 철수하자마자, 부족들은 그들이 돌아올 것이라는 희망을 가지고 부두들과 활주로들을 지었음

결론 이후 신앙의 ⁴_____는 급격히 감소했고 현재 대부분이 소멸되었으나, 그럼에도 불구하고 몇몇 더욱 고립된 부족 집단은 ⁵_____를 열고 그들이 다시 한번 축복받게 될 날을 기다리고 있음

정답 | 1. 외부 세계 2. 신성한 3. 의식 4. 인기 5. 축제

지문분석

When Allied and Japanese forces / arrived on the Pacific Islands during World War II, / many
연합군과 일본군이   제2차 세계대전 중에 태평양 제도에 도착했을 때   많은

members of tribal populations there / knew nothing about the outside world. / So they believed /
그곳의 많은 부족민들은   외부 세계에 대해 전혀 몰랐다   그래서 그들은 믿었다

that the trucks, motorcycles, candy, and other goods / brought by military personnel / were
트럭, 오토바이, 사탕, 그리고 다른 물품들이   군인들에 의해 가져와진   ~인

of ~ origin: 기원(근원)이 ~인   lead to ~: ~으로 이어지다
of divine origin. This belief / led to / the rise of "cargo cults" / —religious movements / based on the
신성한 기원을 가지고 있다고   이러한 믿음은   '적화 신앙'의 발생으로 이어졌다   종교 운동인   전제에 근거한

premise / that the spirits would deliver these goods / if the proper rituals were performed. ★ Once
전제에   정령이 이 물품들을 전해줄 것이라는   적절한 의식이 행해지면   ~하자마자

military personnel were withdrawn from the islands, / the tribes built piers for boats / and landing
군인들이 그 섬들에서 철수하자마자   부족들은 배를 위한 부두들을 지었다   그리고 활주로들을

동격을 나타내는 that
strips / for planes / in the hopes / that / they would return. When this did not happen, / the popularity of
비행기를 위한   희망을 가지고   그들이 돌아올 것이라는   그것이 일어나지 않자   이 신앙의 인기는

these cults / declined dramatically, / and most have ceased to exist today. Still, / some of the more
이 신앙의 인기는   급격하게 감소했고   그리고 현재 대부분이 소멸했다   그럼에도 불구하고   몇몇 더욱 고립된

isolated tribal groups / remain unaware, / holding festivals / and waiting patiently for the day / they
부족 집단은   여전히 알아채지 못한 채 남아있다   축제를 열며   그리고 그 날을 끈기 있게 기다리며   그들이

will once again be blessed.
그들이 다시 한번 축복받게 될

STEP 1
빈칸 앞뒤 문장의 논리 관계:
양보

STEP 2
'양보'를 나타내는 연결어인
③ Still(그럼에도 불구하고)이
정답이다.

해석 제2차 세계대전 중에 연합군과 일본군이 태평양 제도에 도착했을 때, 그곳의 많은 부족민들은 외부 세계에 대해 전혀 몰랐다. 그래서 그들은 군인들에 의해 가져와진 트럭, 오토바이, 사탕, 그리고 다른 물품들이 신성한 기원을 가지고 있다고 믿었다. 이러한 믿음은 적절한 의식이 행해지면 정령이 이 물품들을 전해줄 것이라는 전제에 근거한 종교 운동인 '적화 신앙'의 발생으로 이어졌다. 군인들이 그 섬들에서 철수하자마자, 부족들은 그들이 돌아올 것이라는 희망을 가지고 배를 위한 부두들과 비행기를 위한 활주로들을 지었다. 그것(군인들이 돌아오는 것)이 일어나지 않자, 이 신앙의 인기는 급격하게 감소했고, 현재 대부분이 소멸했다. <u>그럼에도 불구하고</u>, 몇몇 더욱 고립된 부족 집단은 여전히 알아채지 못한 채 남아 있으며, 축제를 열고 그들이 다시 한번 축복받게 될 날을 끈기 있게 기다리고 있다.

① 마찬가지로   ② 게다가
③ 그럼에도 불구하고   ④ 따라서

해설 빈칸 앞 문장은 희망과는 다르게 군인들이 돌아오지 않자 적화 신앙의 인기는 급격히 감소했고 현재는 대부분이 소멸했다는 내용이고, 빈칸 뒤 문장은 몇몇 더욱 고립된 부족 집단은 여전히 이것을 알아차리지 못한 채 다시 한번 축복받게 될 날을 끈기 있게 기다리고 있다는 양보적인 내용이다. 따라서 양보를 나타내는 연결어인 ③ Still(그럼에도 불구하고)이 정답이다.

어휘 divine 신성한 premise 전제 ritual (종교적) 의식 pier 부두 landing strip 활주로 decline 감소하다 cease to exist 소멸하다 isolated 고립된
unaware 알아채지 못하는, 모르는 bless 축복하다

독해가 쉬워지는 **공무원 필수구문**

문장을 꾸며주는 '접속사 ~' 해석하기 Point 21 이 문장에서 Once the military personnel were ~ islands는 뒤에 나온 문장 전체를 꾸며주는 수식어이다.
이처럼 접속사가 이끄는 절(once + 주어 + 동사 ~)이 문장을 꾸며주는 경우, '군인들이 그 섬에서 철수하자마자'라고 해석한다.

정답: ③

06 다음 글의 빈칸에 들어갈 말로 가장 적절한 것은?

> I grew up in a very small town in the countryside. Looking back, I don't think there was a single foreigner in my town. The only time I saw people who looked different from me was when I went to the big city, but my family rarely made that four-hour drive. At the time, I had little interest in foreign languages, cuisine, or cultures. Then I graduated from high school and went to college in a big, diverse city. There, I had roommates from India and classmates from a variety of cultures. For most of my life, I hadn't realized what I had been missing out on. _____, the differences between us are what make the world an interesting place.

① Lastly

② In contrast

③ After all

④ Furthermore

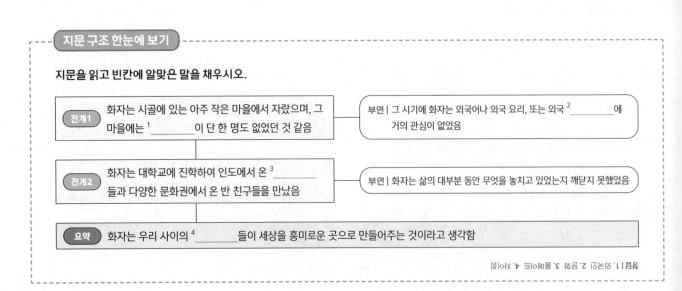

I grew up in a very small town / in the countryside. Looking back, / I don't think / there was a single
나는 아주 작은 마을에서 자랐다   시골에 있는   되돌아보니   나는 생각하지 않는다 외국인이 단 한 명이라도 있었다고

→ different from ~: ~과 다른

foreigner / in my town. The only time / I saw people / who looked different from me / was ⭐ when I
우리 마을에   유일한 때는   내가 사람들을 본   나와 다르게 생긴   내가 큰 도시에 갔을 때이다

→ 부정을 나타내는 부사(거의 ~하지 않는)

went to the big city, / but / my family rarely made that four-hour drive. At the time, / I had little interest /
그러나   우리 가족은 거의 그 네 시간의 자동차 여행을 하지 않았다   그 시기에   나는 거의 관심이 없었다

in foreign languages, cuisine, or cultures. Then I graduated from high school / and went to college / in
외국어, 외국 요리, 또는 외국 문화에   그러고 나서 나는 고등학교를 졸업했다   그리고 대학에 진학했다

→ a variety of ~: 다양한 ~

a big, diverse city. There, / I had roommates from India / and classmates from a variety of cultures.
크고 다채로운 도시에 있는   그곳에서   나는 인도에서 온 룸메이트들이 있었다   그리고 다양한 문화권에서 온 반 친구들이 있었다

For most of my life, / I hadn't realized / what I had been missing out on. After all, / the differences
내 삶의 대부분 동안   나는 깨닫지 못했었다   내가 무엇을 놓치고 있었는지   어찌 되었든   우리 사이의 차이점들이

between us / are what make the world / an interesting place.
세상을 만들어주는 것이다   흥미로운 곳으로

STEP 1
빈칸 앞뒤 문장의 논리 관계: 양보

STEP 2
'양보'를 나타내는 연결어인 ③ After all(어찌 되었든)이 정답이다.

해석 나는 시골에 있는 아주 작은 마을에서 자랐다. 되돌아보니, 우리 마을에는 외국인이 단 한 명도 없었던 것 같다. 내가 나와 다르게 생긴 사람들을 본 유일한 때는 내가 큰 도시에 갔을 때였지만, 우리 가족은 거의 그 네 시간의 자동차 여행을 하지 않았다. 그 시기에, 나는 외국어, 외국 요리, 또는 외국 문화에 거의 관심이 없었다. 그러고 나서 나는 고등학교를 졸업했고, 크고 다채로운 도시에 있는 대학에 진학했다. 그곳에서, 나는 인도에서 온 룸메이트들과 다양한 문화권에서 온 반 친구들이 있었다. 내 삶의 대부분 동안, 나는 내가 무엇을 놓치고 있었는지 깨닫지 못했었다. 어찌 되었든, 우리 사이의 차이점들이 세상을 흥미로운 곳으로 만들어주는 것이다.

① 마지막으로
② 대조적으로
③ 어찌 되었든
④ 게다가

해설 빈칸 앞 문장은 필자가 외국에 관심이 없었던 과거에는 자신이 무엇을 놓치고 있었는지 깨닫지 못했었다는 내용이고, 빈칸 뒤 문장은 다양한 문화권에서 온 사람들 사이의 차이점들이 세상을 흥미로운 곳으로 만들어준다는 양보적인 내용이다. 따라서 양보를 나타내는 연결어인 ③ After all(어찌 되었든)이 정답이다.

어휘 grow up 자라다, 성장하다 rarely 거의 ~않다 cuisine 요리, 요리법 diverse 다채로운, 다른

독해가 쉬워지는 **공무원 필수구문**

보어 자리에 온 '의문사 ~' 해석하기 Point 10 이 문장에서 when ~ city는 주어인 The only time ~ me를 보충 설명해주는 보어이다. 이처럼 의문사가 이끄는 절(when + 주어 + 동사 ~)이 보어 자리에 와서 주어의 의미를 보충해주는 경우, '내가 큰 도시에 갔을 때'라고 해석한다.

정답: ③

07 밑줄 친 (A), (B)에 들어갈 표현으로 가장 적절한 것은?

Many forms of entertainment today, such as TV shows, movies, and video games, can be streamed directly to a person's home over the Internet. However, there is one requirement for streaming services to function properly. _____(A)_____ the user has a fast and reliable Internet connection, their streaming experience will endure problems. There could be breaks in the signal, with awkward pauses in the reception, or audio just spontaneously dropping out. If the disruption is lengthy enough, the service might end prematurely and need to be restarted. _____(B)_____, the speed and stability of Internet services have been improving, while the price of service has been staying the same or even falling slightly. People who were unable to stream content before are being presented with more numerous, affordable, and reliable options, making streaming available to just about everyone.

	(A)	(B)
①	If	For example
②	Unless	Subsequently
③	If	On the whole
④	Unless	Fortunately

지문 구조 한눈에 보기

지문을 읽고 빈칸에 알맞은 말을 채우시오.

도입 티비 쇼, 영화, 그리고 비디오 게임과 같은 오늘날의 다양한 형태의 엔터테인먼트는 인터넷을 통해 개인의 집에 직접적으로 스트리밍될 수 있음

설명1 사용자가 빠르고 믿을 수 있는 인터넷 1_____을 가지고 있지 않는 한, 스트리밍은 문제를 겪을 것임

> **부연1 |** 수신이 중단되거나 저절로 이탈하는 오디오와 더불어 신호에 끊김이 있을 수 있음

> **부연2 |** 만약 중단이 길어지면, 그 서비스는 너무 이르게 끝나서 다시 시작되어야 할 수도 있음

설명2 다행히도, 서비스의 2_____은 동일하거나 약간 떨어져 온 반면, 인터넷의 속도와 3_____은 개선되어 오고 있음

> **부연 |** 이전에는 콘텐츠를 스트리밍할 수 없던 사람들이 더욱 다양한 선택권을 제공받고 있으며, 이는 거의 모든 사람들이 스트리밍을 이용 가능하도록 함

지문분석

Many forms of entertainment today, / such as TV shows, movies, and video games, / can be streamed
오늘날의 다양한 형태의 엔터테인먼트는   티비 쇼, 영화, 그리고 비디오 게임과 같은   직접적으로 스트리밍될 수 있다

directly / to a person's home / over the Internet. However, / there is one requirement / for streaming
~을 통해(= through)
directly / to a person's home / over the Internet. However, / there is one requirement / for streaming
개인의 집에   인터넷을 통해   하지만   한 가지 요구되는 것이 있다

services to function properly. (A) Unless the user has / a fast and reliable Internet connection, / their
스트리밍 서비스가 적절하게 작동하기 위해   사용자가 가지고 있지 않는 한   빠르고 믿을 수 있는 인터넷 연결을

streaming experience will endure problems. There could be breaks / in the signal, / with awkward
그들의 스트리밍 경험은 문제를 겪을 것이다   끊김이 있을 수 있다   신호에

pauses in the reception, / or audio just spontaneously dropping out. If the disruption is lengthy enough, /
수신에 곤란한 중단이나   혹은 저절로 이탈하는 오디오와 더불어   만약 중단이 너무 길면

the service might end prematurely / and need to be restarted. (B) Fortunately, / the speed and stability
그 서비스는 너무 이르게 끝날 수 있다   그래서 다시 시작되어야 할 수도 있다   다행히도   인터넷 서비스의 속도와 안정성은

of Internet services / have been improving, / while / the price of service / has been staying the
개선되어 오고 있다   반면에   서비스의 가격은   동일하게 머물러 왔다

same / or even falling slightly. People / who were unable to stream content before / are being presented /
혹은 심지어 약간 떨어져 왔다   사람들은   이전에는 콘텐츠를 스트리밍할 수 없던   제공받고 있다
be being p.p.: 현재진행 수동태
with more numerous, affordable, and reliable options, / making streaming available / to just about /
더욱 다양한, 저렴한, 그리고 의지할 수 있는 선택권들을   스트리밍을 이용 가능하도록 한다   just about: 거의

everyone.
거의 모든 사람들에게

STEP 1

빈칸 앞뒤 문장의 논리 관계:
(A) 부정적 조건
(B) 긍정적 부연

STEP 2

빈칸 (A)에 조건을 나타내는
연결어 Unless(~하지 않는 한),
빈칸 (B)에 부연을 나타내는
연결어 Fortunately(다행히
도)가 있는 ④번이 정답이다.

해석 티비 쇼, 영화, 그리고 비디오 게임과 같은 오늘날의 다양한 형태의 엔터테인먼트는 인터넷을 통해 개인의 집에 직접적으로 스트리밍될 수 있다. 하지만, 스트리밍 서비스가 적절하게 작동하기 위해 한 가지 요구되는 것이 있다. 사용자가 빠르고 믿을 수 있는 인터넷 연결을 가지고 있 (A) 않는 한, 그들의 스트리밍 경험은 문제를 겪을 것이다. 수신에 곤란한 중단이나 저절로 이탈하는 오디오와 더불어 신호에 끊김이 있을 수 있다. 만약 중단이 너무 길면, 그 서비스는 너무 이르게 끝나서 다시 시작되어야 할 수도 있다. (B) 다행히도, 서비스의 가격은 동일하게 머무르거나 심지어 약간 떨어져 온 반면에, 인터넷 서비스의 속도와 안정성은 개선되어 오고 있다. 이전에는 콘텐츠를 스트리밍할 수 없던 사람들은 더욱 다양하고, 저렴하며, 의지할 수 있는 선택권을 제공받고 있으며, 이는 거의 모든 사람들에게 스트리밍을 이용 가능하도록 한다.

	(A)	(B)
①	만약 ~라면	예를 들어
②	~하지 않는 한	그 후에
③	만약 ~라면	대체로
④	~하지 않는 한	다행히도

해설 (A) 빈칸 앞 문장은 스트리밍이 잘 작동하기 위한 조건에 대한 내용이고, (A) 빈칸 뒤 문장은 스트리밍이 문제를 겪는 조건에 대한 내용이므로, 빈칸에는 부정적 조건을 나타내는 연결어 Unless(~하지 않는 한)를 넣어야 한다. (B) 빈칸 앞 문장은 중단이 길면 서비스가 재시작되어야 한다는 내용이고, (B) 빈칸 뒤 문장은 인터넷 서비스의 좋은 점에 대한 내용이므로, 빈칸에는 긍정적 부연 설명을 나타내는 Fortunately(다행히도)를 넣어야 한다. 따라서 ④번이 정답이다.

어휘 endure 겪다 reception 수신, 접수 drop out 이탈하다 disruption 중단, 분열 lengthy 너무 긴 prematurely 너무 이르게 affordable 저렴한

독해가 쉬워지는 **공무원 필수구문**

문장을 꾸며주는 '접속사 ~' 해석하기 Point 21 이 문장에서 while the price ~ slightly는 앞에 나온 문장 전체를 꾸며주는 수식어이다. 이처럼 접속사가 이끄는 절(while + 주어 + 동사 ~)이 문장을 꾸며주는 경우, '서비스의 가격은 ~ 떨어져 온 반면에'라고 해석한다.

정답: ④

08 밑줄 친 부분에 들어갈 표현으로 가장 적절한 것은?

There are many people who are confused about the differences between Hinduism and Buddhism. Despite both religions having been first introduced on the Indian subcontinent thousands of years ago, they are based on some very different beliefs. In Hinduism, the notion of caste, or social ranking, is paramount. Even to this day you can see the role that the caste system plays in India. On the other hand, Buddhism rejects such an idea outright. _____, one of the Buddha's teachings that appeals to many adherents is the fundamental belief in equality among all beings. Buddha believed that all castes were unified in the same way rivers flowed into the sea. Therefore, while Hinduism and Buddhism share many similarities, there are fundamental differences that set them apart.

① Regardless

② Accordingly

③ In sum

④ In fact

지문 구조 한눈에 보기

지문을 읽고 빈칸에 알맞은 말을 채우시오.

| 도입 | 힌두교와 불교 모두 수천 년 전에 인도 아대륙에서 처음 시작되었음에도 불구하고, 그것들은 몇몇 매우 다른 [1]_____에 근거함 |

| 설명 | 힌두교에서는 카스트의 개념, 즉 사회적 [2]_____이 가장 중요함 | 부연 | 오늘날까지도 인도에서는 카스트 제도가 수행하는 역할을 볼 수 있음 |

| 대조 | 불교는 이러한 생각을 전면적으로 [3]_____함 | 부연 | 많은 지지자의 관심을 끄는 석가모니의 가르침 중 하나는 사람 사이의 [4]_____에 대한 근본적인 믿음임 |

| 요약 | 따라서, 힌두교와 불교가 많은 공통점을 공유하긴 하지만, 그들을 구별하는 [5]_____ 차이들이 있음 |

정답 | 1. 믿음 2. 계급 3. 거부 4. 평등 5. 근본적인

There are many people / who are confused about the differences / between Hinduism and Buddhism.
사람이 많다   차이에 대해 혼동하는   힌두교와 불교 사이의
→ 전치사 despite(~에도 불구하고)

Despite both religions having been first introduced / on the Indian subcontinent / thousands of years
두 종교 모두 처음 시작되었음에도 불구하고   인도 아대륙에서   수천 년 전에

ago, / they are based on / some very different beliefs. In Hinduism, / the notion of caste, / or social
그들은 근거한다   몇몇 매우 다른 믿음에   힌두교에서는   카스트의 개념이   즉 사회적 계급이

ranking, / is paramount. Even to this day / you can see the role / ☆ that the caste system plays /
가장 중요하다   오늘날까지도   당신은 역할을 볼 수 있다   카스트 제도가 수행하는

in India. On the other hand, / Buddhism rejects such an idea / outright. In fact, / one of the Buddha's
인도에서   반면에   불교는 이러한 생각을 거부한다   전면적으로   실제로   석가모니의 가르침 중 하나는

teachings / that appeals to many adherents / is the fundamental belief in equality / among all beings.
많은 지지자들의 관심을 끄는   평등에 대한 근본적인 믿음이다   모든 사람들 사이의

Buddha believed / that all castes were unified / in the same way / rivers flowed into the sea.
석가모니는 믿었다   모든 카스트가 합쳐졌다고   같은 방식으로   강이 바다에 흘러드는

Therefore, / while Hinduism and Buddhism share / many similarities, / there are fundamental
따라서   힌두교와 불교가 공유하긴 하지만   많은 공통점을   근본적인 차이들이 있다
→ set ~ apart: ~을 구별하다, 떼어 놓다

differences / that set them apart.
그들을 구별하는

STEP 1
빈칸 앞뒤 문장의 논리 관계:
첨가

STEP 2
'첨가'를 나타내는 연결어인
④ In fact(실제로)가 정답이다.

해석   힌두교와 불교 사이의 차이에 대해 혼동하는 사람이 많다. 두 종교 모두 수천 년 전에 인도 아대륙에서 처음 시작되었음에도 불구하고, 그들은 몇몇 매우 다른 믿음에 근거한다. 힌두교에서는 카스트의 개념, 즉 사회적 계급이 가장 중요하다. 오늘날까지도 당신은 인도에서 카스트 제도가 수행하는 역할을 볼 수 있다. 반면에, 불교는 이러한 생각을 전면적으로 거부한다. 실제로, 많은 지지자들의 관심을 끄는 석가모니의 가르침 중 하나는 모든 사람들 사이의 평등에 대한 근본적인 믿음이다. 석가모니는 모든 카스트가 강이 바다에 흘러드는 것과 같은 방식으로 합쳐졌다고 믿었다. 따라서, 힌두교와 불교가 많은 공통점을 공유하긴 하지만, 그들을 구별하는 근본적인 차이들이 있다.

① 그럼에도 불구하고   ② 따라서
③ 요약하면   ④ 실제로

해설   빈칸 앞 문장은 불교에서는 사회적 계급을 나누는 힌두교의 카스트 제도를 전면적으로 거부한다는 내용이고, 빈칸 뒤 문장은 모든 사람들 사이의 평등에 대한 근본적인 믿음이 많은 (불교) 지지자들의 관심을 끌었다고 하며 앞 문장의 내용에 첨가하는 내용이다. 따라서 첨가를 나타내는 연결어 ④ In fact (실제로)가 정답이다.

어휘   introduce 시작하다, 소개하다   subcontinent 아대륙   notion 개념, 생각   paramount 가장 중요한   outright 전면적으로; 완전한
appeal 관심을 끌다, 항소하다   adherent 지지자   fundamental 근본적인

독해가 쉬워지는 **공무원 필수구문**

명사를 꾸며주는 '목적격 관계대명사 that / which ~' 해석하기 [Point 17] 이 문장에서 that the caste ~ India는 앞에 나온 명사 the role을 꾸며주는 수식어이다. 이처럼 목적격 관계대명사가 이끄는 절(that + 주어 + 동사 ~)이 명사를 꾸며주는 경우, '카스트 제도가 인도에서 수행하는 역할'이라고 해석한다.

정답: ④

09 밑줄 친 부분에 들어갈 표현으로 가장 적절한 것은?

The whale shark, the largest fish in the world, is considered to be at risk of extinction by conservation groups. Due to its current status, many environmentalists agree that the species needs to be protected. _____, people also believe that fishermen in poor countries should not be prevented from catching whale sharks for food. For these fishermen, their poverty forces them to rely upon any available means for survival. Despite the dropping whale shark population, a large market still exists for their meat. In an attempt to guarantee the animal's future alongside the people's survival, some governments are training local fishermen to become guides on whale shark watching tours. This way, they can still earn money without having to resort to killing the giant fish. With fewer fishermen, the whale shark would no longer be in danger of extinction.

① As a result

② In short

③ At the same time

④ Instead

지문 구조 한눈에 보기

지문을 읽고 빈칸에 알맞은 말을 채우시오.

도입 세계에서 가장 큰 물고기인 고래상어는 자연 보호 단체들에 의해 1_____ 위기에 처한 것으로 여겨짐

설명 환경 운동가들은 이 종이 2_____ 되어야 한다는 것에 동의하지만, 사람들은 가난한 국가의 어민들이 식량을 위해 고래상어를 포획하는 것을 방해받아서도 안 된다고 생각함

부연1 어민들에게 빈곤은 그들이 생존을 위해서 이용 가능한 모든 3_____ 에 의지하도록 만듦

부연2 고래상어 개체 수의 감소에도 불구하고, 여전히 그들의 고기에 대한 거대한 4_____ 이 존재함

해결책 어민들의 생존과 함께 이 동물의 5_____ 를 보장하기 위한 시도로, 몇몇 정부는 지역 어민들을 고래상어 관찰 투어의 가이드가 되도록 훈련하고 있음

부연 그들은 그 거대한 물고기를 죽이지 않고도 계속 돈을 벌 수 있으며, 6_____ 의 수가 적어진다면 고래상어는 더 이상 멸종의 위기에 처하지 않을 것임

정답 | 1. 멸종 2. 보호 3. 수단 4. 시장 5. 미래 6. 어민

지문분석

The whale shark, / the largest fish in the world, / is considered to be at risk of extinction / by
고래상어는   세계에서 가장 큰 물고기인   멸종 위기에 처한 것으로 여겨진다

목적어 자리에 온 명사절 접속사 that

conservation groups. Due to its current status, / many environmentalists agree / (that) the species
자연 보호 단체들에 의해   그것의 현재 상황 때문에   많은 환경 운동가들은 동의한다   이 종이 보호되어야 한다는 것에

needs to be protected. At the same time, / people also believe / that fishermen in poor countries /
방해받아서는 안된다고   동시에   사람들은 또한 생각한다   가난한 국가의 어민들이

should not be prevented / from catching whale sharks for food. For these fishermen, / their poverty
방해받아서는 안된다고   식량을 위해 고래상어를 포획하는 것을   이 어민들에게   그들의 빈곤은

forces them to rely / upon any available means / for survival. Despite the dropping whale shark
그들이 의지하도록 만든다   이용 가능한 모든 수단에   생존을 위해서   고래상어 개체 수의 감소에도 불구하고

in an attempt to ~: ~하기 위한 시도로

population, / a large market still exists / for their meat. In an attempt to guarantee / the animal's future /
거대한 시장이 여전히 존재한다   그들의 고기에 대한   보장하기 위한 시도로   이 동물의 미래를

alongside the people's survival, / some governments are training local fishermen / to become guides /
그 사람들의 생존과 함께   몇몇 정부는 지역 어민들을 훈련시키고 있다   가이드가 되도록

resort to ~: ~에 의지하다

on whale shark watching tours. This way, / they can still earn money / without having to resort to /
고래상어 관찰 투어의   이러한 방법으로   그들은 계속 돈을 벌 수 있다   의지하지 않고도

killing the giant fish. With fewer fishermen, / the whale shark / would no longer be in danger of
그 거대한 물고기를 죽이는 것에   어민의 수가 적어진다면   고래상어는   더 이상 멸종의 위기에 처하지 않을 것이다

extinction.

STEP 1
빈칸 앞뒤 문장의 논리 관계:
대립하는 내용 부연 설명

STEP 2
'부연'을 나타내는 연결어인
③ At the same time(동시에)이 정답이다.

해석 세계에서 가장 큰 물고기인 고래상어는 자연 보호 단체들에 의해 멸종 위기에 처한 것으로 여겨진다. 그것의 현재 상황 때문에, 많은 환경 운동가들은 이 종이 보호되어야 한다는 것에 동의한다. 동시에, 사람들은 또한 가난한 국가의 어민들이 식량을 위해 고래상어를 포획하는 것을 방해받아서는 안 된다고 생각한다. 이 어민들에게, 그들의 빈곤은 그들이 생존을 위해서 이용 가능한 모든 수단에 의지하도록 만든다. 고래상어 개체 수의 감소에도 불구하고, 여전히 그들의 고기에 대한 거대한 시장이 존재한다. 그 사람들(어민들)의 생존과 함께 이 동물의 미래를 보장하기 위한 시도로, 몇몇 정부는 지역 어민들을 고래상어 관찰 투어의 가이드가 되도록 훈련시키고 있다. 이러한 방법으로, 그들은 그 거대한 물고기를 죽이는 것에 의지하지 않고도 계속 돈을 벌 수 있다. 어민의 수가 적어진다면, 고래상어는 더 이상 멸종의 위기에 처하지 않을 것이다.

① 그 결과   ② 요약하면
③ 동시에   ④ 대신

해설 빈칸 앞 문장은 많은 환경 운동가들이 고래상어가 보호되어야 한다는 데 동의한다는 내용이고, 빈칸 뒤 문장은 사람들이 가난한 나라의 어민들이 식량을 위해 고래상어를 포획하는 것을 막아서는 안 된다고 생각한다는 대립적인 내용이다. 따라서 대립하는 내용의 부연 설명을 나타내는 연결어인 ③ At the same time(동시에)이 정답이다.

어휘 extinction 멸종 conservation 보호, 보존 status 상황 environmentalist 환경 운동가 poverty 빈곤, 가난 rely upon ~에 의지하다
population 개체 수, 인구 guarantee 보장하다 alongside ~와 함께

독해가 쉬워지는 **공무원 필수구문**

if 없이 상황을 반대로 가정하는 가정법 해석하기 [Point 27] 이 문장에서 With fewer fisherman, ~ would no longer be ~는 with를 사용한 가정법 구문으로, 어민의 수가 적지 않은 현재의 상황을 반대로 가정하여 말하고 있다. 이처럼 if 없이 **with**를 사용하여 상황을 반대로 가정하는 경우, 'would + 동사원형'에 유의하며 '어민의 수가 적어진다면, 고래상어는 더 이상 멸종 위기에 처하지 않을 것이다'라고 해석한다.

정답: ③

10 다음 글의 빈칸 (A), (B)에 들어갈 말로 가장 적절한 것끼리 짝지은 것은?

Though the world has changed a lot in the last few decades, the teaching system has remained relatively the same. Students go to school, listen to lectures, complete homework, and cram for tests. ____(A)____, a growing belief among educators is that this system only teaches students to memorize information. To gain and retain knowledge, students must be able to master the subjects they are studying. This would involve actively engaging with the material and demonstrating that they do not merely know the information, but can also use it. One proposed method is to assign video lectures as a prerequisite that students must view at home, and at their own pace. Class time could be used for discussions that encourage students to apply what they have learned. ____(B)____, they would be able to develop a deeper comprehension of the information, and ultimately, master it.

	(A)	(B)		(A)	(B)
①	Otherwise	Instead	②	After all	Nevertheless
③	Yet	Consequently	④	As a result	However

지문 구조 한눈에 보기

지문을 읽고 빈칸에 알맞은 말을 채우시오.

도입 지난 몇십 년 동안 세상이 많이 바뀌었지만 ¹_____ 제도는 상대적으로 동일하게 남아있음
→ **부연 |** 학생들은 학교에 가고, 강의를 듣고, 숙제를 완료하고, 시험을 위해 벼락치기 공부를 함

설명1 교육자들 사이에서 커지는 생각은 이 제도가 학생들에게 오직 정보를 ²_____ 하도록 가르친다는 것임
→ **부연 1 |** 학생들은 그들이 공부하고 있는 과목을 완전히 익힐 수 있어야만 함
→ **부연 2 |** 이것은 적극적으로 내용을 연관시키는 것과 정보를 활용할 수 있다는 것을 입증하는 것을 포함할 것임

설명2 한 가지 제안된 방법은 동영상 강의를 학생들이 그들 자신에게 맞는 속도로 집에서 봐야 하는 ³_____ 으로 지정하는 것임
→ **부연 |** 수업 시간은 학생들에게 그들이 배운 것을 적용해 보는 것을 장려하는 ⁴_____ 을 위해 사용될 수 있음

결론 학생들은 정보에 대해 더 깊은 ⁵_____ 를 증진시킬 수 있을 것이며, 궁극적으로는 그것을 완전히 익힐 수 있을 것임

정답 | 1. 교육 2. 암기 3. 필수 조건 4. 토론 5. 이해

Though the world has changed a lot / in the last few decades, / the teaching system / has remained
세상이 많이 바뀌었지만   지난 몇십 년 동안   교육 제도는

relatively the same. Students go to school, / listen to lectures, / complete homework, / and cram /
상대적으로 동일하게 남아있다   학생들은 학교에 가고   강의를 듣고   숙제를 완료하고   그리고 벼락치기 공부를 한다

for tests. (A) Yet, / a growing belief among educators is / that this system only teaches students / to
시험을 위해   하지만   교육자들 사이에서 커지는 생각은   이 제도가 학생들에게 오직 가르친다는 것이다
↳보어 자리에 온 명사절 접속사 that

memorize information.   To gain and retain knowledge, / students must be able to master / the
정보를 암기하도록   지식을 얻고 유지하기 위해   학생들은 완전히 익힐 수 있어야만 한다

subjects they are studying. This would involve / actively engaging with the material / and
그들이 공부하고 있는 과목을   이것은 포함할 것이다   적극적으로 내용을 연관시키는 것을   그리고

demonstrating / that they do not merely know the information, / but can also use it. One proposed
입증하는 것을   그들이 그저 정보를 알고 있기만 한 것이 아니라는 것을   그러나 또한 활용할 수 있다는 것을   한 가지 제안된
↳명사 역할을 하는 to 부정사

method / is to assign video lectures / as a prerequisite / that students must view at home, / and at
방법은   동영상 강의를 지정하는 것이다   필수 조건으로   학생들이 집에서 봐야 하는   그리고
= the thing that

their own pace. Class time could be used / for discussions / that encourage students to apply / what
그들 자신에게 맞는 속도로   수업 시간은 사용될 수 있다   토론을 위해   학생들에게 적용해 보는 것을 장려하는

they have learned. (B) Consequently, / they would be able to develop / a deeper comprehension of
그들이 배운 것을   그 결과   그들은 증진시킬 수 있을 것이다   정보에 대한 더 깊은 이해를

the information, / and ultimately, / master it.
그리고 궁극적으로   그것을 완전히 익힐 수 있을 것이다

STEP 1
빈칸 앞뒤 문장의 논리 관계:
(A) 전환
(B) 결론

STEP 2
빈칸 (A)에 전환을 나타내는 연결어 Yet(하지만), 빈칸 (B)에 결론을 나타내는 연결어 Consequently(그 결과)가 있는 ③번이 정답이다.

해석 지난 몇십 년 동안 세상이 많이 바뀌었지만, 교육 제도는 상대적으로 동일하게 남아있다. 학생들은 학교에 가고, 강의를 듣고, 숙제를 완료하고, 그리고 시험을 위해 벼락치기 공부를 한다. (A) 하지만, 교육자들 사이에서 커지는 생각은 이 제도가 학생들에게 오직 정보를 암기하도록 가르친다는 것이다. 지식을 얻고 유지하기 위해, 학생들은 그들이 공부하고 있는 과목을 완전히 익힐 수 있어야만 한다. 이것은 적극적으로 내용을 연관시키는 것과 그들이 그저 정보를 알고 있기만 한 것이 아니라 또한 활용할 수 있다는 것을 입증하는 것을 포함할 것이다. 한 가지 제안된 방법은 동영상 강의를 학생들이 그들 자신에게 맞는 속도로 집에서 봐야 하는 필수 조건으로 지정하는 것이다. 수업 시간은 학생들에게 그들이 배운 것을 적용해 보는 것을 장려하는 토론을 위해 사용될 수 있다. (B) 그 결과, 그들은 정보에 대해 더 깊은 이해를 증진시킬 수 있을 것이며, 궁극적으로 그것을 완전히 익힐 수 있을 것이다.

(A)	(B)	(A)	(B)
① 그렇지 않으면	대신	② 결국	그럼에도 불구하고
③ 하지만	그 결과	④ 결과적으로	하지만

해설 (A) 빈칸 앞 문장은 세상이 많이 바뀌었음에도 교육 방식은 상대적으로 예전과 동일하다는 내용이고, 빈칸 뒤 문장은 이 제도가 학생들에게 정보 암기만 가르친다는 내용이다. 따라서 전환을 나타내는 연결어인 Yet(하지만)을 넣어야 한다. (B) 빈칸 앞 문장은 수업 시간이 학습한 내용을 적용해 보는 토론을 위해 사용될 수 있다는 내용이고, 빈칸 뒤 문장은 학생들이 정보를 더 깊게 이해하고 궁극적으로는 완전히 익힐 수 있을 것이라는 결론적인 내용이다. 따라서 결론을 나타내는 연결어인 Consequently(그 결과)를 넣어야 한다. 따라서 ③번이 정답이다.

어휘 cram 벼락치기 공부를 하다   engage with ~와 연관시키다   demonstrate 입증하다   assign 지정하다   prerequisite 필수 조건   comprehension 이해

독해가 쉬워지는 **공무원 필수구문**

동사나 문장을 꾸며주는 to 부정사 해석하기 [Point 19] 이 문장에서 To gain and retain knowledge는 뒤에 나온 문장을 꾸며주는 수식어이다. 이처럼 to 부정사(To gain ~)가 문장을 꾸며주는 경우, '지식을 얻고 유지하기 위해'라고 해석한다.

정답: ③

11 다음 글의 빈칸 (A), (B)에 들어갈 말로 가장 적절한 것끼리 짝지은 것은?

The term "hackers" is misunderstood by many, but in reality, hackers are people who have an excellent understanding of computer systems and how they work. They utilize their skills and knowledge to discover the weaknesses in a system. Their objective is to give warnings and to improve a vulnerable system by providing or designing fixes to make that system more secure. _____(A)_____, crackers use their expertise to access a computer system without the authorization of the individual or organization that owns it. Their objective is to procure private information and use it in a way that benefits them but endangers the owner. _____(B)_____, they may threaten to reveal the stolen information, thus damaging the reputation of their target, if their financial demands are not met. Owners sometimes give in to such requests to protect their data. Less frequently, crackers break into systems for the thrill of destroying data.

	(A)	(B)		(A)	(B)
①	In contrast	For example	②	Moreover	Therefore
③	However	Similarly	④	Nevertheless	Consequently

지문 구조 한눈에 보기

지문을 읽고 빈칸에 알맞은 말을 채우시오.

도입 현실에서 해커는 컴퓨터 시스템과 그들이 작동하는 방법에 대해 탁월한 [1]_____를 가진 사람들임

설명 그들은 시스템의 [2]_____을 밝혀내기 위해 그들의 기술과 지식을 활용함

부연 그들의 목적은 시스템을 더 [3]_____하게 만들기 위해 해결책을 제공, 설계함으로써 취약한 시스템에 대해 경고하고 개선하는 것임

부연1 그들의 목적은 사적인 정보를 입수하여 악의적으로 이용하는 것임

부연2 그들은 만약 그들의 금전적 [4]_____가 충족되지 않는다면 훔친 정보를 공개해서 그들의 목표 대상의 평판을 손상시키겠다고 위협할 수 있음

대조 크래커는 그것을 소유하고 있는 개인이나 기관의 허가 없이 컴퓨터 시스템에 접근하기 위해 그들의 전문 지식을 사용함

부연3 소유주들은 데이터를 보호하기 위해 종종 요구에 굴복함

부연4 크래커는 데이터를 파괴하는 스릴을 위해 시스템에 침입하기도 함

정답 11. ① 해석 1. 이해 2. 약점 3. 안전 4. 요구

The term "hackers" is misunderstood / by many, / but in reality, / hackers are people / (who)
'해커'라는 용어는 오해를 받는다　　많은 사람들에게　그러나 현실에서　해커는 사람들이다
주격 관계대명사 who

have an excellent understanding / of computer systems / and how they work. They utilize / their skills
탁월한 이해를 가진　　컴퓨터 시스템에 대해　그리고 그것들이 작동하는 방법에 대해 그들은 활용한다　그들의 기술과

and knowledge / to discover the weaknesses in a system. Their objective / is to give warnings / and to
지식을　　시스템의 약점을 밝혀내기 위해　그들의 목적은　경고하는 것이다
명사 역할을 하는 to 부정사

improve a vulnerable system / by providing or designing fixes / to make that system more secure.
그리고 취약한 시스템을 개선하는 것이다　해결책을 제공하거나 설계함으로써　그 시스템을 더 안전하게 만들기 위해

(A) In contrast, / crackers use their expertise / to access a computer system / without the authorization /
대조적으로　크래커는 그들의 전문 지식을 사용한다　컴퓨터 시스템에 접근하기 위해　허가 없이

of the individual or organization / that owns it. Their objective / is to procure private information / and
개인이나 기관의　　그것을 소유하고 있는　그들의 목적은　사적인 정보를 입수하는 것이다　그리고

use it / in a way that benefits them / but endangers the owner. (B) For example, / they may threaten /
그것을 사용하는 것이다 그들을 이롭게 하는 방식으로　그러나 소유주를 위험에 빠뜨리는　예를 들어　그들은 위협할 수 있다

to reveal the stolen information, / thus damaging the reputation / of their target, / if their financial
훔친 정보를 공개하겠다고　그래서 평판을 손상시키겠다고　그들의 목표 대상의　만약 그들의 금전적

demands are not met. Owners sometimes give in / to such requests / to protect their data. Less
요구가 충족되지 않는다면　소유주들은 종종 굴복한다　그러한 요구에　그들의 데이터를 보호하기 위해
break into ~: ~에 침입하다

frequently, / crackers break into systems / for the thrill of destroying data.
덜 빈번하게　크래커는 시스템에 침입한다　데이터를 파괴하는 스릴을 위해

STEP 1
빈칸 앞뒤 문장의 논리 관계:
(A) 대조
(B) 예시

STEP 2
빈칸 (A)에 대조를 나타내는 연결어 In contrast(대조적으로), 빈칸 (B)에 예시를 나타내는 연결어 For example(예를 들어)가 있는 ①번이 정답이다.

Chapter 07

빈칸 완성② 연결어 해커스공무원 영어 독해

해석 '해커'라는 용어는 많은 사람들에게 오해를 받지만, 현실에서 해커는 컴퓨터 시스템과 그것들이 작동하는 방법에 대해 탁월한 이해를 가진 사람들이다. 그들은 시스템의 약점을 밝혀내기 위해 그들의 기술과 지식을 활용한다. 그들의 목적은 시스템을 더 안전하게 만들기 위해 해결책을 제공하거나 설계함으로써 취약한 시스템에 대해 경고하고 개선하는 것이다. (A) 대조적으로, 크래커는 그것을 소유하고 있는 개인이나 기관의 허가 없이 컴퓨터 시스템에 접근하기 위해 그들의 전문 지식을 사용한다. 그들의 목적은 사적인 정보를 입수하고 그들을 이롭게 하지만 소유주를 위험에 빠뜨리는 방식으로 그것을 사용하는 것이다. (B) 예를 들어, 그들은 만약 그들의 금전적 요구가 충족되지 않는다면 훔친 정보를 공개해서 그들의 목표 대상의 평판을 손상시키겠다고 위협할 수 있다. 소유주들은 그들의 데이터를 보호하기 위해 종종 그러한 요구에 굴복한다. 덜 빈번하게, 크래커는 데이터를 파괴하는 스릴을 위해 시스템에 침입한다.

(A)	(B)	(A)	(B)
① 대조적으로	예를 들어	② 게다가	그러므로
③ 하지만	마찬가지로	④ 그럼에도 불구하고	결과적으로

해설 (A) 빈칸 앞 문장은 해커가 취약한 시스템에 대해 경고하고 개선한다는 내용이고, 빈칸 뒤 문장은 크래커는 다른 사람의 시스템에 접근하기 위해 그들의 전문 지식을 사용한다는 대조되는 내용이다. 따라서 빈칸에는 대조를 나타내는 연결어인 In contrast(대조적으로)를 넣어야 한다. (B)의 빈칸 앞 문장은 크래커의 목적은 사적인 정보를 사용하기 위함이라는 내용이고, 빈칸 뒤 문장은 크래커들의 요구가 충족되지 않을 시 훔친 정보를 공개하겠다고 위협할 수 있다며 앞에 나온 내용에 대한 예시를 들고 있다. 따라서 빈칸에는 예시를 나타내는 연결어인 For example(예를 들어)을 넣어야 한다. 따라서 ①번이 정답이다.

어휘 vulnerable 취약한　authorization 허가　procure 입수하다　endanger 위험에 빠뜨리다　reputation 평판

독해가 쉬워지는 **공무원 필수구문**

be + p.p. 형태의 동사 해석하기 **Point 04** 이 문장에서 동사는 is misunderstood이다. 이처럼 동사가 be + p.p.(is misunderstood)의 형태로 쓰여 수동의 의미를 가지는 경우, '오해를 받는다'라고 해석한다.

정답: ①

12 밑줄 친 (A), (B)에 들어갈 말로 가장 적절한 것은?

Beliefs about maintaining ties with those who have died vary from culture to culture. For example, maintaining ties with the deceased is accepted and sustained in the religious rituals of Japan. Yet among the Hopi Indians of Arizona, the deceased are forgotten as quickly as possible and life goes on as usual _____(A)_____, the Hopi funeral ritual concludes with a break-off between mortals and spirits. The diversity of grieving is nowhere clearer than in two Muslim societies–one in Egypt, the other in Bali. Among Muslims in Egypt, the bereaved are encouraged to dwell at length on their grief, surrounded by others who relate to similarly tragic accounts and express their sorrow. _____(B)_____, in Bali, bereaved Muslims are encouraged to laugh and be joyful rather than be sad.

	(A)	(B)
①	However	Similarly
②	In fact	By contrast
③	Therefore	For example
④	Likewise	Consequently

지문 구조 한눈에 보기

지문을 읽고 빈칸에 알맞은 말을 채우시오.

주제문 죽은 사람들과의 유대 관계를 유지하는 것에 대한 생각은 [1] _____ 마다 다름

예시1 일본의 종교의식에서 고인과의 유대 관계를 [2] _____ 하는 것은 받아들여지고 지속됨

예시2 애리조나주의 호피족 인디언들 사이에서 고인은 가능한 한 빠르게 잊히고 삶은 평소처럼 계속됨

예시3 이집트의 이슬람교도들 사이에서 유족들은 [3] _____ 을 오랫동안 자세히 이야기하도록 격려되는 반면, 발리의 이슬람교도 유족들은 웃고 기뻐하도록 격려됨

정답 1. 문화 2. 유지 3. 슬픔

지문분석

Beliefs about maintaining ties / with those who have died / vary from culture to culture. For example, /
유대 관계를 유지하는 것에 대한 생각은　　죽은 사람들과의　　문화마다 다르다　　예를 들어
those who: ~하는 사람들

maintaining ties / with the deceased / is accepted and sustained / in the religious rituals of Japan.
유대 관계를 유지하는 것은　　고인과의　　받아들여지고 지속된다　　일본의 종교 의식에서

Yet / among the Hopi Indians of Arizona, / the deceased are forgotten / as quickly / as possible /
하지만　　애리조나주의 호피족 인디언들 사이에서　　고인은 잊힌다　　빠르게　　가능한 한
the + 형용사: ~한 사람들

and life goes on / as usual. (A) In fact, / the Hopi funeral ritual / concludes with a break-off / between
그리고 삶은 계속된다　　평소처럼　　실제로　　호피족의 장례 의식은　　단절로 마무리된다

mortals and spirits. The diversity of grieving / is nowhere clearer / than in two Muslim societies / —one in
인간들과 영혼들 사이의　　애도의 차이가　　더 뚜렷한 곳은 없다　　두 이슬람 사회보다　　이집트와

Egypt, / the other in Bali. Among Muslims in Egypt, / the bereaved are encouraged / to dwell at length /
발리에 있는　　이집트의 이슬람교도들 사이에서　　유족들은 격려된다　　오랫동안 자세히 이야기하도록
부정대명사 the other: 정해진 것 중 남은 것 전부

on their grief, / surrounded by others / who relate / to similarly tragic accounts / and express their
자신들의 슬픔을　　다른 사람들에 둘러싸여　　언급하는　　유사한 비극적 이야기에 대해　　그리고 그들의 슬픔을 표하는

sorrow. (B) By contrast, / in Bali, / bereaved Muslims are encouraged / to laugh / and be joyful / rather
슬픔을　　그에 반해　　발리에서는　　이슬람교도 유족들은 격려된다　　웃고　　기뻐하도록

than be sad.
슬퍼하기보다는

STEP 1
빈칸 앞뒤 문장의 논리 관계:
(A) 첨가
(B) 대조

STEP 2
빈칸 (A)에 첨가를 나타내는 연결어 In fact(실제로), 빈칸 (B)에 대조를 나타내는 연결어 By contrast(그에 반해)가 있는 ②번이 정답이다.

해석 죽은 사람들과의 유대 관계를 유지하는 것에 대한 생각은 문화마다 다르다. 예를 들어, 고인과의 유대 관계를 유지하는 것은 일본의 종교의식에서 받아들여지고 지속된다. 하지만 애리조나주의 호피족 인디언들 사이에서, 고인은 가능한 한 빠르게 잊히고 삶은 평소처럼 계속된다. (A) 실제로, 호피족의 장례 의식은 인간들과 영혼들 사이의 단절로 마무리된다. 애도의 차이가 이집트와 발리에 있는 두 이슬람 사회보다 더 뚜렷한 곳은 없다. 이집트의 이슬람교도들 사이에서, 유족들은 유사한 비극적 이야기에 대해 언급하고 그들의 슬픔을 표하는 다른 사람들에 둘러싸여 자신들의 슬픔을 오랫동안 자세히 이야기하도록 격려된다. (B) 그에 반해, 발리에서는, 이슬람교도 유족들은 슬퍼하기보다는 웃고 기뻐하도록 격려된다.

	(A)	(B)
①	하지만	비슷하게
②	실제로	그에 반해
③	그러므로	예를 들어
④	마찬가지로	그 결과

해설 (A) 빈칸 앞 문장은 호피족 인디언들 사이에서 고인은 가능한 한 빨리 잊히고 삶은 평소처럼 계속된다는 내용이고, 빈칸 뒤 문장은 호피족의 장례 의식은 인간들과 영혼들 사이의 단절로 마무리된다고 하며 앞 문장의 내용에 첨가하는 내용이다. 따라서 첨가를 나타내는 연결어인 In fact(실제로)를 넣어야 한다.
(B) 빈칸 앞 문장은 이집트의 이슬람교도 유족들은 다른 사람들에 둘러싸여 자신들의 슬픔을 오랫동안 자세히 이야기하도록 격려된다는 내용이고, 빈칸 뒤 문장은 발리의 이슬람교도 유족들은 슬퍼하기보다는 웃고 기뻐하도록 격려된다는 대조적인 내용이므로 대조를 나타내는 연결어 By contrast(그에 반해)를 넣어야 한다. 따라서 ②번이 정답이다.

어휘 tie 유대 관계, 인연　the deceased 고인　sustain 지속하다　ritual 의식　as usual 평소처럼　mortal 인간; 언젠가는 반드시 죽는　grieve 애도하다
the bereaved 유족　dwell on ~을 자세히 이야기하다　account 이야기, 계좌　sorrow 슬픔

독해가 쉬워지는 **공무원 필수구문**

주어 자리에 온 동명사구 해석하기 [Point 01] 이 문장에서 주어는 maintaining ties with the deceased이다. 이처럼 동명사구(maintaining ~)가 주어 자리에 온 경우, '유지하는 것은'이라고 해석한다.

정답: ②

gosi.Hackers.com

공부를 하다 보면 나 빼고는 모두 잘 지내고 다들 성장하고 있는 것
같은 데 나만 멈춰 있는 것 같다는 생각을 많이 했었습니다.
오히려 스트레스를 풀려고 친구들을 만났는데 이상한 이질감을 느끼며
더욱 우울해지곤 했습니다. 그래서 처음에는 친구들과의 연락도 끊고
메신저도 지우고 했었지만 가끔씩 친한 친구들과 점심시간이나 집에
가며 연락하는 시간을 통해 기운을 내기도 하고 스트레스를 풀기도 했습니다.

그렇지만 수험생이라고 항상 모든 시간을 공부만 하는 것은 아닙니다.
남는 시간들을 이용해 운동이나 원래 하던 취미활동을 공부에
방해되지 않는 선에서 하는 것은 매우 도움이 된다고 생각합니다.

그리고 의지가 되는 사람이 있다는 게 중요합니다. 저는 스터디를 하며
많은 도움을 받았는데 스터디가 잘못하면 친목모임으로 이어져
공부에 방해될 수 있다고들 하지만 저는 같은 처지의 스터디원들과 함께
공부하고 같이 공감도 해가며 공부할 수 있었기에 더욱 도움이 되었던 것 같습니다.

– 국가직 9급 합격자 정*경

Section 4
논리적 흐름 파악 유형

Chapter 08

문단 순서 배열

주어진 문단을 알맞은 순서로 배열하는 문제 유형이다.

☐ 출제 경향

· 공무원 영어 시험에 거의 매년 1문제 이상 출제되는 빈출 유형 중 하나이다.
· 첫 문장이 주어지고, 그다음에 이어질 3개 문단의 순서를 올바르게 배열하는 문제가 주로 출제된다.

☐ STEP별 문제 풀이 전략

STEP 1 주어진 문장을 읽고 지문의 흐름을 예상한다.

- 주어진 문장을 통해 지문의 중심 소재를 파악하고 이후에 나올 내용을 예상한다. 주어진 문장 다음에는 주로 지문의 중심 소재에 대한 세부 설명이나 시간에 따른 전개 과정을 설명하는 내용이 이어지는 경우가 많다.

  주어진 문장 Interest in movie and sports stars goes beyond their performances on the screen and in the arena.
  영화와 스포츠 스타에 대한 관심은 스크린과 경기장에서의 그들의 활약의 범위를 넘어선다.

  → 주어진 문장을 통해 지문의 중심 소재가 영화와 스포츠 스타에 대한 관심임을 파악하고, 이와 관련된 세부 내용 설명으로 이어질 것임을 예상한다.

STEP 2 문단 내 단서를 통해 서로의 순서를 파악하고 이를 알맞게 배열한 보기를 선택한다.

- 문단 내에 he, she, they와 같은 인칭대명사나 it, that, these와 같은 지시대명사가 등장하는 경우, 그것들이 가리키는 대상을 중심으로 문단의 순서를 파악한다. 이때 대명사가 가리키는 대상과 대명사의 단수, 복수 일치 여부에 유의한다.

- 문단 내에 연결어가 등장하는 경우, 지문의 흐름과 연결어의 의미에 유의하여 문단의 순서를 파악한다.

대조·전환	but/however/yet 하지만, 그러나		in contrast 대조적으로		instead 대신
예시	for example/for instance 예를 들어				
첨가·부연	also 또한		in addition/additionally/moreover 게다가		
이유·결과	because of ~때문에		as a result 그 결과		accordingly 따라서

☐ 전략 적용

주어진 글 다음에 이어질 글의 순서로 알맞은 것은?　　　　[2023년 국가직 9급]

> All civilizations rely on government administration. Perhaps no civilization better exemplifies this than ancient Rome.

> (A) To rule an area that large, the Romans, based in what is now central Italy, needed an effective system of government administration.
> (B) Actually, the word "civilization" itself comes from the Latin word *civis*, meaning "citizen."
> (C) Latin was the language of ancient Rome, whose territory stretched from the Mediterranean basin all the way to parts of Great Britain in the north and the Black Sea to the east.

① (A) – (B) – (C)
② (B) – (A) – (C)
③ (B) – (C) – (A)
④ (C) – (A) – (B)

STEP 1

주어진 문장을 읽고 지문의 흐름 예상하기

주어진 문장을 통해 지문의 중심 소재가 문명에 필요한 정부 행정임을 파악하고, 이와 관련된 세부 내용 설명으로 이어질 것임을 예상한다.

STEP 2

문단 내 단서를 통해 서로의 순서를 파악하고 이를 알맞게 배열한 보기 선택하기

· (B) 연결어 Actually와 the world "civilization"을 통해 (B)가 주어진 문장에 대해 보충 설명하고 있음을 파악한다.
· (C) Latin과 문단의 내용을 통해 (C)가 (B)의 내용을 보충 설명하고 있음을 파악한다.
· (A) To rule an area that large와 문단의 내용을 통해 (A)가 (C)의 territory stretched from ~ to the east에 대해 설명하고 있음을 파악한다.

해석

> 모든 문명은 정부의 행정에 의존한다. 아마도 고대 로마보다 이것을 더 잘 보여주는 문명은 없을 것이다.

(A) 로마인들은 현재의 중부 이탈리아에 기반을 둔 그렇게 넓은 지역을 통치하기 위해, 효과적인 정부 행정 시스템이 필요했다.
(B) 사실, '문명'이라는 단어 자체는 '시민'을 의미하는 라틴어 'civis'에서 왔다.
(C) 라틴어는 고대 로마의 언어였는데, 그들의 영토는 지중해의 분지에서 북쪽의 그레이트브리튼 섬의 일부와 동쪽의 흑해까지 뻗어 있었다.

어휘　civilization 문명　administration 행정　exemplify 보여주다　ancient 고대의　rule 통치하다　effective 효과적인　territory 영토
stretch 뻗어 있다, 이르다　basin 분지

정답: ③

Hackers Test

앞에서 배운 STEP별 전략을 적용하여 문제를 풀어보자.

01 다음 주어진 문장에 이어질 글의 순서로 가장 적절한 것은?

> Over the next two decades, energy production will change completely.

(A) There are three main sources of energy that the nation depends on at the moment. The first is coal-based power, which generates half of the country's electricity. The other two are natural gas and nuclear power, and they make up about 40 percent.

(B) Additionally, solar power is also anticipated to play a much larger role by then. It is expected to cover 15 percent of the country's energy needs, while the use of natural gas will largely decrease.

(C) By 2030, however, scientists believe this situation will be dramatically different. Popular predictions state that the leading source of electricity will be wind power, not coal.

① (A)—(B)—(C) ② (A)—(C)—(B)

③ (B)—(A)—(C) ④ (C)—(A)—(B)

지문 구조 한눈에 보기

지문을 읽고 빈칸에 알맞은 말을 채우시오.

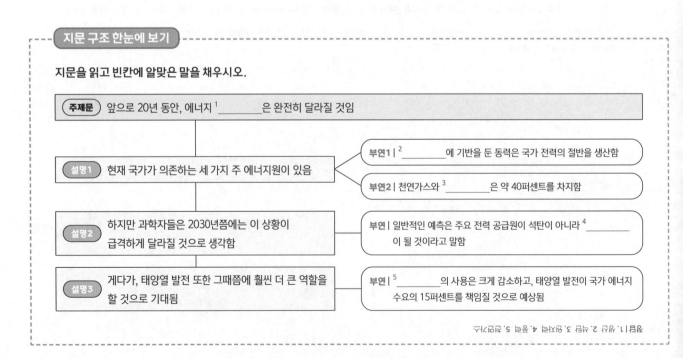

주제문 앞으로 20년 동안, 에너지 ¹ _____ 은 완전히 달라질 것임

설명1 현재 국가가 의존하는 세 가지 주 에너지원이 있음

부연1 | ² _____ 에 기반을 둔 동력은 국가 전력의 절반을 생산함

부연2 | 천연가스와 ³ _____ 은 약 40퍼센트를 차지함

설명2 하지만 과학자들은 2030년쯤에는 이 상황이 급격하게 달라질 것으로 생각함

부연 | 일반적인 예측은 주요 전력 공급원이 석탄이 아니라 ⁴ _____ 이 될 것이라고 말함

설명3 게다가, 태양열 발전 또한 그때쯤에 훨씬 더 큰 역할을 할 것으로 기대됨

부연 | ⁵ _____ 의 사용은 크게 감소하고, 태양열 발전이 국가 에너지 수요의 15퍼센트를 책임질 것으로 예상됨

정답 | 1. 생산 2. 석탄 3. 원자력 4. 풍력 5. 천연가스

Over the next two decades, / energy production will change / completely.
앞으로 20년 동안　　　　에너지 생산은 달라질 것이다　　　완전히

(A) There are three main sources of energy / that the nation depends on / at the moment. The first
세 가지 주 에너지원이 있다　　　　　　국가가 의존하는　　　　　현재　　　첫 번째는

is coal-based power, / which generates half of the country's electricity. The other two / are natural
석탄에 기반을 둔 동력인데　　　이것은 국가 전력의 절반을 생산한다　　　나머지 두 개는
→ 부정형용사 the other(정해진 것 중 남은 것의)

gas and nuclear power, / and they make up about 40 percent.
천연가스와 원자력이며　　　그들은 약 40퍼센트를 차지한다

(B) Additionally, / solar power is also anticipated / to play a much larger role / by then. It is expected to
　↑연결어 단서
게다가　　　　태양열 발전 또한 기대된다　　　훨씬 더 큰 역할을 할 것으로　　　그때쯤에 그것은 책임질 것으로 예상된다

cover / 15 percent of the country's energy needs, / while / the use of natural gas / will largely decrease.
　　국가 에너지 수요의 15퍼센트를　　　반면　　천연가스의 사용은　　　크게 감소할 것이다
　　↑연결어 단서

(C) By 2030, / however, / scientists believe / this situation will be dramatically different. Popular
2030년쯤에는　하지만　과학자들은 생각한다　　이 상황이 급격하게 달라질 것으로

predictions state / that the leading source of electricity / will be wind power, / not coal.
일반적인 예측은 말한다　　　주요 전력 공급원이　　　　　풍력이 될 것이라고　석탄이 아니라

해석

앞으로 20년 동안, 에너지 생산은 완전히 달라질 것이다.

(A) 현재 국가가 의존하는 세 가지 주 에너지원이 있다. 첫 번째는 석탄에 기반을 둔 동력인데, 이것은 국가 전력의 절반을 생산한다. 나머지 두 개는
천연가스와 원자력이며, 그들은 약 40퍼센트를 차지한다.

(B) 게다가, 태양열 발전 또한 그때쯤에 훨씬 더 역할을 할 것으로 기대된다. 천연가스의 사용은 크게 감소할 것인 반면, 그것(태양열 발전)은 국가 에너지
수요의 15퍼센트를 책임질 것으로 예상된다.

(C) 하지만, 과학자들은 2030년쯤에는 이 상황이 급격하게 달라질 것으로 생각한다. 일반적인 예측은 주요 전력 공급원이 석탄이 아니라 풍력이 될
것이라고 말한다.

해설 주어진 문장에서 앞으로 20년 동안 에너지 생산이 완전히 달라질 것이라고 한 후, (A)에서 현재 국가가 의존하는 주 에너지원들과 그 비중을 언급하였다.
이어서 (C)에서 2030년쯤에는 상황이 급격하게 달라질 것이며, 풍력이 주요 전력 공급원이 될 것이라는 예측이 일반적이라고 하고, 뒤이어 (B)에서 태양열
발전 또한 그때쯤에 더 큰 역할을 할 것으로 기대된다고 설명하고 있다. 따라서 주어진 문장 다음에 이어질 순서는 ② (A)-(C)-(B)이다.

어휘 coal 석탄　generate 생산하다, 발생시키다　nuclear power 원자력　anticipate 기대하다, 예상하다　cover 책임지다　leading 주요한

독해가 쉬워지는 **공무원 필수구문**

명사를 꾸며주는 '목적격 관계대명사 that / which ~' 해석하기 Point 17 이 문장에서 that the nation depends on은 앞에 나온 명사 three main
sources of energy를 꾸며주는 수식어이다. 이처럼 목적격 관계대명사가 이끄는 절(that + 주어 + 동사 ~)이 명사를 꾸며주는 경우, '국가가 의존하는 ~
에너지원'이라고 해석한다.

정답: ②

02 다음 주어진 글에 이어질 글의 순서로 가장 적절한 것은?

> Sedimentary rocks can form on land or underwater. In either case, the process follows the same basic steps.

(A) This stage of the process is known as cementation. The crystals act as an adhesive and hold the bits of deposited matter together. Once this stage is complete, the cycle begins all over again.

(B) Rock formation begins when materials such as mud and sand are transported to an area where they can settle, either on the earth's surface or in a body of water. Once the materials have been deposited, they start to build up in layers.

(C) As these accumulate, the weight of each additional layer puts pressure on the ones below it. This compresses the materials, squeezing out any water they may contain. The pressure also causes different salt crystals to form.

① (A) — (C) — (B)   ② (B) — (A) — (C)

③ (B) — (C) — (A)   ④ (C) — (A) — (B)

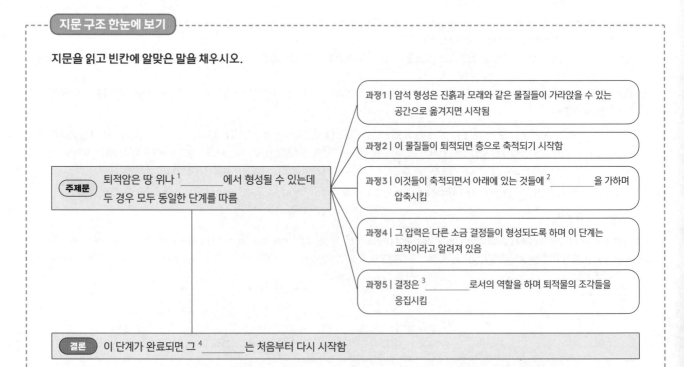

지문 구조 한눈에 보기

지문을 읽고 빈칸에 알맞은 말을 채우시오.

과정1 | 암석 형성은 진흙과 모래와 같은 물질들이 가라앉을 수 있는 공간으로 옮겨지면 시작됨

과정2 | 이 물질들이 퇴적되면 층으로 축적되기 시작함

과정3 | 이것들이 축적되면서 아래에 있는 것들에 [2]_____을 가하며 압축시킴

과정4 | 그 압력은 다른 소금 결정들이 형성되도록 하며 이 단계는 교착이라고 알려져 있음

과정5 | 결정은 [3]_____로서의 역할을 하며 퇴적물의 조각들을 응집시킴

주제문 퇴적암은 땅 위나 [1]_____에서 형성될 수 있는데 두 경우 모두 동일한 단계를 따름

결론 이 단계가 완료되면 그 [4]_____는 처음부터 다시 시작함

정답 1. 물속 2. 압력 3. 접착제 4. 순환

Sedimentary rocks can form / on land or underwater. In either case, / the process follows / the
　퇴적암은 형성될 수 있다　　　　땅 위나 물속에서　　　　둘 중 어느 경우에도　　　그 과정은 따른다

same basic steps.
동일한 기본적인 단계를

STEP 1
중심 소재: 퇴적암의 형성 단계

STEP 2
이어질　문단의　순서를
(B)-(C)-(A)라고 한 ③번이
정답이다.

↗지시형용사 단서　　　　　　　↗be known as ~: ~으로 알려져 있다
(A) This stage of the process / is known as cementation. The crystals / act as an adhesive / and hold
　　그 과정의 이 단계는　　　　교착이라고 알려져 있다　　결정은　　　접착제로서의 역할을 한다　　그리고
　　　　　　　　　　　　　　　　　　　　　　　　　　　(all) over again: 처음부터 다시↘
the bits of deposited matter / together. Once this stage is complete, / the cycle begins / all over again.
　퇴적물의 작은 조각들을 응집시킨다　　함께　　일단 이 단계가 완료되면　　그 주기는 시작한다　　처음부터 다시

(B) Rock formation begins / when materials / such as mud and sand / are transported to an area /
　　암석 형성은 시작된다　　물질들이　　진흙과 모래와 같은　　　공간으로 옮겨지면

where they can settle, / either on the earth's surface / or in a body of water. Once the materials
　그들이 가라앉을 수 있는　　　지표면에서든　　　혹은 물속에서든　　일단 이 물질들이 퇴적되면

　☆ have been deposited, / they start to build up in layers.
　　　　　　　　　　　　　그것들은 층으로 축적되기 시작한다

　　　　　　↗지시대명사 단서
(C) As these accumulate, / the weight of each additional layer / puts pressure / on the ones below it.
　　이것들이 축적되면서　　각각의 추가적인 층의 무게는　　압력을 가한다　　그 아래에 있는 것들에

This compresses the materials, / squeezing out any water / they may contain. The pressure / also
　이것은 그 물질들을 압축시킨다　　물을 짜내면서　　그것들이 함유하고 있을지도 모르는　　그 압력은　　또한
↗cause … to ~: …가 ~하도록 하다
causes different salt crystals to form.
　다른 소금 결정들이 형성되도록 한다

해석

퇴적암은 땅 위나 물속에서 형성될 수 있다. 둘 중 어느 경우에도, 그 과정은 동일한 기본적인 단계를 따른다.

(A) 그 과정의 이 단계는 교착이라고 알려져 있다. 결정은 접착제로서의 역할을 하며 퇴적물의 작은 조각들을 함께 응집시킨다. 일단 이 단계가 완료되면, 그 주기는 처음부터 다시 시작한다.

(B) 암석 형성은 진흙과 모래와 같은 물질들이 지표면에서든 물속에서든 그들이 가라앉을 수 있는 공간으로 옮겨지면 시작된다. 일단 이 물질들이 퇴적되면, 그것들은 층으로 축적되기 시작한다.

(C) 이것들이 축적되면서, 각각의 추가적인 층의 무게는 그 아래에 있는 것들에 압력을 가한다. 이것은 그것들이 함유하고 있을지도 모르는 물을 짜내면서 그 물질들을 압축시킨다. 그 압력은 또한 다른 소금 결정들이 형성되도록 한다.

해설

주어진 문장에서 퇴적암은 땅 위나 물속 어디에서 형성되든 동일한 기본적인 단계를 따른다고 한 후, (B)에서 암석 형성은 물질들이 가라앉을 수 있는 공간으로 옮겨지면 시작되고, 물질들이 퇴적되면 층으로 축적되기 시작한다고 설명하고 있다. 이어서 (C)에서 이것들이 축적되면서 층의 무게가 아래에 압력을 가하여 물질들을 압축시킨다고 하고, 뒤이어 (A)에서 이 과정의 단계가 교착이며 이 단계가 끝나면 그 주기가 처음부터 다시 시작한다고 설명하고 있다. 따라서 주어진 글 다음에 이어질 순서는 ③ (B)-(C)-(A)이다.

어휘

sedimentary rock 퇴적암　cementation 교착, 결합　adhesive 접착제　deposit 퇴적하다　accumulate 축적되다　compress 압축시키다
squeeze out 짜내다

독해가 쉬워지는 **공무원 필수구문**

have + been + p.p. 형태의 동사 해석하기 [Point 05] 이 부사절에서 동사는 have been deposited이다. 이처럼 동사가 have + been + p.p. (have been deposited)의 형태로 쓰여 현재완료 수동의 의미를 가지는 경우, '(과거부터 현재까지) 퇴적되었다'라고 해석한다.

정답: ③

Chapter 08

03 주어진 문장에 이어질 글의 순서로 가장 적절한 것은?

> Paralegals are legal professionals who provide a wide range of support services to the law firms that employ them.

(A) In addition, paralegals act as liaisons between law firms and outside agencies, including court administration offices and police departments. This role often involves arranging appointments and submitting paperwork for lawyers, as well as maintaining work relationships with various clerks and officials.

(B) By performing these tasks, paralegals enable lawyers to work with maximum efficiency and focus on the needs of their clients. For these reasons, paralegals are considered to be essential personnel at law firms.

(C) The primary duties of paralegals include updating and organizing client files, drafting legal documents, and conducting case research.

① (A)—(B)—(C)
② (A)—(C)—(B)
③ (B)—(A)—(C)
④ (C)—(A)—(B)

지문 구조 한눈에 보기

지문을 읽고 빈칸에 알맞은 말을 채우시오.

정의 법률 보조원은 그들을 고용하는 법률 회사에 다양한 지원 서비스를 제공하는 법률 [1]_____임

설명1 법률 보조원의 주요 업무는 의뢰인 파일을 갱신 및 정리하는 것, 법률 [2]_____의 초안을 작성하는 것, 그리고 사례 조사를 진행하는 것을 포함함

설명2 법률 보조원은 법률 회사와 법원 행정 사무소와 경찰서를 포함한 외부 기관 사이에서 연락 담당자의 역할도 함

부연 | 이 역할은 흔히 여러 직원 및 관료들과의 업무 관계를 유지하는 것, [3]_____을 주선하는 것, 서류를 [4]_____하는 것을 포함함

결론 법률 보조원은 변호사들이 최대의 효율로 일하고 그들이 [5]_____의 요구에 집중할 수 있게 하기 때문에 법률 보조원은 법률 회사에서 [6]_____ 직원으로 여겨짐

1. 전문가 2. 문서 3. 약속 4. 제출 5. 의뢰인 6. 필수적인

Paralegals are legal professionals / who provide a wide range of support services / to the law
법률 보조원은 법률 전문가이다   다양한 지원 서비스를 제공하는   법률 회사에

firms / that employ them.
            그들을 고용하는

> a wide range of ~: 다양한 ~
> 연결어 단서

STEP 1
중심 소재: 법률 보조원의 역할

STEP 2
이어질 문단의 순서를 (C)-(A)-(B)라고 한 ④번이 정답이다.

(A) In addition, / paralegals act as liaisons / between law firms and outside agencies, / including court
게다가   법률 보조원은 연락 담당자 역할을 한다   법률 회사와 외부 기관 사이에서

> ~ 사이에(2개의 사이)

administration offices / and police departments. This role often involves / arranging appointments /
법원 행정 사무소를 포함한   그리고 경찰서를   이 역할은 흔히 포함한다   약속을 주선하는 것을

and submitting paperwork for lawyers, / as well as maintaining work relationships / with various
그리고 변호사들을 위해 서류를 제출하는 것을   업무 관계를 유지하는 것뿐만 아니라   여러 직원 및 관료들과의

> A as well as B: B뿐만 아니라 A

clerks and officials.

(B) By performing these tasks, / paralegals enable lawyers to work / with maximum efficiency / and
이러한 업무를 수행함으로써   법률 보조원은 변호사들이 일할 수 있게 한다   최대의 효율로   그리고

> 지시형용사 단서

focus on the needs / of their clients. For these reasons, / paralegals are considered / to be essential
요구에 집중할 수 있게 한다   그들의 의뢰인의   이러한 이유로   법률 보조원은 여겨진다   필수적인 직원으로

> focus on ~: ~에 집중하다

personnel / at law firms.
            법률 회사에서

(C) The primary duties of paralegals include / updating and organizing client files, / drafting legal
법률 보조원의 주요 업무는 포함한다   의뢰인 파일을 갱신 및 정리하는 것과   법률 문서의 초안을 작성하는 것과

documents, / and conducting case research.
그리고 사례 조사를 진행하는 것을

해석

법률 보조원은 그들을 고용하는 법률 회사에 다양한 지원 서비스를 제공하는 법률 전문가이다.

(A) 게다가, 법률 보조원은 법률 회사와 법원 행정 사무소와 경찰서를 포함한 외부 기관 사이에서 연락 담당자 역할을 한다. 이 역할은 흔히 여러 직원 및 관료들과의 업무 관계를 유지하는 것뿐만 아니라 약속을 주선하는 것과 변호사들을 위해 서류를 제출하는 것을 포함한다.

(B) 이러한 업무를 수행함으로써, 법률 보조원은 변호사들이 최대의 효율로 일할 수 있게 하고 그들의 의뢰인의 요구에 집중할 수 있게 한다. 이러한 이유로, 법률 보조원은 법률 회사에서 필수적인 직원으로 여겨진다.

(C) 법률 보조원의 주요 업무는 의뢰인 파일을 갱신 및 정리하는 것, 법률 문서의 초안을 작성하는 것, 그리고 사례 조사를 진행하는 것을 포함한다.

해설

주어진 문장에서 법률 보조원의 정의를 설명한 후, (C)에서 법률 보조원의 주요 업무를 나열하고 있다. 뒤이어 (A)에서 법률 보조원의 주요 업무 외에 부가적인 업무를 추가로 언급하고, (B)에서 이러한 업무를 수행함으로써 변호사들을 돕기 때문에 법률 보조원이 법률 회사에서 필수적인 직원임을 설명하고 있다. 따라서 주어진 문장 다음에 이어질 순서는 ④ (C)-(A)-(B)이다.

어휘

paralegal 법률 보조원   liaison 연락 담당자   administration 행정, 관리   arrange 주선하다, 정리하다   submit 제출하다, 항복하다
essential 필수적, 가장 중요한   personnel 직원   duty 업무, 의무   draft 초안을 작성하다

독해가 쉬워지는 **공무원 필수구문**

명사를 꾸며주는 '주격 관계대명사 who / that / which ~' 해석하기 Point 16 이 문장에서 that employ them은 앞에 나온 명사 the law firms를 꾸며주는
수식어이다. 이처럼 주격 관계대명사가 이끄는 절(that + 동사 ~)이 명사를 꾸며주는 경우, '그들을 고용하는 법률 회사'라고 해석한다.

정답: ④

04 다음 문장 뒤에 들어갈 글의 순서로 가장 적절한 것은?

> Independent news outlets provide viewers with an alternative perspective on important events happening around the world.

(A) By financing themselves in this way, independent news outlets do not have to worry so much about appealing to specific target markets. This allows them to retain far more control over the types of stories they can cover.

(B) What sets most independent news outlets apart from mainstream ones is that they do not receive money from corporations and advertisers.

(C) Instead of generating money through advertisements, independent news outlets support themselves with public donations. That is, the people who use the outlets give them money to stay operational.

① (A)—(C)—(B) 　　　　　　② (B)—(A)—(C)

③ (B)—(C)—(A) 　　　　　　④ (C)—(A)—(B)

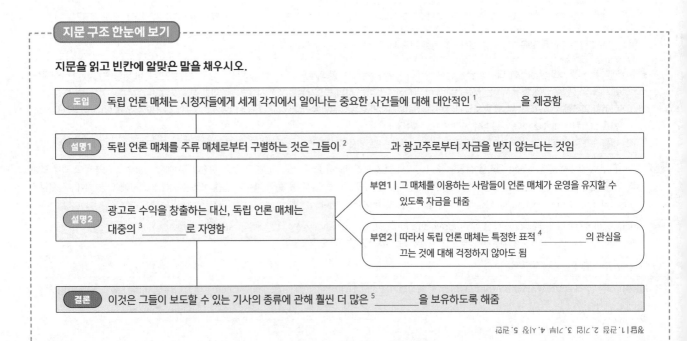

지문 구조 한눈에 보기

지문을 읽고 빈칸에 알맞은 말을 채우시오.

[도입] 독립 언론 매체는 시청자들에게 세계 각지에서 일어나는 중요한 사건들에 대해 대안적인 ¹_____을 제공함

[설명1] 독립 언론 매체를 주류 매체로부터 구별하는 것은 그들이 ²_____과 광고주로부터 자금을 받지 않는다는 것임

[설명2] 광고로 수익을 창출하는 대신, 독립 언론 매체는 대중의 ³_____로 자영함

> 부연1 | 그 매체를 이용하는 사람들이 언론 매체가 운영을 유지할 수 있도록 자금을 대줌
>
> 부연2 | 따라서 독립 언론 매체는 특정한 표적 ⁴_____의 관심을 끄는 것에 대해 걱정하지 않아도 됨

[결론] 이것은 그들이 보도할 수 있는 기사의 종류에 관해 훨씬 더 많은 ⁵_____을 보유하도록 해줌

정답|1. 관점 2. 기업 3. 기부 4. 시장 5. 권한

STEP 1

중심 소재: 독립 언론 매체의 특징

Independent news outlets / provide viewers with an alternative perspective / on important events /
독립 언론 매체는 → provide … with ~: …에게 ~을 제공하다
시청자들에게 대안적인 관점을 제공한다
중요한 사건들에 대해

happening around the world.
세계 각지에서 일어나는

STEP 2

이어질 문단의 순서를 (B)-(C)-(A)라고 한 ③번이 정답이다.

(A) By financing themselves / in this way, / independent news outlets / do not have to worry so much /
그들 스스로에게 자금을 조달함으로써 → 지시형용사 단서
이러한 방식으로
독립 언론 매체는
그다지 걱정하지 않아도 된다

about appealing to specific target markets. This allows them to retain / far more control / over the
특정한 표적 시장의 관심을 끄는 것에 대해
이것은 그들이 보유하도록 해준다
훨씬 더 많은 권한을

types of stories / they can cover.
→ (that/which) they: 목적격 관계대명사 생략
기사의 종류에 대해
그들이 보도할 수 있는

(B) What sets most independent news outlets apart / from mainstream ones / is that they do not
대부분의 독립 언론 매체를 구별하는 것은
주류 매체로부터
그들이 자금을 받지 않는다는 것이다

receive money / from corporations and advertisers.
기업과 광고주로부터

(C) Instead of generating money / through advertisements, / independent news outlets / support
수익을 창출하는 대신
광고로
독립 언론 매체는
자영한다

themselves / with public donations. That is, / the people who use the outlets / give them money /
자영한다
대중의 기부로
즉
그 매체를 이용하는 사람들이
그들에게 자금을 대준다

to stay operational.
운영을 유지할 수 있도록

해석

독립 언론 매체는 시청자들에게 세계 각지에서 일어나는 중요한 사건들에 대해 대안적인 관점을 제공한다.

(A) 이러한 방식으로 그들 스스로에게 자금을 조달함으로써, 독립 언론 매체는 특정한 표적 시장의 관심을 끄는 것에 대해 그다지 걱정하지 않아도 된다. 이것은 그들이 보도할 수 있는 기사의 종류에 대해 훨씬 더 많은 권한을 보유하도록 해준다.

(B) 대부분의 독립 언론 매체를 주류 매체로부터 구별하는 것은 그들이 기업과 광고주로부터 자금을 받지 않는다는 것이다.

(C) 광고로 수익을 창출하는 대신, 독립 언론 매체는 대중의 기부로 자영한다. 즉, 그 매체를 이용하는 사람들이 운영을 유지할 수 있도록 그들에게 자금을 대준다.

해설

주어진 문장에서 독립 언론 매체는 중요한 사건들에 대한 대안적인 관점을 제공한다고 한 후, (B)에서 독립 언론 매체를 주류 매체로부터 구별하는 것은 기업과 광고주로부터 자금을 받지 않는다는 것임을 언급하고 있다. 뒤이어 (C)에서 독립 언론 매체가 광고를 통하지 않고 수익을 창출하는 방법을 설명하고, (A)에서 그러한 자금 조달 방식의 이점을 알려주고 있다. 따라서 주어진 문장 다음에 이어질 순서는 ③ (B)-(C)-(A)이다.

어휘

outlet 매체, 배출구 alternative 대안적인, 기존의 것들과 다른 perspective 관점 finance 자금을 조달하다; 자금 appeal 관심을 끌다, 호소하다
retain 보유하다 story 기사, 이야기 cover 보도하다, 다루다 set apart 구별하다 mainstream 주류, 대세 corporation 기업 donation 기부

독해가 쉬워지는 공무원 필수구문

주어 자리에 온 'what ~' 해석하기 Point 02 이 문장에서 주어는 What sets ~ ones이다. 이처럼 what이 이끄는 절(what + 동사 ~)이 주어 자리에 온 경우, '~ 독립 언론 매체를 구별하는 것은'이라고 해석한다.

정답: ③

05 다음 주어진 글에 이어질 글의 순서로 가장 적절한 것은?

> When we humans are engaged in a task that requires our focus, we become less aware of other things that may be happening around us. By selectively focusing our attention, we miss a startling amount of information.

> (A) This phenomenon of "inattentional blindness" was illustrated in a highly memorable study involving a group of people, a basketball, and a man in a gorilla suit.
>
> (B) While this was happening, a man in a gorilla suit entered the frame and moved among the group of people passing the ball. But an incredible 50 percent of viewers failed to notice the intruder at all because their attention was focused on counting the number of passes.
>
> (C) Study participants were asked to watch a video of people passing a basketball back and forth to each other. They were asked to count the number of times the ball was passed between people.

① (A) — (B) — (C) 　　　　　　　② (A) — (C) — (B)

③ (C) — (A) — (B) 　　　　　　　④ (C) — (B) — (A)

지문 구조 한눈에 보기

지문을 읽고 빈칸에 알맞은 말을 채우시오.

도입 우리가 우리의 ¹_____을 필요로 하는 일에 관여할 때, 우리는 주위에서 일어나는 다른 것들을 덜 알아차리게 됨	**부연 |** 선택적으로 우리의 주의를 집중함으로써, 우리는 놀랄 만한 양의 ²_____를 놓침

주제문 '무주의 맹시'라는 이 현상은 한 무리의 사람들, 농구공, 고릴라 옷을 입은 남자를 포함한 연구에서 분명히 보여졌음

설명1 연구 참가자들은 ³_____을 서로에게 왔다 갔다 패스하는 사람들의 영상을 보고 공이 패스되는 횟수를 세도록 요청받음

설명2 이 일이 일어나는 동안, 고릴라 옷을 입은 남자가 장면 안으로 들어와서 공을 패스하는 사람들 무리 사이에서 움직였음

결론 50퍼센트의 관찰자들이 그들의 주의가 패스의 개수를 세는 데 집중되어 있었기 때문에 그 ⁴_____을 전혀 알아차리지 못함

정답 | 1. 집중 2. 정보 3. 농구공 4. 침입자

지문분석

> be engaged in ~: ~에 관여되다
>
> When we humans (are engaged in) a task / that requires our focus, / we become less aware of
> 우리 인간들이 일에 관여되었을 때   우리의 집중을 필요로 하는   우리는 다른 것들을 덜 알아차리게 된다
>
> other things / that may be happening around us. By selectively focusing our attention, / we miss a
> 우리 주위에서 일어나고 있을지도 모르는   선택적으로 우리의 주의를 집중함으로써
>
> startling amount of information.
> 우리는 놀랄 만한 양의 정보를 놓친다

STEP 1
중심 소재: 인간이 집중할 때 놓치는 정보들

STEP 2
이어질 문단의 순서를 (A)-(C)-(B)라고 한 ②번이 정답이다.

> 지시형용사 단서
>
> (A) (This) phenomenon of "inattentional blindness" / was illustrated / in a highly memorable study /
> '무주의 맹시'라는 이 현상은   분명히 보여졌다   굉장히 인상적인 연구에서
>
> involving / a group of people, a basketball, and a man in a gorilla suit.
> 포함하는   한 무리의 사람들, 농구공, 그리고 고릴라 옷을 입은 남자를
>
> 지시대명사 단서
>
> (B) While (this) was happening, / a man in a gorilla suit / entered the frame / and moved among the
> 이 일이 일어나는 동안   고릴라 옷을 입은 남자가   장면 안으로 들어왔다   그리고 사람들 무리 사이에서 움직였다
>
> group of people / passing the ball. But / an incredible 50 percent of viewers / failed to notice the
> 공을 패스하는   하지만   믿어지지 않을 정도인 50퍼센트의 관찰자들이   그 불청객을 알아차리지 못했다
>
> the number of + 명사: ~의 개수
>
> intruder / at all / because their attention was focused / on counting (the number of) passes.
> 전혀   그들의 주의가 집중되어 있었기 때문에   패스의 개수를 세는 데
>
> 명사(people)를 꾸며주는 현재분사
>
> (C) Study participants were asked / to watch a video of people / (passing) a basketball / back and forth
> 연구 참가자들은 요청받았다   사람들의 영상을 보도록   농구공을 패스하는   서로에게 왔다갔다
>
> to each other. They were asked / to count the number of times / the ball was passed between people.
> 그들은 요청받았다   횟수를 세도록   공이 사람들 사이에서 패스되는

해석

우리 인간들이 우리의 집중을 필요로 하는 일에 관여되었을 때, 우리는 우리 주위에서 일어나고 있을지도 모르는 다른 것들을 덜 알아차리게 된다. 선택적으로 우리의 주의를 집중함으로써, 우리는 놀랄 만한 양의 정보를 놓친다.

(A) '무주의 맹시'라는 이 현상은 한 무리의 사람들, 농구공, 그리고 고릴라 옷을 입은 남자를 포함하는 굉장히 인상적인 연구에서 분명히 보여졌다.

(B) 이 일이 일어나는 동안, 고릴라 옷을 입은 남자가 장면 안으로 들어와서 공을 패스하는 사람들 무리 사이에서 움직였다. 하지만 믿어지지 않을 정도인 50퍼센트의 관찰자들이 그들의 주의가 패스의 개수를 세는 데 집중되어 있었기 때문에 그 불청객을 전혀 알아차리지 못했다.

(C) 연구 참가자들은 농구공을 서로에게 왔다 갔다 패스하는 사람들의 영상을 보도록 요청받았다. 그들은 공이 사람들 사이에서 패스되는 횟수를 세도록 요청받았다.

해설

주어진 문장에서 사람들이 집중하고 있을 때 다른 것들을 덜 알아차리게 되어 놓치는 정보가 많다고 한 후, (A)에서 '무주의 맹시'라는 이 현상이 인상적인 연구에서 보여졌다고 하고 있다. 뒤이어 (C)에서 해당 연구의 참가자들이 요청받은 사항들을 설명한 뒤, (B)에서 연구의 구체적인 내용과 결과를 설명하고 있다. 따라서 주어진 글 다음에 이어질 순서는 ② (A)-(C)-(B)이다.

어휘

startling 놀랄 만한   phenomenon 현상   inattentional blindness 무주의 맹시(주의가 다른 곳에 있어서 눈이 향하는 위치의 대상이 지각되지 못하는 현상)
illustrate 분명히 보여주다   memorable 인상적인   intruder 불청객   back and forth 왔다갔다

독해가 쉬워지는 **공무원 필수구문**

문장을 꾸며주는 '접속사 ~' 해석하기 [Point 21] 이 문장에서 While this was happening은 뒤에 나온 문장 전체를 꾸며주는 수식어이다. 이처럼 접속사가 이끄는 절(while + 주어 + 동사 ~)이 문장을 꾸며주는 경우, '이 일이 일어나는 동안'이라고 해석한다.

정답: ②

06 다음 글을 문맥에 맞게 순서대로 연결한 것은?

Cells divide in one of two ways, either by mitosis or meiosis.

(A) Each of these contains 50 percent of the genetic material found in the normal cells of the organism. The gametes of one organism will combine with those of another during the mating process. This results in offspring with a unique mixture of DNA from both parents.

(B) In contrast, meiosis occurs only in species that reproduce sexually. It involves two cell divisions to produce four daughter cells that are genetically distinct. The organism creates specialized cells known as gametes in this process.

(C) Mitosis is used by single-celled organisms and cells that make up the bodies of larger life forms. During this process, the genetic material within the cell is copied, and the cell separates into two new ones. These new cells are exactly the same as the original.

① (A)—(B)—(C) ② (B)—(A)—(C)
③ (C)—(A)—(B) ④ (C)—(B)—(A)

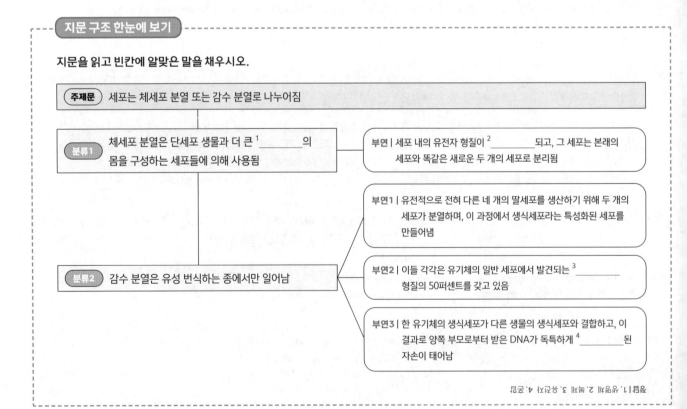

지문 구조 한눈에 보기

지문을 읽고 빈칸에 알맞은 말을 채우시오.

주제문) 세포는 체세포 분열 또는 감수 분열로 나누어짐

분류1 체세포 분열은 단세포 생물과 더 큰 [1]_____의 몸을 구성하는 세포들에 의해 사용됨

부연 | 세포 내의 유전자 형질이 [2]_____되고, 그 세포는 본래의 세포와 똑같은 새로운 두 개의 세포로 분리됨

부연1 | 유전적으로 전혀 다른 네 개의 딸세포를 생산하기 위해 두 개의 세포가 분열하며, 이 과정에서 생식세포라는 특성화된 세포를 만들어냄

분류2 감수 분열은 유성 번식하는 종에서만 일어남

부연2 | 이들 각각은 유기체의 일반 세포에서 발견되는 [3]_____ 형질의 50퍼센트를 갖고 있음

부연3 | 한 유기체의 생식세포가 다른 생물의 생식세포와 결합하고, 이 결과로 양쪽 부모로부터 받은 DNA가 독특하게 [4]_____된 자손이 태어남

정답 | 1. 생명체 2. 복제 3. 유전자 4. 혼합

지문분석

STEP 1

중심 소재: 체세포 분열과 감수 분열

Cells divide / in one of two ways, / either by mitosis or meiosis.
세포는 나누어진다 두 가지 중 하나의 방법으로 즉 체세포 분열 또는 감수 분열로

STEP 2

이어질 문단의 순서를 (C)-(B)-(A)라고 한 ④번이 정답이다.

지시대명사 단서
(A) Each of these contains / 50 percent of the genetic material / found in the normal cells / of the
이들 각각은 갖고 있다 유전자 형질의 50퍼센트를 일반 세포에서 발견되는

combine with ~: ~과 결합하다
organism. The gametes of one organism / will combine with those of another / during the mating
유기체의 한 유기체의 생식세포는 다른 생물의 그것들과 결합할 것이다 교미 과정 중에

result in ~: (~의 결과를) 낳다
process. This results in offspring / with a unique mixture of DNA / from both parents.
이것의 결과로 자손이 태어난다 DNA가 독특하게 혼합된 양쪽 부모로부터 받은

연결어 단서
(B) In contrast, / meiosis occurs / only in species / that reproduce sexually. It involves two cell
대조적으로 감수 분열은 일어난다 종에서만 유성 번식하는 이것은 두 개의 세포가 분열하는 것을 수반한다

divisions / to produce four daughter cells / that are genetically distinct. The organism creates
네 개의 딸세포를 생산하기 위해 유전적으로 전혀 다른 유기체는 특성화된 세포를 만들어낸다

specialized cells / ☆ known as gametes / in this process.
생식세포라고 알려진 이 과정에서

make up ~: ~을 구성하다
(C) Mitosis is used / by single-celled organisms / and cells / that make up the bodies / of larger life
체세포 분열은 사용된다 단세포 생물에 의해 그리고 세포들에 의해 몸을 구성하는 더 큰 생명체의

forms. During this process, / the genetic material within the cell / is copied, / and the cell /
이 과정 중에 세포 내의 유전자 형질이 복제되고 그리고 그 세포는

separates into two new ones. These new cells are exactly the same / as the original.
새로운 두 개의 세포로 분리된다 이 새로운 세포들은 완전히 똑같다 본래의 세포와

해석

세포는 두 가지 중 하나의 방법, 즉 체세포 분열 또는 감수 분열로 나누어진다.

(A) 이들 각각은 유기체의 일반 세포에서 발견되는 유전자 형질의 50퍼센트를 갖고 있다. 한 유기체의 생식세포는 교미 과정 중에 다른 생물의 생식세포와 결합할 것이다. 이것의 결과로 양쪽 부모로부터 받은 DNA가 독특하게 혼합된 자손이 태어난다.

(B) 대조적으로, 감수 분열은 유성 번식하는 종에서만 일어난다. 이것은 유전적으로 전혀 다른 네 개의 딸세포를 생산하기 위해 두 개의 세포가 분열하는 것을 수반한다. 유기체는 이 과정에서 생식세포라고 알려진 특성화된 세포를 만들어낸다.

(C) 체세포 분열은 단세포 생물과 더 큰 생명체의 몸을 구성하는 세포들에 의해 사용된다. 이 과정 중에, 세포 내의 유전자 형질이 복제되고, 그 세포는 새로운 두 개의 세포로 분리된다. 이 새로운 세포들은 본래의 세포와 완전히 똑같다.

해설 주어진 문장에서 세포가 나뉘는 방법으로 체세포 분열과 감수 분열이 있다고 한 후, (C)에서 체세포 분열에 대해 먼저 설명하고 있다. 뒤이어 (B)에서 체세포 분열과 대조를 이루는 방식으로 생식세포를 만드는 감수 분열에 대해 설명하고, (A)에서 감수 분열로 만들어진 생식세포의 특징을 알려주고 있다. 따라서 주어진 문장 다음에 이어질 순서는 ④ (C)-(B)-(A)이다.

어휘 divide 나누어지다 mitosis 체세포 분열 meiosis 감수 분열 organism 유기체 gamete 생식세포 mating 교미, 짝짓기 offspring 자손 mixture 혼합 distinct 전혀 다른, 별개인 specialized 특성화된, 전문적인 separate 분리되다

독해가 쉬워지는 **공무원 필수구문**

명사를 꾸며주는 과거분사 해석하기 [Point 15] 이 문장에서 known as gametes는 앞에 나온 명사 cells를 꾸며주는 수식어이다. 이처럼 과거분사(known ~)가 명사를 꾸며주는 경우, '~이라고 알려진 세포'라고 해석한다.

정답: ④

07 다음 주어진 문장에 이어질 글의 순서로 가장 적절한 것은?

> The construction of the first railway that crossed the entire United States was a remarkable engineering achievement.

(A) Despite the eventual success of this project, it faced many problems. The first challenge was deciding which route the tracks should take. This was an issue because so many states wanted to have the railway pass through their land due to the economic benefits it would bring.

(B) Once the route was established, the railway construction had to be paid for. There was a debate about whether private or public resources should be used. Ultimately it was decided that funding would come from government bonds and land grants.

(C) Paying for the railway with government funds created its own issue, though, as it led to widespread corruption. For instance, construction companies purposely created delays to extend the project so that the government would have to pay them more.

① (A) — (B) — (C)   ② (A) — (C) — (B)

③ (B) — (C) — (A)   ④ (C) — (B) — (A)

지문 구조 한눈에 보기

지문을 읽고 빈칸에 알맞은 말을 채우시오.

| 도입 | 미국 전역을 횡단하는 최초의 철도 건설은 공학 기술의 놀라운 업적이었음 |

| 주제문 | 이 프로젝트의 최종적인 [1] _____ 에도 불구하고, 그것은 많은 문제에 직면했음 |

| 설명1 | 첫 번째 문제는 선로가 어떤 [2] _____ 을 취해야 하는지를 결정하는 것이었음 | 부연 | 철도가 가져올 [3] _____ 혜택으로 인해 너무나 많은 주들이 철도가 그들의 땅을 통과하기를 바랐음 |

| 설명2 | 철도 건설 비용을 지불하기 위해 어떤 재원이 쓰여야 할지에 관한 논의가 있었음 | 부연 | 결국 자금이 국채와 무상 토지에서 조달되는 것으로 결정되었음 |

| 설명3 | 정부 자금으로 철도 대금을 지불하는 것은 만연한 [4] _____ 로 이어짐 | 부연 | 예를 들어, 건축회사들은 프로젝트를 연장하기 위해 고의로 지연을 만들어내서 정부가 그들에게 돈을 더 많이 지급해야 하도록 했음 |

정답 | 1. 성공 2. 노선 3. 경제적 4. 부패

지문분석

The construction of the first railway / that crossed the entire United States / was a remarkable
최초의 철도 건설은   미국 전역을 횡단하는   공학 기술의 놀라운 업적이었다

engineering achievement.

(A) Despite the eventual success / of this project, / it faced many problems. The first challenge was
최종적인 성공에도 불구하고   이 프로젝트의   그것은 많은 문제에 직면했다   첫 번째 문제는 결정하는 것이었다
→지시형용사 단서
→의문형용사 which + 명사(어떤 ~)
deciding / which route the tracks should take. This was an issue / because so many states wanted /
선로가 어떤 노선을 취해야 하는지를   이것은 문제였다   너무나 많은 주들이 바랐기 때문에

to have the railway pass / through their land / due to the economic benefits / it would bring.
철도가 지나가기를   그들의 땅을 통해   경제적 혜택으로 인해   그것이 가져올

(B) Once the route was established, / the railway construction / had to be paid for. There was a
일단 노선이 확립되고 난 뒤에는   철도 건설은   지불되어야 했다   논의가 있었다
→동사구(pay for)의 수동태

debate / about ✱ whether private or public resources should be used. Ultimately / it was decided /
논의   민간 재원이 쓰여야 할지 공공 재원이 쓰여야 할지에 관한   결국   결정되었다

that funding would come / from government bonds and land grants.
자금이 조달되는 것으로   국채와 무상 토지에서

(C) Paying for the railway / with government funds / created its own issue, / though, / as it led to
철도 대금을 지불하는 것은   정부 자금으로   그것의 독자적인 문제를 만들어냈는데   하지만   lead to ~: ~로 이어지다

widespread corruption. For instance, / construction companies / purposely created delays / to
그것이 만연한 부패로 이어졌기 때문이다   예를 들어   건축회사들은   고의로 지연을 만들어냈다
→so that ~: 그래서 (그 결과) ~하도록
extend the project / so that the government would have to pay them / more.
프로젝트를 연장하기 위해   그래서 정부가 그들에게 돈을 지급해야 하도록   더 많이

해석

미국 전역을 횡단하는 최초의 철도 건설은 공학 기술의 놀라운 업적이었다.

(A) 이 프로젝트의 최종적인 성공에도 불구하고, 그것은 많은 문제에 직면했다. 첫 번째 문제는 선로가 어떤 노선을 취해야 하는지를 결정하는 것이었다. 이것은 철도가 가져올 경제적 혜택으로 인해 너무나 많은 주들이 철도가 그들의 땅을 통해 지나가기를 바랐기 때문에 문제였다.

(B) 일단 노선이 확립되고 난 뒤에는, 철도 건설은 지불되어야 했다. 민간 재원이 쓰여야 할지 공공 재원이 쓰여야 할지에 관한 논의가 있었다. 결국 자금이 국채와 무상 토지에서 조달되는 것으로 결정되었다.

(C) 하지만 정부 자금으로 철도 대금을 지불하는 것은 그것의 독자적인 문제를 만들어냈는데, 그것이 만연한 부패로 이어졌기 때문이다. 예를 들어, 건축회사들은 프로젝트를 연장하기 위해 고의로 지연을 만들어내서 정부가 그들에게 돈을 더 많이 지급해야 하도록 했다.

해설

주어진 문장에서 미국을 횡단하는 최초의 철도 건설이 놀라운 공학 기술의 업적이라고 한 후, (A)에서 이 프로젝트의 성공에도 불구하고 많은 문제에 직면했다고 하면서 첫 번째 문제인 노선 채택을 언급하고 있다. 이어서 (B)에서 노선 문제가 해결된 후 대금의 지불 방식에 관한 논의가 있었지만 결국 공공 재원을 사용했다고 하고, (C)에서 정부 자금으로 대금을 지불하는 것이 또 다른 문제를 만들어냈다고 설명하고 있다. 따라서 주어진 문장 다음에 이어질 순서는 ① (A)-(B)-(C)이다.

어휘

remarkable 놀라운 engineering 공학 기술의 bond 채권, 유대 land grant 무상 토지 widespread 만연한 corruption 부패

독해가 쉬워지는 **공무원 필수구문**

목적어 자리에 온 'if / whether ~' 해석하기 Point 08 이 문장에서 whether private ~ should be used는 앞에 나온 전치사 about의 목적어이다. 이처럼 whether가 이끄는 절(whether + 주어 + 동사 ~)이 목적어 자리에 온 경우, '민간 재원이 쓰여야 할지 공공 재원이 쓰여야 할지'라고 해석한다.

정답: ①

08 주어진 글 다음에 이어질 글의 순서로 가장 적절한 것은?

Light bulbs today are taken for granted as they need changing only once a year, but this was not always the case.

(A) Moreover, for the bulb to be useful to people, a pleasant, steady glow was needed. But even the famous Thomas Edison failed numerous times as his bulbs flickered or were too harsh to read by. Untrained in chemistry, Edison used the trial and error method to make a better bulb.

(B) When electric light bulbs first appeared, they had a brief lifespan and glowed too brightly to be used. Still, the idea caught on with inventors. Some twenty of them produced different versions, all of which turned out to be impractical.

(C) These versions had problems that each of the inventors tried to resolve. For instance, the filament through which the electric current passed was not always reliable and burned out much too quickly. They knew that no commercially viable bulb was possible while this was true.

① (A)—(B)—(C)

② (B)—(C)—(A)

③ (B)—(A)—(C)

④ (C)—(B)—(A)

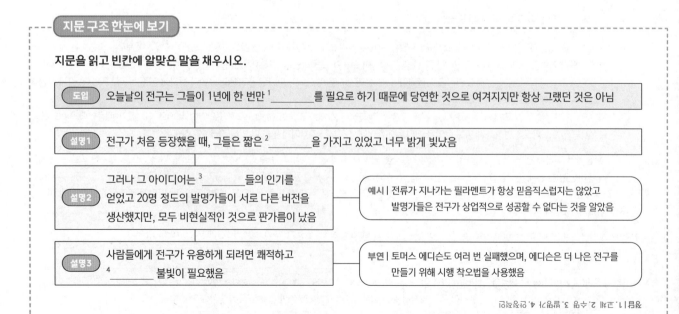

지문 구조 한눈에 보기

지문을 읽고 빈칸에 알맞은 말을 채우시오.

도입 오늘날의 전구는 그들이 1년에 한 번만 ¹_____를 필요로 하기 때문에 당연한 것으로 여겨지지만 항상 그랬던 것은 아님

설명1 전구가 처음 등장했을 때, 그들은 짧은 ²_____을 가지고 있었고 너무 밝게 빛났음

설명2 그러나 그 아이디어는 ³_____들의 인기를 얻었고 20명 정도의 발명가들이 서로 다른 버전을 생산했지만, 모두 비현실적인 것으로 판가름이 났음

예시 | 전류가 지나가는 필라멘트가 항상 믿음직스럽지는 않았고 발명가들은 전구가 상업적으로 성공할 수 없다는 것을 알았음

설명3 사람들에게 전구가 유용하게 되려면 쾌적하고 ⁴_____ 불빛이 필요했음

부연 | 토머스 에디슨도 여러 번 실패했으며, 에디슨은 더 나은 전구를 만들기 위해 시행 착오법을 사용했음

정답 | 1. 교체 2. 수명 3. 발명가 4. 안정적인

STEP 1
중심 소재: 전구

STEP 2
이어질 문단의 순서를 (B)-(C)-(A)라고 한 ②번이 정답이다.

→ take ~ for granted: ~을 당연한 것으로 여기다

Light bulbs today / are taken for granted / as they need changing / only once a year, / but / this
오늘날의 전구는　　　　당연한 것으로 여겨진다　　그들이 교체를 필요로 하기 때문에　　1년에 한 번만　　하지만

was not always the case.
항상 그랬던 것은 아니다

→ 연결어 단서

(A) Moreover, / for the bulb to be useful / to people, / a pleasant, steady glow was needed. But / even
　　게다가　　　　전구가 유용하게 되려면　　사람들에게　　쾌적하고 안정적인 불빛이 필요했다　　그러나

the famous Thomas Edison / failed numerous times / as his bulbs flickered / or were too harsh / to
그 유명한 토머스 에디슨도　　여러 번 실패했다　　　그의 전구가 깜빡였기 때문에　　혹은 너무 강했기 때문에

read by. ★ Untrained in chemistry, / Edison used the trial and error method / to make a better bulb.
글을 읽기에　화학 분야의 정식 교육을 받지 않기 때문에　　에디슨은 시행 착오법을 사용했다　　　　더 나은 전구를 만들기 위해

(B) When electric light bulbs first appeared, / they had a brief lifespan / and glowed too brightly /
　　　전구가 처음 등장했을 때　　　　그들은 짧은 수명을 가지고 있었다　　　그리고 너무 밝게 빛났다

→ catch on with ~: ~의 인기를 얻다

to be used. Still, / the idea caught on with inventors. Some twenty of them / produced different
사용되기에는　그러나　　그 아이디어는 발명가들의 인기를 얻었다　　20명 정도의 발명가들이　　서로 다른 버전을 생산했는데

versions, / all of which turned out to be impractical.
　　　　　그들 모두 비현실적인 것으로 판가름이 났다

→ 지시형용사 단서

(C) These versions had problems / that each of the inventors tried to resolve. For instance, / the
　　이 버전들은 문제들을 가지고 있었다　　　발명가 각자가 해결하려고 노력한　　　　예를 들어

filament / through which the electric current passed / was not always reliable / and burned out
필라멘트는　　　　　전류가 지나가는　　　　　　항상 믿음직스럽지는 않았다　　그리고 너무 빨리 타버렸다

much too quickly. They knew / that no commercially viable bulb was possible / while this was true.
　　　　　그들은 알았다　　　　전구가 상업적으로 성공할 수 없다는 것을　　　　이것이 사실인 동시에

해석
오늘날의 전구는 그들이 1년에 한 번만 교체를 필요로 하기 때문에 당연한 것으로 여겨지지만, 항상 그랬던 것은 아니다.

(A) 게다가, 사람들에게 전구가 유용하게 되려면 쾌적하고 안정적인 불빛이 필요했다. 그러나 그 유명한 토머스 에디슨도 그의 전구가 깜빡였거나 글을 읽기에 너무 강했기 때문에 여러 번 실패했다. 화학 분야의 정식 교육을 받지 않았기 때문에 에디슨은 더 나은 전구를 만들기 위해 시행 착오법을 사용했다.

(B) 전구가 처음 등장했을 때, 그들은 사용되기에는 짧은 수명을 가지고 있었고 너무 밝게 빛났다. 그러나, 그 아이디어는 발명가들의 인기를 얻었다. 20명 정도의 발명가들이 서로 다른 버전을 생산했는데, 그들 모두 비현실적인 것으로 판가름이 났다.

(C) 이 버전들은 발명가 각자가 해결하려고 노력한 문제들을 가지고 있었다. 예를 들어, 전류가 지나가는 필라멘트는 항상 믿음직스럽지는 않았고 너무 빨리 타버렸다. 그들은 이것이 사실인 동시에 전구가 상업적으로 성공할 수 없다는 것을 알았다.

해설
주어진 문장에서 오늘날 전구는 당연한 것으로 여겨지나 항상 그랬던 것은 아니라고 하고, (B)에서 초기의 전구는 여러 문제에도 발명가들의 인기를 얻었고 다수의 발명가들의 서로 다른 버전이 비현실적인 것으로 판가름 났다고 한 뒤, (C)에서 이 초기 전구들의 문제점을 나열하고 있다. 뒤이어 (A)에서 전구가 유용하려면 쾌적하고 안정된 불빛이 필요했으며 에디슨도 전구 발명을 위해 실패를 거듭했음을 언급했다. 따라서 주어진 글 다음에 이어질 순서는 ② (B)-(C)-(A)이다.

어휘
glow 불빛　flicker 깜빡이다　trial and error method 시행 착오법　lifespan 수명　impractical 비현실적인　viable 성공할 수 있는

독해가 쉬워지는 공무원 필수구문

문장을 꾸며주는 분사구문 해석하기 - 이유 Point 24 이 문장에서 분사구문 Untrained in chemistry는 콤마 뒤에 나온 문장 전체를 꾸며주는 수식어이다. 이처럼 분사구문이 문장 앞에 올 경우, 종종 콤마 뒤 문장에 대한 이유를 나타내는데, 이때 분사구문은 '~의 정식 교육을 받지 않았기 때문에'라고 해석한다.

정답: ②

09 다음 글을 문맥에 맞게 순서대로 연결한 것은?

Voting is an inherent component of democracy; a democratic system would not work without it. With the election coming up, it is the perfect time to remind people why they should vote.

(A) Furthermore, voting is imperative because we become better informed about social and economic issues. And informed citizens are able to take steps towards making a healthier society.

(B) The biggest reason is that it is a chance for the public's voice to be heard. Many tend to think that their vote doesn't really matter because they are just one person. But the efficacy of voting comes from everyone's participation.

(C) That is why if we do not take part, we would be letting the government make decisions by itself. Never forget that each person has the power to have an influence on our society by voting, both in the cities and in the country.

① (A)—(B)—(C)

② (A)—(C)—(B)

③ (B)—(C)—(A)

④ (C)—(A)—(B)

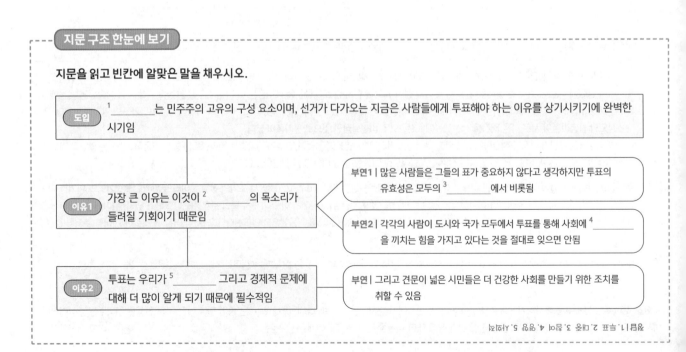

지문 구조 한눈에 보기

지문을 읽고 빈칸에 알맞은 말을 채우시오.

| 도입 | [1] _____는 민주주의 고유의 구성 요소이며, 선거가 다가오는 지금은 사람들에게 투표해야 하는 이유를 상기시키기에 완벽한 시기임 |

| 이유1 | 가장 큰 이유는 이것이 [2] _____의 목소리가 들려질 기회이기 때문임 |
부연1 | 많은 사람들은 그들의 표가 중요하지 않다고 생각하지만 투표의 유효성은 모두의 [3] _____에서 비롯됨
부연2 | 각각의 사람이 도시와 국가 모두에서 투표를 통해 사회에 [4] _____을 끼치는 힘을 가지고 있다는 것을 절대로 잊으면 안됨

| 이유2 | 투표는 우리가 [5] _____ 그리고 경제적 문제에 대해 더 많이 알게 되기 때문에 필수적임 |
부연 | 그리고 견문이 넓은 시민들은 더 건강한 사회를 만들기 위한 조치를 취할 수 있음

정답 | 1. 투표 2. 대중 3. 참여 4. 영향 5. 사회적

Voting is an inherent component of democracy; / ⭐ a democratic system would not work / without it.
투표는 민주주의 고유의 구성 요소이다   민주적인 제도는 작동하지 않을 것이다   그것이 없으면

With the election coming up, / it is the perfect time / to remind people / why they should vote.
선거가 다가오고 있으므로   지금은 완벽한 시기이다   사람들에게 상기시키기에   그들이 투표해야 하는 이유를

STEP 1
중심 소재: 투표해야 하는 이유

STEP 2
이어질 문단의 순서를 (B)-(C)-(A)라고 한 ③번이 정답이다.

→ 연결어 단서
(A) Furthermore, / voting is imperative / because we become better informed / about social and economic
게다가   투표는 필수적이다   우리가 더 많이 알게 되기 때문에   사회적 그리고 경제적 문제에 대해

issues. And informed citizens / are able to take steps / towards making a healthier society.
그리고 견문이 넓은 시민들은   조치를 취할 수 있다   더 건실한 사회를 만드는 것을 위한

tend to ~: ~하는 경향이 있다 →
(B) The biggest reason is / that it is a chance / for the public's voice to be heard. Many tend to think /
가장 큰 이유는   이것이 기회이기 때문이다   대중의 목소리가 들려질   많은 사람들은 생각하는 경향이 있다

that their vote doesn't really matter / because they are just one person. But / the efficacy of voting /
그들의 표가 중요하지 않다고   그들이 그저 한 사람이기 때문에   하지만   투표의 유효성은

comes from everyone's participation.
모두의 참여에서 비롯된다

→ 지시대명사 단서
by oneself: 혼자서, 혼자 힘으로 →
(C) That is why / if we do not take part, / we would be letting the government make decisions / by itself.
그것이 이유이다   우리가 참여하지 않으면   우리는 정부가 결정을 하도록 내버려두게 되는   혼자서

Never forget / that each person has the power / to have an influence on our society / by voting, /
절대로 잊지 마라   각각의 사람이 힘을 가지고 있다는 것을   우리의 사회에 영향을 끼치는   투표를 통해

both in the cities and in the country.
도시와 국가 모두에서

Chapter 08
문단 순서 배열 해커스공무원 영어 독해

해석

투표는 민주주의 고유의 구성 요소이다. 민주적인 제도는 그것이 없으면 작동하지 않을 것이다. 선거가 다가오고 있으므로, 지금은 사람들에게 그들이 투표해야 하는 이유를 상기시키기에 완벽한 시기이다.

(A) 게다가, 투표는 우리가 사회적 그리고 경제적 문제에 대해 더 많이 알게 되기 때문에 필수적이다. 그리고 견문이 넓은 시민들은 더 건실한 사회를 만드는 것을 위한 조치를 취할 수 있다.

(B) 가장 큰 이유는 이것이 대중의 목소리가 들려질 기회이기 때문이다. 많은 사람들은 그들이 그저 한 사람이기 때문에 그들의 표가 중요하지 않다고 생각하는 경향이 있다. 하지만 투표의 유효성은 모두의 참여에서 비롯된다.

(C) 그것이 우리가 참여하지 않으면, 우리는 정부가 혼자서 결정을 하도록 내버려두게 되는 이유이다. 각각의 사람이 도시와 국가 모두에서 투표를 통해 우리의 사회에 영향을 끼치는 힘을 가지고 있다는 것을 절대로 잊지 마라.

해설

주어진 문장에서 지금이 투표하는 이유를 상기시키기에 완벽한 시기라고 언급한 후, (B)에서 가장 큰 이유는 투표가 대중의 목소리가 들려질 기회이며, 그 유효성은 참여에서 비롯되기 때문이라고 하고, (C)에서 그것이 우리가 참여하지 않으면 정부가 혼자 결정을 하도록 하게 되는 이유임을 설명하고 있다. 이어서 (A)에서 투표를 통해 건실한 사회를 만드는 데 기여할 수 있다는 이유를 추가로 설명하고 있다. 따라서 주어진 글 다음에 이어질 순서는 ③ (B)-(C)-(A)이다.

어휘

voting 투표   inherent 고유의, 내재하는   imperative 필수적인   take steps 조치를 취하다   efficacy 유효성, 효력

독해가 쉬워지는 공무원 필수구문

if 없이 상황을 반대로 가정하는 가정법 해석하기 [Point 27] 이 문장에서 ~ would not ~, without it은 without을 사용한 가정법 구문으로, 투표가 존재하는 현재의 상황을 반대로 가정하여 말하고 있다. 이처럼 if없이 **without**을 사용하여 상황을 반대로 가정하는 경우, 'would + 동사원형'에 유의하며 '그것 (투표가)이 없으면 민주적인 제도는 작동하지 않을 것이다'라고 해석한다.

정답: ③

10 주어진 글 다음에 이어질 글의 순서로 가장 적절한 것은?

> The basic pattern for governance in ancient Egypt was established during the First Dynasty (circa 3150 - 2890 BCE).

(A) This hierarchical structure allowed for efficient governance in Egypt for about three millennia until the country was conquered by Rome.

(B) At the heart of the political system was the king, who ruled Egypt with the assistance of a vizier, a chief advisor.

(C) Under the vizier were regional governors called nomarchs, who oversaw different areas of Egypt, ensuring that the king's laws and taxes were enforced and maintaining order in their communities.

① (A)—(B)—(C)　　　　　　　　② (B)—(A)—(C)

③ (B)—(C)—(A)　　　　　　　　④ (C)—(A)—(B)

지문 구조 한눈에 보기

지문을 읽고 빈칸에 알맞은 말을 채우시오.

주제문 고대 이집트 1_____의 기본 양상은 제1왕조 동안 확립됨

설명1 정치 체제의 중심에는 2_____이 있었음 ──── 부연1 | 수석 3_____인 vizier의 도움을 받아 통치함

설명2 vizier에 아래에는 nomarch라고 불리는 지역 주지사들이 있었음 ──── 부연2 | 이집트의 여러 지역을 감독하면서 왕의 법과 세금이 집행되도록 보장하고 공동체에서 4_____를 유지함

요약 이 5_____ 구조는 이집트가 로마에 정복될 때까지 이집트의 효율적인 통치를 가능하게 함

정답 1. 통치 2. 왕 3. 고문 4. 질서 5. 계층

STEP 1
중심 소재: 고대 이집트 통치의 기본 양상

STEP 2
이어질 문단의 순서를 (B)-(C)-(A)라고 한 ③번이 정답이다.

The basic pattern / for governance / in ancient Egypt / was established / during the First Dynasty /
기본 양상은   통치의   고대 이집트의   확립되었다   제1왕조 동안

(circa 3150 – 2890 BCE).
(기원전 3150년 – 2890년경)

→ 지시형용사 단서
(A) This hierarchical structure / allowed for / efficient governance / in Egypt / for about three millennia /
이 계층 구조는   가능하게 했다   효율적인 통치를   이집트의   약 3천 년 동안

until the country was conquered / by Rome.
그 국가가 정복될 때까지   로마에 의해

(B) ★ At the heart of the political system / was the king, / who ruled Egypt / with the assistance of /
그 정치 체제의 중심에는   왕이 있었다   그는 이집트를 통치했다   도움을 받아

a vizier, a chief advisor.
수석 고문인 vizier의

→ 보어가 문장 앞에 온 도치
(C) Under the vizier / were regional governors / called nomarchs, / who oversaw / different areas of
vizier 아래에는   지역 주지사들이 있었다   nomarch라고 불리는   그들은 감독했다   이집트의 여러 지역을

→ 동시 상황을 나타내는 분사구문
Egypt, / ensuring that the king's laws and taxes were enforced / and / maintaining order / in their
          왕의 법과 세금이 집행되도록 보장하면서   그리고   질서를 유지하면서

communities.
그들의 공동체에서

해석

고대 이집트 통치의 기본 양상은 제1왕조(기원전 3150년 – 2890년경) 동안 확립되었다.

(A) 이 계층 구조는 그 국가(이집트)가 로마에 의해 정복될 때까지 약 3천 년 동안 이집트의 효율적인 통치를 가능하게 했다.

(B) 그 정치 체제의 중심에는 왕이 있었는데, 그는 수석 고문인 vizier의 도움을 받아 이집트를 통치했다.

(C) vizier 아래에는 nomarch라고 불리는 지역 주지사들이 있었는데, 그들은 이집트의 여러 지역을 감독하면서 왕의 법과 세금이 집행되도록 보장하고 그들의 공동체에서 질서를 유지했다.

해설

주어진 문장에서 고대 이집트 통치의 기본 양상이 제1왕조 동안 확립되었다고 한 후, (B)에서 그 정치 체계의 중심에 있는 왕은 vizier의 도움을 받아 이집트를 통치했다고 설명하고 있다. 뒤이어 (C)에서 vizier 아래에 nomarch라고 불리는 지역 주지사들이 있었다는 계층 구조에 대해 설명한 뒤, (A)에서 그 계층 구조는 약 3천 년 동안 이집트의 효율적인 통치를 가능하게 했다고 언급하고 있다. 따라서 주어진 문장 다음에 이어질 순서는 ③ (B) – (C) – (A)이다.

어휘

governance 통치, 지배   establish 확립하다, 설립하다   dynasty 왕조   circa (날짜·연대 앞에서) ~경, 대략   hierarchical 계층의, 계급제의
millennia 천년의   conquer 정복하다   chief 수석의, 최고의   advisor 고문   oversee 감독하다   enforce 집행하다, 시행하다   maintain 유지하다

독해가 쉬워지는 **공무원 필수구문**

부사구 / 분사가 문장 앞에 온 도치 구문 해석하기 Point 33 이 문장에서 주어 the king과 동사 was는 부사구 At the heart of the political system을 강조하기 위해, '주어(the king) + 동사(was)'의 순서가 아니라 '동사(was) + 주어(the king)'의 순서로 나왔다. 이처럼 부사구가 문장 앞에 와서 도치가 일어난 경우, 주어와 동사가 무엇인지 빠르게 파악한 다음 '주어 + 동사 + 부사구' 또는 '부사구 + 주어 + 동사'의 순서대로 해석한다.

정답: ③

11 주어진 글 다음에 이어질 글의 순서로 가장 적절한 것은?

[2021년 법원직 9급]

Sequoya (1760?-1843) was born in eastern Tennessee, into a prestigious family that was highly regarded for its knowledge of Cherokee tribal traditions and religion.

(A) Recognizing the possibilities writing had for his people, Sequoya invented a Cherokee alphabet in 1821. With this system of writing, Sequoya was able to record ancient tribal customs.

(B) More important, his alphabet helped the Cherokee nation develop a publishing industry so that newspapers and books could be printed. School-age children were thus able to learn about Cherokee culture and traditions in their own language.

(C) As a child, Sequoya learned the Cherokee oral tradition; then, as an adult, he was introduced to Euro-American culture. In his letters, Sequoya mentions how he became fascinated with the writing methods European Americans used to communicate.

① (B)—(A)—(C)　　　　　　　　② (B)—(C)—(A)

③ (C)—(A)—(B)　　　　　　　　④ (C)—(B)—(A)

지문 구조 한눈에 보기

지문을 읽고 빈칸에 알맞은 말을 채우시오.

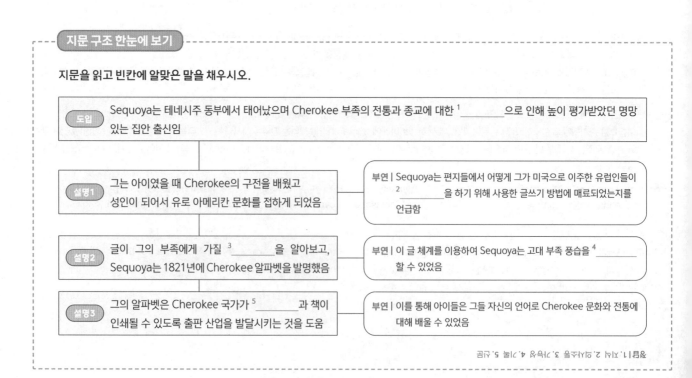

도입　Sequoya는 테네시주 동부에서 태어났으며 Cherokee 부족의 전통과 종교에 대한 [1]_____으로 인해 높이 평가받았던 명망 있는 집안 출신임

설명1　그는 아이였을 때 Cherokee의 구전을 배웠고 성인이 되어서 유로 아메리칸 문화를 접하게 되었음

부연 | Sequoya는 편지들에서 어떻게 그가 미국으로 이주한 유럽인들이 [2]_____을 하기 위해 사용한 글쓰기 방법에 매료되었는지를 언급함

설명2　글이 그의 부족에게 가질 [3]_____을 알아보고, Sequoya는 1821년에 Cherokee 알파벳을 발명했음

부연 | 이 글 체계를 이용하여 Sequoya는 고대 부족 풍습을 [4]_____할 수 있었음

설명3　그의 알파벳은 Cherokee 국가가 [5]_____과 책이 인쇄될 수 있도록 출판 산업을 발달시키는 것을 도움

부연 | 이를 통해 아이들은 그들 자신의 언어로 Cherokee 문화와 전통에 대해 배울 수 있었음

정답 | 1. 지식 2. 의사소통 3. 가능성 4. 기록 5. 신문

Sequoya (1760?–1843) was born in eastern Tennessee, / into a prestigious family / that was highly
Sequoya는 테네시주 동부에서 태어났으며   명망 있는 집안 출신이다   높이 평가받았던

regarded / for its knowledge / of Cherokee tribal traditions and religion.
그것의 지식으로 인해   Cherokee 부족의 전통과 종교에 대한

STEP 1
중심 소재: 명망 있는 집안에서 태어난 Sequoya

STEP 2
이어질 문단의 순서를 (C)-(A)-(B)라고 한 ③번이 정답이다.

→ 문장을 꾸며주는 분사구문(~하고)

(A) Recognizing the possibilities / writing had / for his people, / Sequoya invented a Cherokee alphabet /
가능성을 알아보고   글이 가지고 있던   그의 부족에게   Sequoya는 Cherokee 알파벳을 발명했다

in 1821. With this system of writing, / Sequoya was able to record / ancient tribal customs.
1821년에   이 글 체계를 이용하여   Sequoya는 기록할 수 있었다   고대의 부족 풍습을

(B) More important, / his alphabet helped the Cherokee nation / develop a publishing industry / so
더 중요하게는   그의 알파벳은 Cherokee 국가를 도왔다   출판 산업을 발달시키는 것을

that newspapers and books could be printed. School-age children / were thus able to learn / about
그래서 신문과 책이 인쇄될 수 있도록   학령에 달한 아이들은   따라서 배울 수 있었다

Cherokee culture and traditions / in their own language.
Cherokee 문화와 전통에 대해   그들 자신의 언어로

(C) As a child, / Sequoya learned the Cherokee oral tradition; / then, / as an adult, / he was introduced
아이였을 때   Sequoya는 Cherokee의 구전을 배웠다   그 후에   성인이 되어서   그는

to Euro-American culture. In his letters, / Sequoya mentions / how he became fascinated / with the
유로 아메리칸 문화를 접하게 되었다   그의 편지들에서   Sequoya는 언급한다   어떻게 그가 매료되었는지를

→ (that/which) European ~ : 목적격 관계대명사 생략

writing methods / European Americans used / to communicate.
글쓰기 방법에   미국으로 이주한 유럽인들이 사용한   의사소통을 하기 위해

해석

Sequoya는 테네시주 동부에서 태어났으며 Cherokee 부족의 전통과 종교에 대한 지식으로 인해 높이 평가받았던 명망 있는 집안 출신이다.

(A) 글이 그의 부족에게 가질 가능성을 알아보고, Sequoya는 1821년에 Cherokee 알파벳을 발명했다. 이 글 체계를 이용하여, Sequoya는 고대의 부족 풍습을 기록할 수 있었다.

(B) 더 중요하게는, 그의 알파벳은 Cherokee 국가가 신문과 책이 인쇄될 수 있도록 출판 산업을 발달시키는 것을 도왔다. 따라서 학령에 달한 아이들은 그들 자신의 언어로 Cherokee 문화와 전통에 대해 배울 수 있었다.

(C) 아이였을 때, Sequoya는 Cherokee의 구전을 배웠다. 그 후에, 성인이 되어서, 그는 유로 아메리칸 문화를 접하게 되었다. 그의 편지들에서, Sequoya는 어떻게 그가 미국으로 이주한 유럽인들이 의사소통을 하기 위해 사용한 글쓰기 방법에 매료되었는지를 언급한다.

해설

주어진 문장에서 Sequoya가 부족의 전통과 종교에 대한 지식으로 인해 높이 평가받았던 집안 출신이라고 하고, (C)에서 그가 아이였을 때 Cherokee의 구전을 배우고 성인이 되어서 유럽인들이 사용한 글쓰기 방법에 매료되었다고 설명하고 있다. 뒤이어 (A)에서 Sequoya는 글이 그의 부족에게 가질 가능성을 알아보고 Cherokee 알파벳을 발명했다고 한 뒤, (B)에서 그의 알파벳이 국가가 출판 산업을 발달시키는 것을 돕고 Cherokee 아이들이 그 언어로 그들의 문화와 전통에 대해 배울 수 있었다고 하고 있다. 따라서 주어진 글 다음에 이어질 순서는 ③ (C)-(A)-(B)이다.

어휘

prestigious 명망 있는, 일류의   tribal 부족의, 종족의   recognize 알아보다, 인정하다   ancient 고대의   oral tradition 구전   fascinated 매료된

독해가 쉬워지는 공무원 필수구문

be + p.p. 형태의 동사 해석하기 [Point 04] 이 문장에서 동사는 was introduced이다. 이처럼 동사가 be + p.p.(was introduced)의 형태로 쓰여 수동의 의미를 가지는 경우, '접하게 되었다'라고 해석한다.

정답: ③

12 주어진 글 다음에 이어질 글의 순서로 가장 적절한 것은? [2023년 지방직 9급]

Just a few years ago, every conversation about artificial intelligence (AI) seemed to end with an apocalyptic prediction.

(A) More recently, however, things have begun to change. AI has gone from being a scary black box to something people can use for a variety of use cases.

(B) In 2014, an expert in the field said that, with AI, we are summoning the demon, while a Nobel Prize winning physicist said that AI could spell the end of the human race.

(C) This shift is because these technologies are finally being explored at scale in the industry, particularly for market opportunities.

① (A)—(B)—(C) ② (B)—(A)—(C)
③ (B)—(C)—(A) ④ (C)—(A)—(B)

지문 구조 한눈에 보기

지문을 읽고 빈칸에 알맞은 말을 채우시오.

도입 불과 몇 년 전만 해도 ¹_____에 대한 모든 대화는 종말론적 예측으로 끝나는 것처럼 보였음

주장 한 전문가가 우리가 AI로 ²_____를 소환하고 있다고 말하고, 한 물리학자는 AI가 인류의 ³_____을 가져올 수 있다고 말함

반박 최근에는 상황이 바뀌기 시작해, AI는 사람들이 다양한 이용 사례로 사용할 수 있는 것이 됨

이유 이러한 기술이 업계에서 특히 ⁴_____를 위해 대규모로 탐구되고 있기 때문임

정답 | 1. 인공지능 2. 악마 3. 종말 4. 시장 기회

지문분석

STEP 1

중심 소재: 몇 년 전의 인공지능에 대한 예측

Just a few years ago, / **every conversation** about artificial intelligence (AI) / seemed to end / with
불과 몇 년 전만 해도   인공지능(AI)에 대한 모든 대화는   끝나는 것처럼 보였다

[→ every + 단수 명사]

an apocalyptic prediction.
종말론적 예측으로

STEP 2

이어질 문단의 순서를 (B)-(A)-(C)라고 한 ②번이 정답이다.

[→ 연결어 단서]

(A) More recently, / **however**, / things have begun to change. AI has gone / from being a scary black
더 최근에는   하지만   상황이 바뀌기 시작했다   AI는 ~이 되었다   무서운 블랙박스에서

box / to something people can use / for **a variety of** use cases.
사람들이 사용할 수 있는 것으로   다양한 이용 사례로

[→ a variety of ~: 다양한 ~]

(B) In 2014, / an expert in the field said that, / with AI, / we are summoning the demon, / while a
2014년에   이 분야의 한 전문가가 말했다   AI로   우리는 악마를 소환하고 있다고

Nobel Prize winning physicist said /   that AI could spell the end of the human race.
반면 노벨상을 수상한 한 물리학자는 말했다   AI가 인류의 종말을 가져올 수 있다고

(C) **This** shift is because / these technologies are finally being explored / at scale / in the industry, /
이러한 변화는 왜냐하면   이러한 기술이 마침내 탐구되고 있기 때문이다   대규모로   업계에서

[→ 지시형용사 단서]

particularly for market opportunities.
특히 시장 기회를 위해

해석

불과 몇 년 전만 해도, 인공지능(AI)에 대한 모든 대화는 종말론적 예측으로 끝나는 것처럼 보였다.

(A) 하지만, 더 최근에는 상황이 바뀌기 시작했다. AI는 무서운 블랙박스에서 사람들이 다양한 이용 사례로 사용할 수 있는 것이 되었다.

(B) 2014년에, 이 분야의 한 전문가가 우리는 AI로 악마를 소환하고 있다고 말한 반면, 노벨상을 수상한 한 물리학자는 AI가 인류의 종말을 가져올 수 있다고 말했다.

(C) 이러한 변화는 이러한 기술이 마침내 업계에서, 특히 시장 기회를 위해 대규모로 탐구되고 있기 때문이다.

해설

주어진 문장에서 불과 몇 년 전만 해도, 인공지능에 대한 모든 대화는 종말론적 예측으로 끝나는 것처럼 보였다고 설명한 후, (B)에서 이 분야(인공지능)의 한 전문가와 노벨상을 수상한 한 물리학자는 우리가 AI로 악마를 소환하고 있고, AI가 인류의 종말을 가져올 수 있다고 말했다고 언급하고 있다. 이어서 (A)에서 하지만(however) 더 최근에는 상황이 바뀌기 시작했다고 설명하고, 마지막으로 (C)에서 이러한 변화(This shift)는 이러한 기술(AI)이 마침내 업계에서 대규모로 탐구되고 있기 때문이라고 설명하고 있다. 따라서 주어진 글 다음에 이어질 순서는 ② (B)-(A)-(C)이다.

어휘

artificial intelligence 인공지능   apocalyptic 종말론적인   prediction 예측   expert 전문가   summon 소환하다   demon 악마   physicist 물리학자
spell ~을 가져오다, ~의 결과를 초래하다   shift 변화   industry 업계

독해가 쉬워지는 **공무원 필수구문**

목적어 자리에 온 'that ~' 해석하기 Point 07 이 문장에서 that AI could spell the end of the human race는 앞에 나온 동사 said의 목적어이다. 이처럼 that절이 이끄는 절(that + 주어 + 동사 ~)이 목적어 자리에 온 경우, 'AI가 인류의 종말을 가져올 수 있다고'라고 해석한다.

정답: ②

Chapter 09

문장 삽입

주어진 문장이 들어가기에 가장 적절한 위치를 고르는 문제 유형이다.

☐ 출제 경향

· 각 직렬 공무원 영어 시험에 거의 매년 1~2문제씩 꼭 출제되는 빈출 유형이다.
· 주어진 문장에는 주로 대명사나 연결어 등 문장이 들어갈 위치에 대한 단서가 등장한다.

☐ STEP별 문제 풀이 전략

STEP 1 주어진 문장을 읽고 앞에 나올 내용을 예상한다.

- 주어진 문장에 he, she, they와 같은 인칭대명사나 it, that, these와 같은 지시대명사가 등장하는 경우, 그것이 가리키는 대상이 주어진 문장 앞에 나올 것임을 예상한다.

  주어진 문장 You can buy most of **these ingredients** at any grocery store. 당신은 **이 재료들** 중 대부분을 어떤 식료품점에서도 살 수 있다.

  → 주어진 문장 앞에 these ingredients가 가리키는 대상이 나올 것임을 예상한다.

- 주어진 문장에 however, for example과 같은 연결어가 등장하는 경우, 연결어의 의미를 바탕으로 주어진 문장 앞에 나올 내용을 예상한다.

  주어진 문장 **However**, some of these ingredients can be very expensive. 하지만, 이 재료들 중 몇몇은 매우 비쌀 수도 있다.

  → 주어진 문장 앞에는 이 재료들이 비쌀 수도 있다는 부정적인 내용과 대조되는 긍정적인 내용이 나올 것임을 예상한다.

STEP 2 지문을 읽고 주어진 문장을 삽입하기에 가장 적절한 위치를 선택한다.

- 예상한 내용을 바탕으로 지문을 읽고, 주어진 문장의 인칭대명사나 지시대명사가 가리키는 대상이 나온 문장 뒤나 연결어의 앞뒤 흐름이 자연스러운 곳에 주어진 문장을 삽입한다.

- 주어진 문장을 읽고 예상한 내용만으로 삽입할 위치를 확실히 알기 어려운 경우, 각 빈칸에 주어진 문장을 넣어본 후, 지문의 전체적인 흐름과 가장 어울리는 곳에 주어진 문장을 삽입한다.

□ 전략 적용

주어진 문장이 들어갈 위치로 알맞은 것은?　　　　　　　[2023년 국가직 9급]

They installed video cameras at places known for illegal crossings, and put live video feeds from the cameras on a Web site.

Immigration reform is a political minefield. (①) About the only aspect of immigration policy that commands broad political support is the resolve to secure the U.S. border with Mexico to limit the flow of illegal immigrants. (②) Texas sheriffs recently developed a novel use of the Internet to help them keep watch on the border. (③) Citizens who want to help monitor the border can go online and serve as "virtual Texas deputies." (④) If they see anyone trying to cross the border, they send a report to the sheriff's office, which follows up, sometimes with the help of the U.S. Border Patrol.

STEP 1

주어진 문장을 읽고 앞에 나올 내용 예상하기

주어진 문장의 '그들은 비디오 카메라를 설치했다(They installed video camera)'를 통해 주어진 문장 앞에 비디오 카메라를 설치한 사람들과 그 배경에 대한 내용이 나올 것임을 예상할 수 있다.

STEP 2

지문을 읽고 주어진 문장을 삽입하기에 가장 적절한 위치 선택하기

주어진 문장에서 언급된 '그들'이 가리키는 대상이 '텍사스 보안관들'임을 알 수 있고, '비디오 카메라를 설치한' 배경이 '국경을 감시하는 데 도움이 되는 새로운 인터넷 사용 방법 개발'임을 알 수 있다. 따라서 주어진 문장을 삽입하기에 가장 적절한 위치인 ③번이 정답이다.

해석

그들은 불법 횡단로로 알려진 장소에 비디오 카메라를 설치했고, 웹 사이트에 카메라의 생중계 영상 피드를 올렸다.

이민 개혁은 정치적 지뢰밭이다. (①) 광범위한 정치적 지지를 받는 이민 정책의 거의 유일한 측면은 불법 이민자의 유입을 제한하기 위해 멕시코와의 미국 국경을 확보하려는 결의이다. (②) 텍사스 보안관들은 최근에 국경을 감시하는 데 도움이 되는 새로운 인터넷 사용 방법을 개발했다. (③) 국경 감시를 돕고 싶은 시민들은 온라인에서 '가상 텍사스 대표' 역할을 할 수 있다. (④) 그들이 국경을 넘으려는 누군가를 보면, 그들은 보안관 사무실로 보고서를 보내고, 그곳(보안관 사무실)은 때때로 미국 국경 순찰대의 도움을 받아서 후속 조치를 취한다.

어휘

install 설치하다　illegal 불법의　crossing 횡단로　immigration 이민　reform 개혁　political 정치적인　minefield 지뢰밭　aspect 측면　command 받다　resolve 결의　secure 확보하다　border 국경　sheriff 보안관　novel 새로운　keep watch 감시하다, 망을 보다　citizen 시민　virtual 가상의　deputy 대표, 대리인　patrol 순찰대

정답: ③

Hackers Test

앞에서 배운 STEP별 전략을 적용하여 문제를 풀어보자.

01 다음 문장이 들어갈 위치로 가장 적절한 것은?

> The appeal of these online shows is, according to some, linked to the rise of one-person households.

> In the highly wired society of South Korea, the newest trend to emerge is using the Internet to watch other people eat in real time. (①) The phenomenon is known as *mukbang*, which roughly translates to "eating show," and is an online broadcast in which people consume huge portions of food for a virtual audience, often for hours at a time. (②) To explain, Korean culture places a lot of emphasis on eating and sharing meals as a social activity, so for those who live by themselves, mealtime can be especially lonesome. (③) By tuning in to such food-related broadcasts, these lone wolves can experience a form of fellowship that eases their isolation and helps them feel connected. (④)

지문 구조 한눈에 보기

지문을 읽고 빈칸에 알맞은 말을 채우시오.

도입 대한민국에서 떠오르는 최신 유행은 실시간으로 다른 사람들이 먹는 것을 보기 위해 ¹_____ 을 사용하는 것임

설명1 이 ²_____ 은 대략 '먹는 방송'이라는 의미의 '먹방'이라고 알려져 있는데, 사람들이 인터넷상의 시청자들을 위해 엄청난 양의 ³_____ 을 흔히 한 번에 몇 시간 동안 먹는 온라인 방송임

설명2 일부 사람들에 따르면, 이 온라인 방송들의 ⁴_____ 은 1인 가구의 증가와 관련되어 있음

> **부연 1 |** 한국 문화는 먹는 것과 식사를 같이 하는 것을 사회적인 ⁵_____ 으로 매우 강조해서, 혼자 사는 사람들에게는 식사 시간이 특히 외로울 수 있음

> **부연 2 |** 이와 같은 방송을 시청함으로써, 이 독신자들은 일종의 ⁶_____ 을 체험할 수 있음

STEP 1
단서: these online shows
(이 온라인 방송들)

The appeal of these online shows is, / according to some, / linked to the rise / of one-person
이 온라인 방송들의 매력은   일부 사람들에 따르면   증가와 관련되어 있다   1인 가구의

households.

STEP 2
주어진 문장의 단서를 바탕으
로, 문장을 삽입하기에 가장
적절한 위치인 ②번이 정답이
다.

In the highly wired society of South Korea, / the newest trend ☆ to emerge / is using the Internet / to
대한민국의 고도로 컴퓨터에 연결된 사회에서   떠오르는 최신 유행은   인터넷을 사용하는 것이다

watch other people eat / in real time. (①) The phenomenon / is known as *mukbang*, / which roughly
다른 사람들이 먹는 것을 보기 위해   실시간으로   이 현상은   '먹방'이라고 알려져 있는데
                                                                전치사 + 관계대명사
translates to "eating show," / and is an online broadcast / (in which) people consume / huge portions
이것은 대략 '먹는 방송'이라고 번역되며   그리고 이것은 온라인 방송이다   사람들이 먹는   엄청난 양의 음식을

of food / for a virtual audience, / often for hours / at a time. (②) To explain, / Korean culture /
음식을   인터넷상의 시청자들을 위해   흔히 몇 시간 동안   한 번에   설명하자면   한국 문화는
        place(put) an emphasis on ~: ~을 강조하다
(places a lot of emphasis on) / eating and sharing meals / as a social activity, / so / for those / who live
매우 강조한다   먹는 것과 식사를 같이 하는 것을   사회적인 활동으로   그래서   사람들에게   혼자 사는

by themselves, / mealtime can be especially lonesome. (③) (By tuning in) / to such food-related
혼자 사는   식사 시간이 특히 외로울 수 있다   시청함으로써   이와 같은 음식과 관련된 방송을
                                                    by + -ing: ~함으로써
broadcasts, / these lone wolves can experience / (a form of) fellowship / that eases their isolation /
방송을   이 독신자들은 체험할 수 있다   일종의 유대감을   그들의 고독을 덜어주는
                                    a form of ~: 일종의 ~
and helps them feel connected. (④)
그리고 그들이 연결되어 있다고 느끼도록 도와주는

해석
일부 사람들에 따르면, 이 온라인 방송들의 매력은 1인 가구의 증가와 관련되어 있다.

대한민국의 고도로 컴퓨터에 연결된 사회에서, 떠오르는 최신 유행은 실시간으로 다른 사람들이 먹는 것을 보기 위해 인터넷을 사용하는 것이다. (①) 이 현상은 '먹방'이라고 알려져 있는데, 이것은 대략 '먹는 방송'이라고 번역되며, 이것은 사람들이 인터넷상의 시청자들을 위해 엄청난 양의 음식을 흔히 한 번에 몇 시간 동안 먹는 온라인 방송이다. (②) 설명하자면, 한국 문화는 먹는 것과 식사를 같이 하는 것을 사회적인 활동으로 매우 강조해서, 혼자 사는 사람들에게는 식사 시간이 특히 외로울 수 있다. (③) 이와 같은 음식과 관련된 방송을 시청함으로써, 이 독신자들은 그들의 고독을 덜어주고 그들이 연결되어 있다고 느끼도록 도와주는 일종의 유대감을 체험할 수 있다. (④)

해설
주어진 문장의 these online shows(이 온라인 방송들)를 통해 주어진 문장 앞에 온라인 방송에 대한 내용이 나올 것임을 예상할 수 있다. ②번 앞 문장에서 '먹방'이라고 알려진 최신 유행의 온라인 방송에서 사람들은 인터넷상의 시청자들을 위해 한 번에 몇 시간 동안 엄청난 양의 음식을 먹는다는 것을 설명하고 있으므로, ②번 자리에 주어진 문장이 들어가야 글의 흐름이 자연스럽게 연결된다. 따라서 ②번이 정답이다.

어휘
appeal 매력; 마음에 호소하다 household 가구, 가정 wired (네트워크 등에) 연결된 real time 실시간 phenomenon 현상 translate 번역하다, 옮기다
virtual 인터넷상의, 가상의 lonesome 외로운 tune in 시청하다 lone wolf 독신자, 비사교적인 사람 fellowship 유대감, 공동체

독해가 쉬워지는 공무원 필수구문

명사를 꾸며주는 to 부정사 해석하기 [Point 13] 이 문장에서 to emerge는 앞에 나온 명사 trend를 꾸며주는 수식어이다. 이처럼 to 부정사(to emerge)가
명사를 꾸며주는 경우, '떠오르는 유행'이라고 해석한다.

정답: ②

02 다음 문장이 들어갈 위치로 가장 적절한 것은?

> The tailor first takes dozens of measurements and styling is discussed.

For business professionals seeking the highest quality custom suits available, going through a Savile Row tailor is the only choice. (①) From the mid-nineteenth century onward, Savile Row in central London has been home to some of the best tailors in the country. (②) They specialize in suits that are completely customized to the individual wearer. (③) Then he or she creates a personalized pattern based on the information that has been gathered. (④) Fabric choices are presented, and the customer chooses a specific material while taking the tailor's advice into account. A suit will ultimately take several weeks to complete, but for those who are serious about their business wear, the quality makes the wait well worth it.

지문 구조 한눈에 보기

지문을 읽고 빈칸에 알맞은 말을 채우시오.

도입 | 구매 가능한 최상급 품질의 맞춤 양복을 찾는 직장인들에게는 Savile Row 거리의 ¹_____를 살펴보는 것이 유일한 선택임

설명 | 19세기 중반부터, 런던 중심부의 Savile Row 거리는 가장 뛰어난 재단사들 중 몇몇의 본거지였음 ──── 부연 | 그들은 착용자 개개인에게 철저히 맞춰진 양복을 전문으로 함

과정1 | 재단사가 먼저 여러 ²_____를 재고 나서 스타일이 논의됨

과정2 | 그러고 나서 재단사는 수집된 정보를 바탕으로 ³_____된 옷본을 제작함

과정3 | 원단의 선택지가 제시되고, 고객은 재단사의 조언을 고려하여 특정한 ⁴_____를 고름

결론 | 양복은 완성하는 데 몇 주가 소요되지만, 정장에 진지한 사람들에게 그 품질은 기다림이 충분한 가치가 있게 만듦

정답 | 1. 재단사 2. 치수 3. 개인화된 4. 소재

지문분석

STEP 1
단서: The tailor(재단사)

The tailor / first takes dozens of measurements / and styling is discussed.
재단사가   먼저 여러 치수를 잰다   그리고 스타일이 논의된다

STEP 2
주어진 문장의 단서를 바탕으로, 문장을 삽입하기에 가장 적절한 위치인 ③번이 정답이다.

go through ~: ~을 살펴보다

For business professionals / ★ seeking the highest quality custom suits / available, / going through /
직장인들에게   최상급 품질의 맞춤 양복을 찾는   구매 가능한   살펴보는 것이

(특정 시점부터) 계속

a Savile Row tailor / is the only choice. (①) From the mid-nineteenth century onward, / Savile Row
Savile Row 거리의 재단사를   유일한 선택이다   19세기 중반부터 계속

be home to ~: ~의 본거지이다

in central London / has been home to / some of the best tailors / in the country. (②) They specialize
런던 중심부의 Savile Row 거리는   본거지여 왔다   가장 뛰어난 재단사들 중 몇몇의   그 나라에서   그들은 양복을 전문으로 한다

in suits / that are completely customized / to the individual wearer. (③) Then / he or she creates a
철저히 맞춰진   착용자 개개인에게   그 후

personalized pattern / based on the information / that has been gathered. (④) Fabric choices are
재단사는 개인화된 옷본을 제작한다   정보를 바탕으로   수집된   원단의 선택지가 제시된다

presented, / and the customer chooses / a specific material / while taking the tailor's advice into
그리고 고객은 고른다   특정 소재를   재단사의 조언을 고려하면서

account. A suit / will ultimately take several weeks / to complete, / but / for those / who are serious
양복은   궁극적으로 몇 주가 소요된다   완성하는 데   그러나 사람들에게

about their business wear, / the quality makes the wait / well worth it.
그들의 정장에 진지한   그 품질은 기다림을 만든다   충분한 가치가 있게

해석

재단사가 먼저 여러 치수를 재고 나서 스타일이 논의된다.

구매 가능한 최상급 품질의 맞춤 양복을 찾는 직장인들에게는, Savile Row 거리의 재단사를 살펴보는 것이 유일한 선택이다. (①) 19세기 중반부터 계속, 런던 중심부의 Savile Row 거리는 그 나라에서 가장 뛰어난 재단사들 중 몇몇의 본거지여 왔다. (②) 그들은 착용자 개개인에게 철저히 맞춰진 양복을 전문으로 한다. (③) 그 후 재단사는 수집된 정보를 바탕으로 개인화된 옷본을 제작한다. (④) 원단의 선택지가 제시되고, 고객은 재단사의 조언을 고려하면서 특정 소재를 고른다. 양복은 완성하는 데 궁극적으로 몇 주가 소요될 것이지만, 정장에 진지한 사람들에게, 그 품질은 기다림이 충분한 가치가 있게 만든다.

해설

주어진 문장의 The tailor(재단사)를 통해 주어진 문장 앞에 재단사에 대한 내용이 나올 것임을 예상할 수 있다. ③번 앞 문장에서 Savile Row 거리의 재단사들이 착용자 개개인에게 철저히 맞춰진 양복을 전문으로 한다고 하고, ③번 뒤 문장에서 그 후 재단사는 수집된 정보를 바탕으로 개인화된 옷본을 제작한다고 설명하고 있으므로, ③번 자리에 재단사가 먼저 여러 치수를 재고 나서 스타일이 논의된다는 양복 제작의 첫 단계를 설명하는 주어진 문장이 들어가야 글의 흐름이 자연스럽게 연결된다. 따라서 ③번이 정답이다.

어휘

tailor 재단사 dozen 여러 개, 12개짜리 한 묶음 measurement 치수 styling 스타일, 디자인 custom 맞춤의, 주문 제작한 personalize 개인화하다
pattern 옷본, 양식 gather 수집하다 take into account ~을 고려하다 ultimately 궁극적으로, 결국

독해가 쉬워지는 **공무원 필수구문**

명사를 꾸며주는 현재분사 해석하기 Point 14 이 문장에서 seeking ~ available은 앞에 나온 명사 business professionals를 꾸며주는 수식어이다. 이처럼
현재분사(seeking ~)가 명사를 꾸며주는 경우, '~을 찾는 직장인들'이라고 해석한다.

정답: ③

03 다음 문장이 들어갈 위치로 가장 적절한 것은?

> For one thing, recent graduates are more likely to be familiar with the latest developments in their field than workers who have been out of school for many years.

The creation of a résumé can be a challenge for recent university graduates, who often lack work experience. (①) However, this weakness can be compensated for by focusing on the strengths of a person who has just completed his or her education. (②) The applicant should emphasize this by including in the résumé specific information about classes, seminars, or projects that are related to the company's area of business. (③) In addition, participation in internships or extracurricular activities should be highlighted. (④) This demonstrates that the applicant has a strong desire to work in the field and has taken the initiative to develop related skills.

지문 구조 한눈에 보기

지문을 읽고 빈칸에 알맞은 말을 채우시오.

도입 ¹_____를 작성하는 것은 보통 근무 경력이 부족한 최근의 대학 졸업자들에게 도전일 수 있음

주제문 이 ²_____은 막 교육을 마친 사람의 강점들에 초점을 맞춤으로써 보완될 수 있음

부연1 최근 졸업자들은 여러 해 전에 학교를 떠난 근로자들보다 자신의 ³_____의 최신 발전에 익숙할 가능성이 더 높음

부연2 지원자는 이력서에 회사의 사업 분야와 관련된 수업, 세미나, 또는 프로젝트에 대한 구체적인 ⁴_____를 포함해야 함

부연3 이에 더해, 인턴십이나 과외 활동에 참여한 것이 강조되어야 하며, 이는 지원자가 그 분야에서 일하려는 강한 ⁵_____을 가지고 있고 관련 기술을 익히기 위해 솔선수범했다는 것을 보여줌

정답 | 1. 이력서 2. 약점 3. 분야 4. 정보 5. 욕망

지문분석

STEP 1
단서: For one thing(우선 한 가지 이유는)

STEP 2
주어진 문장의 단서를 바탕으로, 문장을 삽입하기에 가장 적절한 위치인 ②번이 정답이다.

For one thing, / recent graduates / are more likely to be familiar / with the latest developments /
우선 한 가지 이유는   최근 졸업자들은   익숙할 가능성이 더 높다   최신 발전에

in their field / than workers / who have been out of school / for many years.
자신의 분야의   근로자들보다   학교를 떠난   여러 해 전에

The creation of a résumé / can be a challenge / for recent university graduates, / who often lack work
이력서를 작성하는 것은   도전일 수 있는데   최근의 대학 졸업자들에게   그들은 보통 근무 경력이 부족하다

experience. (①) However, / this weakness can be compensated for / by focusing on the strengths /
하지만   이 약점은 보완될 수 있다   강점에 초점을 맞춤으로써

↳ compensate for: 보완하다, 보상하다

of a person / who has just completed his or her education. (②) The applicant should emphasize
사람의   막 교육을 마친   지원자는 이것을 강조해야 한다

this / by including in the résumé / specific information / about classes, seminars, or projects / that are
이것을   이력서에 포함함으로써   구체적인 정보를   수업, 세미나, 또는 프로젝트에 대한

related to the company's area of business. (③) In addition, / participation in internships or
회사의 사업 분야와 관련된   이에 더해   인턴십이나 과외 활동에 참여한 것이

↳ 명사절 접속사 that

extracurricular activities / should be highlighted. (④) This demonstrates / that the applicant has a
강조되어야 한다   이것은 보여준다   지원자가 강한 열망을 가지고 있다는 것을

↳ take the initiative: 솔선수범하다

strong desire / to work in the field / and has taken the initiative / to develop related skills.
그 분야에서 일하려는   그리고 솔선수범했다는 것을   관련 기술을 발전시키기 위해

해석 우선 한 가지 이유는, 최근 졸업자들은 여러 해 전에 학교를 떠난 근로자들보다 자신의 분야의 최신 발전에 익숙할 가능성이 더 높다.

이력서를 작성하는 것은 최근의 대학 졸업자들에게 도전일 수 있는데, 그들은 보통 근무 경력이 부족하다. (①) 하지만, 이 약점은 막 교육을 마친 사람의 강점들에 초점을 맞춤으로써 보완될 수 있다. (②) 지원자는 이력서에 회사의 사업 분야와 관련된 수업, 세미나, 또는 프로젝트에 대한 구체적인 정보를 포함함으로써 이것을 강조해야 한다. (③) 이에 더해, 인턴십이나 과외 활동에 참여한 것이 강조되어야 한다. (④) 이것은 지원자가 그 분야에서 일하려는 강한 열망을 가지고 있고 관련 기술을 발전시키기 위해 솔선수범했다는 것을 보여준다.

해설 주어진 문장의 For one thing(우선 한 가지 이유는)을 통해 주어진 문장 앞에 최근 졸업자들이 자신의 분야 내 최신 발전에 익숙할 가능성이 더 높다는 것을 이유로 들 수 있는 상황이 나올 것임을 예상할 수 있다. ②번 앞 문장에서 막 교육을 마친 사람의 강점들에 초점을 맞추어 이력서를 작성하는 것이 근무 경력의 부족을 보완할 수 있다고 주장하고 있으므로, ②번 자리에 주어진 문장이 들어가야 글의 흐름이 자연스럽게 연결된다. 따라서 ②번이 정답이다.

어휘 résumé 이력서 focus 초점을 맞추다; 초점 applicant 지원자 participation 참여 extracurricular 과외의 highlight 강조하다
demonstrate 보여주다, 입증하다

독해가 쉬워지는 **공무원 필수구문**

명사를 꾸며주는 to 부정사 해석하기 Point 13 이 문장에서 to work in the field는 앞에 나온 명사 desire를 꾸며주는 수식어이다. 이처럼 **to 부정사(to work ~)**가 명사를 꾸며주는 경우, '~ 일하려는 열망'이라고 해석한다.

정답: ②

04 글의 흐름상 다음 문장이 들어가기에 가장 적절한 곳은?

On one side, the entertainment industry supports this legislation and argues that users should pay for copyrighted materials no matter how they are used.

Over the past two decades, online piracy has become an increasingly widespread phenomenon, particularly among youths. Internet users can download or stream all kinds of media, including music, movies, and even books with just a few mouse clicks. (①) Not surprisingly, this trend has created friction between entertainment companies and the online community. (②) To address this issue, a bill has been proposed that would prevent all forms of copyright infringements on the Web, if passed. (③) Conversely, some users oppose such measures as they believe they would make it difficult to share information, which they assert is their right to do. (④)

지문 구조 한눈에 보기

지문을 읽고 빈칸에 알맞은 말을 채우시오.

도입 — 지난 20년간, 온라인 저작권 침해는 특히 젊은 사람들 사이에서 점점 더 일반적인 현상이 되었음

부연 | 인터넷 사용자들은 음악, 영화, 그리고 심지어 책까지 포함하여 온갖 종류의 [1]_____를 내려받거나 재생할 수 있음

주제문 — 놀랄 것도 없이, 이러한 경향은 엔터테인먼트 회사들과 온라인 커뮤니티 사이의 [2]_____을 일으켰음

현상 — 이 문제를 해결하기 위해, 만약 통과된다면 인터넷상의 모든 형태의 저작권 [3]_____를 막을 법안이 발의되었음

주장1 | 엔터테인먼트 산업 측은 이 법안을 지지하며 저작권이 있는 [4]_____가 어떻게 사용되든 사용자가 그에 대한 대금을 지불해야 한다고 주장함

주장2 | 몇몇 사용자들은 그러한 조치들이 정보를 [5]_____하는 것을 어렵게 만들 것이라고 생각해 이에 반대함

정답 | 1. 매체 2. 마찰 3. 침해 4. 자료 5. 공유

지문분석

STEP 1
단서: this legislation(이 법안)

STEP 2
주어진 문장의 단서를 바탕으로, 문장을 삽입하기에 가장 적절한 위치인 ③번이 정답이다.

On one side, / the entertainment industry supports this legislation / and argues / that users
한쪽에서는   엔터테인먼트 산업 측이 이 법안을 지지한다   그리고 주장한다   사용자가

= however
should pay / for copyrighted materials / no matter how they are used.
대금을 지불해야 한다고   저작권이 있는 자료에 대한   그들이 어떻게 사용되든 상관없이

Over the past two decades, / online piracy has become / an increasingly widespread phenomenon, /
지난 20년간   온라인 저작권 침해는 되었다   점점 더 일반적인 현상이

~ 사이에(셋 이상의 그룹 사이)
particularly among youths. Internet users can download or stream / all kinds of media, / including
특히 젊은 사람들 사이에서   인터넷 사용자들은 내려받거나 재생할 수 있다   온갖 종류의 매체를   포함하여

music, movies, and even books / with just a few mouse clicks. (①) Not surprisingly, / this trend has
음악, 영화, 그리고 심지어 책까지 포함하여   그저 마우스 클릭 몇 번으로   놀랄 것도 없이   이러한 경향은

created friction / between entertainment companies and the online community. (②) To address this
마찰을 일으켰다   엔터테인먼트 회사들과 온라인 커뮤니티 사이의   이 문제를 해결하기 위해

issue, / a bill ★ has been proposed / that would prevent / all forms of copyright infringements / on the
법안이 발의되었다   막을   모든 형태의 저작권 침해를   인터넷상의

Web, / if passed. (③) Conversely, / some users oppose such measures / as they believe / they would
만약 통과된다면   대조적으로   몇몇 사용자들은 그러한 조치들에 반대하는데   그들이 생각하기 때문에

make it difficult / to share information, / which they assert / is their right to do. (④)
그들이 어렵게 만들 것이라고   정보를 공유하는 것을   그들이 주장하는   그들의 권리라고

해석
한쪽에서는, 엔터테인먼트 산업 측이 이 법안을 지지하며 저작권이 있는 자료가 어떻게 사용되든 상관없이 사용자가 그것에 대한 대금을 지불해야 한다고 주장한다.

지난 20년간, 온라인 저작권 침해는 특히 젊은 사람들 사이에서 점점 더 일반적인 현상이 되었다. 인터넷 사용자들은 음악, 영화, 그리고 심지어 책까지 포함하여 온갖 종류의 매체를 그저 마우스 클릭 몇 번으로 내려받거나 재생할 수 있다. (①) 놀랄 것도 없이, 이러한 경향은 엔터테인먼트 회사들과 온라인 커뮤니티 사이의 마찰을 일으켰다. (②) 이 문제를 해결하기 위해, 만약 통과된다면 인터넷상의 모든 형태의 저작권 침해를 막을 법안이 발의되었다. (③) 대조적으로, 몇몇 사용자들은 그들이 정보를 공유하는 것을 어렵게 만들 것이라고 생각하기 때문에 그러한 조치들에 반대하는데, 그들은 그것(정보를 공유하는 것)이 그들의 권리라고 주장한다. (④)

해설
주어진 문장의 this legislation(이 법안)을 통해 주어진 문장 앞에 엔터테인먼트 산업 측이 지지하는 법안에 대한 내용이 나올 것임을 예상할 수 있다. ③번 앞 문장에서 만약 통과된다면 인터넷상의 모든 저작권 침해를 막을 법안이 이 문제를 해결하기 위해 발의되었다고 하며 엔터테인먼트 회사 측이 지지하는 법안을 언급하고 있으므로, ③번 자리에 주어진 문장이 들어가야 글의 흐름이 자연스럽게 연결된다. 따라서 ③번이 정답이다.

어휘
legislation 법안, 제정법 copyrighted 저작권이 있는 piracy 저작권 침해, 해적 행위 widespread 일반적인, 널리 퍼진 friction 마찰 bill 법안
propose 발의하다, 제의하다 infringement 침해, 위반 measure 조치, 법안

독해가 쉬워지는 공무원 필수구문

have + been + p.p. 형태의 동사 해석하기 Point 05 이 문장에서 동사는 has been proposed이다. 이처럼 동사가 have + been + p.p.(has been proposed)의 형태로 쓰여 현재완료 수동의 의미를 가지는 경우, '(과거부터 현재까지) 발의되었다'라고 해석한다.

정답: ③

05 다음 문장이 들어갈 위치로 가장 적절한 것은?

> These collisions result in the release of ultraviolet light, which is undetectable by the human eye.

> First made commercially available by the American company General Electric in 1938, the fluorescent light bulb has become the most common type of lighting in public buildings and workplaces. (①) The fluorescent light bulb is comprised of a sealed glass tube that contains argon gas and mercury. (②) When the ends of the bulb receive an electrical charge, electrons move rapidly through the gas in the tube, colliding with the vaporized mercury atoms. (③) However, the fluorescent tube is coated with a substance that converts the ultraviolet light into visible light. (④) Despite the complexity of this process, fluorescent light bulbs consume much less energy than other types and produce a significantly brighter light.

지문 구조 한눈에 보기

지문을 읽고 빈칸에 알맞은 말을 채우시오.

| 도입 | 1938년에 미국의 General Electric사에 의해 처음 상업적으로 이용할 수 있게 된 후로, 형광등은 [1]_____과 일터에서 가장 보편적인 종류의 조명이 되었음 |

| 설명1 | 형광등은 아르곤 가스와 [2]_____을 담은 밀폐된 유리관으로 이루어져 있음 |

| 설명2 | 전구의 끝이 전하를 받으면, 전자는 [3]_____된 수은 원자와 충돌하며 관 안에 있는 가스를 통과해 급속히 이동함 |

| 설명3 | 이 충돌의 결과로 자외선의 [4]_____이 발생하며 이것은 사람의 눈으로 감지할 수 없음 | **부연** \| 형광관은 그 자외선을 가시광선으로 전환하는 [5]_____로 덮여있음 |

| 결론 | 이 과정의 [6]_____에도 불구하고, 형광등은 다른 종류의 전구에 비해 훨씬 더 적은 에너지를 소모하며 훨씬 더 밝은 빛을 생성함 |

정답 | 1. 공공건물 2. 수은 3. 기체화 4. 방출 5. 물질 6. 복잡성

STEP 1

단서: These collisions(이 충돌)

These collisions result in / the release of ultraviolet light, / which is undetectable / by the human eye.
이 충돌의 결과로 발생하는데   자외선의 방출이   이것은 감지할 수 없다   사람의 눈으로

STEP 2

주어진 문장의 단서를 바탕으로, 문장을 삽입하기에 가장 적절한 위치인 ③번이 정답이다.

→ 과거분사로 시작하는 분사구문

First made commercially available / by the American company General Electric / in 1938, / the
처음 상업적으로 이용할 수 있게 된 이후로   미국 회사인 General Electric에 의해   1938년에

fluorescent light bulb / has become the most common type of lighting / in public buildings and
형광등은   가장 보편적인 종류의 조명이 되었다   공공건물과 일터에서

→ be comprised of ~: ~로 이루어지다

workplaces. (①) The fluorescent light bulb / is comprised of a sealed glass tube / that contains
형광등은   밀폐된 유리관으로 이루어져 있다

argon gas and mercury. (②) When the ends of the bulb receive / an electrical charge, / electrons
아르곤 가스와 수은을 담은   전구의 끝이 받으면   전하를

move rapidly / through the gas in the tube, / ☆ colliding with the vaporized mercury atoms. (③)
전자는 급속히 이동한다   관 안에 있는 가스를 통과해   기체화된 수은 원자와 충돌하며

→ convert … into(to) ~: …을 ~로 전환하다

However, / the fluorescent tube / is coated with a substance / that converts the ultraviolet light / into
하지만   형광관은   물질로 덮여있다   그 자외선을 전환하는

visible light. (④) Despite the complexity of this process, / fluorescent light bulbs / consume much
가시광선으로   이 과정의 복잡성에도 불구하고   형광등은   훨씬 더 적은 에너지를 소모한다

less energy / than other types / and produce a significantly brighter light.
다른 종류의 전구에 비해   그리고 훨씬 더 밝은 빛을 생성한다

Chapter 09 문장 삽입 | 해커스공무원 영어 독해

해석
이 충돌의 결과로 자외선의 방출이 발생하는데, 이것은 사람의 눈으로 감지할 수 없다.

1938년에 미국 회사인 General Electric에 의해 형광등이 처음 상업적으로 이용할 수 있게 된 이후로, 이것은 공공건물과 일터에서 가장 보편적인 종류의 조명이 되었다. (①) 형광등은 아르곤 가스와 수은을 담은 밀폐된 유리관으로 이루어져 있다. (②) 전구의 끝이 전하를 받으면, 전자는 기체화된 수은 원자와 충돌하며 관 안에 있는 가스를 통과해 급속히 이동한다. (③) 하지만, 형광관은 그 자외선을 가시광선으로 전환하는 물질로 덮여있다. (④) 이 과정의 복잡성에도 불구하고, 형광등은 다른 종류의 전구에 비해 훨씬 더 적은 에너지를 소모하며 훨씬 더 밝은 빛을 생성한다.

해설
주어진 문장의 These collisions(이 충돌)를 통해 주어진 문장 앞에 자외선을 방출되게 하는 충돌에 대한 내용이 나올 것임을 예상할 수 있다. ③번 앞 문장에서 전자와 수은 원자의 충돌을 언급하고 있으므로, ③번 자리에 주어진 문장이 들어가야 글의 흐름이 자연스럽게 연결된다. 따라서 ③번이 정답이다.

어휘
ultraviolet light 자외선   undetectable 감지할 수 없는   commercially 상업적으로   fluorescent light bulb 형광등   lighting 조명   sealed 밀폐된   mercury 수은   electrical charge 전하(전자기장내에 전기를 일으키는 원인)   electron 전자   collide 충돌하다   vaporize 기체화하다   atom 원자   substance 물질   convert 전환하다, 바꾸다   complexity 복잡성   consume 소모하다

독해가 쉬워지는 **공무원 필수구문**

문장을 꾸며주는 분사구문 해석하기 – 동시상황 Point 23   이 문장에서 colliding ~ atoms는 콤마 앞에 나온 문장 전체를 꾸며주는 수식어이다. 이처럼 분사구문이 문장 뒤 또는 가운데 올 경우, 종종 앞 문장과 동시에 일어나는 상황을 나타내는데, 이때 분사구문은 '~과 충돌하며'라고 해석한다.

정답: ③

06 다음 주어진 문장이 들어갈 곳으로 가장 적절한 것은?

> Because the megalodon possessed such a physical advantage, scientists are uncertain about what led to its extinction.

The megalodon is an extinct species of shark that lived roughly 1.5 million years ago. (①) Megalodon, which means "big tooth" in Greek, reached a maximum length of approximately 23 meters and a weight of over 100 tons. (②) Its immense size made it one of the largest fish to have ever lived, dwarfing anything that exists today. (③) Still, some theories on what may have led to its eventual demise have been developed. (④) These include changes in the temperature of the planet's oceans, a decline in food supply, and competition from marine animals such as the ancestors of modern killer whales.

지문 구조 한눈에 보기

지문을 읽고 빈칸에 알맞은 말을 채우시오.

도입 Megalodon은 대략 150만 년 전에 살았던 멸종된 상어 종임

설명1 그리스어로 '¹_____'이라는 뜻의 megalodon은 최대 길이가 약 23미터, 무게가 100톤 이상에 달함 ── **부연 |** 이는 그것을 이제껏 존재했던 가장 큰 어류 중 하나로 만듦

설명2 Megalodon이 이러한 신체적인 ²_____을 가지고 있었기 때문에, 과학자들은 무엇이 그것의 멸종을 야기했는지에 대해 분명히 알지 못함

설명3 무엇이 그것의 궁극적인 ³_____로 이어졌을지에 대한 몇 가지 이론이 전개되어 옴 ── **부연 |** 그 이론들은 지구 해양 ⁴_____의 변화, 식량 공급의 감소, 현대 범고래의 시조와 같은 해양 동물과의 경쟁 등임

정답 | 1. 큰 이빨 2. 이점 3. 죽음 4. 온도

지문분석

Because the megalodon possessed / such a physical advantage, / scientists are uncertain / about
megalodon은 가지고 있었기 때문에   이러한 신체적인 이점을   과학자들은 분명히 알지 못한다

what led to its extinction.
무엇이 그것의 멸종을 야기했는지에 대해

STEP 1

단서: such a physical advantage(이러한 신체적인 이점)

STEP 2

주어진 문장의 단서를 바탕으로, 문장을 삽입하기에 가장 적절한 위치인 ③번이 정답이다.

The megalodon is an extinct species of shark / that lived roughly 1.5 million years ago. (①)
megalodon은 멸종된 상어 종이다   대략 150만 년 전에 살았던

→ reach: (특정 수준 등에) 달하다
Megalodon, / which means "big tooth" in Greek, / reached a maximum length of approximately
Megalodon은   그리스어로 '큰 이빨'이라는 뜻의   최대 길이가 약 23미터에 달한다

23 meters / and a weight of over 100 tons. (②) Its immense size / made it one of the largest fish /
그리고 무게가 100톤 이상에 달한다   그것의 엄청난 몸집은   그것을 가장 큰 어류 중 하나로 만들었다

to have ever lived, / dwarfing anything / that exists today. (③) Still, / some theories / on what may
이제껏 존재했던   어떤 것도 왜소해 보이게 만들며   오늘날 존재하는   그럼에도 불구하고   몇 가지 이론이

have led to its eventual demise / have been developed. (④) These include / changes in the
무엇이 그것의 궁극적인 종말로 이어졌을지에 대한   전개되어 왔다   그 이론들은 포함한다

temperature of the planet's oceans, / a decline in food supply, / and competition from marine animals /
지구 해양 온도의 변화   식량 공급의 감소   그리고 해양 동물들과의 경쟁을

→ such as: ~과 같은
such as the ancestors of modern killer whales.
현대 범고래의 시조와 같은

해석
Megalodon은 이러한 신체적인 이점을 가지고 있었기 때문에, 과학자들은 무엇이 그것의 멸종을 야기했는지에 대해 분명히 알지 못한다.

Megalodon은 대략 150만 년 전에 살았던 멸종된 상어 종이다. (①) 그리스어로 '큰 이빨'이라는 뜻의 megalodon은 최대 길이가 약 23미터에 달하고 무게가 100톤 이상에 달한다. (②) 그것의 엄청난 몸집은 오늘날 존재하는 어떤 것도 왜소해 보이게 만들며, 그것을 이제껏 존재했던 가장 큰 어류 중 하나로 만들었다. (③) 그럼에도 불구하고, 무엇이 그것의 궁극적인 종말로 이어졌을지에 대한 몇 가지 이론이 전개되어 왔다. (④) 그것들은 지구 해양 온도의 변화, 식량 공급의 감소, 현대 범고래의 시조와 같은 해양 동물과의 경쟁을 포함한다.

해설
주어진 문장의 such a physical advantage(이러한 신체적인 이점)를 통해 주어진 문장 앞에는 megalodon의 신체적인 이점에 대한 내용이 나올 것임을 예상할 수 있다. ③번 앞 문장에서 megalodon의 엄청난 몸집은 오늘날 존재하는 어떤 것도 왜소해 보이게 만들며 그것을 이제껏 존재했던 가장 큰 어류 중 하나로 만들었다고 설명하고 있고, ③번 뒤 문장에서 그럼에도 불구하고 무엇이 그것의 종말로 이어졌을지에 대한 이론이 전개되어 왔다는 내용이 있으므로 ③번 자리에 그것의 신체적 이점이 있기 때문에 과학자들은 그것의 멸종을 야기한 원인에 대해서 분명하게 알지 못한다는 주어진 문장이 나와야 지문이 자연스럽게 연결된다. 따라서 ③번이 정답이다.

어휘
extinction 멸종   immense 엄청난, 거대한   dwarf 왜소해 보이게 만들다   demise 종말, 죽음

독해가 쉬워지는 **공무원 필수구문**

have + been + p.p. 형태의 동사 해석하기 Point 05 이 문장에서 동사는 have been developed이다. 이처럼 동사가 have + been + p.p.(have been developed)의 형태로 쓰여 현재완료 수동의 의미를 가지는 경우, '(과거에서 현재까지) 전개되어 왔다'라고 해석한다.

정답: ③

07 글의 흐름상 다음 문장이 들어가기에 가장 적절한 곳은?

> This is because any low scores received on extra credit assignments cannot harm a student's overall grade for the class.

American high school students who receive an unusually low score on an exam are often permitted to do a voluntary assignment, such as an essay, to improve their overall grade. Known as an extra credit assignment, this variety of task benefits students in a number of ways. (①) First, it is a risk-free way for a student to improve his or her academic record. (②) On top of the fact that their grade will not suffer, there is usually no fixed deadline for such assignments. (③) This flexibility allows students to work at a self-determined pace and turn in the assignment only when they feel they have done their best on it. (④) Finally, students are typically encouraged to design extra credit assignments themselves, which promotes creativity.

지문 구조 한눈에 보기

지문을 읽고 빈칸에 알맞은 말을 채우시오.

주제문 | 시험에서 몹시 낮은 점수를 받는 미국 고등학생들은 그들의 전반적인 점수를 향상시키기 위해 에세이와 같은 자발적인 ¹_____를 하는 것이 종종 허용됨

부연 | 추가 점수 과제라고 알려진 이 다양한 과제들은 여러 가지 방식으로 학생들에게 도움이 됨

설명1 | 이것은 학생이 그들의 학업 성적을 ²_____시키는 위험 부담이 없는 방법임

이유 | 추가 점수 과제에서 받은 낮은 점수가 그 수업에 대한 학생의 전반적인 성적에 ³_____를 줄 수 없기 때문임

설명2 | 그들의 성적이 더 나빠지지 않으며, 보통 그런 과제에는 고정된 ⁴_____이 없음

부연 | 이 융통성은 학생들이 스스로 결정한 속도로 작업하고 그들이 그것에 최선을 다했다고 느낄 때 과제를 제출할 수 있게 함

설명3 | 학생들은 보통 추가 점수 과제를 그들 스스로 계획하도록 장려되는데, 이것은 ⁵_____을 증진함

정답 | 1. 과제 2. 향상 3. 피해 4. 마감기한 5. 창의성

This is because / any low scores / received on extra credit assignments / cannot harm a student's
이것은 왜냐하면   낮은 점수가   추가 점수 과제에서 받은   학생의 전반적인 성적에 피해를 줄 수 없기 때문이다

overall grade / for the class.
그 수업에 대한

American high school students / who receive an unusually low score on an exam / are often permitted /
미국 고등학교 학생들은   시험에서 몹시 낮은 점수를 받는   종종 허용된다

to do a voluntary assignment, / such as an essay, / to improve their overall grade. Known as an
자발적인 과제를 하는 것이   에세이와 같은   그들의 전반적인 점수를 향상시키기 위해

→ a number of + 가산 복수 명사: 여럿의, 많은
extra credit assignment, / this variety of task / benefits students / in a number of ways. (①) First, /
추가 점수 과제라고 알려진   이 다양한 과제들은   학생들에게 도움이 된다   여러 가지 방식으로   첫째

it is a risk-free way / for a student to improve / his or her academic record. (②) On top of the fact /
이것은 위험 부담이 없는 방법이다   학생이 향상시키는   그들의 학업 성적을   사실 뿐 아니라

that their grade will not suffer, / there is usually no fixed deadline / for such assignments. (③) This
그들의 성적이 더 나빠지지 않을 것이라는   보통 고정된 마감일이 없다   그런 과제에는

→ 5형식 동사 allow + 목적어 + to 부정사
flexibility / allows students to work / at a self-determined pace / and turn in the assignment / only
이 융통성은   학생들이 작업하도록 한다   스스로 결정한 속도로   그리고 과제를 제출할 수 있게 한다

→ do one's best: 최선을 다하다
when they feel / they have done their best on it. (④) Finally, / students are typically encouraged /
그들이 느낄 때에만   그것에 그들의 최선을 다했다고   마지막으로   학생들은 보통 장려되는데

to design extra credit assignments / themselves, / which promotes creativity.
추가 점수 과제를 스스로 계획하도록   그들 스스로   이것은 창의성을 증진한다

해석
이것은 추가 점수 과제에서 받은 낮은 점수가 그 수업에 대한 학생의 전반적인 성적에 피해를 줄 수 없기 때문이다.

시험에서 몹시 낮은 점수를 받는 미국 고등학교 학생들은 그들의 전반적인 점수를 향상시키기 위해 에세이와 같은 자발적인 과제를 하는 것이 종종 허용된다. 추가 점수 과제라고 알려진 이 다양한 과제들은 여러 가지 방식으로 학생들에게 도움이 된다. (①) 첫째, 이것은 학생이 그들의 학업 성적을 향상시키는 위험 부담이 없는 방법이다. (②) 그들의 성적이 더 나빠지지 않을 것이라는 사실 뿐 아니라, 그런 과제에는 보통 고정된 마감일이 없다. (③) 이 융통성은 학생들이 스스로 결정한 속도로 작업하고 그들이 그것에 그들의 최선을 다했다고 느낄 때에만 과제를 제출할 수 있게 한다. (④) 마지막으로, 학생들은 보통 추가 점수 과제를 그들 스스로 계획하도록 장려되는데, 이것은 창의성을 증진한다.

해설
주어진 문장의 This is because(이것은 왜냐하면)를 통해 주어진 문장 앞에 추가 점수 과제에서 받은 낮은 점수가 학생의 전반적인 성적에 피해를 줄 수 없다는 것을 이유로 들 수 있는 상황이 나올 것임을 예상할 수 있다. ②번 앞 문장에서 추가 점수 과제는 학생이 자신의 성적을 향상시키는 위험 부담이 없는 방법이라고 했으므로, ②번 자리에 주어진 문장이 들어가야 글의 흐름이 자연스럽게 연결된다. 따라서 ②번이 정답이다.

어휘
assignment 과제, 숙제   overall 전반적인, 전체의   unusually 몹시, 평소와 달리   voluntary 자발적인   suffer 더 나빠지다   flexibility 융통성
self-determined 스스로 결정한   encourage 장려하다, 격려하다   creativity 창의성

독해가 쉬워지는 공무원 필수구문

문장을 꾸며주는 '콤마 + which ~' 해석하기 Point 20 이 문장에서 which promotes creativity는 앞에 나온 문장 전체를 꾸며주는 수식어이다. 이처럼 콤마 + which가 이끄는 절이 문장을 꾸며주는 경우, which는 앞에 나온 문장 전체를 의미한다는 것에 유의하며 '이것은'이라고 해석한다.

정답: ②

08 다음 문장이 들어갈 위치로 가장 적절한 것은?

> That is why special devices that emit UV radiation are used by hospitals and clinics around the world to sterilize medical equipment and facilities.

Although ultraviolet (UV) radiation has been proven to be responsible for ailments ranging from sunburn to skin cancer, it also provides significant health benefits. (①) Exposure to UV radiation triggers the production of vitamin D in the body, which is necessary to maintain adequate bone density and ensure the proper function of the immune and nervous systems. (②) Furthermore, research has shown that UV radiation can be an effective tool for the treatment of various medical conditions. (③) UV radiation is also an effective and powerful cleaning agent because it destroys harmful microorganisms, such as disease-causing bacteria. (④) All in all, UV radiation does not deserve its wholly bad reputation, as it does provide a large variety of valuable services under the right circumstances.

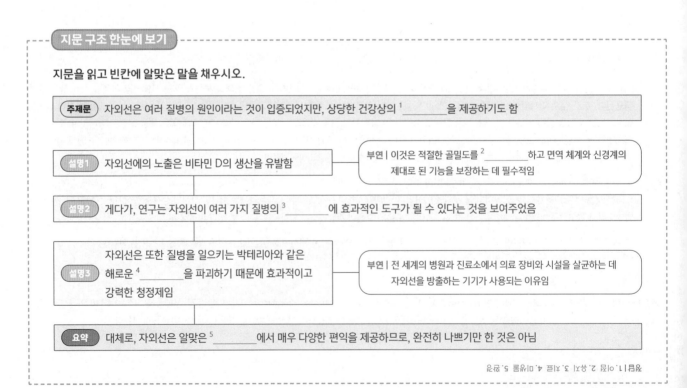

지문 구조 한눈에 보기

지문을 읽고 빈칸에 알맞은 말을 채우시오.

주제문 자외선은 여러 질병의 원인이라는 것이 입증되었지만, 상당한 건강상의 ¹_____ 을 제공하기도 함

설명1 자외선에의 노출은 비타민 D의 생산을 유발함 — 부연 | 이것은 적절한 골밀도를 ²_____ 하고 면역 체계와 신경계의 제대로 된 기능을 보장하는 데 필수적임

설명2 게다가, 연구는 자외선이 여러 가지 질병의 ³_____ 에 효과적인 도구가 될 수 있다는 것을 보여주었음

설명3 자외선은 또한 질병을 일으키는 박테리아와 같은 해로운 ⁴_____ 을 파괴하기 때문에 효과적이고 강력한 청정제임 — 부연 | 전 세계의 병원과 진료소에서 의료 장비와 시설을 살균하는 데 자외선을 방출하는 기기가 사용되는 이유임

요약 대체로, 자외선은 알맞은 ⁵_____ 에서 매우 다양한 편익을 제공하므로, 완전히 나쁘기만 한 것은 아님

정답 1. 이점 2. 유지 3. 치료 4. 미생물 5. 상황

That is / **why** special devices that emit UV radiation are used / by hospitals and clinics around
그것이 　자외선을 방출하는 특별한 기기가 사용되는 이유이다 　전 세계의 병원과 진료소에서

the world / to sterilize medical equipment and facilities.
의료 장비와 시설을 살균하는 데

→ be responsible for ~: ~의 원인이다

Although ultraviolet (UV) radiation has been proven / to be responsible for ailments / ranging from
자외선은 입증되었지만 　질병의 원인이라는 것이

sunburn to skin cancer, / it also provides significant health benefits. (①) Exposure to UV radiation /
햇볕으로 입은 화상에서부터 피부암에 이르는 　그것은 상당한 건강상의 이점을 제공하기도 한다 　자외선에의 노출은

triggers the production of vitamin D / in the body, / which is necessary / to maintain adequate bone
비타민 D의 생산을 유발하는데 　체내에서 　이것은 필수적이다 　적절한 골밀도를 유지하는데

density / and ensure the proper function / of the immune and nervous systems. (②) Furthermore, /
그리고 제대로 된 기능을 보장하는 데 　면역 체계와 신경계의 　게다가

→ 목적어로 쓰인 명사절을 이끄는 that

research has shown / that UV radiation can be an effective tool / for the treatment of various medical
연구는 보여주었다 　자외선이 효과적인 도구가 될 수 있다는 것을 　여러 가지 질병의 치료에

conditions. (③) UV radiation is / also an effective and powerful cleaning agent / because it destroys /
자외선은 　또한 효과적이고 강력한 청정제이다 　그것이 파괴하기 때문에

harmful microorganisms, / such as disease-causing bacteria. (④) All in all, / UV radiation does
해로운 미생물을 　질병을 일으키는 박테리아와 같은 　대체로 　자외선은 받을 만하지 않다

→ 동사(provide)를 강조하는 do 동사

not deserve / its wholly bad reputation, / as it does provide / a large variety of valuable services /
그것의 완전히 나쁘기만 한 평판을 　그것이 제공하므로 　매우 다양한 가치 있는 편익을

under the right circumstances.
알맞은 환경에서

해석

그것이 전 세계의 병원과 진료소에서 의료 장비와 시설을 살균하는 데 자외선을 방출하는 특별한 기기가 사용되는 이유이다.

자외선은 햇볕으로 입은 화상에서부터 피부암에 이르는 질병의 원인이라는 것이 입증되었지만, 그것은 상당한 건강상의 이점을 제공하기도 한다. (①) 자외선에의 노출은 체내에서 비타민 D의 생산을 유발하는데, 이것은 적절한 골밀도를 유지하고 면역 체계와 신경계의 제대로 된 기능을 보장하는 데 필수적이다. (②) 게다가, 연구는 자외선이 여러 가지 질병의 치료에 효과적인 도구가 될 수 있다는 것을 보여주었다. (③) 자외선은 또한 질병을 일으키는 박테리아와 같은 해로운 미생물을 파괴하기 때문에 효과적이고 강력한 청정제이다. (④) 대체로, 자외선은 알맞은 환경에서 매우 다양한 가치 있는 편익을 제공하므로, 그것의 완전히 나쁘기만 한 평판을 받을 만하지 않다.

해설

주어진 문장의 That is why(그것이 ~하는 이유이다)를 통해 주어진 문장 앞에 전 세계 병원과 진료소에서 자외선을 방출하는 기기를 의료 장비 살균에 사용하는 이유에 대한 내용이 나올 것임을 예상할 수 있다. ④번 앞 문장에서 자외선은 해로운 미생물을 파괴하므로 효과적이고 강력한 청정제라고 했으므로, ④번 자리에 주어진 문장이 들어가야 글의 흐름이 자연스럽게 연결된다. 따라서 ④번이 정답이다.

어휘　sterilize 살균하다　ailment 질병　trigger 유발하다　adequate 적절한　density 밀도, 농도　immune 면역의　condition 질병　microorganism 미생물

독해가 쉬워지는 **공무원 필수구문**

보어 자리에 온 '의문사 ~' 해석하기 [Point 10] 이 문장에서 why ~ facilities는 주어인 That을 보충 설명해주는 보어이다. 이처럼 의문사가 이끄는 절(why + 주어 + 동사 ~)이 보어 자리에 와서 주어의 의미를 보충해주는 경우, '~ 특별한 기기가 사용되는 이유'라고 해석한다.

정답: ④

09 글의 흐름상 다음 문장이 들어가기에 가장 적절한 곳은?

> This may be because the alcoholic beverage has long been paired with cheese in France and other European nations, and Asian consumers are now developing a taste for it, too.

Although traditionally a staple in European countries, cheese is gaining popularity in Asia these days. (①) France reports that its cheese exports to the Far East have increased by over 300 percent in the past several years. (②) In 2012, China, Japan, and South Korea placed third, fourth, and fifth respectively as the world's top importers. (③) Market experts have noted that the importation of many Western foods containing the ingredient, such as pizza, has been growing significantly as well. (④) Even things like steadily rising wine imports appear to be playing a major role in helping to boost the cheese phenomenon. (⑤) Overall, the once rarely consumed dairy product is quickly becoming one of the top food products in Eastern countries.

지문 구조 한눈에 보기

지문을 읽고 빈칸에 알맞은 말을 채우시오.

주제문 전통적으로는 유럽 국가들의 기본 식료품이지만, 치즈는 최근 아시아에서 1_____를 얻고 있음

설명1 프랑스는 지난 몇 년간 극동 지역으로의 치즈 2_____이 300퍼센트 넘게 증가했다고 발표함

부연 | 2012년에, 중국, 일본, 그리고 한국은 세계 최대의 수입국으로서 각각 3, 4, 그리고 5위를 차지했음

부연1 | 와인 수입의 증가와 같은 상황들 또한 이 치즈 현상을 북돋는 데 중요한 역할을 하고 있는 것으로 보임

설명2 시장 3_____들은 피자와 같은 많은 서양 음식의 수입 또한 상당히 증가해 왔다는 것에 주목했음

부연2 | 와인이 프랑스와 다른 유럽 국가에서 오랫동안 치즈와 짝지어져 왔고, 아시아 4_____들도 또한 그것에 입맛을 들이고 있기 때문임

요약 전반적으로, 한때 거의 소비되지 않았던 5_____이 동양 국가들에서 빠르게 최고의 식료품들 중 하나가 되고 있음

정답 | 1. 인기 2. 수출 3. 전문가 4. 소비자 5. 유제품

해커스공무원 영어 독해

지문분석

STEP 1
단서: the alcoholic beverage
(그 알코올음료), too(또한)

This may be / because the alcoholic beverage / has long been paired with cheese / in France and
이는 아마도　　　　　　그 알코올음료가　　　　　　오랫동안 치즈와 짝지어져 왔기 때문이다

develop a taste for ~: ~에 입맛을 들이다

other European nations, / and Asian consumers / are now developing a taste for it, / too.
프랑스와 다른 유럽 국가들에서　　그리고 아시아 소비자들이　　그것에 입맛을 들이고 있기 때문이다　　또한

STEP 2
주어진 문장의 단서를 바탕으로, 문장을 삽입하기에 가장 적절한 위치인 ⑤번이 정답이다.

Although traditionally a staple in European countries, / cheese is gaining popularity in Asia / these days.
전통적으로 유럽 국가들의 기본 식료품이지만　　　　　　치즈는 아시아에서 인기를 얻고 있다　　최근

(①) France reports / ★ that its cheese exports to the Far East / have increased by over 300 percent /
프랑스는 발표한다　　　그것의 극동 지역으로의 치즈 수출이　　　　　　300퍼센트 넘게 증가했다고

place + 서수 = ~위를 하다

in the past several years. (②) In 2012, / China, Japan, and South Korea / placed third, fourth, and
지난 몇 년간　　　　　　2012년에　　중국, 일본, 그리고 한국은　　　3, 4, 그리고 5위를 차지했다

fifth / respectively / as the world's top importers. (③) Market experts have noted / that the importation
각각　　　　세계 최대의 수입국으로서　　　　　시장 전문가들은 주목했다　　　많은 서양 음식의 수입이

of many Western foods / containing the ingredient, / such as pizza, / has been growing significantly /
많은 서양 음식의 수입이　　이 재료를 포함하고 있는　　피자와 같이　　　상당히 증가해 왔다는 것에

play a role: 역할을 하다

as well. (④) Even things / like steadily rising wine imports / appear to be playing a major role /
또한　　　심지어는 상황들 또한　　서서히 증가하고 있는 와인의 수입과 같은　　중요한 역할을 하고 있는 것으로 보인다

in helping to boost / the cheese phenomenon. (⑤) Overall, / the once rarely consumed dairy
북돋우는 것을 돕는 데　　이 치즈 현상을　　　전반적으로 보아　　한때 거의 소비되지 않았던 유제품이

product / is quickly becoming / one of the top food products / in Eastern countries.
빠르게 되고 있다　　　　최고의 식료품 들 중 하나가　　동양 국가들에서

해석
이는 아마도 그 알코올음료가 프랑스와 다른 유럽 국가들에서 오랫동안 치즈와 짝지어져 왔고, 아시아 소비자들도 또한 그것에 입맛을 들이고 있기 때문이다.

전통적으로는 유럽 국가들의 기본 식료품이지만, 치즈는 최근 아시아에서 인기를 얻고 있다. (①) 프랑스는 지난 몇 년간 극동 지역으로의 치즈 수출이 300퍼센트 넘게 증가했다고 발표한다. (②) 2012년에, 중국, 일본, 그리고 한국은 세계 최대의 수입국으로서 각각 3, 4, 그리고 5위를 차지했다. (③) 시장 전문가들은 피자와 같이 이 재료를 포함하고 있는 많은 서양 음식의 수입 또한 상당히 증가해 왔다는 것에 주목했다. (④) 심지어는 서서히 증가하고 있는 와인의 수입과 같은 상황들 또한 이 치즈 현상을 북돋우는 것을 돕는 데 중요한 역할을 하고 있는 것으로 보인다. (⑤) 전반적으로 보아, 한때 거의 소비되지 않았던 유제품이 동양 국가들에서 빠르게 최고의 식료품들 중 하나가 되고 있다.

해설
주어진 문장의 the alcoholic beverage(그 알코올음료)를 통해 주어진 문장 앞에 치즈와 짝지어지는 알코올음료에 대한 내용이 나올 것임을 예상할 수 있다. ⑤번 앞 문장에서 서서히 증가하고 있는 와인의 수입과 같은 상황들이 치즈 현상을 북돋우는 데 중요한 역할을 하는 것으로 보인다고 했으므로, ⑤번 자리에 주어진 문장이 들어가야 글의 흐름이 자연스럽게 연결된다. 따라서 ⑤번이 정답이다.

어휘
pair 짝을 짓다　staple 기본 식료품, 주요 상품　export 수출　respectively 각각　importer 수입국　ingredient 재료　steadily 서서히　boost 북돋우다　dairy 유제품의

독해가 쉬워지는 **공무원 필수구문**

목적어 자리에 온 'that ~' 해석하기 [Point 07] 이 문장에서 that its cheese exports ~ years는 앞에 나온 동사 reports의 목적어이다. 이처럼 that이 이끄는 절(that + 주어 + 동사 ~)이 목적어 자리에 온 경우, '그것의 ~ 치즈 수출이 ~ 증가했다고'라고 해석한다.

정답: ⑤

10 다음 문장이 들어갈 위치로 가장 적절한 것은?

> One expected benefit of the initiative is the revitalization of city centers, which tend to revolve around public transit.

The shift to remote and hybrid work has led to a surplus of empty office spaces in urban areas across the nation. (①) This has left downtown property owners with half-empty buildings and city governments with shrinking tax revenues. (②) To deal with this matter, the government has launched an initiative aimed at converting vacant spaces into housing units. (③) Working with multiple federal agencies, it has designated 35 billion dollars to support these conversions, which will primarily take place in buildings near transportation hubs. (④) With more people and fewer cars in the area, city centers will become more vibrant and commercially successful as the convenience they offer will lead to bustling streets, increased foot traffic, and more businesses catering to the larger population.

지문 구조 한눈에 보기

지문을 읽고 빈칸에 알맞은 말을 채우시오.

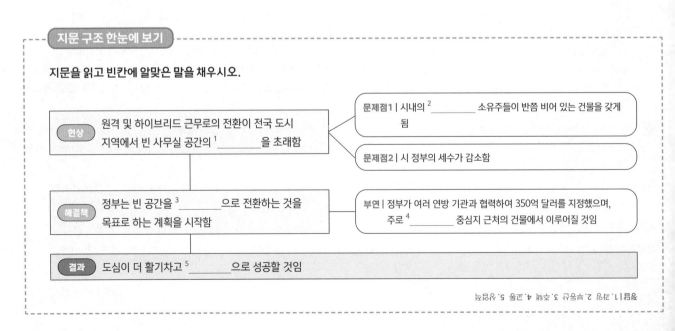

현상 | 원격 및 하이브리드 근무로의 전환이 전국 도시 지역에서 빈 사무실 공간의 ¹_____을 초래함

문제점1 | 시내의 ²_____ 소유주들이 반쯤 비어 있는 건물을 갖게 됨

문제점2 | 시 정부의 세수가 감소함

해결책 | 정부는 빈 공간을 ³_____으로 전환하는 것을 목표로 하는 계획을 시작함

부연 | 정부가 여러 연방 기관과 협력하여 350억 달러를 지정했으며, 주로 ⁴_____ 중심지 근처의 건물에서 이루어질 것임

결과 | 도심이 더 활기차고 ⁵_____으로 성공할 것임

정답 | 1. 과잉 2. 부동산 3. 주택 4. 교통 5. 상업적

지문분석

One expected benefit / of the initiative / is the revitalization of city centers, / (which) tend to revolve /
기대되는 이점 하나는 　　　　이 계획의 　　　　　도심의 활성화이다 　　　　　돌아가는 경향이 있는
계속적 용법으로 쓰인 관계대명사 which ↵

around public transit.
대중교통을 중심으로

STEP 1
단서: the revitalization(활성화), revolve around public transit(대중교통을 중심으로 돌아감)

The shift to remote and hybrid work / has led to a surplus / of empty office spaces / in urban areas /
원격 및 하이브리드 근로의 전환은 　　　　과잉을 초래했다 　　　　빈 사무실 공간의 　　　　도시 지역에서

across the nation. (①) This has left downtown property owners / with half-empty buildings / and
전국의 　　　　이로 인해 시내의 부동산 소유주들은 갖게 되었다 　　　반쯤 비어 있는 건물을 　　　그리고

city governments / with shrinking tax revenues. (②) To deal with this matter, / the government has
시 정부는 　　　　세수가 감소하게 되었다 　　　　이 문제를 해결하기 위해 　　　정부는 계획을 시작했다

launched an initiative / (aimed) at converting / vacant spaces into housing units. (③) Working with
전환하는 것을 목표로 하는 　　빈 공간을 주택으로
명사 an initiative를 꾸며주는 과거분사

multiple federal agencies, / it has designated 35 billion dollars / to support these conversions, / which
여러 연방 기관과 협력하여 　　그것(정부)은 350억 달러를 지정했다 　　이러한 전환을 지원하기 위해

will primarily take place / in buildings / near transportation hubs. (④) With more people and fewer
이는 주로 이루어질 것이다 　　건물에서 　　교통 중심지 근처의 　　그 지역에 사람들이 많아지고

cars in the area, / city centers will become more vibrant / and commercially successful / as the
자동차가 줄어듦에 따라 　　도심은 더 활기차질 것이다 　　그리고 상업적으로 성공할 것이다

convenience they offer / will lead to bustling streets, / increased foot traffic, / and more businesses /
그것들이 제공하는 편리함이 ~하기 때문에　변화한 거리로 이어질 것이다 　　증가한 유동 인구로 　　그리고 더 많은 사업으로

catering to the larger population.
더 많은 인구를 충족시키는

STEP 2
주어진 문장의 단서를 바탕으로, 문장을 삽입하기에 가장 적절한 위치인 ④번이 정답이다.

해석

이 계획의 기대되는 이점 하나는 대중교통을 중심으로 돌아가는 경향이 있는 도심의 활성화이다.

원격 및 하이브리드 근로의 전환은 전국의 도시 지역에서 빈 사무실 공간의 과잉을 초래했다. (①) 이로 인해 시내의 부동산 소유주들은 반쯤 비어 있는 건물을 갖게 되었고, 시 정부는 세수가 감소하게 되었다. (②) 이 문제를 해결하기 위해, 정부는 빈 공간을 주택으로 전환하는 것을 목표로 하는 계획을 시작했다. (③) 정부는 여러 연방 기관과 협력하여 이러한 전환을 지원하기 위해 350억 달러를 지정했으며, 이는 주로 교통 중심지 근처의 건물에서 이루어질 것이다. (④) 그 지역에 사람들이 많아지고 자동차가 줄어듦에 따라, 도심이 제공하는 편리함이 번화한 거리, 증가한 유동 인구, 그리고 더 많은 인구를 충족시키는 더 많은 사업으로 이어질 것이기 때문에 도심은 더 활기차고 상업적으로 성공할 것이다.

해설

주어진 문장의 the initiative(이 계획)와 the revitalization ~ revolve around public transit(대중교통을 중심으로 돌아가는 ~ 활성화)을 통해 주어진 문장 앞뒤에 어떤 계획과 그것의 이점인 대중교통 중심지의 활성화와 관련된 내용이 나올 것임을 예상할 수 있다. ④번 앞 문장에서 정부는 빈 공간을 주택으로 전환하는 것의 지원이 주로 교통 중심지 근처의 건물에서 이루어질 것이라고 했고, ④번 뒤 문장에서 도심이 더 활기차질 것이라고 설명하고 있으므로, ④번 자리에 주어진 문장이 들어가야 글의 흐름이 자연스럽게 연결된다. 따라서 ④번이 정답이다.

어휘 initiative 계획 surplus 과잉, 잉여 vacant 빈, 비어 있는 designate 지정하다 conversion 전환 vibrant 활기찬 foot traffic 유동 인구

독해가 쉬워지는 공무원 필수구문

명사를 꾸며주는 현재분사 해석하기 Point 14 이 문장에서 catering to the larger population은 앞에 나온 명사 businesses를 꾸며주는 수식어이다. 이처럼 현재분사(catering ~)가 명사를 꾸며주는 경우, '더 많은 인구를 충족시키는 더 많은 사업'이라고 해석한다.

정답: ④

11 주어진 문장이 들어갈 위치로 가장 적절한 것은? [2021년 지방직 9급]

> And working offers more than financial security.

Why do workaholics enjoy their jobs so much? Mostly because working offers some important advantages. (①) It provides people with paychecks—a way to earn a living. (②) It provides people with self-confidence; they have a feeling of satisfaction when they've produced a challenging piece of work and are able to say, "I made that". (③) Psychologists claim that work also gives people an identity; they work so that they can get a sense of self and individualism. (④) In addition, most jobs provide people with a socially acceptable way to meet others. It could be said that working is a positive addiction; maybe workaholics are compulsive about their work, but their addiction seems to be a safe—even an advantageous—one.

지문 구조 한눈에 보기

지문을 읽고 빈칸에 알맞은 말을 채우시오.

도입 | 주로 일이 몇몇 중요한 이점들을 제공하기 때문에 일 중독자들은 그들의 일을 즐김

설명1 | 그것은 사람들에게 생계를 유지하는 방법인 1_____를 제공함 → **부연** | 그리고 일은 재정적인 안정보다 더 많은 것을 제공함

설명2 | 그것은 사람들에게 2_____을 제공함 → **부연** | 그들은 그들이 도전적인 일을 완수하고 "내가 그것을 해냈어"라고 말할 수 있을 때 만족감을 느낌

설명3 | 3_____들은 일이 또한 사람들에게 주체성을 준다고 주장함 → **부연** | 그들은 일하고 그 결과 그들은 자아감과 개성감을 가질 수 있음

설명4 | 게다가, 대부분의 일은 사람들에게 다른 사람들을 만날 사회적으로 용인되는 방법을 제공함

결론 | 일은 긍정적인 4_____이라고 말할 수 있음 → **부연** | 일 중독자들은 아마도 그들의 일에 대해 강박적일 수 있지만, 그들의 중독은 안전한, 심지어는 이로운 것으로 보임

정답 1. 급료 2. 자신감 3. 심리학자 4. 중독

And working offers / more than financial security.
그리고 일은 제공한다　　　　재정적 안정보다 더 많은 것을

Why do workaholics enjoy their jobs / so much? Mostly because working offers / some important
일 중독자들은 왜 그들의 일을 즐기는가　　　그토록　　　　주로 일이 제공하기 때문이다　　　　몇몇 중요한 이점들을

→ provide … with : …에게 ~을 제공하다
advantages. (①) It provides people with paychecks / —a way to earn a living. (②) It provides
　　　　　　　　그것은 사람들에게 급료를 제공한다　　　　생계를 유지하는 방법인

people with self-confidence; / they have a feeling of satisfaction / ★ when they've produced / a
그것은 사람들에게 자신감을 제공한다　　그들은 만족감을 느낀다　　　　　그들이 완수했을 때

→ 명사절 목적어를 이끄는 that
challenging piece of work / and are able to say, / "I made that". (③) Psychologists claim / that work
도전적인 일을　　　　그리고 말할 수 있을 때　　내가 그것을 해냈어　　심리학자들은 주장한다

also gives people an identity; / they work / so that they can get / a sense of self and individualism.
일이 또한 사람들에게 주체성을 준다고　　그들은 일한다　그 결과 그들은 가질 수 있다　　자아감과 개성감을

→ 가짜 주어 it
(④) In addition, / most jobs provide people / with a socially acceptable way / to meet others. It could
게다가　　　대부분의 일은 사람들에게 제공한다　　사회적으로 용인되는 방법을　　　다른 사람들을 만날

be said / that working is a positive addiction; / maybe workaholics are compulsive / about their work, /
말할 수 있다　　일은 긍정적인 중독이라고　　　일 중독자들은 아마도 강박적일 수 있다　　그들의 일에 대해

but their addiction seems to be a safe / —even an advantageous—one.
그러나 그들의 중독은 안전한　　　　심지어는 이로운 것으로 보인다

해석

그리고 일은 재정적 안정보다 더 많은 것을 제공한다.

일 중독자들은 왜 그토록 그들의 일을 즐기는가? 주로 일이 몇몇 중요한 이점들을 제공하기 때문이다. (①) 그것은 사람들에게 생계를 유지하는 방법인 급료를 제공한다. (②) 그것은 사람들에게 자신감을 제공한다. 그들은 그들이 도전적인 일을 완수하고 "내가 그것을 해냈어"라고 말할 수 있을 때 만족감을 느낀다. (③) 심리학자들은 일이 또한 사람들에게 주체성을 준다고 주장한다. 그들은 자아감과 개성감을 가질 수 있기 위해 일을 한다. (④) 게다가, 대부분의 일은 사람들에게 다른 사람들을 만날 사회적으로 용인되는 방법을 제공한다. 일은 긍정적인 중독이라고 말할 수 있다. 일 중독자들은 아마도 그들의 일에 대해 강박적일 수 있지만, 그들의 중독은 안전한, 심지어는 이로운 것으로 보인다.

해설 주어진 문장의 more than financial security(재정적 안정보다 더 많은 것)를 통해 주어진 문장 앞에 재정적 안정에 대한 내용이 나올 것임을 예상할 수 있다. ②번 앞 문장에서 일은 사람들이 생계를 유지하는 방법인 급료를 제공한다고 했으므로, ②번 자리에 주어진 문장이 들어가야 글의 흐름이 자연스럽게 연결된다. 따라서 ②번이 정답이다.

어휘 paycheck 급료　self-confidence 자신감　satisfaction 만족감　challenging 도전적인　identity 주체성　individualism 개성　addiction 중독
compulsive 강박적인　advantageous 이로운

독해가 쉬워지는 **공무원 필수구문**

문장을 꾸며주는 '접속사 ~' 해석하기 Point 21 이 문장에서 when they've produced ~ that은 앞에 나온 문장 전체를 꾸며주는 수식어이다. 이처럼 접속사가 이끄는 절(when + 주어 + 동사 ~)이 문장을 꾸며주는 경우, '그들이 ~을 완수했을 때'라고 해석한다.

정답: ②

12 주어진 문장이 들어갈 위치로 적절한 것은? [2024년 국가직 9급]

> Tribal oral history and archaeological evidence suggest that sometime between 1500 and 1700 a mudslide destroyed part of the village, covering several longhouses and sealing in their contents.

From the village of Ozette on the westernmost point of Washington's Olympic Peninsula, members of the Makah tribe hunted whales. (①) They smoked their catch on racks and in smokehouses and traded with neighboring groups from around the Puget Sound and nearby Vancouver Island. (②) Ozette was one of five main villages inhabited by the Makah, an Indigenous people who have been based in the region for millennia. (③) Thousands of artifacts that would not otherwise have survived, including baskets, clothing, sleeping mats, and whaling tools, were preserved under the mud. (④) In 1970, a storm caused coastal erosion that revealed the remains of these longhouses and artifacts.

지문 구조 한눈에 보기

지문을 읽고 빈칸에 알맞은 말을 채우시오.

(도입) 워싱턴주 올림픽 반도의 가장 서쪽 지점에 위치한 오제트 마을에서 마카족의 사람들이 [1]_____를 사냥했음

(설명1) 그들은 잡은 것을 훈제했고 인근의 이웃 무리들과 그것을 [2]_____했음

(설명2) 오제트는 수천 년간 그 지역에 [3]_____를 두고 살아온 마카족이 거주했던 마을들 중 하나였음

(주장) 부족의 구전 역사와 고고학적 증거는 1500-1700년 사이의 언젠가 [4]_____가 마을의 일부를 파괴하고 그 안에 있는 것들을 [5]_____했다는 것을 암시함 ── 근거 | 바구니, 옷, 수면 요, 고래잡이 도구를 포함하여 수천 개의 유물들이 [6]_____ 속에 보존되었음

(원인) 1970년에 한 폭풍이 일으킨 [7]_____이 전통 가옥들과 유물들의 잔해를 드러냄

정답 | 1. 고래 2. 거래 3. 근거지 4. 진흙사태 5. 봉인 6. 진흙 7. 해안 침식

지문분석

목적어 자리에 온 명사절 접속사 that

Tribal oral history and archaeological evidence suggest / that sometime between 1500 and 1700 /
부족의 구전 역사와 고고학적 증거는 암시한다   1500년에서 1700년 사이의 언젠가

a mudslide destroyed part / of the village, / covering several longhouses / and sealing in their
진흙사태가 일부를 파괴하여   마을의   여러 개의 전통 가옥을 뒤덮고   그 안에 있는 것들을 봉인했다

contents.

STEP 1
단서: the village(그 마을), sealing in their contents (그 안에 있는 것들을 봉인했다)

STEP 2
주어진 문장의 단서를 바탕으로, 문장을 삽입하기에 가장 적절한 위치인 ③번이 정답이다.

From the village of Ozette / on the westernmost point / of Washington's Olympic Peninsula, /
오제트 마을에서   가장 서쪽 지점에 위치한   워싱턴주 올림픽 반도의

members of the Makah tribe hunted whales. (①) They smoked their catch / on racks and in
마카족의 사람들이 고래를 사냥했다   그들은 잡은 것을 훈제했다   선반 위와 훈제실에서

smokehouses / and traded with neighboring groups / from around the Puget Sound / and nearby
                  그리고 이웃 무리들과 거래했다   퓨젯 사운드에서 온   그리고 인근의

가산 복수 명사(five main villages) 앞에 사용되는 수량 표현

Vancouver Island. (②) Ozette was one of five main villages / inhabited by the Makah, / an Indigenous
그리고 인근의 밴쿠버 섬 주변에서   오제트는 다섯 개의 주요 마을 중 하나였다   마카족이 거주했던   토착민인

based in ~ : ~에 근거지를 둔

people / who have been based in the region / for millennia. (③) Thousands of artifacts /   that
그 지역에 근거지를 두고 살아온   수천 년간   수천 개의 유물들이

would not otherwise have survived, / including baskets, clothing, sleeping mats, and whaling tools, /
그렇지 않았더라면 잔존하지 못했을   바구니, 옷, 수면 요, 그리고 고래잡이 도구들을 포함하여

were preserved under the mud. (④) In 1970, / a storm caused coastal erosion / that revealed the
진흙 속에 보존되었다   1970년에   한 폭풍이 해안 침식을 일으켰고   그것이 잔해를 드러냈다

remains / of these longhouses and artifacts.
이 전통 가옥들과 유물들의

해석

부족의 구전 역사와 고고학적 증거는 1500년에서 1700년 사이의 언젠가 진흙사태가 마을의 일부를 파괴하여 여러 개의 전통 가옥을 뒤덮고 그 안에 있는 것들을 봉인했다는 것을 암시한다.

워싱턴주 올림픽 반도의 가장 서쪽 지점에 위치한 오제트 마을에서 마카족의 사람들이 고래를 사냥했다. (①) 그들은 선반 위와 훈제실에서 잡은 것을 훈제했고, 퓨젯 사운드와 인근의 밴쿠버 섬 주변에서 온 이웃 무리들과 거래했다. (②) 오제트는 수천 년간 그 지역에 근거지를 두고 살아온 토착민인 마카족이 거주했던 다섯 개의 주요 마을 중 하나였다. (③) 바구니, 옷, 수면 요, 그리고 고래잡이 도구를 포함하여, 그렇지 않았더라면 잔존하지 못했을 수천 개의 유물들이 진흙 속에 보존되었다. (④) 1970년에, 한 폭풍이 해안 침식을 일으켰고, 그것이 이 전통 가옥들과 유물들의 잔해를 드러냈다.

해설

주어진 문장의 the village(그 마을)를 통해 주어진 문장 앞에는 마을에 대한 설명이 나오고, sealing in their contents(그 안에 있는 것들을 봉인했다)를 통해 주어진 문장 뒤에 진흙 속에 봉인되었던 것들에 대한 설명이 나올 것임을 예상할 수 있다. ③번 앞 문장에서 오제트가 마카족이 거주하던 다섯 개의 주요 마을 중 하나였다고 설명하고, ③번 뒤 문장에서 진흙이 봉인하지 않았더라면 잔존하지 못했을 수천 개의 유물들이 진흙 속에 보존되었다고 하고 있으므로 ③번 자리에 주어진 문장이 들어가야 글의 흐름이 자연스럽게 연결된다. 따라서 ③번이 정답이다.

어휘 tribal 부족의 archaeological 고고학적 mudslide 진흙사태 longhouse (미국 일부 원주민들의) 전통 가옥 indigenous 토착의 coastal erosion 해안 침식

독해가 쉬워지는 **공무원 필수구문**

조동사 + have + p.p. 형태의 동사 해석하기 [Point 06] 이 문장의 that절에서 동사는 would not have survived이다. 이처럼 조동사 would가 have + p.p.(not have survived)와 함께 쓰이는 경우, '잔존하지 못했을 것이다'라고 해석한다.

정답: ③

Chapter 10

무관한 문장 삭제

보기로 제시된 문장들 중 지문의 흐름에 맞지 않는 것을 선택하는 문제 유형이다.

최근 5개년 출제 비율
'20~'24·국·지·서·법·국회(2024.04.기준)
8%

☐ 출제 경향

· 지문의 첫 문장 다음에 바로 보기 문장이 시작되는 문제가 주로 출제된다.
· 대명사, 연결어, 반복되는 어구 등이 문제 해결의 단서가 될 수 있다.

☐ STEP별 문제 풀이 전략

STEP 1 첫 문장을 읽고 지문의 중심 소재를 파악한다.

주로 첫 문장에서 중심 소재를 언급한 후, 이와 관련된 세부 내용을 설명하는 방식으로 지문이 전개된다. 따라서 첫 문장에서 중심 소재가 무엇인지 파악하면 이후 내용의 흐름을 예상할 수 있다.

첫 문장   **Children's playgrounds** throughout history were the wilderness, fields, streams, and hills of the country and the roads, streets, and vacant places of villages, towns, and cities.
역사를 통틀어 **아이들의 놀이터는** 황무지, 들판, 개울과 시골의 언덕, 그리고 도로, 길가와 마을, 읍과 도시의 빈 장소였다.

→ 첫 문장을 읽고 지문의 중심 소재가 아이들의 놀이터임을 파악한다.

STEP 2 각 보기 문장이 지문의 흐름과 어울리는지 확인하고, 가장 어울리지 않는 보기를 정답으로 선택한다.

• 각 보기 문장과 앞뒤의 흐름이 자연스러운지 확인하며 지문을 읽는다. 이때, 지문의 중심 소재와 관련된 단어를 포함하여 흐름이 자연스러운 것처럼 혼동하게 하는 보기 문장에 유의한다.

• 보기 문장에 but, however와 같이 지문의 흐름을 바꾸는 연결어가 포함되어 있는 경우, 해당 보기 문장과 그 다음에 이어지는 지문의 흐름이 자연스러운지에 집중하며 지문을 읽는다.

전략 적용

글의 흐름상 가장 어색한 문장은?

[2022년 지방직 9급]

The skill to have a good argument is critical in life. But it's one that few parents teach to their children. ① We want to give kids a stable home, so we stop siblings from quarreling and we have our own arguments behind closed doors. ② Yet if kids never get exposed to disagreement, we may eventually limit their creativity. ③ Children are most creative when they are free to brainstorm with lots of praise and encouragement in a peaceful environment. ④ It turns out that highly creative people often grow up in families full of tension. They are not surrounded by fistfights or personal insults, but real disagreements. When adults in their early 30s were asked to write imaginative stories, the most creative ones came from those whose parents had the most conflict a quarter-century earlier.

STEP 1

첫 문장을 읽고 지문의 중심 소재 파악하기

첫 문장을 읽고 지문의 중심 소재가 좋은 논쟁을 하는 기술의 중요성이라는 것을 파악한다.

STEP 2

각 보기 문장이 지문의 흐름과 어울리는지 확인하고, 가장 어울리지 않는 보기를 정답으로 선택하기

보기 문장의 앞에서는 아이에게 좋은 논쟁을 하도록 가르치는 부모가 거의 없지만 의견 차이에 노출되지 않는다면 창의력을 제한하게 될지도 모른다는 내용이 이어지고 있으므로, 아이들이 자유롭게 브레인스토밍을 할 때 가장 창의적이라는 내용은 지문의 흐름에 어울리지 않는다. 따라서 ③번이 정답이다.

해석 좋은 논쟁을 하는 기술은 인생에서 매우 중요하다. 하지만 그것은 극소수의 부모들만이 그들의 아이들에게 가르치는 것이다. ① 우리는 아이들에게 안정적인 가정을 만들어주고 싶어서, 형제자매들이 언쟁하는 것을 막고 우리 자신의 논쟁은 비밀로 한다. ② 그러나 만약 아이들이 의견 차이에 전혀 노출되지 않는다면, 우리는 결국 그들의 창의력을 제한하게 될지도 모른다. ③ 아이들은 평화로운 환경에서 많은 칭찬과 격려로 자유롭게 브레인스토밍을 할 수 있을 때 가장 창의적이다. ④ 대단히 창의적인 사람들은 대개 갈등이 넘치는 가정에서 자라는 것으로 밝혀졌다. 그들은 주먹다짐이나 인신공격적인 모욕이 아니라, 진정한 의견 차이로 둘러싸여 있다. 30대 초반의 어른들이 상상의 이야기를 쓰라고 요청을 받았을 때, 가장 창의적인 것들은 25년 전에 부모가 가장 많은 갈등을 겪었던 사람들에게서 나왔다.

어휘 argument 논쟁, 언쟁 stable 안정적인 behind closed doors 비밀로 disagreement 의견 차이 praise 칭찬 tension 갈등, 긴장 fistfight 주먹다짐 personal 인신공격적인, 개인의 insult 모욕 imaginative 상상의, 상상력이 풍부한 conflict 갈등

정답: ③

앞에서 배운 STEP별 전략을 적용하여 문제를 풀어보자.

01 다음 글에서 전체 흐름과 관계없는 문장은?

The idea of conquering Mount Everest, the tallest mountain in the world, has appealed to many climbers. ① Between 1921 and 1924, English mountaineer George Mallory attempted to reach the peak on three separate occasions, but was unsuccessful each time he tried. ② The northern route to the summit is much more difficult to climb than the southern approach. ③ It was not until 1953 that Edmund Hillary and Tenzing Norgay became the first climbers on record to achieve their goal of reaching the top of the mountain. The duo made it to the summit on May 29 and enjoyed the view for roughly fifteen minutes before having to head back down due to lack of oxygen. ④ Twenty-five years later, Reinhold Messner set a new record as the first person to climb Everest the entire way without the use of supplemental oxygen.

지문 구조 한눈에 보기

지문을 읽고 빈칸에 알맞은 말을 채우시오.

주제문 에베레스트산을 정복한다는 발상은 많은 [1]_____ 들의 관심을 끌어왔음

사례1 | 1921년에서 1924년 사이에, 영국인 등산가 George Mallory는 세 차례에 걸쳐 [2]_____ 에 오르는 것을 시도했지만 실패했음

사례2 | 1953년이 되어서야 Edmund Hillary와 Tenzing Norgay가 그 산의 정상에 도달한 기록상 [3]_____ 의 등반가들이 되었고 15분 동안 경치를 감상함

사례3 | 25년 후에, Reinhold Messner는 등반 내내 [4]_____ 를 사용하지 않고 에베레스트를 오른 최초의 사람이 됨

정답 | 1. 등반가 2. 정상 3. 최초 4. 보충용 산소

The idea of conquering Mount Everest, / the tallest mountain in the world, / has appealed to many
에베레스트산을 정복한다는 발상은   세계에서 가장 높은 산인   많은 등반가들의 관심을 끌어왔다

appeal to ~: ~의 관심을 끌다

중심 소재: 에베레스트산 정복에 대한 등반가들의 관심

climbers. ① Between 1921 and 1924, / English mountaineer George Mallory / attempted to reach the
      1921년에서 1924년 사이에   영국인 등산가 George Mallory는   정상에 오르는 것을 시도했다

지문의 흐름과 어울리지 않는 보기인 ②번이 정답이다.

peak / on three separate occasions, / but was unsuccessful / each time he tried. ② The northern
정상에   세 차례에 걸쳐   그러나 성공하지 못했다   그가 시도할 때마다

route to the summit / is much more difficult to climb / than the southern approach. ③ It was
정상으로 가는 북쪽 경로는   훨씬 더 오르기 어렵다   남쪽 접근로보다

not until B ~ A: B하고 나서야 (비로소) A하다

not until 1953 / that Edmund Hillary and Tenzing Norgay / became the first climbers on record / to
1953년이 되어서야   Edmund Hillary와 Tenzing Norgay가   기록상 최초의 등반가들이 되었다

make it to ~: ~에 도착하다

achieve their goal / of reaching the top of the mountain. The duo / made it to the summit / on May 29 /
그들의 목표를 달성한   그 산의 정상에 도달하는   그 두 사람은   정상에 도착했다   5월 29일에

lack of ~: ~의 부족

and enjoyed the view / for roughly fifteen minutes / before having to head back down / due to lack of
그리고 경치를 감상했다   대략 15분 동안   그들이 다시 아래로 향해야 하기 전에   산소 부족 때문에

oxygen. ④ Twenty-five years later, / Reinhold Messner set a new record / as the first person to
      25년 후에   Reinhold Messner는 신기록을 세웠다   에베레스트를 오른 최초의 사람으로

climb Everest / the entire way / without the use of supplemental oxygen.
      등반 내내   보충용 산소를 사용하지 않고

해석 세계에서 가장 높은 산인 에베레스트산을 정복한다는 발상은 많은 등반가들의 관심을 끌어왔다. ① 1921년에서 1924년 사이에, 영국인 등산가 George Mallory는 세 차례에 걸쳐 정상에 오르는 것을 시도했지만, 그가 시도할 때마다 성공하지 못했다. ② 정상으로 가는 북쪽 경로는 남쪽 접근로보다 훨씬 더 오르기 어렵다. ③ 1953년이 되어서야 Edmund Hillary와 Tenzing Norgay가 그 산의 정상에 도달하는 그들의 목표를 달성한 기록상 최초의 등반가들이 되었다. 그 두 사람은 5월 29일에 정상에 도착했고 산소 부족 때문에 다시 아래로 향해야 하기 전에 대략 15분 동안 경치를 감상했다. ④ 25년 후에, Reinhold Messner는 등반 내내 보충용 산소를 사용하지 않고 에베레스트를 오른 최초의 사람으로 신기록을 세웠다.

해설 첫 문장에서 '에베레스트 산 정복에 대한 등반가들의 관심'에 대해 언급하고, ①, ③, ④번에서 에베레스트 산에 오르기를 시도하거나 성공한 등반가들의 사례를 제시했다. 그러나 ②번은 '정상으로 가는 경로'에 대한 내용으로, 지문의 흐름과 어울리지 않는다. 따라서 ②번이 정답이다.

어휘 conquer 정복하다 mountaineer 등산가 attempt 시도하다 peak 정상, 절정 summit 정상, 산꼭대기 set a record 기록을 세우다
supplemental 보충의, 추가의

독해가 쉬워지는 **공무원 필수구문**

명사를 꾸며주는 to부정사 해석하기 Point 13 이 문장에서 to climb Everest ~ oxygen은 앞에 나온 명사 person을 꾸며주는 수식어이다. 이처럼 to
부정사(to climb ~)가 명사를 꾸며주는 경우, '~을 오른 사람'이라고 해석한다.

정답: ②

02 다음 글에서 전체 흐름과 관계없는 문장은?

Researchers have long been curious about the massive statues called *moai* found on Easter Island. ① Specifically, they have been working for many years to determine how and why these monuments were made. ② In the search for clues about the statues, dozens of stone tablets written in the native script are being deciphered by linguists. ③ Several famous sociologists, including Jared Diamond, have written works about the Easter Island civilization. ④ By analyzing these old texts, researchers hope to find a description of the techniques employed by islanders to create the statues and information about their original purpose.

지문 구조 한눈에 보기

지문을 읽고 빈칸에 알맞은 말을 채우시오.

주제문 연구원들은 이스터 섬에서 발견된 '모아이'라고 불리는 거대한 ¹_____ 에 대해 오랫동안 궁금해했음

부연 | 특히, 그들은 이 ²_____ 이 어떻게 그리고 왜 만들어졌는지 알아내기 위해 다년간 연구해 왔음

설명 조각상에 대한 단서를 찾기 위해, 토착 문자로 쓰여 있는 수십 개의 석판이 언어학자들에 의해 ³_____ 되고 있음

부연 | 이러한 문서를 분석함으로써, 연구원들은 그 조각상을 만들기 위해 사용된 ⁴_____ 에 대한 설명과 그들의 원래 ⁵_____ 에 대한 정보를 찾기를 희망함

정답 | 1. 조각상 2. 기념물 3. 해독 4. 기술 5. 목적

Researchers have long been curious / about the massive statues / called *moai* / found on Easter
연구원들은 오랫동안 궁금해했다   거대한 조각상에 대해   '모아이'라고 불리는   이스터 섬에서 발견된

STEP 1
중심 소재: '모아이' 조각상

Island. ① Specifically, / they have been working for many years / to determine / how and why these
특히   그들은 다년간 연구해 왔다   알아내기 위해   어떻게 그리고 왜

STEP 2
지문의 흐름과 어울리지 않는
보기인 ③번이 정답이다.

                                                    ┌ dozens of ~: 수십 개의 ~
monuments were made. ② In the search for clues / about the statues, / dozens of stone tablets /
이 기념물이 만들어졌는지   단서를 찾기 위해   조각상에 대한   수십 개의 석판이

                        ┌ be being p.p.: 현재 진행 수동태
written in the native script / are being deciphered by linguists. ③ Several famous sociologists, /
토착 문자로 쓰여 있는   언어학자들에 의해 해독되고 있다   몇몇 유명 사회학자들은

including Jared Diamond, / have written works / about the Easter Island civilization. ④ By analyzing /
Jared Diamond를 포함한   책을 썼다   이스터 섬 문명에 대한   분석함으로써

these old texts, / researchers hope to find / a description of the techniques / ★ employed by
이러한 고대의 문서를   연구원들은 찾기를 희망한다   기술에 대한 설명을   섬사람들에 의해 사용된

islanders / to create the statues / and information about their original purpose.
그 조각상을 만들기 위해   그리고 그들의 원래 목적에 대한 정보를

해석 연구원들은 이스터 섬에서 발견된 '모아이'라고 불리는 거대한 조각상에 대해 오랫동안 궁금해했다. ① 특히, 그들은 이 기념물이 어떻게 그리고 왜 만들어졌는지 알아내기 위해 다년간 연구해 왔다. ② 조각상에 대한 단서를 찾기 위해, 토착 문자로 쓰여 있는 수십 개의 석판이 언어학자들에 의해 해독되고 있다. ③ Jared Diamond를 포함한 몇몇 유명 사회학자들은 이스터 섬 문명에 대한 책을 썼다. ④ 이러한 고대의 문서를 분석함으로써, 연구원들은 그 조각상을 만들기 위해 섬사람들에 의해 사용된 기술에 대한 설명과 그들의 원래 목적에 대한 정보를 찾기를 희망한다.

해설 첫 문장에서 '거대한 조각상 모아이에 대한 연구원들의 궁금증'에 대해 언급하고, ①, ②, ④번에서 이 조각상이 만들어진 이유와 방법을 알아내기 위한 연구원들의 노력을 설명했다. 그러나 ③번은 '이스터 섬 문명에 대한 책'에 대한 내용으로, 지문의 흐름과 어울리지 않는다. 따라서 ③번이 정답이다.

어휘 curious 궁금한 massive 거대한 statue 조각상 determine 알아내다, 밝히다 monument 기념물 tablet 판 native 토착의 script 문자, 대본 decipher 해독하다 linguist 언어학자 civilization 문명 analyze 분석하다 description 설명, 묘사

독해가 쉬워지는 공무원 필수구문

★ **명사를 꾸며주는 과거분사 해석하기** Point 15 이 문장에서 employed by islanders ~ statues는 앞에 나온 명사 the techniques를 꾸며주는 수식어이다.
이처럼 과거분사(employed ~)가 명사를 꾸며주는 경우, '~ 사용된 기술'이라고 해석한다.

정답: ③

03 글의 흐름상 가장 어색한 문장은?

The Revolution Will Not Be Televised is a 2003 documentary film that was praised by critics. The film focused on the military's attempt to overthrow the Venezuelan government. ① Hugo Chavez, the country's president from 1999 until 2013, has long been a fan of documentary films. ② Film critics gave the documentary a positive review, stating that it had an interesting narrative that matched most fictional political thrillers. ③ Moreover, the film's camerawork and editing were applauded by numerous filmmakers. ④ In particular, its use of shaky, handheld cameras as opposed to professional, steady shots successfully conveyed the panic and fear felt by Venezuelan citizens during this event.

지문 구조 한눈에 보기

지문을 읽고 빈칸에 알맞은 말을 채우시오.

주제문 『혁명은 TV에 나오지 않는다』는 ¹_____ 들에게 호평을 받은 다큐멘터리 영화임

부연 | 이 영화는 베네수엘라 정부를 전복시키려는 ²_____ 의 시도에 초점을 맞추었음

평가1 영화 평론가들은 이 다큐멘터리가 흥미로운 서술 기법을 가졌다고 말하며 긍정적인 평가를 주었음

평가2 게다가, 이 영화의 촬영 기법과 ³_____ 은 수많은 영화 제작자로부터 갈채를 받았음

부연 | 특히, 흔들리는 휴대용 카메라의 사용은 이 사건 동안 베네수엘라 시민들이 느낀 공황과 ⁴_____ 를 성공적으로 전달함

정답 | 1. 평론가 2. 군대 3. 편집 4. 공포

지문분석

The Revolution Will Not Be Televised / is a 2003 documentary film / that was praised by critics.
『혁명은 TV에 나오지 않는다』는　　　　2003년 작 다큐멘터리 영화이다　　　평론가들에게 호평을 받은

↑ 명사(attempt)를 꾸며주는 to 부정사

The film focused on the military's attempt / (to overthrow) the Venezuelan government. ① Hugo
이 영화는 군대의 시도에 초점을 맞추었다　　　　베네수엘라 정부를 전복시키려는　　　　　　Hugo Chavez는

STEP 1
중심 소재: 다큐멘터리 영화
『혁명은 TV에 나오지 않는다』

Chavez, / the country's president from 1999 until 2013, / has long been a fan / of documentary films.
　　　1999년부터 2013년까지 그 나라의 대통령이었던　　　　오래전부터 팬이었다　　　다큐멘터리 영화의

STEP 2
지문의 흐름과 어울리지 않는
보기인 ①번이 정답이다.

② Film critics gave the documentary / a positive review, / stating / that it had an interesting
영화 평론가들은 이 다큐멘터리에 주었다　　　　긍정적인 평가를　　　말하며　그것이 흥미로운 서술 기법을 가졌다고

narrative / that matched most fictional political thrillers. ③ Moreover, / the film's camerawork and
　　대부분의 허구적 정치 스릴러물에 필적하는　　　　　게다가　　　이 영화의 촬영 기법과 편집은

= were praised by

editing / (were applauded by) numerous filmmakers. ④ In particular, / its use of shaky, handheld
　　수많은 영화 제작자로부터 갈채를 받았다　　　　특히　　　그것의 흔들리는 휴대용 카메라의 사용은

↑ as opposed to ~: ~이 아닌, ~과는 대조적으로　　　　　명사(panic and fear)를 꾸며주는 과거분사 ↓

cameras / (as opposed to) professional, steady shots / successfully conveyed the panic and fear / (felt)
　　　전문적이고 흔들림 없는 촬영이 아닌　　　　공황과 공포를 성공적으로 전달했다

by Venezuelan citizens / during this event.
베네수엘라 시민들이 느낀　　　이 사건 동안

해석　『혁명은 TV에 나오지 않는다』는 평론가들에게 호평을 받은 2003년 작 다큐멘터리 영화이다. 이 영화는 베네수엘라 정부를 전복시키려는 군대의 시도에 초점을 맞추었다. ① 1999년부터 2013년까지 그 나라의 대통령이었던 Hugo Chavez는 오래전부터 다큐멘터리 영화의 팬이었다. ② 영화 평론가들은 이 다큐멘터리가 대부분의 허구적 정치 스릴러물에 필적하는 흥미로운 서술 기법을 가졌다고 말하며 이것에 긍정적인 평가를 주었다. ③ 게다가, 이 영화의 촬영 기법과 편집은 수많은 영화 제작자로부터 갈채를 받았다. ④ 특히, 전문적이고 흔들림 없는 촬영이 아닌 흔들리는 휴대용 카메라의 사용은 이 사건 동안 베네수엘라 시민들이 느낀 공황과 공포를 성공적으로 전달했다.

해설　첫 문장에서 '평론가들에게 호평받은 영화 『혁명은 TV에 나오지 않는다』'에 대해 언급하고, ②, ③, ④번에서 이 영화의 서술 및 촬영 기법, 편집에 대해 설명했다. 그러나 ①번은 '다큐멘터리 영화의 팬인 베네수엘라 대통령'에 대한 내용으로, 지문의 흐름과 어울리지 않는다. 따라서 ①번이 정답이다.

어휘　critic 평론가, 비평가　overthrow 전복시키다, 타도하다　narrative 서술 기법　match 필적하다　fictional 허구적인　camerawork 촬영 기법　editing 편집
applaud 갈채를 보내다, 박수를 치다　shaky 흔들리는, 떨리는　handheld 휴대용의, 손에 들고 쓰는　steady 흔들림 없는, 꾸준한　convey 전달하다　panic 공황

독해가 쉬워지는 공무원 필수구문

문장을 꾸며주는 분사구문 해석하기 - 동시상황 | Point 23 | 이 문장에서 분사구문 stating that ~ thrillers는 콤마 앞에 나온 문장 전체를 꾸며주는 수식어이다.
이처럼 분사구문이 문장 뒤에 올 경우, 종종 앞 문장과 동시에 일어나는 상황을 나타내는데, 이때 분사구문은 '~이라고 말하며'라고 해석한다.

정답: ①

04 글의 흐름상 가장 어색한 문장은?

Vellum is a type of material made from the dry skin of mammals, such as calves and sheep. Once it is processed, it can be used as a medium on which to write or print documents. Vellum carries a number of benefits for preserving written works, not least of which is its durability. ① The parliaments of Britain and Ireland, for instance, traditionally printed their legislation on vellum since such documents were meant to last. ② Jewish religious scrolls, in particular the Torah, are still printed on the resilient material to this day. ③ More commonly used is paper because it is cheaper to produce and more readily available. ④ Furthermore, it is customary for some educational institutions to issue traditional diplomas made of vellum due to its lavish appearance.

지문 구조 한눈에 보기

지문을 읽고 빈칸에 알맞은 말을 채우시오.

| 정의 | 피지는 송아지와 양 같은 ¹_____의 말린 가죽으로 만들어진 소재임 |

| 부연 | 가공 후에, 그것은 문서를 작성하거나 ²_____하는 수단으로 사용될 수 있음 |

| 설명1 | 피지는 수많은 장점이 있으며 그중에서도 특히 그것의 ³_____이 장점임 |

| 예시1 | 영국과 아일랜드의 ⁴_____는 전통적으로 그들의 법률을 피지에 인쇄함 |

| 예시2 | 유대교의 율법은 지금까지도 여전히 복원력이 있는 이 소재 위에 인쇄됨 |

| 설명2 | 게다가, 피지의 호화로운 겉모습 때문에 일부 교육 기관들에게는 피지로 만든 전통적인 ⁵_____을 발부하는 것이 관례적임 |

정답 | 1. 포유동물 2. 인쇄 3. 내구성 4. 의회 5. 졸업장

지문분석

→made from ~: ~으로 만들어진
Vellum is a type of material / (made from) the dry skin of mammals, / such as calves and sheep. Once
피지는 소재의 일종이다　　　　　　포유동물의 말린 가죽으로 만들어진　　　　　송아지와 양 같은

STEP 1
중심 소재: 피지

it is processed, / it can be used as a medium / on which to write or print documents. Vellum carries a
일단 그것이 가공되면　　　그것은 수단으로 사용될 수 있다　　　그 위에 문서를 작성하거나 인쇄하는

STEP 2
지문의 흐름과 어울리지 않는
보기인 ③번이 정답이다.

number of benefits / for preserving written works, / not least of which is its durability. ① The parliaments
피지는 수많은 장점이 있는데　　문자로 쓴 저작물을 보존하는 데　　그중에서도 특히 그것의 내구성이 장점이다

of Britain and Ireland, / for instance, / traditionally printed their legislation on vellum / since such
영국과 아일랜드의 의회는　　예를 들어　　전통적으로 그들의 법률을 피지에 인쇄했다

→be meant to ~: ~해야 한다(기로 되어 있다)
documents (were meant to) last. ② Jewish religious scrolls, / in particular the Torah, / are still printed /
그러한 문서가 오래가야 했기 때문에　　유대교의 종교적인 족자들은　　특히 유대교의 율법은　　여전히 인쇄된다

→보어가 문장 앞에 온 도치
on the resilient material / to this day. ③ (More commonly used) is paper / because it is cheaper to
그 복원력이 있는 소재 위에　　지금까지도　　더 흔히 사용되는 것은 종이이다　　그것이 생산하기에 더 저렴하기 때문

produce / and more readily available. ④ Furthermore, / ⭐ it is customary for some educational
그리고 더 손쉽게 구할 수 있기 때문에　　게다가　　일부 교육 기관들에게는 관례적이다

institutions / to issue traditional diplomas / made of vellum / due to its lavish appearance.
　　　전통적인 졸업장을 발부하는 것이　　피지로 만든　　그것의 호화로운 겉모습 때문에

해석 피지는 송아지와 양 같은 포유동물의 말린 가죽으로 만들어진 소재의 일종이다. 일단 그것이 가공되면, 그것은 그 위에 문서를 작성하거나 인쇄하는 수단으로 사용될 수 있다. 피지는 문자로 쓴 저작물을 보존하는 데 수많은 장점이 있는데, 그중에서도 특히 그것의 내구성이 장점이다. ① 예를 들어, 영국과 아일랜드의 의회는 법률 문서가 오래가야 했기 때문에 전통적으로 그들의 법률을 피지에 인쇄했다. ② 유대교의 종교적인 족자들, 특히 유대교의 율법은 지금까지도 여전히 그 복원력이 있는 소재 위에 인쇄된다. ③ 종이는 생산하기에 더 저렴하고 더 손쉽게 구할 수 있기 때문에 더 흔히 사용된다. ④ 게다가, 피지의 호화로운 겉모습 때문에 일부 교육 기관들에게는 피지로 만든 전통적인 졸업장을 발부하는 것이 관례적이다.

해설 지문 앞부분에서 '문서 작성 및 인쇄용 소재인 피지의 장점'에 대해 언급하고, ①, ②, ④번에서 피지의 장점들로 인해 피지가 사용되는 예시를 나열했다. 그러나 ③번은 '더 흔히 사용되는 것은 종이'라는 내용으로, 지문의 흐름과 어울리지 않는다. 따라서 ③번이 정답이다.

어휘 vellum 피지　mammal 포유동물　calf 송아지　process 가공하다　medium 수단, 도구　preserve 보존하다　durability 내구성　parliament 의회, 국회
legislation 법률　last 오래가다, 계속하다　scroll 족자, 두루마리　Torah 유대교의 율법　resilient 복원력이 있는　readily 손쉽게　customary 관례적인
diploma 졸업장, 학위　lavish 호화로운, 아끼지 않는

독해가 쉬워지는 **공무원 필수구문**

⭐ **주어 자리에 온 가짜 주어 it 해석하기** Point 03 이 문장에서 주어는 it이 아니라 to issue ~ vellum이다. 이처럼 긴 진짜 주어를 대신해 가짜 주어 it이 주어 자리에 온 경우, 가짜 주어 it은 해석하지 않고 진짜 주어 to 부정사(to issue ~)를 가짜 주어 it의 자리에 넣어 '~을 발부하는 것이'라고 해석한다.

정답: ③

05 글의 흐름상 가장 어색한 문장은?

According to the latest census results, most young couples are choosing to have children later in life, or not at all. ① Many couples feel their lives are too hectic and tiring already to take on more responsibility. ② Furthermore, the weak economy and financial uncertainty were stated as the main reasons for not wanting children. ③ However, many couples mentioned that they would give up one spouse's career in order to raise a child. More families reported that both spouses had to work to stay out of debt, and did not have time to raise a child. ④ So, it is likely that the birth rate will continue decreasing until the economy strengthens and people feel more financially secure.

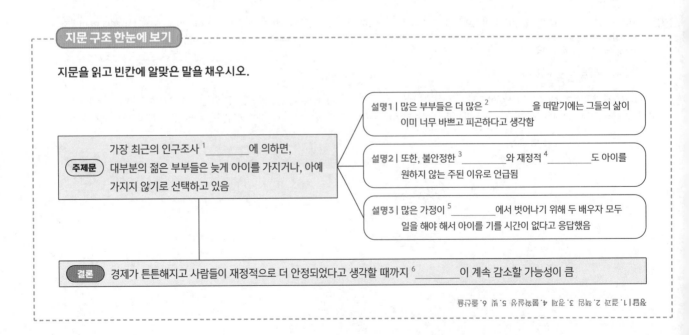

지문 구조 한눈에 보기

지문을 읽고 빈칸에 알맞은 말을 채우시오.

주제문 | 가장 최근의 인구조사 ¹_____에 의하면, 대부분의 젊은 부부들은 늦게 아이를 가지거나, 아예 가지지 않기로 선택하고 있음

설명1 | 많은 부부들은 더 많은 ²_____을 떠맡기에는 그들의 삶이 이미 너무 바쁘고 피곤하다고 생각함

설명2 | 또한, 불안정한 ³_____와 재정적 ⁴_____도 아이를 원하지 않는 주된 이유로 언급됨

설명3 | 많은 가정이 ⁵_____에서 벗어나기 위해 두 배우자 모두 일을 해야 해서 아이를 기를 시간이 없다고 응답했음

결론 | 경제가 튼튼해지고 사람들이 재정적으로 더 안정되었다고 생각할 때까지 ⁶_____이 계속 감소할 가능성이 큼

정답 | 1. 결과 2. 책임 3. 경제 4. 불확실성 5. 빚 6. 출산율

지문분석

According to the latest census results, / most young couples / are choosing to have children / later
가장 최근의 인구조사 결과에 따르면   대부분의 젊은 부부들은   아이를 가지기로 선택하고 있다   늦게

STEP 1
중심 소재: 출산에 대한 젊은 부부들의 선택

in life, / or not at all. ① Many couples feel / their lives are too hectic and tiring already / to take on
혹은 아예 가지지 않기로   많은 부부들은 생각한다   그들의 삶이 이미 너무 바쁘고 피곤하다고

STEP 2
지문의 흐름과 어울리지 않는 보기인 ③번이 정답이다.

more responsibility. ② Furthermore, / the weak economy and financial uncertainty / were stated as
더 많은 책임을 떠맡기에는   또한   불안정한 경제와 재정적 불확실성이
→동명사의 부정형(not + -ing)

the main reasons / for not wanting children. ③ However, / many couples mentioned / that they would
주된 이유로 언급되었다   아이를 원하지 않는 것의   하지만   많은 부부들은 말했다   그들이 포기할 것이라고
→in order to ~: ~을 하기 위해

give up / one spouse's career / in order to raise a child. More families reported / that both spouses had
한쪽 배우자의 직업을   아이를 기르기 위해   더 많은 가정이 응답했다   두 배우자 모두 일을 해야 한다고
→stay out of ~: ~에서 벗어나다

to work / to stay out of debt, / and did not have time / to raise a child. ④ So, / it is likely / that the birth
빚에서 벗어나기 위해   그래서 시간이 없다고   아이를 기를   따라서   가능성이 크다

rate will continue decreasing / until the economy strengthens / and people feel / more financially
출산율이 계속 감소할   경제가 튼튼해질 때까지   그리고 사람들이 생각할 때까지

secure.
재정적으로 더 안정되었다고

해석 가장 최근의 인구조사 결과에 따르면, 대부분의 젊은 부부들은 늦게 아이를 가지기로 하거나, 아예 가지지 않기로 선택하고 있다. ① 많은 부부들은 더 많은 책임을 떠맡기에는 그들의 삶이 이미 너무 바쁘고 피곤하다고 생각한다. ② 또한, 불안정한 경제와 재정적 불확실성이 아이를 원하지 않는 것의 주된 이유로 언급되었다. ③ 하지만, 많은 부부들은 아이를 기르기 위해 한쪽 배우자의 직업을 포기할 것이라고 말했다. 더 많은 가정이 빚에서 벗어나기 위해 두 배우자 모두 일을 해야 해서, 아이를 기를 시간이 없다고 응답했다. ④ 따라서, 경제가 튼튼해지고 사람들이 재정적으로 더 안정되었다고 생각할 때까지 출산율이 계속 감소할 가능성이 크다.

해설 첫 문장에서 '아이를 늦게 가지기로 하거나 가지지 않기로 선택하는 젊은 부부들'에 대해 언급하고, ①, ②번은 젊은 부부들이 이러한 선택을 하게 된 이유, ④번은 이러한 선택에 따른 앞으로의 전망을 각각 설명했다. 그러나 ③번은 '양육을 위해 일을 그만두겠다는 부부들'에 대한 내용으로, 지문의 흐름과 어울리지 않는다. 따라서 ③번이 정답이다.

어휘 census 인구조사   hectic 몹시 바쁜   uncertainty 불확실성   spouse 배우자   birth rate 출산율   strengthen 튼튼해지다, 강화되다   secure 안정된, 안전한

독해가 쉬워지는 **공무원 필수구문**

정도를 나타내는 'too ⋯ to ~' 구문 해석하기 Point 37 이 문장에서 too ⋯ to ~는 지나친 정도를 나타내는 구문으로, 주어인 그들의 삶(their lives)이 몹시 바쁘고 피곤한(hectic and tiring) 정도를 알려준다. 이처럼 'too ⋯ to ~' 구문이 정도를 나타내는 경우, '더 많은 책임을 떠맡기에는 이미 너무 바쁘고 피곤하다'라고 해석한다.

정답: ③

06 다음 글에서 전체의 흐름과 관련이 없는 문장은?

Recent findings show that some dinosaur species were covered with feathers, opposing the traditional belief that they were scaly monsters. ① Paleontologists believe that dinosaurs and birds shared common traits, like egg laying. ② The idea of fluffy, feathered dinosaurs has taken a strong hold of both the public's and academia's imagination. ③ However, several paleontologists say that we shouldn't envision every dinosaur in this manner. ④ Although a few clearly did possess feathers like modern birds do, careful analysis of dinosaur remains reveals that the vast majority were still scaled creatures.

지문 구조 한눈에 보기

지문을 읽고 빈칸에 알맞은 말을 채우시오.

도입 최근의 연구 결과는 일부 공룡 종의 몸이 ¹_____로 덮여있었다는 것을 보여줌

설명 고생물학자들은 공룡과 ²_____가 공통적인 특징들을 공유했다고 생각함

부연 | 깃털이 난 공룡에 대한 개념은 ³_____과 학계 모두의 생각을 강력히 사로잡음

반론 몇몇 고생물학자들은 우리가 모든 공룡을 이런 식으로 상상해서는 안 된다고 말함

부연 | 몇몇은 분명히 ⁴_____의 새가 가지고 있는 것처럼 깃털을 가지고 있었지만, 공룡 ⁵_____에 대한 주의 깊은 분석은 대다수가 여전히 비늘이 있는 생물이었다는 것을 드러냄

정답 | 1. 깃털 2. 새 3. 대중 4. 현대 5. 유해

지문분석

STEP 1
중심 소재: 공룡에 대한 최근의 연구 결과

Recent findings show / that some dinosaur species were covered with feathers, / opposing the
최근의 연구 결과는 보여준다   일부 공룡 종이 깃털로 덮여있었다는 것을   이는 전통적인 믿음에 반대된다

traditional belief / that they were scaly monsters. ① Paleontologists believe / that dinosaurs and birds
그들이 비늘로 뒤덮인 괴물이었다는   고생물학자들은 생각한다   공룡과 새가 공통적인 특징들을 공유했다고

STEP 2
지문의 흐름과 어울리지 않는 보기인 ①번이 정답이다.

shared common traits, / like egg laying. ② The idea of fluffy, feathered dinosaurs / has taken a strong
알을 낳는 것과 같은   북슬북슬하고 깃털이 난 공룡에 대한 개념은   강력히 사로잡았다

hold / of both the public's and academia's imagination. ③ However, / several paleontologists say /
대중과 학계 모두의 생각을   하지만   몇몇 고생물학자들은 말한다

that we shouldn't envision every dinosaur / in this manner. ④ Although a few clearly did possess
우리가 모든 공룡을 상상해서는 안 된다고   이런 식으로   비록 몇몇은 분명히 깃털을 가지고 있었지만
동사(possess)를 강조하는 do 동사

feathers / like modern birds do, / careful analysis of dinosaur remains reveals / that the vast
현대의 새가 가지고 있는 것처럼   공룡 화석에 대한 주의 깊은 분석은 드러낸다   대다수가
앞서 나온 동사(possess)를 대신하는 do

majority / were still scaled creatures.
여전히 비늘이 있는 생물이었다는 것을

해석 최근의 연구 결과는 일부 공룡 종이 깃털로 덮여 있었다는 것을 보여주는데, 이는 그들이 비늘로 뒤덮인 괴물이었다는 전통적인 믿음에 반대된다. ① 고생물학자들은 공룡과 새가 알을 낳는 것과 같은 공통적인 특징들을 공유했다고 생각한다. ② 북슬북슬하고 깃털이 난 공룡에 대한 개념은 대중과 학계 모두의 생각을 강력히 사로잡았다. ③ 하지만, 몇몇 고생물학자들은 우리가 모든 공룡을 이런 식으로 상상해서는 안 된다고 말한다. ④ 비록 몇몇은 분명히 현대의 새가 가지고 있는 것처럼 깃털을 가지고 있었지만, 공룡 화석에 대한 주의 깊은 분석은 대다수가 여전히 비늘이 있는 생물이었다는 것을 드러낸다.

해설 지문 앞부분에서 '일부 공룡 종의 몸이 깃털로 덮여있었다는 것을 보여주는 연구 결과'에 대해 언급하고, ②번은 공룡에게 깃털이 있었다는 개념이 대중과 학계에 확립되었다는 내용, ③, ④번은 하지만 모든 공룡에게 깃털이 있었다고 일반화해서는 안 된다는 내용을 각각 설명했다. 그러나 ①번은 '알낳기와 같은 공룡과 새의 공통적인 특징'에 대한 내용으로, 지문의 흐름과 어울리지 않는다. 따라서 ①번이 정답이다.

어휘 scaly 비늘로 뒤덮인 paleontologist 고생물학자 trait 특징 fluffy 북슬북슬한 envision 상상하다 remains 화석, 유해

독해가 쉬워지는 **공무원 필수구문**

목적어 자리에 온 'that ~' 해석하기 [Point 07] 이 문장에서 that the vast majority ~ creatures는 앞에 나온 동사 reveals의 목적어이다. 이처럼 **that**이 이끄는 절(that + 주어 + 동사 ~)이 목적어 자리에 온 경우, '대다수가 여전히 ~이었다는 것을'이라고 해석한다.

정답: ①

07 다음 글에서 전체 흐름과 관계없는 문장은?

The Reggio Emilia approach to learning was created by a psychologist named Loris Malaguzzi. ① The philosophy encourages children to be in control of what they learn instead of being told what to study by a teacher. ② This is because children learn more when they study something they are interested in. ③ Most modern educators feel children should attend kindergarten from an earlier age than present. Accordingly, children taught with this approach are encouraged to complete long-term projects in whatever academic areas they enjoy. ④ Overall, students in Reggio Emilia classrooms tend to score higher on tests and enjoy school more than students in conventional class settings.

지문 구조 한눈에 보기

지문을 읽고 빈칸에 알맞은 말을 채우시오.

| 도입 | Reggio Emilia 학습법은 Loris Malaguzzi라는 한 ¹_____ 에 의해 만들어졌음 |

| 설명 | 이 철학은 아이들이 선생님에게 무엇을 공부할지 듣는 대신에 그들이 배우는 것을 관리하도록 장려함 |

| 이유 | 이것은 아이들이 그들이 관심 있는 것을 공부할 때 더 많이 배우기 때문임 |

부연 | 아이들은 그들이 좋아하는 ²_____ 분야에서 ³_____ 의 프로젝트를 완수하도록 장려됨

| 결론 | 전반적으로, Reggio Emilia 식 학급의 학생들은 ⁴_____ 수업 환경의 학생들보다 시험 성적이 더 좋고 학교생활을 더 즐김 |

정답 1. 심리학자 2. 학문 3. 장기간 4. 전통적인

지문분석

The Reggio Emilia approach to learning / was created by a psychologist / named Loris Malaguzzi.
Reggio Emilia 학습법은   한 심리학자에 의해 만들어졌다   Loris Malaguzzi라는

STEP 1
중심 소재: Reggio Emilia 학습법

① The philosophy encourages children / to be in control of / what they learn / instead of being told /
이 철학은 아이들을 장려한다   관리하도록   그들이 배우는 것을   듣는 대신에
→ be in control of ~: ~을 관리하다

STEP 2
지문의 흐름과 어울리지 않는 보기인 ③번이 정답이다.

what to study / by a teacher. ② This is because / children learn more / when they study something /
무엇을 공부할지   선생님에게   이것은 왜냐하면   아이들이 더 많이 배우기 때문이다   그들이 무언가를 공부할 때
→ (that/which) they: 목적격 관계대명사 생략

they are interested in. ③ Most modern educators feel / children should attend kindergarten / from an
그들이 관심 있는   대부분의 현대 교육자들은 생각한다   아이들이 유치원에 가야 한다고

earlier age / than present. Accordingly, / children ☆ taught with this approach / are encouraged to
더 어린 나이부터   지금보다   따라서   이 학습법으로 가르쳐진 아이들은   완수하도록 장려된다
→ 복합관계형용사 whatever: 어떤 ~이든

complete / long-term projects / in whatever academic areas / they enjoy. ④ Overall, / students in
장기간의 프로젝트를   어떤 학문 분야에서든   그들이 좋아하는   전반적으로

Reggio Emilia classrooms / tend to score higher on tests / and enjoy school more / than students /
Reggio Emilia 식 학급의 학생들은   시험에서 더 높은 점수를 받는 경향이 있다   그리고 학교생활을 더 즐기는 경향이 있다   학생들보다

in conventional class settings.
전통적인 수업 환경에 있는

해석 Reggio Emilia 학습법은 Loris Malaguzzi라는 한 심리학자에 의해 만들어졌다. ① 이 철학은 아이들이 선생님에게 무엇을 공부할지 듣는 대신에 그들이 배우는 것을 관리하도록 장려한다. ② 이것은 아이들이 그들이 관심 있는 무언가를 공부할 때 더 많이 배우기 때문이다. ③ 대부분의 현대 교육자들은 아이들이 지금보다 더 어린 나이부터 유치원에 가야 한다고 생각한다. 따라서, 이 학습법으로 가르쳐진 아이들은 그들이 좋아하는 어떤 학문 분야에서든 장기간의 프로젝트를 완수하도록 장려된다. ④ 전반적으로, Reggio Emilia 식 학급의 학생들은 전통적인 수업 환경에 있는 학생들보다 시험에서 더 높은 점수를 받고 학교생활을 더 즐기는 경향이 있다.

해설 첫 문장에서 '한 심리학자에 의해 만들어진 Reggio Emilia 학습법'에 대해 언급하고, ①, ②번은 Reggio Emilia 학습법의 방식과 원리, ④번은 Reggio Emilia 학습법의 효과를 각각 설명했다. 그러나 ③번은 '적정한 유치원 입학 나이'에 대한 내용으로, 지문의 흐름과 어울리지 않는다. 따라서 ③번이 정답이다.

어휘 approach 학습법, 접근법 philosophy 철학 kindergarten 유치원 long-term 장기간 score 점수를 받다; 점수 conventional 전통적인
setting 환경, 배경

독해가 쉬워지는 **공무원 필수구문**

☆ **명사를 꾸며주는 과거분사 해석하기** Point 15 이 문장에서 taught with this approach는 앞에 나온 명사 children을 꾸며주는 수식어이다. 이처럼 과거분사
(taught ~)가 명사를 꾸며주는 경우, '~ 가르쳐진 아이들'이라고 해석한다.

정답: ③

08 글의 흐름상 가장 어색한 문장은?

The two major political parties of the United States—the Democratic Party and the Republican Party—not only receive support from different demographic groups but also have significantly different ideologies. ① For one thing, the Democratic Party has a general reputation for including youth, minorities, and lower-income people in their political decision-making. Conversely, the policies of the Republican Party are known to benefit the middle-aged and elderly, white citizens, and wealthy individuals. ② While Democrats believe that the government should use its resources to help citizens, Republicans argue that the government should have little involvement in social aid. ③ To illustrate, Democrats tend to support social assistance programs while Republicans are inclined to back private corporations. ④ Consequently, politicians often ignore the plight of the poor and concentrate their efforts on the wealthy.

지문 구조 한눈에 보기

지문을 읽고 빈칸에 알맞은 말을 채우시오.

주제문) 미국의 민주당과 공화당은 서로 다른 인구층으로부터 지지를 받을 뿐만 아니라 상당히 다른 [1]_____을 가지고 있기도 함

설명1 민주당은 그들의 정치적 [2]_____에 청년층, 소수자, 그리고 저소득층을 포괄한다는 평판이 있음

대조 | 대조적으로 공화당은 중장년층, 노년층, 백인 국민, 그리고 부자들에게 이익을 주는 것으로 알려져 있음

설명2 민주당원은 정부가 국민을 돕기 위해 재원을 사용해야 한다고 생각함

대조 | 공화당원은 정부가 [3]_____에 거의 관여하지 않아야 한다고 주장함

설명3 민주당원은 사회 복지 프로그램을 지지하는 경향이 있음

대조 | 공화당원은 [4]_____을 지지하는 경향이 있음

The two major political parties / of the United States / —the Democratic Party and the Republican
두 주요 정당은   미국의   민주당과 공화당

Party— / ★ not only receive support / from different demographic groups / but also have significantly
지지를 받을 뿐만 아니라   서로 다른 인구층으로부터   그러나 또한 상당히 다른 이념을 가지고 있기도 하다

different ideologies. ① For one thing, / the Democratic Party has a general reputation / for including
                        우선   민주당은 전반적인 평판이 있다

youth, minorities, and lower-income people / in their political decision-making. Conversely, / the
청년층, 소수자, 그리고 저소득층을 포괄한다는   그들의 정치적 의사 결정에   대조적으로

policies of the Republican Party / are known to benefit / the middle-aged and elderly, / white citizens,
공화당의 정책은   이익을 주는 것으로 알려져 있다   중장년층과 노년층   백인 국민,
(be known to ~: ~하는 것으로 알려져 있다)

and wealthy individuals. ② While Democrats believe / that the government should use its resources /
그리고 부자들에게   민주당원은 생각하는 반면   정부가 그것의 재원을 사용해야 한다고
(명사절 접속사 that)

to help citizens, / Republicans argue / that the government should have little involvement / in social
국민을 돕기 위해   공화당원은 주장한다   정부가 거의 관여하지 않아야 한다고   사회 지원에

aid. ③ To illustrate, / Democrats tend to support / social assistance programs / while Republicans
      설명하자면   민주당원은 지지하는 경향이 있다   사회 복지 프로그램을   공화당원은 지지하는 경향이 있는 반면

are inclined to back / private corporations. ④ Consequently, / politicians often ignore / the plight of
(= tend to)   민간 기업을   결과적으로   정치인들은 종종 무시한다   가난한 사람들의 경경을

the poor / and concentrate their efforts / on the wealthy.
(the + 형용사: ~한 사람들)   그리고 그들의 노력을 집중한다   부자들에게

STEP 1
중심 소재: 미국 민주당과
공화당의 특징

STEP 2
지문의 흐름과 어울리지 않는
보기인 ④번이 정답이다.

해석 미국의 두 주요 정당인 민주당과 공화당은 서로 다른 인구층으로부터 지지를 받을 뿐만 아니라 상당히 다른 이념을 가지고 있기도 하다. ① 우선, 민주당은 그들의 정치적 의사 결정에 청년층, 소수자, 그리고 저소득층을 포괄한다는 전반적인 평판이 있다. 대조적으로, 공화당의 정책은 중장년층과 노년층, 백인 국민, 그리고 부자들에게 이익을 주는 것으로 알려져 있다. ② 민주당원은 정부가 국민을 돕기 위해 그것의 재원을 사용해야 한다고 생각하는 반면, 공화당원은 정부가 사회 지원에 거의 관여하지 않아야 한다고 주장한다. ③ 설명하자면, 공화당원은 민간 기업을 지지하는 경향이 있는 반면, 민주당원은 사회 복지 프로그램을 지지하는 경향이 있다. ④ 결과적으로, 정치인들은 종종 가난한 사람들의 경경을 무시하고 부자들에게 그들의 노력을 집중한다.

해설 첫 문장에서 '서로 다른 지지자들과 이념을 가진 민주당과 공화당'에 대해 언급하고, ①, ②, ③번에서 민주당과 공화당의 지지층과 정치 이념의 차이점을 나열했다. 그러나 ④번은 '부자들에게 노력을 쏟는 정치인들'에 대한 내용으로, 지문의 흐름과 어울리지 않는다. 따라서 ④번이 정답이다.

어휘 demographic 인구의 ideology 이념 reputation 평판, 명성 minority 소수, 소수 민족 decision-making 의사 결정 Democrat 민주당원
Republican 공화당원 involvement 관여, 개입

독해가 쉬워지는 **공무원 필수구문**

병렬 관계를 나타내는 'not only A but (also) B' 구문 해석하기 Point 36 이 문장에서 not only ~ but also ~는 receive support from ~ demographic groups와 have ~ different ideologies를 연결하는 접속사이다. 이처럼 'not only A but (also) B'구문의 A에는 기본이 되는 내용, B에는 첨가하는 내용이 나오며, '~ 인구 층으로부터 지지를 받을 뿐만 아니라 ~ 다른 이념을 가지고 있기도 하다'라고 해석한다.

정답: ④

09 글의 흐름상 가장 어색한 문장은?

When pathogens enter the body through a break in the skin or some other bodily opening, the immune system goes into action. This system has two branches. The first of these is the innate. The cells of the innate system have special molecules that can recognize patterns in proteins that exist only in pathogens. ① Once the cells detect these proteins, they begin producing cytokines, which signal the innate system to eliminate the pathogen. ② It does this either by destroying the microorganisms or by neutralizing any poison they have produced. ③ The adaptive branch then creates antibodies that remember the pathogen and can quickly identify and attack it if it should enter the body again. ④ Some pathogens may evolve and develop new functions that allow them to live longer or survive in difficult conditions. This is an acquired immune response that continues to learn and adapt so that any bacteria or virus that mutates can also be recognized.

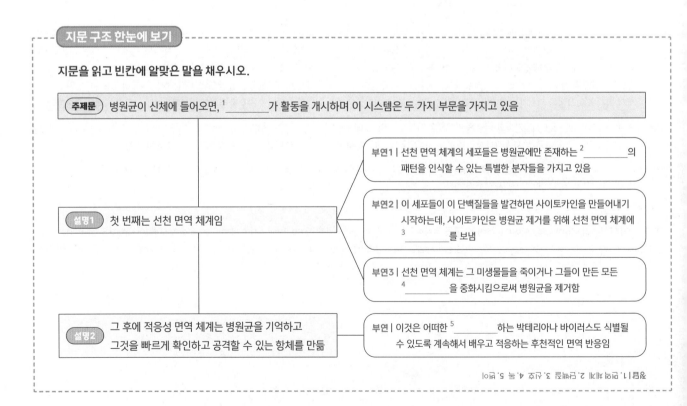

When pathogens enter the body / through a break in the skin / or some other bodily opening, / the
병원균이 신체에 들어오면   피부의 갈라진 틈을 통해서   혹은 다른 신체의 구멍을 통해서
go into action: 활동을 개시하다 ←

immune system goes into action. This system has two branches. The first of these is the innate.
면역 체계가 활동을 개시한다   이 시스템은 두 가지 부문을 가지고 있다   이것들 중 첫 번째는 선천적이다

The cells of the innate system / have special molecules / that can recognize patterns in proteins /
선천 면역 체계의 세포들은   특별한 분자들을 가지고 있다   단백질의 패턴을 인식할 수 있는

that exist only in pathogens. ① Once the cells detect these proteins, / they begin producing cytokines, /
병원균에만 존재하는   일단 이 세포들이 이 단백질들을 발견하면   그들은 사이토카인을 만들어내기 시작하는데
= eliminate the pathogen →

which signal the innate system / to eliminate the pathogen. ② It does this / either by destroying the
그것은 선천 면역 체계에 신호를 보낸다   병원균을 제거하기 위해   그것은 이렇게 한다   그 미생물들을 죽이거나
= microorganisms →

microorganisms / or by neutralizing any poison / they have produced. ③ The adaptive branch / then
혹은 모든 독을 중화시킴으로써   그들이 만들어 낸   적응성 면역 체계는
if + 주어 + should + 동사원형: 가정법 미래 ←

creates antibodies / that remember the pathogen / and can quickly identify and attack it / if it should
그 후에 항체를 만든다   병원균을 기억하는   그리고 그것을 빠르게 확인하고 공격할 수 있는

enter the body again. ④ Some pathogens may evolve and develop / new functions / that allow them
만약 그것이 다시 몸에 들어온다면   몇몇 병원균들은 진화시키고 발달시킬 수 있다   새로운 기능들을   그들이 오래 살도록 하는

to live longer / or survive in difficult conditions. This is an acquired immune response / that continues
혹은 험난한 상황에서 살아남도록 하는   이것은 후천적인 면역 반응이다

to learn and adapt / so that any bacteria or virus / that mutates / can also be recognized.
계속해서 배우고 적응하는   그래서 어떠한 박테리아나 바이러스도   변이하는   식별될 수 있도록

해석 병원균이 피부의 갈라진 틈이나 다른 신체의 구멍을 통해서 신체에 들어오면, 면역 체계가 활동을 개시한다. 이 시스템은 두 가지 부문을 가지고 있다. 이것들 중 첫 번째는 선천적이다. 선천 면역 체계의 세포들은 병원균에만 존재하는 단백질의 패턴을 인식할 수 있는 특별한 분자들을 가지고 있다. ① 일단 이 세포들이 이 단백질들을 발견하면, 그들은 사이토카인을 만들어내기 시작하는데, 그것은 병원균을 제거하기 위해 선천 면역 체계에 신호를 보낸다. ② 그것(선천 면역 체계)은 그 미생물들을 죽이거나 그것들이 만들어 낸 모든 독을 중화시킴으로써 병원균을 제거한다. ③ 그 후에 적응성 면역 체계는 병원균을 기억하고 만약 그것이 다시 몸에 들어온다면 그것을 빠르게 확인하고 공격할 수 있는 항체를 만든다. ④ 몇몇 병원균들은 그들이 오래 살도록 하거나 험난한 상황에서 살아남도록 하는 새로운 기능들을 진화시키고 발달시킬 수 있다. 이것은 어떠한 변이하는 박테리아나 바이러스도 식별될 수 있도록 계속해서 배우고 적응하는 후천적인 면역 반응이다.

해설 첫 문장에서 '병원균이 신체에 들어오면 활동을 개시하는 면역 체계'에 대해 언급하고, ①, ②번은 선천 면역 체계의 작동 방식, ③번은 적응성 면역 체계의 작동 방식을 각각 설명했다. 그러나 ④번은 몇몇 병원균들이 그들이 오래 살거나 험난한 상황에서 살아남도록 하는 새로운 기능들을 진화시키고 발달시킬 수 있다는 내용으로, 면역 체계의 작동 방식에 대해 설명하는 지문의 흐름과 어울리지 않는다. 따라서 ④번이 정답이다.

어휘 pathogen 병원균 bodily 신체의 immune system 면역 체계 innate 선천적인 molecule 분자 protein 단백질 eliminate 제거하다, 없애다 microorganism 미생물 neutralize 중화시키다 adaptive 적응성의 antibody 항체 evolve 진화시키다, 진화하다 acquired 후천적인, 습득한 mutate 변이하다

독해가 쉬워지는 **공무원 필수구문**

명사를 꾸며주는 '주격 관계대명사 who / that / which ~' 해석하기 Point 16 이 문장에서 that can recognize ~ pathogens는 앞에 나온 명사 molecules를 꾸며주는 수식어이다. 이처럼 주격 관계대명사가 이끄는 절(that + 동사 ~)이 명사를 꾸며주는 경우, '~을 인식할 수 있는 분자들'이라고 해석한다.

정답: ④

10 다음 글에서 전체적인 흐름과 관계없는 문장은?

Most great sculptures made in ancient times depict a muscular male hero with a known identity. ① The political, religious, scholarly, or cultural figure represented by the sculpture is often distinguishable by his clothing, props, or an inscription. ② However, Rodin's *The Thinker* was a departure from this tradition in that none of these identifiers are present. ③ Some critics and art historians believe the subject of the sculpture to be Dante. ④ In *The Divine Comedy*, Dante travels through hell, purgatory, and paradise. But Rodin himself variously described the figure as a poet, a thinker, and even a symbol for the laborers of France.

지문 구조 한눈에 보기

지문을 읽고 빈칸에 알맞은 말을 채우시오.

| 도입 | 고대의 훌륭한 조각상은 알려진 신분을 가진 근육질의 남성 ¹_____을 묘사함 |

부연 | 조각상으로 표현된 정치적, ²_____, 학문적, 혹은 문화적인 인물은 흔히 그의 옷, 소품, 혹은 새겨진 글로 구별할 수 있음

| 주제문 | 『생각하는 사람』은 이 식별 요소들 중 아무것도 존재하지 않는다는 점에서 이 ³_____으로부터의 이탈이었음 |

부연1 | 일부 비평가들과 예술 역사가들은 그 조각상이 단테일 것이라고 생각함

부연2 | 로댕은 그 인물을 시인, 사상가, 프랑스의 노동자들의 ⁴_____으로 다양하게 묘사했음

정답 1. 영웅 2. 종교적 3. 전통 4. 상징

Most great sculptures / ★ made in ancient times / depict a muscular male hero / with a known
대부분의 훌륭한 조각상은   고대에 만들어진   근육질의 남성 영웅을 묘사한다   알려진 신분을 가진

identity. ① The political, religious, scholarly, or cultural figure / represented by the sculpture / is often
그 정치적, 종교적, 학문적, 혹은 문화적인 인물은   조각상으로 표현된   흔히

distinguishable / by his clothing, props, or an inscription. ② However, Rodin's *The Thinker* was a
구별할 수 있다   그의 옷, 소품, 혹은 새겨진 글로   그러나 로댕의『생각하는 사람』은 이탈이었다

none of ~: ~중 아무것도

departure / from this tradition / in that none of these identifiers are present. ③ Some critics and art
이 전통으로부터의   이 식별 요소 중 아무것도 존재하지 않는다는 점에서   일부 비평가들과 예술 역사가들은 생각한다

believe … (to be) ~: …을 ~라고 생각하다

historians believe / the subject of the sculpture / to be Dante. ④ In *The Divine Comedy*, / Dante travels
그 조각상의 대상이   단테일 것이라고   『신곡』에서

through hell, purgatory, and paradise. But / Rodin himself variously described the figure / as a poet, a
단테는 지옥, 연옥, 그리고 천국을 여행한다   하지만   로댕 자신은 그 인물을 다양하게 묘사했다   시인, 사상가로

강조 용법으로 쓰인 재귀대명사

thinker, / and even a symbol for the laborers of France.
그리고 심지어는 프랑스의 노동자들의 상징으로

STEP 1
중심 소재: 고대의 조각상

STEP 2
지문의 흐름과 어울리지 않는
보기인 ④번이 정답이다.

해석 고대에 만들어진 대부분의 훌륭한 조각상은 알려진 신분을 가진 근육질의 남성 영웅을 묘사한다. ① 조각상으로 표현된 그 정치적, 종교적, 학문적, 혹은 문화적인 인물은 흔히 그의 옷, 소품, 혹은 새겨진 글로 구별할 수 있다. ② 그러나, 로댕의『생각하는 사람』은 이 식별 요소들 중 아무것도 존재하지 않는다는 점에서 이 전통으로부터의 이탈이었다. ③ 일부 비평가들과 예술 역사가들은 그 조각상의 대상이 단테일 것이라고 생각한다. ④『신곡』에서, 단테는 지옥, 연옥, 그리고 천국을 여행한다. 하지만 로댕 자신은 그 인물을 시인, 사상가, 그리고 심지어는 프랑스의 노동자들의 상징으로 다양하게 묘사했다.

해설 첫 문장에서 '대부분 신분이 알려진 남성 영웅을 묘사하는 고대의 조각상'에 대해 언급하고, ①번은 그 인물이 구별될 수 있는 요소, ②번은 이러한 전통으로부터 이탈한 로댕의『생각하는 사람』, ③번은『생각하는 사람』의 대상에 관한 추측에 관한 내용을 각각 설명했다. 그러나 ④번은 '『신곡』에서의 단테의 여행'에 대한 내용으로, 지문의 흐름과 어울리지 않는다. 따라서 ④번이 정답이다.

어휘 sculpture 조각상 depict 묘사하다 muscular 근육질의 identity 신분, 신원 distinguishable 구별할 수 있는 prop 소품 inscription 새겨진 글, 명문 departure 이탈, 일탈 identifier 식별 요소 purgatory 연옥, 지옥 figure 인물(상), 모습 thinker 사상가 laborer 노동자

독해가 쉬워지는 **공무원 필수구문**

명사를 꾸며주는 과거분사 해석하기 Point 15 이 문장에서 made in ancient times는 앞에 나온 명사 sculptures를 꾸며주는 수식어이다. 이처럼 과거분사 (made ~)가 명사를 꾸며주는 경우, '~에 만들어진 조각상'이라고 해석한다.

정답: ④

11 다음 글에서 전체 흐름과 관계없는 문장은?

After the 2008 recession, many experts warned that US malls were in danger of closing permanently. ① They argued that the convenience of online shopping and the lower operational costs of running e-commerce websites would pull both customers and businesses away from physical stores. However, from 2019 to 2023, foot traffic in malls increased by nearly 10 percent, with sales growing by 5 percent. ② Occupancy rate, the key indicator of mall health, also stands at 92 percent, a strong number. So, why were the experts so wrong in their prediction? ③ It turns out that online and physical stores complement each other, with shoppers researching products online before going to a mall to buy them. The other reason is that Generation Z shoppers are highly interested in the community aspect of a mall. ④ New malls are being built with the financial support of local governments. Their preference to meet and shop with their friends in person is a good sign for the future success of malls.

지문 구조 한눈에 보기

지문을 읽고 빈칸에 알맞은 말을 채우시오.

도입 많은 전문가들은 미국의 ¹_____들이 영구적으로 문을 닫을 위기에 처해있다고 경고했음

주장 온라인 쇼핑의 ²_____과 전자상거래 웹 사이트를 경영하는 것의 낮은 운영 ³_____이 고객과 기업 모두를 실제 매장에서 멀어지게 할 것임

원인1 | 쇼핑객들은 쇼핑몰에 가기 전에 온라인에서 상품을 검색하면서 온라인 매장과 실제 매장이 서로를 ⁴_____함

반박 쇼핑몰의 유동 인구와 매출, 점유율이 모두 증가함

원인2 | Z세대 쇼핑객들이 쇼핑몰의 ⁵_____ 측면에 높은 관심을 가지고 있음

정답 | 1. 쇼핑몰 2. 편리함 3. 비용 4. 보완 5. 공동체

지문분석

After the 2008 recession, / many experts warned / that US malls were in danger / of closing
2008년 경기 침체 이후에   많은 전문가들은 경고했다   미국 쇼핑몰들이 위험에 처해 있다고

STEP 1
중심 소재: 문을 닫을 위기에 처한 미국 쇼핑몰

permanently. ① They argued / (that) the convenience of online shopping / and the lower operational
영구적으로 문을 닫을   그들은 주장했다   온라인 쇼핑의 편리함이   그리고 낮은 운영 비용이
                          └→ 목적어 자리에 온 명사절 접속사 that

STEP 2
지문의 흐름과 어울리지 않는 보기인 ④번이 정답이다.

costs / of running e-commerce websites / would pull   both customers and businesses away /
       전자상거래 웹 사이트를 경영하는 것의   고객과 기업 모두를 멀어지게 할 것이라고

from physical stores. However, / from 2019 to 2023, / foot traffic in malls increased / by nearly 10
실제 매장에서   하지만   2019년부터 2023년까지   쇼핑몰의 유동 인구는 증가했다   거의 10퍼센트만큼

percent, / with sales growing / by 5 percent. ② Occupancy rate, / the key indicator of mall health, /
           매출은 증가했다   5퍼센트만큼   점유율은   쇼핑몰 건전성의 핵심 지표인

also stands at 92 percent, / a strong number. So, / why were the experts so wrong / in their
또한 92퍼센트를 나타낸다   높은 수치이다   그렇다면   전문가들은 왜 그토록 잘못됐던 것일까

prediction? ③ It turns out / that online and physical stores / complement each other, / with shoppers
그들의 예측에서   드러났다   온라인 매장과 실제 매장이   서로를 보완하는 것으로   쇼핑객들이

researching products online / before going to a mall (to buy) them. The other reason is / that
온라인에서 상품을 검색하면서   쇼핑몰에 가기 전에   그것들(상품들)을 구매하기 위해   또 다른 이유는
                                          └→ 부사 역할을 하는 to 부정사(~하기 위해)

Generation Z shoppers are highly interested / in the community aspect of a mall. ④ New malls /
Z세대 쇼핑객들이 높은 관심을 가지고 있다   쇼핑몰의 공동체 측면에   새로운 쇼핑몰은
        └→ be being p.p.: 현재진행 수동태

(are being built) / with the financial support / of local governments. Their preference to meet and shop /
지어지고 있다   재정적 지원을 받아   지방 정부의   만나서 쇼핑하는 것에 대한 그들의 선호는

with their friends / in person / is a good sign / for the future success of malls.
그들의 친구들과   직접   좋은 신호이다   쇼핑몰의 미래 성공에 대한

해석 2008년 경기 침체 이후에, 많은 전문가들은 미국 쇼핑몰들이 영구적으로 문을 닫을 위험에 처해 있다고 경고했다. ① 그들은 온라인 쇼핑의 편리함과 전자상거래 웹 사이트를 경영하는 것의 낮은 운영 비용이 고객과 기업 모두를 실제 매장에서 멀어지게 할 것이라고 주장했다. 하지만, 2019년부터 2023년까지, 쇼핑몰의 유동 인구는 거의 10퍼센트 증가했고, 매출은 5퍼센트 증가했다. ② 쇼핑몰 건전성의 핵심 지표인 점유율 또한 92퍼센트로, 높은 수치를 나타낸다. 그렇다면, 전문가들의 예측은 왜 그토록 잘못됐던 것일까? ③ 쇼핑객들이 상품들을 구매하기 위해 쇼핑몰에 가기 전에 온라인에서 상품을 검색하면서 온라인 매장과 실제 매장이 서로를 보완하는 것으로 드러났다. 또 다른 이유는 Z세대 쇼핑객들이 쇼핑몰의 공동체 측면에 높은 관심을 가지고 있기 때문이다. ④ 새로운 쇼핑몰은 지방 정부의 재정적 지원을 받아 지어지고 있다. 친구들과 직접 만나서 쇼핑하는 것에 대한 그들의 선호는 쇼핑몰의 미래 성공에 대한 좋은 신호이다.

해설 첫 문장에서 '미국 쇼핑몰들이 영구적으로 문을 닫을 위험에 처해 있다고 한 전문가들의 경고'에 대해 언급하고, ①번은 전문가들의 주장, ②, ③번은 실제로 쇼핑몰의 유동 인구가 증가한 것에 대한 추가 정보와 이유에 대해 설명하고 있다. 그러나 ④번은 새로운 쇼핑몰이 지방 정부의 재정적 지원을 받아 지어지고 있다는 내용으로, 지문의 흐름과 어울리지 않는다. 따라서 ④번이 정답이다.

어휘 recession 경기 침체 permanently 영구적으로 argue 주장하다 operational 운영의, 경영상의 e-commerce 전자상거래 foot traffic 유동 인구
occupancy rate 점유율 indicator 지표 health 건전성, 건강 prediction 예측 complement 보완하다 aspect 측면, 양상

독해가 쉬워지는 **공무원 필수구문**

병렬 관계를 나타내는 'both A and B' 구문 해석하기 [Point 36] 이 문장에서 both ~ and ~는 customers와 businesses를 연결하는 접속사이다. 이처럼 '**both A and B**' 구문이 쓰여 A와 B 모두를 나타내는 경우, '고객과 기업 모두'라고 해석한다.

정답: ④

12 다음 글의 흐름상 어색한 문장은?

[2023년 지방직 9급]

I once took a course in short-story writing and during that course a renowned editor of a leading magazine talked to our class. ① He said he could pick up any one of the dozens of stories that came to his desk every day and after reading a few paragraphs he could feel whether or not the author liked people. ② "If the author doesn't like people," he said, "people won't like his or her stories." ③ The editor kept stressing the importance of being interested in people during his talk on fiction writing. ④ Thurston, a great magician, said that every time he went on stage he said to himself, "I am grateful because I'm successful." At the end of the talk, he concluded, "Let me tell you again. You have to be interested in people if you want to be a successful writer of stories."

지문 구조 한눈에 보기

지문을 읽고 빈칸에 알맞은 말을 채우시오.

도입 화자가 들은 단편 소설 쓰기 수업에서 일류 잡지의 유명한 편집자가 강연을 함

전개 편집자는 이야기의 몇 단락을 읽고 나면 그 작가가 [1]_____을 좋아하는지 아닌지를 느낄 수 있다고 말함

부연 | 편집자는 작가가 사람을 좋아하지 않는다면, 사람들은 그나 그녀의 이야기를 좋아하지 않을 것이라고 말함

결론 편집자가 소설 쓰기에 대해 강연을 하는 동안 사람들에게 [2]_____을 갖는 것의 중요성을 계속 강조함

정답 및 해설 1. 사람 2. 관심

지문분석

STEP 1
중심 소재: 유명한 편집자의 강연

STEP 2
지문의 흐름과 어울리지 않는 보기인 ④번이 정답이다.

I once took a course in short-story writing / and during that course / a renowned editor of a leading
나는 한때 단편 소설 쓰기 수업을 들은 적이 있다   그리고 그 수업에서   일류 잡지의 유명한 편집자가

→ 명사(editor)를 꾸며주는 과거분사

magazine / talked to our class. ① He said / he could pick up / any one of the dozens of stories /
우리 학급에 강연했다   그는 말했다   그는 고를 수 있다고   수십 개의 이야기들 중 아무거나
                              → (that) he ~: 명사절 접속사 that 생략

that came to his desk every day / and after reading a few paragraphs / he could feel / whether or
매일 그의 책상으로 오는   그리고 몇 단락을 읽고 나면   그는 느낄 수 있다고

not the author liked people. ② "If the author doesn't like people," / he said, / "people won't like his or
그 작가가 사람을 좋아하는지 아닌지를   "만약 작가가 사람을 좋아하지 않는다면,"   그는 말했다   "사람들은 그나 그녀의 이야기를
                                                                          → keep + -ing: 계속 ~하다

her stories." ③ The editor kept stressing / the importance of being interested in people / during his
좋아하지 않을 것입니다."   그 편집자는 계속 강조했다   사람들에게 관심을 갖는 것의 중요성을

talk on fiction writing. ④ Thurston, a great magician, said that / every time he went on stage / he said
그가 소설 쓰기에 대해 강연을 하는 동안   훌륭한 마술사인 Thurston은 말했다   그가 무대에 오를 때마다   그가

to himself, / "I am grateful because I'm successful." At the end of the talk, / he concluded, / "Let me
혼잣말을 했다고   "성공해서 감사합니다."라고   강연 말미에   그는 끝맺었다   "다시 한번

tell you again. / You have to be interested in people / if you want to be a successful writer of stories."
말씀드리겠습니다   여러분은 사람들에게 관심을 가져야 합니다   여러분이 성공적인 이야기 작가가 되고 싶다면"

해석 나는 한때 단편 소설 쓰기 수업을 들은 적이 있는데, 그 수업에서 일류 잡지의 유명한 편집자가 우리 학급에게 강연했다. ① 그는 매일 그의 책상으로 오는 수십 개의 이야기들 중 아무거나 고를 수 있고, 몇 단락을 읽고 나면 그 작가가 사람을 좋아하는지 아닌지를 느낄 수 있다고 말했다. ② "만약 작가가 사람을 좋아하지 않는다면, 사람들은 그나 그녀의 이야기를 좋아하지 않을 것입니다."라고 그는 말했다. ③ 그 편집자는 소설 쓰기에 대해 강연을 하는 동안 사람들에게 관심을 갖는 것의 중요성을 계속 강조했다. ④ 훌륭한 마술사인 Thurston은 그가 무대에 오를 때마다 "성공해서 감사합니다."라고 혼잣말을 했다고 말했다. 강연 말미에, 그는 "다시 한번 말씀드리겠습니다. 여러분이 성공적인 이야기 작가가 되고 싶다면, 사람들에게 관심을 가져야 합니다."라며 끝맺었다.

해설 첫 문장에서 화자의 학급에서 '유명한 편집자가 강연한 것'에 대해 언급하고, 이어서 ①, ②, ③번에서 그 편집자가 소설 쓰기에 대해 강연하는 동안 사람들에게 관심을 갖는 것의 중요성에 대해 강조한 내용을 설명하고 있다. 그러나 ④번은 훌륭한 마술사가 무대에 오를 때마다 "성공해서 감사합니다." 라고 혼잣말을 했다는 내용으로, 지문의 흐름과 어울리지 않는다. 따라서 ④번이 정답이다.

어휘 renowned 유명한 editor 편집자 leading 일류의, 선두적인 dozens of 수십의 paragraph 단락 stress 강조하다

독해가 쉬워지는 공무원 필수구문

명사를 꾸며주는 '주격 관계대명사 who / that / which ~' 해석하기 Point 16 이 문장에서 that came to his desk every day는 앞에 나온 명사 stories를 꾸며주는 수식어이다. 이처럼 주격 관계대명사가 이끄는 절(that + 동사 ~)이 명사를 꾸며주는 경우, '그의 책상으로 오는 이야기들'이라고 해석한다.

정답: ④

gosi.Hackers.com

공부하다 보면 내가 하고 있는 방법이 맞는 것인지, 점수는 왜 안 오르는지
회의감도 많이 들고 그만큼 심적으로 많이 부담됐었는데
그럴때마다 그냥 아무 생각하지 않으려고 노력했습니다.

저는 감정에 조금씩 동요되다 한순간에 무너져 버리는 성격이라
오히려 쉬지 않고 계속 공부하는 것이 더 맞기도 했습니다.
그만큼 자신한테 맞는 공부 방법이나 스트레스 해소법을 빨리 찾는 게 중요한 것 같습니다.

많이 지치겠지만 모두 파이팅입니다!

– 지방직 9급 합격자 강*지

Section 5
다문항 유형

Chapter 11 | 다문항

출제 경향

· 1지문 2문항이 출제되며 전체내용 파악 유형, 세부내용 파악 유형, 유의어 찾기 유형 등 다양한 유형의 문제가 골고루 섞여서 출제된다.

· 이메일이나 안내문 등 직무나 일상생활에 밀접한 관련이 있는 내용의 지문이 출제될 수 있다.

STEP별 문제 풀이 전략

STEP 1 문제와 보기를 먼저 읽고 지문에서 파악해야 할 내용이 무엇인지 확인한다.

· 제목 파악, 목적 파악, 내용 일치/불일치 파악, 유의어 찾기 등 여러가지 유형의 문제가 출제되므로 각 문제와 보기를 먼저 읽고 지문에서 파악해야 할 내용이 무엇인지 확인한다.

STEP 2 파악해야 할 내용과 관련된 곳은 주의 깊게 읽고 나머지 부분은 빠르게 읽으며 전체적인 흐름을 파악한다.

· 전체내용 파악 유형이 다른 유형과 함께 출제된 경우, 지문을 빠르게 읽고 전체 지문의 흐름을 파악한 후 세부내용 파악 유형이나 유의어 파악 유형을 해결하기 위한 단서가 제시되는 부분을 주의 깊게 읽는다.

· 세부내용 파악 유형으로만 구성된 경우, 각 문제에서 원하는 세부내용과 관련된 부분만 주의 깊게 읽어 시간을 절약한다.

· 지문이 여러 단락으로 나뉜 경우, 지문을 빠르게 읽으며 각 문단의 중심 내용, 내용 전환의 단서가 되는 연결어 등을 파악하여 지문의 전체적인 흐름을 파악한다.

· 유의어 찾기 유형 문제의 경우, 주어진 어휘가 포함된 문장을 자세히 읽고 해당 어휘가 문맥에서 어떤 의미를 가지는지 파악한다.

STEP 3 파악한 내용과 각 문제 유형에 대한 전략을 바탕으로 문제를 해결한다.

· 파악한 내용을 단서로 앞서 배운 각 문제 유형에 대한 전략을 적용하여 문제를 해결한다.

· 전체내용 파악 유형을 먼저 해결한 후, 세부내용 파악 유형이나 유의어 찾기 유형을 해결한다.

· 유의어 찾기 유형 문제의 경우 보기에 해당 어휘의 유의어지만 문맥에서 쓰인 것과 다른 뜻을 가진 어휘가 오답 보기로 나오기도 하므로 반드시 문맥을 통해 뜻을 확인한다.

*<해커스공무원 영어 기본서 어휘>에 수록된 [시험에 강해지는 적중 다의어]에서 문맥에 따라 다양한 의미로 해석되는 다의어를 확인하실 수 있습니다.

☐ 전략 적용

[01~02] 다음 글을 읽고 물음에 답하시오.

[2025년 출제 기조 전환 예시 문제]

To	Clifton District Office
From	Rachael Beasley
Date	June 7
Subject	Excessive Noise in the Neighborhood

To whom it may concern,

I hope this email finds you well. I am writing to express my concern and frustration regarding the excessive noise levels in our neighborhood, specifically coming from the new sports field.

As a resident of Clifton district, I have always appreciated the peace of our community. However, the ongoing noise disturbances have significantly impacted my family's well-being and our overall quality of life. The sources of the noise include crowds cheering, players shouting, whistles, and ball impacts.

I kindly request that you look into this matter and take appropriate steps to address the noise disturbances. Thank you for your attention to this matter, and I appreciate your prompt response to help restore the tranquility in our neighborhood.

Sincerely,
Rachael Beasley

STEP 1

문제와 보기를 먼저 읽고 지문에서 파악해야 할 내용이 무엇인지 확인하기

문제와 보기를 먼저 읽고 지문의 목적과 밑줄 친 단어의 의미를 파악해야 함을 확인한다.

STEP 2

파악해야 할 내용과 관련된 곳은 주의 깊게 읽고 나머지 부분은 빠르게 읽으며 흐름 파악하기

01번: 목적을 파악하기 위해, 중심 내용이 담겨 있는 부분을 읽고 새로운 스포츠 시설의 과도한 소음 수준에 대한 조치를 취하기를 요청하는 글임을 파악한다.

02번: 주어진 어휘를 포함한 구절에서 해당 어휘가 '조치'라는 뜻으로 쓰였음을 파악한다.

01 윗글의 목적으로 가장 적절한 것은?
① 체육대회 소음에 대해 주민들의 양해를 구하려고
② 새로 이사 온 이웃 주민의 소음에 대해 항의하려고
③ 인근 스포츠 시설의 소음에 대한 조치를 요청하려고
④ 밤시간 악기 연주와 같은 소음의 차단을 부탁하려고

02 밑줄 친 "steps"의 의미와 가장 가까운 것은?
① movements   ② actions
③ levels   ④ stairs

STEP 3

파악한 내용과 각 문제 유형에 대한 전략을 바탕으로 문제 해결하기

01번: 주제문의 내용을 '인근 스포츠 시설의 소음에 대한 조치를 요청하려고'라고 표현한 ③번이 정답이다.

02번: 네 개의 보기 중 '조치'라는 의미를 갖는 ② actions가 정답이다.

해석 받는 사람: Clifton 구청   보낸 사람: Rachael Beasley   날짜: 6월 7일   제목: 동네의 과도한 소음
관계자분께,
이 이메일이 당신에게 잘 전달되기를 바랍니다. 저는 우리 동네, 특히 새로운 스포츠 경기장에서 나오는 과도한 소음 수준에 대한 우려와 불만을 표현하기 위해 이메일을 씁니다. Clifton 지역의 주민으로서, 저는 항상 우리 지역사회의 평화를 감사하게 생각해 왔습니다. 하지만, 계속되는 소음 방해는 우리 가족의 행복과 우리의 전반적인 삶의 질에 큰 영향을 끼쳤습니다. 소음의 원인으로는 군중의 환호, 선수들의 고함, 호각, 그리고 공 부딪힘 등이 있습니다. 이 문제를 조사하여 소음 방해를 해결하기 위한 적절한 조치를 취해주시기를 요청드립니다. 이 문제에 관심을 가져 주셔서 감사드리며, 우리 동네의 평온을 되찾는 데 도움이 될 수 있도록 신속하게 조치를 취해주시면 감사하겠습니다.
Rachael Beasley 드림
02 ① 움직임   ② 조치   ③ 단계   ④ 계단

어휘 **district** 행정구, 지역 **excessive** 과도한 **frustration** 불만, 좌절 **appreciate** ~을 감사하게 생각하다 **ongoing** 계속되는 **disturbance** 방해
source 원인, 근원 **appropriate** 적절한 **address** 해결하다 **prompt** 신속한 **restore** 되찾다, 회복하다 **tranquility** 평온, 고요

정답: 01 ③, 02 ②

앞에서 배운 STEP별 전략을 적용하여 문제를 풀어보자.

[01~02] 다음 글을 읽고 물음에 답하시오.

To	Bridgewater Maintenance Department
From	Julie Wallace
Date	August 24
Subject	Opinions on Road Repair

Dear Members of the Bridgewater Maintenance Department,

I trust this message finds you well. I am writing this note to express my gratitude for the prompt repair work carried out last week.

Following the unusually heavy rainfall in our area recently, potholes appeared all over the road. This could have harmed the cars of people using that road. However, when I saw the road this week, I was surprised to see that all the potholes had already been fixed!

The service of the maintenance department deserves commendation. The swift <u>action</u> shows that the department cares about the residents. I believe this is what makes Bridgewater City such a wonderful place to live.

Best regards,
Julie Wallace

01 윗글의 목적으로 가장 적절한 것은?

① 최근 도로에 생긴 포트홀의 발생 원인을 조사할 것을 제안하려고

② 도로에 있는 포트홀로 인한 자동차 파손을 신고하려고

③ 시내 관리 부서의 신속한 포트홀 수리를 칭찬하려고

④ 아직 메꿔지지 않은 포트홀을 추가로 신고하려고

02 밑줄 친 "action"의 의미와 가장 가까운 것은?

① gesture

② energy

③ response

④ force

Dear Members of the Bridgewater Maintenance Department, // I trust this message finds you well.
Bridgewater 관리 부서 직원분들께,   저는 이 메시지가 당신께 잘 전달되기를 바랍니다

→부사 역할을 하는 to 부정사(~하기 위해)
I am writing this note / to express my gratitude / for the prompt repair work ☆ carried out / last week. //
저는 이 글을 씁니다   감사를 표하기 위해   신속하게 진행된 수리 작업에 대해   지난주에

Following the unusually heavy rainfall / in our area / recently, / potholes appeared / all over the road.
이례적으로 폭우가 쏟아진 후에   우리 지역에   최근   포트홀이 생겼습니다   도로 곳곳에

This could have harmed / the cars of people / using that road. However, / when I saw the road this
이것은 피해를 줄 수도 있었습니다   사람들의 차에   그 도로를 사용하는   하지만   이번 주에 제가 그 도로를 보았을 때

week, / I was surprised / to see that all the potholes / had already been fixed! // The service of the
저는 놀랐습니다   모든 포트홀이   이미 수리된 것을 보고

maintenance department / deserves commendation. The swift action shows / that the department
관리 부서의 서비스는   칭찬받을 만합니다   그 신속한 조치는 보여줍니다   그 부서가

→명사절 접속사 what
cares about the residents. I believe this is what makes Bridgewater City such a wonderful place to
관리 부서가 주민들에게 관심을 가지고 있음을   저는 이것이 Bridgewater 시를 살기 좋은 곳으로 만드는 이유라고 믿습니다

live. // Best regards, Julie Wallace
Julie Wallace 드림

STEP 2
01번: 중심 내용이 담겨 있는 부분을 읽고 신속한 포트홀 수리를 칭찬하는 글임을 파악한다.
02번: 주어진 어휘를 포함한 구절에서 해당 어휘가 '조치'라는 뜻으로 쓰였음을 파악한다.

STEP 3
01번: 목적을 '시내 관리 부서의 신속한 포트홀 수리를 칭찬하려고'라고 표현한 ③번이 정답이다.
02번: '조치'라는 의미를 갖는 ③ response가 정답이다.

해석
수신: Bridgewater 관리 부서   날짜: 8월 24일
발신: Julie Wallace   제목: 도로 보수에 대한 의견

Bridgewater 관리 부서 직원분들께,

저는 이 메시지가 당신께 잘 전달되기를 바랍니다. 저는 지난주에 신속하게 진행된 수리 작업에 대해 감사를 표하기 위해 이 글을 씁니다.

최근 우리 지역에 이례적으로 폭우가 쏟아진 후에, 도로 곳곳에 포트홀이 생겼습니다. 이것은 그 도로를 사용하는 사람들의 차에 피해를 줄 수도 있었습니다. 하지만, 이번 주에 제가 그 도로를 보았을 때, 저는 모든 포트홀이 이미 수리된 것을 보고 놀랐습니다!

관리 부서의 서비스는 칭찬받을 만합니다. 그 신속한 조치는 부서가 주민들에게 관심을 가지고 있음을 보여줍니다. 저는 이것이 Bridgewater 시를 살기 좋은 곳으로 만드는 이유라고 믿습니다.

Julie Wallace 드림

02 ① 몸짓   ② 활기   ③ 조치   ④ 효력

해설
01 지문 처음에서 신속하게 진행된 수리 작업에 대해 감사를 표하기 위해 글을 쓴다고 했고, 지문 마지막에서 관리 부서의 서비스는 칭찬받을 만하다고 하고 있다. 따라서 이 지문의 목적을 '시내 관리 부서의 신속한 포트홀 수리를 칭찬하려고'라고 표현한 ③번이 정답이다.

02 action(조치)이 포함된 문장(The swift action ~ the residents)에서 신속한 조치는 부서가 주민들에게 관심을 가지고 있음을 보여준다고 했으므로 action은 '조치'라는 의미로 사용되었다. 따라서 '조치'라는 의미의 ③ response가 정답이다.

어휘
maintenance 관리, 정비   gratitude 감사, 고마움   prompt 신속한   pothole 포트홀(팬 구멍)   commendation 칭찬   swift 신속한

독해가 쉬워지는 **공무원 필수구문**

☆ **명사를 꾸며주는 과거분사 해석하기** Point 15 이 문장에서 carried out은 앞에 나온 명사 repair work를 꾸며주는 수식어이다. 이처럼 과거분사(carried out ~)가 명사를 꾸며주는 경우, '신속하게 진행된 수리 작업'이라고 해석한다.

정답: 01 ③, 02 ③

[03~04] 다음 글을 읽고 물음에 답하시오.

The weather has begun to turn cooler, so that means it's time for the annual Danforth Fall Festival. Come out and enjoy a weekend of games, rides, and events with your friends and neighbors.

LOCATION: Danforth City Fairgrounds
DATE: Thursday, September 22 – Sunday, September 25
TIME: 5 p.m. – 10 p.m. Thursday & Friday
　　　　9 a.m. – 12 a.m. Saturday & Sunday

ACTIVITIES AND ATTRACTIONS
- Carnival Rides: Enjoy the thrills of roller coasters and bumper cars.
- Culinary Delights: Taste fall foods like warm apple cider, roasted corn, and pumpkin spice churros at street food stalls.
- Live Music: Hear local musicians play live music on the main stage.

For more information or to order a discounted festival pass,
please visit www.DanforthFallFestival.com.

03 윗글의 제목으로 가장 적절한 것은?
① Visit a Local Farm
② Enjoy a Concert Festival
③ Learn about Agriculture in the City
④ Celebrate the Splendors of Autumn

04 Danforth Fall Festival에 관한 윗글의 내용과 일치하지 않는 것은?
① 매년 열리는 행사이다.
② 매일 자정까지 진행한다.
③ 길거리 노점에서 음식을 맛볼 수 있다.
④ 현지 예술가들이 라이브 공연을 진행한다.

지문분석

The weather (has begun) to turn cooler, / so that means / it's time for the annual Danforth Fall Festival.
날씨가 더 시원해지기 시작했습니다   그리고 그것은 의미합니다   연례 Danforth 가을 축제를 할 때라는 것을

has + p.p.: 현재완료 시제

Come out and enjoy a weekend of games, rides, and events / with your friends and neighbors.
오셔서 게임, 놀이기구, 그리고 행사의 주말을 즐겨보세요   당신의 친구들 그리고 이웃들과 함께

LOCATION: Danforth City Fairgrounds 장소: Danforth시 박람회장

DATE: Thursday, September 22 – Sunday, September 25 날짜: 9월 22일 목요일부터 9월 25일 일요일까지

TIME: 5 p.m. – 10 p.m. Thursday & Friday // 9 a.m. – 12 a.m. Saturday & Sunday
시간: 오후 5시부터 오후 10시까지 (목요일과 금요일)   오전 9시부터 오전 12시까지 (토요일과 일요일)

ACTIVITIES AND ATTRACTIONS 활동과 구경거리

– Carnival Rides: Enjoy the thrills of roller coasters and bumper cars.
축제 놀이기구   롤러코스터와 범퍼카의 스릴을 즐겨보세요

– Culinary Delights: Taste fall foods / like warm apple cider, roasted corn, and pumpkin spice churros /
음식의 즐거움   가을 음식을 맛보세요   따뜻한 사과 사이다, 구운 옥수수, 그리고 펌킨 스파이스 추로스와 같은

at street food stalls. // – Live Music: Hear local musicians ⭐ play live music / on the main stage.
길거리 노점에서   라이브 음악   현지 음악가들이 라이브 음악을 연주하는 것을 들어보세요   주무대에서

명사 a festival pass를 꾸며주는 과거분사

For more information or to order a (discounted) festival pass, / please visit www.DanforthFallFestival.com.
더 많은 정보나 할인된 축제 입장권을 구매하기 위해서는   www.DanforthFallFestival.com을 방문해 주세요

STEP 1
지문에서 파악해야 할 내용
1) 제목
2) 일치하지 않는 것

STEP 2
03번: 중심 내용이 담겨 있는 부분을 읽고 가을 축제를 즐겨보라고 홍보하는 글임을 파악한다.
04번: ②번의 키워드인 자정을 바꾸어 표현한 12 a.m.(오전 12시) 주변의 내용에서 목요일과 금요일에는 오후 10시까지 진행된다는 것을 알 수 있다.

STEP 3
03번: 제목을 'Celebrate the Splendors of Autumn'(가을의 찬란함을 만끽해 보세요)라고 표현한 ④번이 정답이다.
04번: ① O, ② X, ③ O, ④ O

해석 날씨가 더 시원해지기 시작했고, 그것은 연례 Danforth 가을 축제를 할 때라는 것을 의미합니다. 오셔서 친구들 그리고 이웃들과 함께 게임, 놀이기구, 그리고 행사의 주말을 즐겨보세요.

장소: Danforth시 박람회장   시간: 오후 5시부터 오후 10시 (목요일과 금요일)
날짜: 9월 22일 목요일부터 9월 25일 일요일까지   오전 9시부터 오전 12시 (토요일과 일요일)

활동과 구경거리
– 축제 놀이기구: 롤러코스터와 범퍼카의 스릴을 즐겨보세요.
– 음식의 즐거움: 길거리 노점에서 따뜻한 사과 사이다, 구운 옥수수, 그리고 펌킨 스파이스 추로스와 같은 가을 음식을 맛보세요.
– 라이브 음악: 현지 음악가들이 주무대에서 라이브 음악을 연주하는 것을 들어보세요.

더 많은 정보나 할인된 축제 입장권을 구매하기 위해서는, www.DanforthFallFestival.com을 방문해 주세요.

03 ① 지역의 농장을 방문해 보세요   ② 콘서트 축제를 즐겨보세요
③ 도시에서 농업에 대해 배워보세요   ④ 가을의 찬란함을 만끽해 보세요

해설 **03** 지문 처음에서 날씨가 더 시원해지기 시작했으니 와서 친구들 그리고 이웃들과 연례 Danforth 가을 축제를 즐겨보라고 하고 있다. 따라서 지문의 제목을 '가을의 찬란함을 만끽해 보세요'라고 표현한 ④번이 정답이다.

04 ②번의 키워드인 자정을 바꾸어 표현한 지문의 12 a.m.(오전 12시) 주변의 내용에서 토요일과 일요일은 오전 12시까지 진행되지만 목요일과 금요일에는 오후 10시까지 진행된다는 것을 알 수 있다. 따라서 ②번이 지문의 내용과 다르다.

어휘 annual 연례의 fairground 박람회장, 전람회장 attraction 구경거리, 명소 carnival 축제 culinary 음식의, 요리의 delight 즐거움 roast 굽다
stall 노점

독해가 쉬워지는 공무원 필수구문

보어 자리에 온 동사원형 해석하기 Point 12 이 문장에서 play는 목적어인 local musicians를 보충 설명해주는 보어이다. 이처럼 동사원형(play)이 보어 자리에 와서 목적어의 의미를 보충해 주는 경우, '현지 음악가들이 연주하는 것을'이라고 해석한다.

정답: 03 ④, 04 ②

[05~06] 다음 글을 읽고 물음에 답하시오.

To: Maryville Animal Control
From: Clea Baker
Date: August 14
Subject: Found dog

Dear Sir or Madam,

I hope you're having a wonderful day. I am having an issue that I need help with. Last weekend, I found a dog without a collar in the park.

It didn't seem like a stray from its appearance, so I brought it home. I posted signs with the dog's picture and my phone number around the neighborhood in an attempt to find the owner. So far, though, no one has contacted me.

Animal control has a database of registered dog owners and their pets, according to what I've heard. I was hoping you could help me <u>tackle</u> this situation by checking your records. Your time is appreciated and I look forward to hearing from you soon.

Respectfully,
Clea Baker

05 윗글의 목적으로 가장 적절한 것은?
① 발견한 개의 주인을 찾기 위해 반려동물 등록부 조회를 요청하려고
② 시에서 최근에 발표한 공원 내의 반려동물 규정에 대해 불평하려고
③ 동물 보호소에 입양한 개의 등록 절차를 안내해 줄 것을 요청하려고
④ 반려동물의 목줄을 풀고 이용할 수 있는 시내 공원에 대해 문의하려고

06 밑줄 친 "tackle"의 의미와 가장 가까운 것은?
① intercept
② block
③ catch
④ handle

지문분석

STEP 1
지문에서 파악해야 할 내용
1) 목적
2) tackle의 의미

Dear Sir or Madam, // I hope you're having a wonderful day. I am having an issue / ⭐ that I need help
관계자분께 　　　　　　좋은 하루를 보내고 계시기를 바랍니다 　　　　　저는 문제가 있습니다 　　　　도움이 필요한

with. Last weekend, / I found a dog without a collar / in the park. // It didn't seem like a stray from its
　지난 주말에 　　　저는 목줄이 없는 개 한 마리를 발견했습니다 　　공원에서 　　생김새로 보아 길 잃은 것이 아닌 것처럼 보여서

appearance, / so I brought it home. I posted signs with the dog's picture and my phone number /
　　저는 그것을 집으로 데리고 왔습니다 　　저는 그 개의 사진과 제 핸드폰 번호가 적힌 안내문을 게시했습니다

↳ so far: 지금까지

around the neighborhood / in an attempt to find the owner. So far, though, / no one has contacted
동네 곳곳에 　　　　주인을 찾기 위해 　　하지만, 지금까지 　　아무도 저에게 연락하지 않았습니다

me. // Animal control has a database / of registered dog owners and their pets, / according to what
저를 　동물 보호소에는 데이터베이스가 있습니다 　등록된 개의 주인과 그들의 반려동물의 　제가 들은 바에 따르면

↳ by + -ing: ~함으로써

I've heard. I was hoping you could help me / tackle this situation / by checking your records. Your
제게 도움을 주실 수 있기를 바랍니다 　이 상황을 해결하는 데 　당신의 기록을 확인하여

time is appreciated, / and I look forward to hearing from you soon. // Respectfully, Clea Baker
시간 내주셔서 감사드립니다 　　그리고 곧 답변을 들을 수 있기를 바랍니다 　Clea Baker 드림

STEP 2
05번: 중심 내용이 담겨 있는 부분을 읽고 반려동물 등록부 조회를 요청하는 글임을 파악한다.
06번: 주어진 어휘를 포함한 구절에서 해당 어휘가 '해결하다'라는 뜻으로 쓰였음을 파악한다.

STEP 3
05번: 목적을 '발견한 개의 주인을 찾기 위해 반려동물 등록부 조회를 요청하려고'라고 표현한 ①번이 정답이다.
06번: '해결하다'라는 의미를 갖는 ④ handle이 정답이다.

해석 수신: Maryville 동물 보호소　　날짜: 8월 14일
발신: Clea Baker　　제목: 발견된 개

관계자분께,

좋은 하루를 보내고 계시기를 바랍니다. 저는 도움이 필요한 문제가 있습니다. 지난 주말에, 저는 공원에서 목줄이 없는 개 한 마리를 발견했습니다.

생김새로 보아 길 잃은 것이 아닌 것처럼 보여서, 저는 그것을 집으로 데리고 왔습니다. 저는 주인을 찾기 위해 동네 곳곳에 그 개의 사진과 제 핸드폰 번호가 적힌 안내문을 게시했습니다. 하지만, 지금까지 아무도 저에게 연락하지 않았습니다.

제가 들은 바에 따르면, 동물 보호소에는 등록된 개의 주인과 그들의 반려동물의 데이터베이스가 있습니다. 당신의 기록을 확인하여 제가 이 상황을 해결하는 데 도움을 주실 수 있기를 바랍니다. 시간 내주셔서 감사드리며 곧 답변을 들을 수 있기를 바랍니다.

Clea Baker 드림

06 ① 가로채다　　② 막다　　③ 잡다　　④ 해결하다

해설 05 지문 처음에서 공원에서 목줄이 없는 개 한 마리를 발견했다고 했고, 지문 마지막에서 동물 보호소에는 등록된 개의 주인과 그들의 반려동물의 데이터베이스가 있다고 들었다며, 기록을 확인하여 상황을 해결하는 데 도움을 줄 수 있기를 바란다고 하고 있다. 따라서 이 지문의 목적을 '발견한 개의 주인을 찾기 위해 반려동물 등록부 조회를 요청하려고'라고 표현한 ①번이 정답이다.

06 tackle(해결하다)이 포함된 문장(I was hoping ~ your records)에서 기록을 확인하여 이 상황을 해결하는 데 도움을 줄 수 있기를 바란다고 했으므로 tackle은 '해결하다'라는 의미로 사용되었다. 따라서 '해결하다'라는 의미의 ④ handle이 정답이다.

어휘 collar 목줄, 깃　appearance 생김새, 외모　contact 연락하다, 접촉하다　register 등록하다　intercept 가로채다

독해가 쉬워지는 **공무원 필수구문**

명사를 꾸며주는 '목적격 관계대명사 that / which ~' 해석하기 Point 17 이 문장에서 that I need help with는 앞에 나온 명사 an issue를 꾸며주는 수식어이다. 이처럼 목적격 관계대명사가 이끄는 절(that + 주어 + 동사 ~)이 명사를 꾸며주는 경우, '도움이 필요한 문제'라고 해석한다.

정답: 05 ①, 06 ④

[07~08] 다음 글을 읽고 물음에 답하시오.

The Pleasantville Community Center is organizing its first-ever Trivia Night this month. Come and test your knowledge in different subject areas to win a prize!

Time: Saturday, April 19, from 7:00 p.m. to 9:00 p.m. (Participants should show up by 6:30 p.m. to register.)

Rules:

· Teams of four to six people can compete.

· The event will consist of five rounds of ten questions.

· The team that gets the most answers correct wins.

· Use of the Internet is strictly prohibited.

· Each round will cover a different category: history, animals, literature, sports, and celebrities.

Prizes: Each first-place team member will receive a $50 gift certificate.

Food and beverages will be available for purchase throughout the event. Please note that only cash will be accepted for payment.

07 윗글의 제목으로 가장 적절한 것은?

① Pleasantville's Renowned Debate Club

② Introduction of New Food and Beverage Menu

③ Public Gathering at the Community Center

④ Opportunity to Show Off Your Knowledge

08 Pleasantville Trivia Night에 관한 윗글의 내용과 일치하지 않는 것은?

① 처음으로 개최되는 행사이다.

② 팀은 6명 이내로 구성해야 한다.

③ 퀴즈는 5문제씩 10라운드로 진행된다.

④ 음식과 음료의 구매는 현금으로만 가능하다.

The Pleasantville Community Center is organizing / its first-ever Trivia Night this month. Come and
Pleasantville 지역 문화 회관은 개최합니다   이번 달에 사상 최초의 퀴즈의 밤을   오셔서

test your knowledge / in different subject areas / to win a prize! // **Time:** Saturday, April 19,
여러분의 지식을 시험해보세요   다양한 주제 분야에서   상품을 받기 위해   시간: 4월 19일 토요일,
부사 역할을 하는 to 부정사(~하기 위해)

from 7:00 p.m. to 9:00 p.m. (Participants should show up by 6:30 p.m. / to register). // **Rules:** //
오후 7시부터 오후 9시까지   참가자들은 오후 6시 30분까지 와야 합니다   등록하기 위해   규칙:

· Teams of four to six people can compete. // · The event will consist of five rounds of ten questions.
    4명에서 6명으로 구성된 팀이 경쟁할 수 있습니다   이 행사는 10문제씩 5라운드로 구성됩니다

· The team that gets the most answers correct wins. // · Use of the Internet is strictly prohibited.
    가장 많은 정답을 맞힌 팀이 우승입니다   인터넷 사용은 엄격하게 금지되어 있습니다

· Each round will cover a different category: / history, animals, literature, sports, and celebrities.
    각 라운드는 다양한 범주를 다룰 것입니다   역사, 동물, 문학, 스포츠, 그리고 유명인

Prizes: Each first-place team member will receive a $50 gift certificate.
    상품: 1등 팀의 각 팀원들은 50달러 상품권을 받을 것입니다

Food and beverages will be available for purchase / throughout the event. Please note that only cash
    음식과 음료를 구매할 수 있습니다   행사 기간 내내   결제는 현금만 가능하니 참고하시기
기간을 나타내는 전치사 throughout: ~ 내내

will be accepted for payment.
결제는 현금만 가능하니 참고하시기 바랍니다

STEP 1
지문에서 파악해야 할 내용
1) 제목
2) 일치하지 않는 것

STEP 2
07번: 중심 내용이 담겨 있는 부분을 읽고 다양한 주제 분야에서 지식을 시험해 보라고 홍보하는 글임을 파악한다.

08번: ③번의 키워드인 라운드 주변의 내용에서 퀴즈는 10문제씩 5라운드로 진행된다는 것을 알 수 있다.

STEP 3
07번: 제목을 'Opportunity to Show Off Your Knowledge(당신의 지식을 뽐낼 기회)'라고 표현한 ④번이 정답이다.

08번: ① O, ② O, ③ X, ④ O

해석 Pleasantville 지역 문화 회관은 이번 달에 사상 최초의 퀴즈의 밤을 개최합니다. 오셔서 상품을 받기 위해 다양한 주제 분야에서 여러분의 지식을 시험해 보세요!

시간: 4월 19일 토요일, 오후 7시부터 오후 9시까지 (참가자들은 등록하기 위해 오후 6시 30분까지 와야 합니다.)
규칙:
· 4명에서 6명으로 구성된 팀이 경쟁할 수 있습니다.   · 이 행사는 10문제씩 5라운드로 구성됩니다.
· 가장 많은 정답을 맞힌 팀이 우승입니다.   · 인터넷 사용은 엄격하게 금지되어 있습니다.
· 각 라운드는 역사, 동물, 문학, 스포츠, 그리고 유명인과 같은 다양한 범주를 다룰 것입니다.
상품: 1등 팀의 각 팀원들은 50달러 상품권을 받을 것입니다.

행사 기간 내내 음식과 음료를 구매할 수 있습니다. 결제는 현금만 가능하니 참고하시기 바랍니다.

07 ① Pleasantville의 명망 있는 토론 동아리   ② 새로운 식음료 메뉴 소개
③ 지역 문화 회관에서의 공개 모임   ④ 당신의 지식을 뽐낼 기회

해설 **07** 지문 처음에서 퀴즈의 밤을 개최한다고 하면서 다양한 주제 분야에서 지식을 시험해 보라고 하고 있다. 따라서 지문의 제목을 '당신의 지식을 뽐낼 기회'라고 표현한 ④번이 정답이다.

08 ③번의 키워드인 라운드 주변의 내용에서 퀴즈는 10문제씩 5라운드로 진행된다는 것을 알 수 있다. 따라서 ③번이 지문의 내용과 일치하지 않는다.

어휘 trivia 퀴즈 participant 참가자 register 등록하다 gift certificate 상품권 renowned 명망 있는

독해가 쉬워지는 **공무원 필수구문**

동사나 문장을 꾸며주는 to 부정사 해석하기 Point 19 이 문장에서 to win a prize는 앞에 나온 문장을 꾸며주는 수식어이다. 이처럼 to 부정사(to win ~)가 문장을 꾸며주는 경우, '상품을 받기 위해'라고 해석한다.

정답: 07 ④, 08 ③

[09~10] 다음 글을 읽고 물음에 답하시오.

To	Mayor's Office of Special Events
From	Carter Steele
Date	September 8
Subject	Labor Day Parade

B I U ¶· ✎ A· T· ⊖ 🖼 🏷 ☰ ☰ ☰ ☰ ↺ ↻ </>

Dear Mayor and Staff,

I am writing to you about the Franklin Labor Day parade that was held last weekend. What a great job you all did organizing it!

As a long-time resident of Franklin, I have attended the annual Labor Day parade for nearly 20 years. In the past, this event has had many problems, including late starts, excessive litter, and a lack of public restrooms. I'm glad to say that none of those issues occurred this year.

Putting together such a complex event surely presented <u>challenges</u>. Your hard work is greatly appreciated, and I eagerly anticipate your next event.

Sincerely,

Carter Steele

---

09 윗글의 목적으로 가장 적절한 것은?

① 시에서 주최하는 행사가 개선될 수 있는 방법을 제안하려고

② 최근에 진행된 시내 행사에 대한 감사함을 전하려고

③ 주민이 직접 참여할 수 있는 행사 계획에 대한 정보를 요청하려고

④ 주말에 열린 행사 동안 발생한 쓰레기에 대해 불평하려고

10 밑줄 친 "challenges"의 의미와 가장 가까운 것은?

① doubts

② questions

③ problems

④ complaints

지문분석

Dear Mayor and Staff, // I am writing to you about the Franklin Labor Day parade / that was held
시장님과 직원들께   저는 Franklin 노동절 퍼레이드와 관련하여 여러분들께 글을 씁니다   지난 주말에 열린

주격 관계대명사 that

last weekend. What a great job you all did organizing it! // As a long-time resident of Franklin, / I have
여러분 모두가 그것을 정말 잘 준비하셨습니다   Franklin의 오랜 주민으로서

attended the annual Labor Day parade / for nearly 20 years. In the past, / this event has had many
저는 연례 노동절 퍼레이드에 참석해 왔습니다   거의 20년 동안   과거에는   이 행사에 많은 문제가 있었습니다

has + p.p.: 현재완료 시제

problems, / including late starts, / excessive litter, / and a lack of public restrooms. I'm glad to say
문제들   늦은 시작을 포함하여   과도한 쓰레기   그리고 부족한 공중화장실

that none of those issues occurred this year. // Putting together such a complex event / surely
올해에는 그중 어떤 일도 발생하지 않았다는 것을 기쁘게 생각합니다   이렇게 복잡한 행사를 준비하는 것은

presented challenges. Your hard work is greatly appreciated, / and / I eagerly anticipate / your next
확실히 어려움을 주었습니다   여러분들의 노고에 감사드립니다   그리고   저는 몹시 기대합니다   여러분의 다음 행사를

event. // Sincerely, Carter Steele
          Carter Steele 드림

STEP 1
지문에서 파악해야 할 내용
1) 목적
2) challenges의 의미

STEP 2
09번: 중심 내용이 담겨 있는 부분을 읽고 시내 행사에 대한 감사함을 전하는 글임을 파악한다.

10번: 주어진 어휘를 포함한 구절에서 해당 어휘가 '난제'라는 뜻으로 쓰였음을 파악한다.

STEP 3
09번: 목적을 '최근에 진행된 시내 행사에 대한 감사함을 전하려고'라고 표현한 ②번이 정답이다.

10번: '난제'라는 의미를 갖는 ③ problems가 정답이다.

Chapter 11
다문항 해커스공무원 영어 독해

해석
수신: 시장실 특별 행사실
발신: Carter Steele
날짜: 9월 8일
제목: 노동절 퍼레이드

시장님과 직원분들께,

저는 지난 주말에 열린 Franklin 노동절 퍼레이드와 관련하여 여러분께 글을 씁니다. 여러분 모두가 그것을 정말 잘 준비하셨습니다!

Franklin의 오랜 주민으로서, 저는 연례 노동절 퍼레이드에 거의 20년 동안 참석해 왔습니다. 과거에는, 늦은 시작, 과도한 쓰레기, 그리고 부족한 공중화장실을 포함하여 이 행사에 많은 문제가 있었습니다. 올해에는 그중 어떤 일도 발생하지 않았다는 것을 기쁘게 생각합니다.

이렇게 복잡한 행사를 준비하는 것은 확실히 난제였습니다. 저는 여러분들의 노고에 감사드리며, 다음 행사를 몹시 기대합니다.

Carter Steele 드림

10 ① 의혹   ② 질문   ③ 난제   ④ 불평

해설
09 지문 처음에서 모두가 노동절 퍼레이드를 정말 잘 준비했다고 했고, 지문 마지막에서 노고에 감사한다고 하고 있다. 따라서 이 지문의 목적을 '최근에 진행된 시내 행사에 대한 감사함을 전하려고'라고 표현한 ②번이 정답이다.

10 challenges(난제)가 포함된 문장(Putting together ~ presented challenges)에서 복잡한 행사를 준비하는 것은 난제였다고 했으므로 challenges는 '난제'라는 의미로 사용되었다. 따라서 '난제'라는 의미의 ③ problems가 정답이다.

어휘 mayor 시장 labor 노동, 근로 organize 준비하다, 조직하다 attend 참석하다 occur 발생하다 put together 준비하다

독해가 쉬워지는 **공무원 필수구문**

be + p.p. 형태의 동사 해석하기 [Point 04] 이 문장에서 동사는 was held이다. 이처럼 동사가 be + p.p.(was held)의 형태로 쓰여 수동의 의미를 가지는 경우 '열리다'라고 해석한다.

정답: 09 ②, 10 ③

[11~12] 다음 글을 읽고 물음에 답하시오.

[A]

The Mountainside Outdoor Sculpture Park is now open for the spring season.

Dates	April 1 to May 15	
Hours	Weekdays (closed Fridays)	10 a.m. – 5 p.m.
	Weekends	9 a.m. – 6 p.m.
Tickets	$15 for adults, $10 for seniors, $8 for children (Tickets can be purchased at the front gate.)	

Attractions & Facilities

· A food court is conveniently located near the main entrance.

· Sculptures by famous artists are on display in the beautiful natural setting.

· Craft-making and art classes for children are available on a first-come, first-served basis.

※ For driving directions to the park, please visit our website at www.mountainsculpturepark.com.

---

11 (A)에 들어갈 윗글의 제목으로 가장 적절한 것은?

① Take a Sculpture Class

② Enjoy Art in Nature

③ Help Keep Our Parks Clean

④ Meet Famous Artists in Person

---

12 Mountainside Outdoor Sculpture Park에 관한 윗글의 내용과 일치하지 않는 것은?

① 금요일에는 열지 않는다.

② 공원 입장권은 공원 정문에서 구매할 수 있다.

③ 공원 내부에 식사할 수 있는 공간이 있다.

④ 미술 수업은 사전 예약된 순서로 입장 가능하다.

The Mountainside Outdoor Sculpture Park is now open / for the spring season.
Mountainside 야외 조각 공원은 이제 문을 열었습니다   봄 시즌을 위해

Dates 날짜	April 1 to May 15 4월 1일부터 5월 15일까지	
Hours 시간	Weekdays (closed Fridays) 주중 (금요일 휴무)	10 a.m. – 5 p.m. 오전 10시~오후 5시
	Weekends 주말	9 a.m. – 6 p.m. 오전 9시~오후 6시
Tickets 입장권	$15 for adults, $10 for seniors, $8 for children (Tickets ★ can be purchased / at the front gate.) 성인 15달러, 경로자 10달러, 어린이 8달러 입장권은 구매할 수 있습니다 공원 정문에서	

STEP 2
11번: 중심 내용이 담겨 있는 부분을 읽고 자연환경 속에 조각들이 전시되고 있다고 안내하는 글임을 파악한다.

12번: ④번의 키워드인 미술 수업 주변의 내용에서 미술 수업은 선착순으로 이용할 수 있다는 것을 알 수 있다.

                                        ↗동사를 수식하는 부사   ↗위치를 나타내는 전치사 near: ~ 근처에
Attractions & Facilities // · A food court is (conveniently) located / (near) the main entrance.
볼거리와 시설   푸드코트가   편리하게 위치하고 있습니다   정문 근처에

· Sculptures by famous artists / are on display / in the beautiful natural setting.
유명한 예술가들의 조각품들이   전시되고 있습니다   아름다운 자연환경 속에

· Craft-making and art classes for children are available / on a first-come, first-served basis.
어린이를 위한 공예 및 미술 수업을 이용할 수 있습니다   선착순으로

※ For driving directions to the park, / please visit our website at www.mountainsculpturepark.com.
공원으로 가는 차량 경로는   저희 웹사이트 www.mountainsculpturepark.com을 방문해 주시기 바랍니다

STEP 3
11번: 제목을 'Enjoy Art in Nature(자연 속에서 예술을 즐겨보세요)'라고 표현한 ②번이 정답이다.

12번: ① O, ② O, ③ O, ④ X

해석 Mountainside 야외 조각 공원은 이제 봄 시즌을 위해 문을 열었습니다.

날짜	4월 1일부터 5월 15일까지	
시간	주중 (금요일 휴무)	오전 10시~오후 5시
	주말	오전 9시~오후 6시
입장권	성인 15달러, 경로자 10달러, 어린이 8달러 (입장권은 공원 정문에서 구매할 수 있습니다.)	

볼거리와 시설

· 정문 근처에 푸드코트가 편리하게 위치하고 있습니다.

· 아름다운 자연환경 속에 유명한 예술가들의 조각품들이 전시되고 있습니다.

· 어린이를 위한 공예 및 미술 수업은 선착순으로 이용할 수 있습니다.

※ 공원으로 가는 차량 경로는 저희 웹사이트 www.mountainsculpturepark.com을 방문해 주시기 바랍니다.

11 ① 조각 수업을 들어보세요   ② 자연 속에서 예술을 즐겨보세요
    ③ 우리 공원을 깨끗하게 유지하도록 도와주세요   ④ 유명한 예술가들을 직접 만나보세요

해설 11 지문 중간에서 아름다운 자연환경 속에 유명한 예술가들의 조각품들이 전시되고 있다고 하고 있다. 따라서 지문의 제목을 '자연 속에서 예술을 즐겨보세요'라고 표현한 ②번이 정답이다.

12 ④번의 키워드인 미술 수업 주변의 내용에서 미술 수업은 선착순으로 이용할 수 있다는 것을 알 수 있다. 따라서 ④번이 지문의 내용과 일치하지 않는다.

어휘 sculpture 조각(품) attraction 볼거리, 명소 facility 시설 first-come, first-served 선착순의

독해가 쉬워지는 **공무원 필수구문**

be + p.p. 형태의 동사 해석하기 [Point 04] 이 문장에서 동사는 can be purchased이다. 이처럼 동사가 be + p.p.(be purchased)의 형태로 쓰여 수동의 의미를 가지는 경우 '구매될 수 있다'라고 해석한다.

정답: 11 ②, 12 ④

[13~14] 다음 글을 읽고 물음에 답하시오.

To:	Parkwood City Council
From:	Samantha Davis
Date:	August 11
Subject:	Trash in Griffith Park

To Whom It May Concern,

This message addresses a pressing <u>concern</u> within our community: the litter filling Griffith Park.

Recently, there has been a substantial increase in the number of events and festivals being held at the park. The frequency of these events is not a problem; however, the lack of garbage bins leads to people leaving their trash on the grass. As a resident who visits the park every morning to exercise, I am disappointed with the current situation.

I humbly request that the city install additional trash cans to accommodate the increased traffic to the park, especially if there are more events planned for the future.

Sincerely,

Samantha Davis

13 윗글의 목적으로 가장 적절한 것은?

① 공원에서 행사를 개최하기 위한 허가를 받으려고

② 공원에 더 많은 쓰레기통을 설치할 것을 요청하려고

③ 공원의 잦은 행사로 인한 소음에 대해 불평하려고

④ 공원 방문 차량들의 교통체증을 줄이기 위한 조치를 요청하려고

14 밑줄 친 "concern"의 의미와 가장 가까운 것은?

① issue

② fear

③ interest

④ responsibility

지문분석

STEP 1

지문에서 파악해야 할 내용
1) 목적
2) concern의 의미

To Whom It May Concern, // This message addresses / a pressing concern within our community: /
관계자분께   이 메시지는 다룹니다   우리 지역사회의 시급한 문제를

the number of + 명사: ~의 개수

the litter / filling Griffith Park. // Recently, / there has been a substantial increase / in the number of
즉 쓰레기를 Griffith 공원을 가득 채우고 있는   최근에   상당한 증가가 있었습니다   행사와 축제의 수에

events and festivals / being held at the park. The frequency of these events / is not a problem; /
공원에서 개최되는   이러한 행사의 빈도는   문제가 되지 않습니다

lead to: ~으로 이어지다

however, / the lack of garbage bins / leads to / people leaving their trash / on the grass. As a resident /
하지만   쓰레기통이 부족한 것은   ~으로 이어집니다   사람들이 쓰레기를 버리는 것으로   잔디에   주민으로서

☆ who visits the park / every morning / to exercise, / I am disappointed with the current situation. //
그 공원을 방문하는   매일 아침에   운동을 하기 위해   저는 현재 상황에 실망했습니다

I humbly request / that the city / install additional trash cans / to accommodate the increased traffic /
저는 정중히 요청합니다   시가   쓰레기통을 추가로 설치해 주실 것을   통행량이 증가한 것을 수용할 수 있도록

to the park, / especially / if there are more events planned / for the future. // Sincerely, Samantha Davis
공원에   특히   계획된 더 많은 행사가 있을 경우   앞으로   Samantha Davis 드림

STEP 2

13번: 중심 내용이 담겨 있는 부분을 읽고 더 많은 쓰레기통을 설치할 것을 요청하는 글임을 파악한다.

14번: 주어진 어휘를 포함한 구절에서 해당 어휘가 '문제'라는 뜻으로 쓰였음을 파악한다.

STEP 3

13번: 목적을 '공원에 더 많은 쓰레기통을 설치할 것을 요청하려고'라고 표현한 ②번이 정답이다.

14번: '문제'라는 의미를 갖는 ① issue가 정답이다.

해석
수신: Parkwood 시의회
발신: Samantha Davis
날짜: 8월 11일
제목: Griffith 공원의 쓰레기

관계자분께,

이 메시지는 우리 지역사회의 시급한 문제, 즉 Griffith 공원을 가득 채우는 쓰레기를 다룹니다.

최근에, 공원에서 개최되는 행사와 축제의 수에 상당한 증가가 있었습니다. 이러한 행사의 빈도는 문제가 되지 않지만, 쓰레기통이 부족한 것은 사람들이 쓰레기를 잔디에 버리는 것으로 이어집니다. 매일 아침에 운동을 하기 위해 그 공원을 방문하는 주민으로서, 저는 현재 상황에 실망했습니다.

저는 특히 앞으로 계획된 더 만은 행사가 있을 경우, 공원에 통행량이 증가한 것을 수용할 수 있도록 시에서 쓰레기통을 추가로 설치해 주실 것을 정중히 요청합니다.

Samantha Davis 드림

14 ① 문제   ② 두려움   ③ 흥미   ④ 책임

해설 **13** 지문 처음에서 이 메시지는 공원을 가득 채우는 쓰레기라는 문제를 다룬다고 했고, 지문 마지막에서 쓰레기통을 추가로 설치해 줄 것을 요청한다고 하고 있다. 따라서 이 지문의 목적을 '공원에 더 많은 쓰레기통을 설치할 것을 요청하려고'라고 표현한 ②번이 정답이다.

14 concern(문제)이 포함된 문장(This message ~ Griffith Park)에서 이 메시지는 시급한 문제를 다룬다고 했으므로 concern은 '문제'라는 의미로 사용되었다. 따라서 '문제'라는 의미의 ① issue가 정답이다.

어휘 litter 쓰레기 substantial 상당한 frequency 빈도 humbly 정중히, 공손히 accommodate 수용하다

독해가 쉬워지는 **공무원 필수구문**

☆ **명사를 꾸며주는 '주격 관계대명사 who / that / which ~' 해석하기** [Point 16] 이 문장에서 who visits the park ~는 앞에 나온 명사 a resident를 꾸며주는 수식어이다. 이처럼 주격 관계대명사가 이끄는 절(who + 동사 ~)이 명사를 꾸며주는 경우, '방문하는 주민'이라고 해석한다.

정답: 13 ②, 14 ①

Chapter 11

다문항 해커스공무원 영어 독해

[15~16] 다음 글을 읽고 물음에 답하시오.

Do you love Halloween? Then, take part in the Pumpkin Carving Contest!

Details

· **Time:** Saturday, October 31st, at 2:00 p.m.

· **Location:** Cherrywood Meadow

Age Categories

· Participants will be separated into age groups: kids (8-12), teens (13-17), and adults (18 and up).

Rules

· Contestants must bring their own pumpkins (tools will be provided).

· Contestants will have two hours to carve and decorate their pumpkins.

Prizes

· The mayor will choose the winners.

· One winner from each age group will receive a $30 convenience store voucher.

15 윗글의 제목으로 가장 적절한 것은?

① Meet the Mayor of the Town

② Grow Your Own Pumpkins This Fall

③ Express Your Artistic Talent for the Holiday

④ Help Decorate the Town

16 Pumpkin Carving Contest에 관한 윗글의 내용과 일치하지 않는 것은?

① 참가자들은 연령별 그룹으로 나뉜다.

② 호박과 도구들이 제공된다.

③ 참가자들은 2시간 동안 호박을 조각해야 한다.

④ 시장이 우승자를 직접 선정할 예정이다.

지문분석

Do you love Halloween? Then, / take part in / the Pumpkin Carving Contest!
핼러윈을 좋아하시나요   그렇다면   참가해 보세요   '호박 조각하기 대회'에

Details 세부 사항

· **Time:** Saturday, October 31st, at 2:00 p.m. // · **Location:** Cherrywood Meadow
시간: 10월 31일 토요일 오후 2시   장소: Cherrywood 초원

Age Categories 연령 구분

· Participants ⭐ will be separated / into age groups: / kids (8-12), / teens (13-17), / and adults (18 and up).
참가자들은 구분될 예정입니다   연령별로   8세~12세 어린이   13세~17세 청소년   그리고 18세 이상 성인

Rules 규칙

→be + p.p.: 수동태

· Contestants must bring their own pumpkins / (tools will be provided).
참가자들은 호박을 직접 가져와야 합니다   도구들은 제공될 예정입니다

· Contestants will have two hours / to carve and decorate / their pumpkins.
참가자들은 2시간이 있을 것입니다   조각하고 장식하는 데   그들의 호박을

Prizes 상품

· The mayor will choose the winners.
시장이 우승자를 선정할 것입니다

→수량 표현 each + 단수 명사

· One winner / from each age group / will receive a $30 convenience store voucher.
1명의 우승자가   각 연령대로부터의   30달러의 편의점 쿠폰을 받을 것입니다

STEP 1
지문에서 파악해야 할 내용
1) 제목
2) 일치하지 않는 것

STEP 2
15번: 중심 내용이 담겨 있는 부분을 읽고 호박 조각하기 대회에 참가해 보라고 홍보하는 글임을 파악한다.

16번: ②번의 키워드인 호박과 도구들 주변의 내용에서 도구는 제공되지만 호박은 참가자들이 직접 가져와야 한다는 것을 알 수 있다.

STEP 3
15번: 제목을 'Express Your Artistic Talent for the Holiday(휴일을 맞아 예술적 재능을 뽐내보세요)'라고 표현한 ③번이 정답이다.

16번: ① O, ② X, ③ O, ④ O

Chapter 11

다문항 해커스공무원 영어 독해

해석 핼러윈을 좋아하시나요? 그렇다면, '호박 조각하기 대회'에 참가해 보세요!
세부 사항
· 시간: 10월 31일 토요일 오후 2시   · 장소: Cherrywood 초원
연령 구분
· 참가자들은 연령별로 구분될 예정입니다: 어린이(8세~12세), 청소년(13세~17세), 그리고 성인(18세 이상).
규칙
· 참가자들은 호박을 직접 가져와야 합니다. (도구들은 제공될 예정입니다)   · 참가자들은 호박을 조각하고 장식하는 데 2시간이 있을 것입니다.
상품
· 시장이 우승자를 선정할 것입니다.   · 각 연령대로부터의 우승자 1명이 30달러의 편의점 쿠폰을 받을 것입니다.

15 ① 우리 도시의 시장을 만나보세요   ② 올가을에는 호박을 직접 키워보세요
    ③ 휴일을 맞아 예술적 재능을 뽐내보세요   ④ 마을을 장식하는 것을 도와주세요

해설 15 지문 처음에서 핼러윈을 좋아한다면 '호박 조각하기 대회'에 참가해 보라고 하고 있다. 따라서 지문의 제목을 '휴일을 맞아 예술적 재능을 뽐내보세요'라고 표현한 ③번이 정답이다.

16 ②번의 키워드인 호박과 도구들 주변의 내용에서 도구는 제공되지만 호박은 참가자들이 직접 가져와야 한다는 것을 알 수 있다. 따라서 ②번이 지문의 내용과 일치하지 않는다.

어휘 carve 조각하다 meadow 초원, 목초지 contestant 참가자, 경쟁자 mayor 시장 voucher 쿠폰

독해가 쉬워지는 **공무원 필수구문**

be + p.p. 형태의 동사 해석하기 Point 04 이 문장에서 동사는 will be separated이다. 이처럼 동사가 be + p.p.(be separated)의 형태로 쓰여 수동의 의미를 가지는 경우, '구분되다'라고 해석한다.

정답: 15 ③, 16 ②

[17~18] 다음 글을 읽고 물음에 답하시오.

To: Mayor Patrick Adams
From: Benjamin Hammond
Date: April 25
Subject: Signs throughout the City

Dear Mayor Adams,

I recently noticed that new <u>signs</u> have been put up around town. I have been driving for over 10 years, but this was my first time seeing such confusing signs. As a result, I ended up going the wrong way.

While I understand that French and Spanish have been added for international drivers, the signs are too cluttered now. Drivers can get distracted trying to read them or miss important information as I did last week.

To avoid such problems, I kindly request that you revise the signs, perhaps by using large, easily visible pictures instead of words. I would appreciate it if you could look into the situation and let me know your thoughts.

Best regards,
Benjamin Hammond

17 윗글의 목적으로 가장 적절한 것은?

① 동네에 새롭게 설치된 표지판에 대해 불만을 제기하려고
② 길을 찾기 위한 더 많은 표지판을 설치하는 것을 제안하려고
③ 동네를 찾아오는 외국인을 위한 표지판의 필요성을 호소하려고
④ 지역마다 다른 기준으로 표시된 표지판을 통일할 것을 건의하려고

18 밑줄 친 "signs"의 의미와 가장 가까운 것은?

① marks
② signals
③ clues
④ notices

Dear Mayor Adams, // I recently noticed / **that** new signs have been put up / around town. I have
명사절 접속사 that
Adams 시장님께 　저는 최근에 발견했습니다 　새로운 표지판들이 설치된 것을 　도시 곳곳에

been driving / for over 10 years, / but / this was my first time / seeing such confusing signs. As a
저는 운전해 왔습니다 　10년 넘게 　하지만 　처음이었습니다 　이렇게 혼란스러운 표지판을 본 것은

result, / I **ended up going** the wrong way. // While I understand / that French and Spanish have been
end up -ing: 결국 ~하게 되다
결국 　저는 잘못된 길로 가게 되었습니다 　저는 이해하지만 　프랑스어와 스페인어가 추가된 것은

added / for international drivers, / the signs are too cluttered / now. Drivers can get distracted / trying
외국인 운전자들을 위해 　그 표지판들은 너무 혼란스럽습니다 　지금 　운전자들은 주의가 산만해질 수 있습니다

to read them / or / miss important information / as I did last week. // To avoid such problems, /
그것들을 읽으려고 　또는 　중요한 정보를 놓칠 수 있습니다 　제가 지난주에 그런 것처럼 　그러한 문제를 피하기 위해

I kindly request / that you revise the signs, / perhaps by using large, easily visible pictures / instead of
저는 요청드립니다 　당신이 표지판을 수정해 주시기를 　크고 눈에 잘 띄는 그림을 사용하여 　문자 대신

words. I would appreciate it / if you could look into the situation / and / let me know your thoughts. //
감사하겠습니다 　당신이 상황을 살펴보시면 　그리고 　저에게 당신의 의견을 알려주시면

Best regards, Benjamin Hamond
Benjamin Hamond 드림

STEP 1
지문에서 파악해야 할 내용
1) 목적
2) signs의 의미

STEP 2
17번: 중심 내용이 담겨 있는 부분을 읽고 새롭게 설치된 표지판에 대해 불만을 제기하는 글임을 파악한다.
18번: 주어진 어휘를 포함한 구절에서 해당 어휘가 '표지판'이라는 뜻으로 쓰였음을 파악한다.

STEP 3
17번: 목적을 '동네에 새롭게 설치된 표지판에 대해 불만을 제기하려고'라고 표현한 ①번이 정답이다.
18번: '표지판'이라는 의미를 갖는 ④ notices가 정답이다.

Chapter 11
다문항 해커스공무원 영어 독해

해석 수신: Patrick Adams 시장님　　　　날짜: 4월 25일
발신: Benjamin Hammond　　　　제목: 도시 전역의 표지판

Adams 시장님께,

저는 최근에 도시 곳곳에 새로운 표지판들이 설치된 것을 발견했습니다. 저는 10년 넘게 운전해 왔지만, 이렇게 혼란스러운 표지판을 본 것은 처음이었습니다. 결국, 저는 잘못된 길로 가게 되었습니다.

외국인 운전자들을 위해 프랑스어와 스페인어가 추가된 것은 이해하지만, 지금 그 표지판들은 너무 혼란스럽습니다. 제가 지난주에 그런 것처럼 운전자들은 그것을 읽으려고 주의가 산만해지거나 중요한 정보를 놓칠 수 있습니다.

그러한 문제를 피하기 위해, 문자 대신 크고 눈에 잘 띄는 그림을 사용하여 표지판을 수정해 주시기를 요청드립니다. 상황을 살펴보시고 제게 의견을 알려주시면 감사하겠습니다.

Benjamin Hammond 드림

18 ① 표시 ② 신호 ③ 단서 ④ 표지판

해설 **17** 지문 처음에서 도시 곳곳에 새로운 표지판들이 설치된 것을 발견했다고 했고, 지문 중간과 마지막에서 새로운 표지판에 프랑스어와 스페인어가 추가되어 너무 혼란스럽기 때문에 표지판을 수정해 주기를 요청한다고 하고 있다. 따라서 지문의 목적을 '동네에 새롭게 설치된 표지판에 대해 불만을 제기하려고'라고 표현한 ①번이 정답이다.

18 signs(표지판)가 포함된 문장(I recently noticed that new signs ~ around town)에서 최근에 새로운 표지판들이 설치된 것을 발견했다고 하고 있으므로 signs는 '표지판'이라는 의미로 사용되었다. 따라서 '표지판'이라는 의미를 가진 ④ notices가 정답이다.

어휘 cluttered 혼란스러운

독해가 쉬워지는 **공무원 필수구문**

동사나 문장을 꾸며주는 to 부정사 해석하기 [Point 19] 이 문장에서 To avoid such problems는 뒤에 나온 문장을 꾸며주는 수식어이다. 이처럼 **to 부정사** (To avoid ~)가 문장을 꾸며주는 경우, '그러한 문제를 피하기 위해'라고 해석한다.

정답: 17 ①, 18 ④

[19~20] 다음 글을 읽고 물음에 답하시오.

San Pedro County is proud to announce the first-ever San Pedro Food Expo, an event where you can enjoy sample foods from various cultures at food trucks run by local chefs. Drop by this free event!

Details
- **Dates:** Friday, September 20 – Sunday, September 22
- **Times:** 10:00 a.m. – 10:00 p.m. (Friday & Saturday), 10:00 a.m. – 7:00 p.m. (Sunday)

Highlights
- **Food Trucks**

  Several top-rated food trucks such as Paolo's Pizzeria (pizza), Dino's Tri-tip (barbecue), and A Taste of Baja (fish tacos) will participate.

- **Briefing Session by Food Specialists**

  Food experts will explain foods that suit each participant's taste and health in a free briefing session.

For more information, feel free to contact us at (803) 123-9876.

19 윗글의 제목으로 가장 적절한 것은?

① Regional Fundraising Event

② Cooking Class with Master Chefs

③ Community-wide Barbecue Party

④ Local Food Culture Festival

20 San Pedro Food Expo에 관한 윗글의 내용과 일치하지 않는 것은?

① 지역 음식 박람회는 처음으로 개최된다.

② 지역 요리사가 운영하는 푸드 트럭에서 다양한 음식을 즐길 수 있다.

③ 행사는 3일 내내 같은 시간에 시작한다.

④ 전문가와 함께하는 음식 설명회에 참여하기 위해서는 비용을 지불해야 한다.

지문분석

San Pedro County is proud / to announce / the first-ever San Pedro Food Expo, / an event ⭐ where
San Pedro 주는 자랑스럽게 생각합니다   발표하게 된 것을   최초의 San Pedro 음식 박람회를

you can enjoy sample foods / from various cultures / at food trucks / run by local chefs. Drop by this
당신이 샘플 음식을 즐길 수 있는 행사   다양한 문화의   푸드 트럭에서   지역 요리사가 운영하는

free event!
이 무료 행사에 들러보세요

Details // · **Dates:** Friday, September 20 – Sunday, September 22
세부 사항   날짜: 9월 20일 금요일 ~ 9월 22일 일요일

· **Times :** 10:00 a.m. – 10:00 p.m. (Friday & Saturday), 10:00 a.m. – 7:00 p.m. (Sunday)
시간: 오전 10시 ~ 오후 10시 (금요일과 토요일), 오전 10시 ~ 오후 7시 (일요일)

Highlights 주요 행사

· **Food Trucks** 푸드 트럭

　　　　　　　　　　　　　　　　　　→ such as: ~와 같은
Several top-rated food trucks / such as Paolo's Pizzeria (pizza), Dino's Tri-tip (barbecue), and A Taste
여러 일류 푸드 트럭이   Paolo의 피제리아 (피자), Dino의 트라이 팁 (바비큐), 그리고 Baja의 맛 (생선 타코)과 같은

of Baja (fish tacos) / will participate.
참여할 것입니다

· **Briefing Session by Food Specialists** 음식 전문가의 설명회

　　　　　　　　　　　　　　→ 주격 관계대명사 that
Food experts / will explain foods / that suit each participant's taste and health / in a free briefing session.
음식 전문가들이   음식을 설명할 예정입니다   각 참가자들의 입맛과 건강에 맞는   무료 설명회에서

For more information, / feel free to contact us at (803) 123-9876.
더 많은 정보를 위해서는   (803) 123-9876으로 연락해 주시기 바랍니다

STEP 1
지문에서 파악해야 할 내용
1) 제목
2) 일치하지 않는 것

STEP 2
19번: 중심 내용이 담겨 있는 부분을 읽고 다양한 문화의 샘플 음식을 즐길 수 있는 행사를 홍보하는 글임을 파악한다.

20번: ④번의 키워드인 음식 설명회 주변의 내용에서 음식 전문가들이 설명하는 설명회는 무료라는 것을 알 수 있다.

STEP 3
19번: 제목을 'Local Food Culture Festival(지역 음식 문화 축제)'라고 표현한 ④번이 정답이다.

20번: ① O, ② O, ③ O, ④ X

해석　San Pedro 주는 지역 요리사가 운영하는 푸드 트럭에서 다양한 문화의 샘플 음식을 즐길 수 있는 행사인 최초의 San Pedro 음식 박람회를 발표하게 된 것을 자랑스럽게 생각합니다. 이 무료 행사에 들러보세요!

세부 사항 · 날짜: 9월 20일 금요일 ~ 9월 22일 일요일   · 시간: 오전 10시 ~ 오후 10시 (금요일과 토요일), 오전 10시 ~ 오후 7시 (일요일)

주요 행사

· 푸드 트럭　Paolo의 피제리아 (피자), Dino의 트라이 팁 (바비큐), 그리고 Baja의 맛 (생선 타코)과 같은 여러 일류 푸드 트럭이 참여할 것입니다.

· 음식 전문가의 설명회　음식 전문가들이 무료 설명회에서 각 참가자들의 입맛과 건강에 맞는 음식을 설명할 예정입니다.

더 많은 정보를 위해서는, (803) 123-9876으로 연락해 주시기 바랍니다.

19 ① 지역 모금 행사　　　② 명장 요리사들과 함께 하는 요리 교실　　　③ 지역사회 전체의 바비큐 파티　　　④ 지역 음식 문화 축제

해설　19 지문 처음에서 지역 요리사가 운영하는 푸드 트럭에서 다양한 문화의 샘플 음식을 즐길 수 있는 행사에 들러보라고 하고 있다. 따라서 지문의 제목을 '지역 음식 문화 축제'라고 표현한 ④번이 정답이다.

20 ④번의 키워드인 음식 설명회 주변의 내용에서 음식 전문가들이 무료 설명회에서 설명할 예정이라고 했으므로 ④번이 지문의 내용과 일치하지 않는다.

어휘　county 자치주, 군　expo 박람회　briefing session 설명회　specialist 전문가

독해가 쉬워지는 공무원 필수구문

명사를 꾸며주는 '관계부사 when / why / why / how ~' 해석하기 Point 18 　이 문장에서 where you can enjoy sample foods ~는 앞에 나온 명사 an event를 꾸며주는 수식어이다. 이처럼 관계부사가 이끄는 절(where + 주어 + 동사 ~)이 명사를 꾸며주는 경우, '샘플 음식을 즐길 수 있는 행사'라고 해석한다.

정답: 19 ④, 20 ④

[21~22] 다음 글을 읽고 물음에 답하시오.

To: San Ramon Transportation Department

From: Neil Simmons

Date: February 4

Subject: Morning Bus Schedule Issue

Dear Department Chief,

I hope you are doing well. I am writing to inform you of a problem that I am experiencing with the number 11 bus that departs from the Central Bus Terminal.

As you know, the first bus of the day leaves the garage at 8:30. So, if there are traffic delays caused by poor weather <u>conditions</u> or accidents on the road, I am forced to be late for work. Many other commuters who need to arrive at work by 9 o'clock take this bus, so I'm sure this isn't just a problem for me.

Therefore, I would like to request that you review the current bus schedule to see if an earlier bus can be added. Thank you for taking the time to review my request.

Kind regards,

Neil Simmons

---

21 윗글의 목적으로 가장 적절한 것은?

① 출근하는 사람들을 위해 더 많은 버스 정류장을 설치할 것을 요구하려고

② 출근 버스의 긴 배차 간격에 대해 불평하려고

③ 아침 출근 시간의 버스 시간표를 변경하는 것을 제안하려고

④ 버스 노선 현황에 대한 정보를 요청하려고

22 밑줄 친 "conditions"의 의미와 가장 가까운 것은?

① requirements

② positions

③ provisions

④ situations

Dear Department Chief, // I hope you are doing well. I am writing / to inform you of a problem / that I
부서장님께   잘 지내고 계시길 바랍니다   저는 씁니다   당신에게 문제를 알려드리기 위해

부사 역할을 하는 to 부정사(~하기 위해)

am experiencing / with the number 11 bus / that departs / from the Central Bus Terminal.
제가 겪고 있는   11번 버스와 관련하여   출발하는   중앙 버스터미널에서

As you know, / the first bus of the day / leaves the garage / at 8:30. So, / if there are traffic delays /
아시다시피   하루의 첫 버스는   차고에서 출발합니다   8시 30분에 그래서   교통 지연이 있으면

caused by poor weather conditions / or / accidents on the road, / I am forced to be late / for work.
나쁜 날씨 상황으로 인한   또는   도로의 사고나   저는 늦을 수밖에 없습니다   회사에

Many other commuters / who need to arrive at work / by 9 o'clock / take this bus, / so I'm sure this
많은 다른 통근자들은   회사에 도착해야 하는   9시까지   이 버스를 이용합니다   따라서 저는 이것이 저만의

주격 관계대명사 who

isn't just a problem for me. // Therefore, / I would like to request / that you review the current bus
문제는 아니라고 확신합니다   따라서   저는 요청드립니다   당신이 현재의 버스 시간표를 검토해 주시기를

schedule / to see / if an earlier bus can be added. Thank you for taking the time / to review my
확인하기 위해   더 이른 버스를 추가할 수 있는지   시간을 내어 주셔서 감사합니다   제 요청을 검토하기 위해

request. // Kind regards, Neil Simmons
Neil Simmons 드림

STEP 1
지문에서 파악해야 할 내용
1) 목적
2) conditions의 의미

STEP 2
21번: 중심 내용이 담겨 있는 부분을 읽고 아침 출근 시간의 버스 시간표 변경을 제안하는 글임을 파악한다.
22번: 주어진 어휘를 포함한 구절에서 해당 어휘가 '상황'이라는 뜻으로 쓰였음을 파악한다.

STEP 3
21번: 목적을 '아침 출근 시간의 버스 시간표를 변경하는 것을 제안하려고'라고 표현한 ③번이 정답이다.
22번: '상황'이라는 의미를 갖는 ④ situations가 정답이다.

Chapter 11
다문항 해커스공무원 영어 독해

해석   수신: San Ramon 교통국   날짜: 2월 4일
발신: Neil Simmons   제목: 아침 버스 시간표 문제

부서장님께,

잘 지내고 계시길 바랍니다. 저는 중앙 버스터미널에서 출발하는 11번 버스와 관련하여 제가 겪고 있는 문제를 알려드리기 위해 이 글을 씁니다.

아시다시피, 하루의 첫 버스는 차고에서 8시 30분에 출발합니다. 그래서, 나쁜 날씨 상황이나 도로의 사고로 인한 교통 지연이 있으면, 저는 회사에 늦을 수밖에 없습니다. 9시까지 회사에 도착해야 하는 많은 다른 통근자들도 이 버스를 이용하기 때문에, 이것이 저만의 문제는 아니라고 확신합니다.

따라서, 더 이른 버스를 추가할 수 있는지 확인하기 위해 현재의 버스 시간표를 검토해 주시기를 요청드립니다. 시간을 내어 제 요청을 검토해 주셔서 감사드립니다.

Neil Simmons 드림

22 ① 조건   ② 위치   ③ 규정   ④ 상태

해설   21 지문 처음에서 버스와 관련하여 겪고 있는 문제를 알리기 위해 글을 쓴다고 했고, 지문 마지막에서 더 이른 버스를 추가할 수 있는지 확인하기 위해 현재의 버스 시간표를 검토해 주기를 요청한다고 하고 있다. 따라서 지문의 목적을 '아침 출근시간의 버스 시간표를 변경하는 것을 제안하려고'라고 표현한 ③번이 정답이다.

22 conditions(상황)가 포함된 문장(So, if there are ~ weather conditions ~)에서 나쁜 날씨 상황으로 인한 교통 지연이 있으면 회사에 늦을 수밖에 없다고 했으므로 conditions는 '상황'이라는 의미로 사용되었다. 따라서 '상황'이라는 의미인 ④ situations가 정답이다.

어휘   depart 출발하다 garage 차고 commuter 통근자 provision 규정, 조항

독해가 쉬워지는 공무원 필수구문

목적어 자리에 온 'if / whether ~' 해석하기 [Point 08] 이 문장에서 if an earlier bus can be added는 앞에 나온 동사 see의 목적어이다. 이처럼 if가 이끄는 절(if + 주어 + 동사 ~)이 목적어 자리에 온 경우, '더 이른 버스가 추가될 수 있는지'라고 해석한다.

정답: 21 ③, 22 ④

[23~24] 다음 글을 읽고 물음에 답하시오.

The Larimer City Community Center invites you to take part in our annual Larimer City Flea Market.

Dates	May 3 to May 6	
Times	Thursday, Friday	12 p.m.–8 p.m.
	Saturday, Sunday	9 a.m.–8 p.m.

Tickets & Booking

· Sellers need to buy a ticket to reserve a space to sell items.

  - It costs $25 and can be purchased online.

· Buyers can look around and buy products without a ticket.

Activities

· Buy or sell secondhand goods with other members of the community.

· Enjoy live music from local bands and food from local restaurants on Saturday and Sunday.

23 윗글의 제목으로 가장 적절한 것은?

① Learn How to Make Your Products Appealing

② Volunteer at the Community Center

③ Come and Enjoy A Community Concert

④ Shop for Secondhand Goods

24 Larimer City Flea Market에 관한 윗글의 내용과 일치하지 않는 것은?

① 주중과 주말에 행사 운영 시간이 다르다.

② 판매자들은 현장에서 입장권을 구매할 수 있다.

③ 구매자들은 입장권 없이도 물건을 둘러볼 수 있다.

④ 주말에는 라이브 음악과 현지 음식을 선보인다.

지문분석

take part in: ~에 참여하다

The Larimer City Community Center / invites you / to take part in / our annual Larimer City Flea Market.
Larimer 시 주민센터는   여러분을 초대합니다   참여하도록   우리의 연례 Larimer 시 벼룩시장에

Dates 날짜	May 3 to May 6 5월 3일부터 5월 6일까지	
Times 시간	Thursday, Friday 목요일, 금요일	12 p.m.–8 p.m. 오후 12시 ~ 오후 8시
	Saturday, Sunday 토요일, 일요일	9 a.m.–8 p.m. 오전 9시 ~ 오후 8시

Tickets & Booking // · Sellers need to buy a ticket / to reserve a space / to sell items.
입장권 및 예약   판매자들은 입장권을 구매해야 합니다   자리를 예약하려면   상품을 판매할

be + p.p.: 수동태
– It costs $25 / and can be purchased online.
25달러입니다   그리고 온라인으로 구매할 수 있습니다

· Buyers can ☆ look around / and buy products / without a ticket.
구매자들은 둘러볼 수 있습니다   그리고 상품을 구매할 수 있습니다   입장권 없이

Activities // · Buy or sell secondhand goods / with other members / of the community.
활동   중고품을 구입하거나 판매해 보세요   다른 구성원들과 함께   지역사회의

· Enjoy live music / from local bands / and / food from local restaurants / on Saturday and Sunday.
라이브 음악을 즐겨보세요   현지 밴드의   그리고   현지 식당의 음식을   토요일과 일요일에

STEP 1
지문에서 파악해야 할 내용
1) 제목
2) 일치하지 않는 것

STEP 2
23번: 중심 내용이 담겨 있는 부분을 읽고 벼룩시장에 참여하도록 초대하는 글임을 파악한다.

24번: ②번의 키워드인 입장권 주변의 내용에서 판매자들은 온라인으로 입장권을 구매할 수 있다는 것을 알 수 있다.

STEP 3
23번: 제목을 'Shop for Secondhand Goods(중고품을 쇼핑해보세요)'라고 표현한 ④번이 정답이다.
24번: ① O, ② X, ③ O, ④ O

해석 Larimer 시 주민센터는 우리의 연례 Larimer 시 벼룩시장에 참여하도록 여러분을 초대합니다.

날짜	5월 3일부터 5월 6일까지	
시간	목요일, 금요일	오후 12시 ~ 오후 8시
	토요일, 일요일	오전 9시 ~ 오후 8시

입장권 및 예약
· 판매자들은 상품을 판매할 자리를 예약하려면 입장권을 구매해야 합니다.
  – 25달러이며 온라인으로 구매할 수 있습니다.
· 구매자들은 입장권 없이 상품을 둘러보고 구매할 수 있습니다.

활동
· 지역사회의 다른 구성원들과 함께 중고품을 구입하거나 판매해 보세요. · 토요일과 일요일에 현지 밴드의 라이브 음악과 현지 식당의 음식을 즐겨보세요.

23 ① 당신의 제품을 매력적으로 만드는 방법을 배워보세요   ② 주민센터에서 봉사활동을 해보세요
    ③ 오셔서 지역사회 콘서트를 즐겨보세요   ④ 중고품을 쇼핑해보세요

해설 23 지문 처음에서 연례 벼룩시장에 참여하도록 초대한다고 했고, 지문 마지막에서 지역사회의 다른 구성원들과 함께 중고품을 구입하거나 판매해 보라고 하고 있다. 따라서 지문의 제목을 '중고품을 쇼핑해 보세요'라고 표현한 ④번이 정답이다.

24 ②번의 키워드인 입장권과 관련된 지문 주변의 내용에서 판매자들은 온라인으로 입장권을 구매할 수 있다는 것을 알 수 있다. 따라서 ②번이 지문의 내용과 일치하지 않는다.

어휘 flea market 벼룩시장 secondhand goods 중고품

독해가 쉬워지는 공무원 필수구문

☆ **병렬 관계를 나타내는 and / but / or 해석하기** [Point 35] 이 문장에서 and는 두 개의 동사구 look around와 buy products를 연결하는 접속사이다. 이처럼 and는 문법적으로 동일한 형태의 구를 연결하여 대등한 개념을 나타내므로, and가 연결하는 것이 무엇인지 파악하여 '상품을 둘러보고 구매하다'라고 해석한다.

정답: 23 ④, 24 ②

gosi.Hackers.com

길지도 짧지도 않은 수험기간이었지만, 제가 느낀 것은
시험은 수 없는 연습의 결과물이라고 생각합니다.

그리고 신기한 것은 수험생활에 겪는 대부분의 마음적
고민들은 내가 아닌 다른 사람도 똑같이 느낀다는 것입니다.
그래서 내가 잘하지 못하는 것 같다고 의기소침하고, 혼자
불안감에 휩싸일 필요가 없습니다.

저는 대부분의 시간을 혼자 공부했기 때문에 때로는 외로움도 느끼고,
혼자서 걱정하는 잡생각도 몇 번 있었습니다. 지나고 보면 이것들은
저 아닌 다른 수험생도 했던 고민입니다. 나만 힘들다는 생각은
절대 하지 않으셨으면 좋겠습니다.

– 국가직 9급 합격자 류*현

Final Test

01 다음 글의 요지로 가장 적절한 것은?

Citizens of a democratic country must have the right to express themselves freely, whether through speech, writing, or other forms of expression. For instance, individuals should be able to openly criticize government policies or participate in peaceful protests. Since guaranteeing free speech ensures that diverse voices flow into public discourse, it not only secures one's liberty, but it also accelerates the progress of society. Therefore, it is essential that we protect the voices of free citizens, both for individuals and for the nation.

① 정부는 시위를 멈출 권리를 가지고 있어야 한다.
② 언론 자유의 권리는 민주 국가에서 보호되어야 한다.
③ 언론의 자유가 제한되어야 하는 상황이 있다.
④ 민주 국가의 국민들은 몇 개의 기본 권리를 가지고 있다.

지문 구조 한눈에 보기

지문을 읽고 빈칸에 알맞은 말을 채우시오.

주제문 민주 국가의 시민들은 다양한 형태를 통해 자신을 자유롭게 ¹_____ 할 권리를 가져야 함

예시 공개적으로 정부 정책을 ²_____ 하거나 평화적인 ³_____ 에 참여할 수 있어야 함

설명 표현의 자유를 보장하는 것은 다양한 ⁴_____ 가 공적 담론으로 흘러 들어가는 것을 보장하기 때문에 개인의 자유뿐만 아니라 사회의 ⁵_____ 도 가속함

결론 개인과 국가 모두를 위해 자유 시민의 목소리를 ⁶_____ 하는 것이 중요함

정답 | 1. 표현 2. 비판 3. 시위 4. 목소리 5. 발전 6. 보호

Citizens of a democratic country / must have the right / to express themselves freely, / whether
민주 국가의 시민들은　　　　　　　권리를 가져야 한다　　　　자신을 자유롭게 표현할

명사(the right)를 꾸며주는 to 부정사

through speech, writing, or other forms of expression. For instance, / individuals should be able to /
말, 글, 또는 다른 표현 형태를 통해　　　　　　　예를 들어　　　　개인은 ~할 수 있어야 한다

openly criticize government policies / or participate in peaceful protests. Since guaranteeing free
공개적으로 정부 정책을 비난할　　　　또는 평화적인 시위에 참여할　　　표현의 자유를 보장하는 것은

주어 자리에 온 동명사구

speech ensures / that diverse voices / flow into public discourse, / it　not only secures one's liberty, /
보장하기 때문에　　다양한 목소리가　　공적 담론으로 흘러 들어가는 것을　　그것은 개인의 자유를 보장할 뿐만 아니라

but it also accelerates / the progress of society. Therefore, / it is essential / that we protect the
가속한다　　　　　사회의 발전도　　　　따라서　　　중요하다　　　우리가 자유 시민의 목소리를 보호하는 것이

voices of free citizens, / both for individuals and for the nation.
우리가 자유 시민의 목소리를 보호하는 것이　　　개인과 국가 모두를 위해

STEP 1
주제문: 민주 국가의 시민들은 자신을 자유롭게 표현할 권리를 가져야 한다.

STEP 2
주제문을 '언론 자유의 권리는 민주 국가에서 보호되어야 한다'라고 바꾸어 표현한 ②번이 정답이다.

해석 민주 국가의 시민들은 말, 글, 또는 다른 표현 형태를 통해 자신을 자유롭게 표현할 권리를 가져야 한다. 예를 들어, 개인은 공개적으로 정부 정책을 비판하거나 평화적인 시위에 참여할 수 있어야 한다. 표현의 자유를 보장하는 것은 다양한 목소리가 공적 담론으로 흘러 들어가는 것을 보장하기 때문에, 그것(표현의 자유를 보장하는 것)은 개인의 자유를 보장할 뿐만 아니라, 사회의 발전도 가속한다. 따라서, 개인과 국가 모두를 위해 우리가 자유 시민의 목소리를 보호하는 것이 중요하다.

해설 지문 앞부분에서 민주 국가의 시민들은 자신을 자유롭게 표현할 권리를 가져야 한다고 하고, 지문 마지막에서 개인과 국가 모두를 위해 자유 시민의 목소리를 보호하는 것이 중요하다고 하고 있다. 따라서 지문의 요지를 '언론 자유의 권리는 민주 국가에서 보호되어야 한다'라고 한 ②번이 정답이다.

어휘 democratic 민주주의의 criticize 비판하다, 비난하다 protest 시위 ensure 보장하다 discourse 담론 secure 보장하다, 확보하다 accelerate 가속하다 essential 중요한, 필수적인

독해가 쉬워지는 **공무원 필수구문**

병렬 관계를 나타내는 'not only A but (also) B' 구문 해석하기 Point 36 이 문장에서 not only ~ but also ~는 secures one's liberty와 accelerates the progress of society를 연결하는 접속사이다. 이처럼 '**not only A but (also) B**' 구문의 A에는 기본이 되는 내용, B에는 첨가하는 내용이 나오며, '개인의 자유를 보장할 뿐만 아니라 사회의 발전도 가속한다'라고 해석한다.

정답: ②

02

 다음 글을 요약한 문장에서 빈칸 (A), (B)에 들어갈 말로 가장 적절한 것은?

There are many notable independent films that cost little to make but earn unprecedented box office profits. For instance, the unexpected hit *My Name is Alexandra*, which was directed by a longtime colleague of mine for a mere $ 25,000, won critical acclaim and several prestigious awards, including the highly coveted Silver Trophy. Thanks to movies like this, the independent film industry has garnered renewed media attention in recent years, and with the mounting popularity of independent films, the industry hopes to attract more aspiring talent.

_____(A)_____ have fueled growing support for _____(B)_____.

	(A)	(B)
①	Successful independent films	low-budget movies
②	Industry hopes	new talent in acting
③	Huge box office hits	major awards
④	Increasing costs	lesser-known directors

지문 구조 한눈에 보기

지문을 읽고 빈칸에 알맞은 말을 채우시오.

| 도입 | 제작 비용이 적지만 전례 없는 흥행 수익을 벌어들이는 주목할 만한 많은 ¹_____들이 있음 |

예시 | 『My Name is Alexandra』는 단 2만 5천 달러를 들여 연출 되었는데, 비평가들의 찬사를 받았고 여러 상들을 받았음

| 결론 | 이와 같은 영화들 덕분에, 이 산업은 최근 몇 년 동안 새로워진 언론의 ²_____을 모았음 |

부연 | 업계는 이렇게 증가하는 ³_____에 따라 포부를 가진 더 많은 ⁴_____를 끌어들이기를 바라고 있음

정답 | 1. 독립 영화 2. 주목 3. 인기 4. 인재

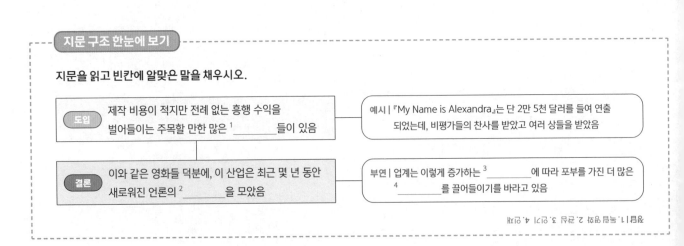

There are many notable independent films / that cost little to make /but earn unprecedented box
주목할 만한 많은 독립 영화들이 있다   제작하는 데 비용이 적게 드는   그러나 전례 없는 흥행 수익을 벌어들이는

cost와 earn을 연결하는 접속사 but

office profits. For instance, / the unexpected hit *My Name is Alexandra*, / which was directed by a
예를 들어   예상 밖의 성공을 거둔 작품인 『My Name is Alexandra』는

longtime colleague of mine / for a mere $ 25,000, / won critical acclaim / and several prestigious
나의 오랜 동료에 의해 연출되었는데   단 2만 5천 달러를 들여   비평가들의 찬사를 받았다   그리고 여러 명망 있는 상들을 받았다

awards, / including the highly coveted Silver Trophy. Thanks to movies like this, / the independent film
사람들이 매우 탐내는 Silver Trophy를 포함하여   이와 같은 영화들 덕분에   독립 영화 산업은

thanks to ~: ~덕분에

industry / has garnered renewed media attention / in recent years, / and with the mounting popularity /
새로워진 언론의 관심을 모았다   최근 몇 년 동안   그리고 증가하는 인기에 따라

of independent films, / the industry hopes to attract / more aspiring talent.
독립 영화의   업계에서는 끌어들이기를 바라고 있다   포부를 가진 더 많은 인재를

hope to ~: ~하기를 바라다

(A) Successful independent films / have fueled growing support / for (B) low-budget movies.
성공적인 독립 영화들은   증가하는 지원을 부채질했다   저예산 영화들에 대한

STEP 1
알아내야 하는 내용:
(A) 증가하는 지원을 부채질
하게 만든 것
(B) 지원이 증가한 대상

STEP 2
빈칸 (A)에 들어갈 내용을 '성공
적인 독립 영화들(Successful
independent films)', 빈칸
(B)에 들어갈 내용을 '저예산
영화들(low-budget movies)'
이라고 한 ①번이 정답이다.

해석 제작하는 데 비용이 적게 들지만 전례 없는 흥행 수익을 벌어들이는 주목할 만한 많은 독립 영화들이 있다. 예를 들어, 예상 밖의 성공을 거둔 작품인 『My
Name is Alexandra』는 나의 오랜 동료에 의해 단 2만 5천 달러를 들여 연출되었는데, 이것은 비평가들의 찬사를 받았고 사람들이 매우 탐내는 Silver
Trophy를 포함하여 여러 명망 있는 상들을 받았다. 이와 같은 영화들 덕분에, 독립 영화 산업은 최근 몇 년 동안 새로워진 언론의 관심을 모았으며, 독립
영화의 증가하는 인기에 따라, 업계에서는 포부를 가진 더 많은 인재를 끌어들이기를 바라고 있다.

(A) 성공적인 독립 영화들은 (B) 저예산 영화들에 대한 증가하는 지원을 부채질했다.

	(A)	(B)
①	성공적인 독립 영화들	저예산 영화들
②	산업의 기대	연기에 재능이 있는 새로운 사람들
③	대형 흥행작들	주요한 상들
④	증가하는 비용	덜 알려진 감독들

해설 지문 앞부분에서 성공적인 독립 영화 사례를 소개한 후, 지문 중간에서 이와 같은 영화들 덕분에 독립 영화 산업이 새로워진 언론의 관심을 모았다고 했
으므로, '성공적인 독립 영화들', '저예산 영화들'이라고 한 ①번이 정답이다.

어휘 **notable** 주목할 만한, 중요한 **unprecedented** 전례 없는 **unexpected** 예상 밖의 **direct** 연출하다 **acclaim** 찬사 **prestigious** 명망 있는
covet 탐내다, 갈망하다 **garner** 모으다 **mounting** 증가하는 **aspiring** 포부를 가진 **talent** 인재, 재능

독해가 쉬워지는 **공무원 필수구문**

명사를 꾸며주는 '주격 관계대명사 who / that / which ~' 해석하기 Point 16 이 문장에서 that cost ~ profits는 앞에 나온 명사 films를 꾸며주는
수식어이다. 이처럼 주격 관계대명사가 이끄는 절(that + 동사 ~)이 명사를 꾸며주는 경우, '~ 비용이 드는 영화들'이라고 해석한다.

정답: ①

03 다음 글에 나타난 화자의 심경으로 가장 적절한 것은?

I knew how hard it was to get a work visa for that country, with numerous requirements such as a bank account containing thousands of dollars, as well as a reference from the employer. So I got into the long line at 4 in the morning, feeling confident that I had everything I needed. The embassy opened at 8:00 a.m. and the line began moving slowly. When it was my turn, I handed over my documents with an assured look on my face, and then waited for them to accept my application. The woman behind the counter looked over the documents briefly, then handed them back to me. When I asked why, she said the required photos I submitted were the wrong size, a simple detail I hadn't been aware of that caused me to spend the day in line for nothing.

① elated   ② frustrated

③ suspicious   ④ enthusiastic

--- 지문 구조 한눈에 보기 ---

지문을 읽고 빈칸에 알맞은 말을 채우시오.

| 도입 | 화자는 그 나라로 가는 취업 비자를 얻는 것이 얼마나 어려운지 알고 있었음 | 부연 \| 고용주로부터의 추천서, 수천 달러를 보유하고 있는 예금 계좌와 같은 많은 ¹_____이 있음 |

| 전개1 | 화자는 필요한 모든 것을 가지고 있다고 확신하며 새벽 네 시에 줄을 섰음 |

| 전개2 | ²_____은 오전 8시에 열렸고, 차례가 되자 화자는 서류들을 넘겨주고 그들이 화자의 ³_____를 받아주기를 기다렸음 |

| 전개3 | 창구 뒤에 있는 여자는 그 서류들을 잠시 살펴본 후 다시 화자에게 되돌려주었음 |

| 결말 | 그녀는 필수적인 ⁴_____들이 잘못된 크기라고 말했고, 이 간단한 세부사항 때문에 화자는 그 줄에서 헛되이 하루를 보낸 것이 되었음 |

정답 | 1. 요구사항 2. 대사관 3. 지원서 4. 사진

STEP 1
전체적인 분위기:
준비한 서류가 완벽하다고
확신했으나 사소한 부분이
잘못되어 허탈함

STEP 2
화자의 심경을 '좌절한
(frustrated)'이라고 표현한
②번이 정답이다.

I knew / how hard it was / to get a work visa for that country, / with numerous requirements / such as
나는 알고 있었다   얼마나 어려운지   그 나라로 가는 취업 비자를 얻는 것이   많은 요구사항을 포함하여

↳ 명사(a bank account)를 꾸며주는 현재분사
a bank account / (containing) thousands of dollars, / as well as a reference / from the employer. So /
예금 계좌와 같은   수천 달러를 보유하고 있는   추천서뿐만 아니라   고용주로부터의   그래서

(that/which) I: 목적격 관계대명사 생략
I got into the long line / at 4 in the morning, / ☆ feeling confident / that I had everything I needed. The
나는 긴 줄을 섰다   새벽 네 시에   확신하며   내가 필요한 모든 것을 가지고 있다고

embassy opened at 8:00 a.m. / and the line began moving slowly. When it was my turn, / I handed
대사관은 오전 8시에 열렸다   그리고 줄은 천천히 움직이기 시작했다   내 차례가 되었을 때   나는 나의 서류들을 넘겨주었다

over my documents / with an assured look on my face, / and then waited / for them to accept my
자신에 찬 얼굴로   그리고 기다렸다   그들이 나의 지원서를 받아주기를

application. The woman behind the counter / looked over the documents briefly, / then handed them
창구 뒤에 있는 여자는   그 서류들을 잠시 살펴보았고   그 후에 그것들을 다시 나에게 넘겨주었다

back to me. When I asked why, / she said / the required photos / I submitted / were the wrong size, /
내가 이유를 물었을 때   그녀는 말했다   필수적인 사진들이   내가 제출한   잘못된 크기라고

↳ be aware of ~: ~을 알아차리다, 알다
a simple detail / I hadn't (been aware of) / that caused me to spend the day in line / for nothing.
그것은 간단한 세부사항이었다   내가 알아차리지 못했던   내가 그 줄에서 하루를 보내게 만든   헛되이

해석 나는 그 나라로 가는 취업 비자를 얻는 것이 고용주로부터의 추천서뿐만 아니라 수천 달러를 보유하고 있는 예금 계좌와 같은 많은 요구사항을 포함하여 얼마나 어려운지 알고 있었다. 그래서 나는 내가 필요한 모든 것을 가지고 있다고 확신하며 새벽 네 시에 긴 줄을 섰다. 대사관은 오전 8시에 열렸고 줄은 천천히 움직이기 시작했다. 내 차례가 되었을 때, 나는 자신에 찬 얼굴로 나의 서류들을 넘겨주었고, 그들이 나의 지원서를 받아주기를 기다렸다. 창구 뒤에 있는 여자는 그 서류들을 잠시 살펴보았고, 그 후에 그것들을 다시 나에게 넘겨주었다. 내가 이유를 물었을 때, 그녀는 내가 제출한 필수적인 사진들이 잘못된 크기라고 말했고, 그것은 내가 그 줄에서 헛되이 하루를 보내게 만든 내가 알아차리지 못했던 간단한 세부사항이었다.

① 의기양양한   ② 좌절한
③ 의심스러워하는   ④ 열광적인

해설 지문에서 화자가 취업 비자를 받기 위한 서류를 모두 준비했다고 확신하며 아침 일찍부터 대사관에서 줄을 서서 기다렸으나, 제출해야 하는 사진의 크기가 잘못되어 하루를 헛되이 보낸 일화를 이야기하고 있다. 따라서 화자의 심경을 '좌절한'이라고 표현한 ②번이 정답이다.

어휘 reference 추천서 hand over 넘겨주다 assured 자신에 찬 application 지원서 look over 살펴보다 for nothing 헛되이

독해가 쉬워지는 **공무원 필수구문**

문장을 꾸며주는 분사구문 해석하기 – 동시상황 Point 23 이 문장에서 분사구문 feeling ~ needed는 콤마 앞에 나온 문장 전체를 꾸며주는 수식어이다.
이처럼 분사구문이 문장 뒤 또는 가운데에 올 경우, 종종 앞 문장과 동시에 일어나는 상황을 나타내는데, 이때 분사구문은 '~이라고 확신하며'라고 해석한다.

정답: ②

04 다음 글의 내용과 일치하는 것은?

A team of scientists recently began studying whether or not birth control pills can improve memory in women. The goal was to determine the pill's effect on a substance in the brain called gray matter, which is linked to memory. The test subjects were separated into two groups: those who were taking birth control pills and those who weren't. The researchers took high-resolution images of the volunteers' brains and observed that women who were taking birth control pills had a higher volume of gray matter on average. This suggests that taking birth control pills can in fact increase a woman's memory in a significant way.

① Birth control pills can improve anyone's memory regardless of gender.

② Researchers studied how the brain absorbs birth control pills.

③ All the women who participated in the study used birth control pills.

④ Women who were taking birth control pills had more gray matter in their brains.

지문 구조 한눈에 보기

지문을 읽고 빈칸에 알맞은 말을 채우시오.

| 도입 | 과학자들은 경구피임약이 여성의 ^{1}_____ 을 향상시킬 수 있는지 연구하기 시작했음 | 부연 \| 목적은 회백질이라고 불리는 뇌의 한 ^{2}_____ 에 미치는 피임약의 효과를 알아내는 것이었음 |

| 설명1 | 피실험자들은 경구피임약을 복용하고 있던 사람들과 그렇지 않던 사람들의 두 집단으로 나누어졌음 |

| 설명2 | 연구원들은 지원자들의 뇌의 ^{3}_____ 이미지를 촬영했고, 피임약을 복용하고 있던 여성들이 평균적으로 ^{4}_____ 회백질을 가지고 있었음 |

| 결론 | 경구피임약을 복용하는 것이 실제로 여성의 기억력을 상당히 높일 수 있다는 것을 보여줌 |

정답 1. 기억력 2. 물질 3. 고해상도 4. 더 많은 (양의)

지문분석

STEP 1

① 기억력 향상, 성별과 상관 없음
② 뇌, 흡수
③ 모든 여성 참여자, 경구 피임약
④ 더 많은 회백질

A team of scientists / recently began studying / whether or not birth control pills can improve /
한 팀의 과학자들은　　　　최근에 연구하기 시작했다　　　　　경구피임약이 향상시킬 수 있는지 아닌지를

memory in women. The goal was / to determine the pill's effect / on a substance in the brain / called
여성의 기억력을　　　목적은　　　피임약의 효과를 알아내는 것이었는데　　　뇌의 한 물질에 미치는

gray matter, / which is linked to memory. The test subjects / were separated into two groups: / those
회백질이라고 불리는　　그것은 기억력과 관련되어 있다　　그 피실험자들은　　　　　두 집단으로 나누어졌다

those who ~: ~하는 사람들

who were taking birth control pills / and those who weren't. The researchers took high-resolution images /
경구피임약을 복용하고 있던 사람들　　그리고 그렇지 않던 사람들　　연구원들은 고해상도 이미지를 촬영했다

목적어 자리에 온 명사절 접속사 that

of the volunteers' brains / and observed that women who were taking birth control pills / had a higher
지원자들의 뇌의　　　그리고 목격했다　　　경구피임약을 복용하고 있던 여성들이　　더 많은

volume of gray matter / on average. This suggests / that taking birth control pills / can in fact increase /
더 많은 양의 회백질을 가지고 있다는 것을　평균적으로　이것은 보여준다　경구피임약을 복용하는 것이　실제로 높일 수 있다는 것을

a woman's memory / in a significant way.
여성의 기억력을　　　　상당히

STEP 2

① X
② X
③ X
④ O

해석 한 팀의 과학자들은 최근에 경구피임약이 여성의 기억력을 향상시킬 수 있는지 아닌지를 연구하기 시작했다. 목적은 회백질이라고 불리는 뇌의 한 물질에 미치는 피임약의 효과를 알아내는 것이었는데, 그것(회백질)은 기억력과 관련되어 있다. 그 피실험자들은 경구피임약을 복용하고 있던 사람들과 그렇지 않던 사람들의 두 집단으로 나누어졌다. 연구원들은 지원자들의 뇌의 고해상도 이미지를 촬영했고 경구피임약을 복용하고 있던 여성들이 평균적으로 더 많은 양의 회백질을 가지고 있다는 것을 목격했다. 이것은 경구피임약을 복용하는 것이 실제로 여성의 기억력을 상당히 높일 수 있다는 것을 보여준다.

① 경구피임약은 성별과 상관없이 누구의 기억력도 향상시킬 수 있다.
② 연구원들은 뇌가 어떻게 경구피임약을 흡수하는지에 대해 연구했다.
③ 연구에 참여했던 모든 여성이 경구피임약을 사용했다.
④ 경구피임약을 복용하고 있던 여성이 뇌에 더 많은 회백질을 가지고 있었다.

해설 ④번의 키워드인 more gray matter(더 많은 회백질)를 바꾸어 표현한 지문의 higher volume of gray matter(더 많은 양의 회백질) 주변의 내용에서 경구피임약을 복용하고 있던 여성이 평균적으로 더 많은 양의 회백질을 가지고 있다는 것을 알 수 있다. 따라서 ④번이 지문의 내용과 일치한다.
①번: 경구피임약을 복용하는 것이 여성의 기억력을 높인다고는 했지만, 성별과 상관없이 누구의 기억력도 향상시킬 수 있는지는 알 수 없다.
②번: 연구의 목적이 회백질이라고 불리는 뇌의 물질에 피임약이 미치는 효과를 알아내는 것이라고 했으므로, 연구원들이 뇌가 어떻게 경구피임약을 흡수하는지에 대해 연구했다는 것은 지문의 내용과 다르다.
③번: 피실험자들은 경구피임약을 복용하고 있던 여성과 그렇지 않던 여성의 두 집단으로 나뉘었다고 했으므로, 연구에 참여했던 모든 여성이 경구피임약을 사용했다는 것은 지문의 내용과 다르다.

어휘 birth control pill 경구피임약　determine 알아내다, 밝히다　substance 물질　gray matter 회백질　test subject 피실험자　separate 나누다
high-resolution 고해상도의　volunteer 지원자, 자원봉사자

독해가 쉬워지는 **공무원 필수구문**

목적어 자리에 온 'if / whether ~' 해석하기 Point 08 이 문장에서 whether or not ~ women은 앞에 나온 동사 study의 목적어이다. 이처럼 whether가 이끄는 절(whether + 주어 + 동사 ~)이 목적어 자리에 온 경우, '경구피임약이 ~을 향상시킬 수 있는지 아닌지'라고 해석한다.

정답: ④

05 밑줄 친 부분에 들어갈 말로 가장 적절한 것은?

Anxiety reappraisal is a mental coping strategy that helps people transform their nervousness into something positive. Say you are given a seemingly insurmountable task that fills you with fear. Rather than let your anxiety get the best of you, you should convince yourself that what you are feeling is anticipation. Characterized by an accelerated heart rate, both are states of _____. Yet while the former is focused on the things that could go wrong, the latter centers on ways the experience could be constructive. You will not only minimize stress but also complete the task in a manner that exceeds your initial expectations.

① courage

② dread

③ arousal

④ alarm

지문 구조 한눈에 보기

지문을 읽고 빈칸에 알맞은 말을 채우시오.

주제문 불안감 재평가는 사람들의 ¹ _____ 을 긍정적인 무언가로 바꾸도록 돕는 정신적 대처 전략임

설명1 당신을 ² _____ 으로 가득 채우는 일이 주어졌다면, 불안감이 이기도록 놔두기보다는 당신이 느끼고 있는 것이 ³ _____ 이라고 스스로를 설득해야 함

설명2 증가한 심장 박동 수가 특징인 두 가지는 모두 ⁴ _____ 의 상태임

부연 | 전자는 실패할 수 있는 것들에 집중하지만, 후자는 그 경험이 건설적일 수 있는 방법들에 집중함

결론 당신은 ⁵ _____ 를 최소화할 뿐만 아니라 더 뛰어난 방식으로 그 업무를 완료할 수 있음

정답 | 1. 신경과민 2. 두려움 3. 기대감 4. 자극 5. 스트레스

지문분석

Anxiety reappraisal / is a mental coping strategy / that helps people transform / their nervousness /
불안감 재평가는   정신적 대처 전략이다   사람들이 바꾸도록 돕는   그들의 긴장감을

into something positive. Say / you are given / a seemingly insurmountable task / that fills you with
긍정적인 무언가로   가정해 보자   당신에게 주어졌다고   이겨내기 어려울 것처럼 보이는 일이   당신을 두려움으로 가득 채우는
-thing으로 끝나는 명사: 형용사가 뒤에서 수식   fill … with ~: …을 ~으로 채우다

fear. Rather than let your anxiety ★ get the best of you, / you should convince yourself / that what
당신의 불안감이 당신을 이기도록 놔두기보다는   당신은 스스로를 설득해야 한다

you are feeling / is anticipation. Characterized by an accelerated heart rate, / both are states of arousal.
당신이 느끼고 있는 것이   기대감이라고   증가한 심장 박동 수로 특징지어지는   이 두 가지는 모두 각성의 상태이다

Yet / while the former is focused on the things / that could go wrong, / the latter centers on ways / the
하지만   전자는 그것들에 집중하는 반면   실패할 수 있는   후자는 방법들에 집중한다
the former: (둘 중에서) 전자   the latter: (둘 중에서) 후자

experience could be constructive. You will not only minimize stress / but also complete the task /
그 경험이 건설적일 수 있는   당신은 스트레스를 최소화할 뿐만 아니라   그러나 또한 그 업무를 완료할 것이다

in a manner / that exceeds your initial expectations.
방식으로   당신의 처음의 기대를 능가하는

STEP 1
빈칸에 들어갈 내용:
불안감과 기대감이 둘 다 어떤
상태인지

STEP 2
빈칸에 들어갈 내용을 '각성
(arousal)'이라고 한 ③번이
정답이다.

해석   불안감 재평가는 사람들이 그들의 긴장감을 긍정적인 무언가로 바꾸도록 돕는 정신적 대처 전략이다. 당신을 두려움으로 가득 채우는 이겨내기 어려울 것처럼 보이는 일이 당신에게 주어졌다고 가정해 보자. 당신의 불안감이 당신을 이기도록 놔두기보다는, 당신은 당신이 느끼고 있는 것이 기대감이라고 스스로를 설득해야 한다. 증가한 심장 박동 수로 특징지어지는 이 두 가지는 모두 각성의 상태이다. 하지만 전자는 실패할 수 있는 것들에 집중하는 반면, 후자는 그 경험이 건설적일 수 있는 방법들에 집중한다. 당신은 스트레스를 최소화할 뿐만 아니라 당신의 처음의 기대를 능가하는 방식으로 그 업무를 완료할 것이다.

① 용기
② 공포
③ 각성
④ 놀람

해설   지문 앞부분에서 불안감 재평가는 긴장감을 긍정적인 무언가로 바꾸도록 돕는 정신적 대처 전략이라고 한 후, 빈칸 앞에 불안감이 당신을 이기도록 놔두기보다는 당신이 느끼고 있는 것이 기대감이라고 스스로를 설득해야 한다는 내용이 있으므로 그 두 가지를 모두 '각성'의 상태라고 한 ③번이 정답이다.

어휘   anxiety 불안감   reappraisal 재평가   coping strategy 대처 전략   insurmountable 이겨내기 어려운   get the best of ~을 이기다
characterize 특징짓다   exceed 능가하다   dread 공포   arousal 각성, 흥분

★ 독해가 쉬워지는 **공무원 필수구문**

보어 자리에 온 동사원형 해석하기 Point 12   이 문장에서 get ~ you는 목적어인 your anxiety를 보충 설명해주는 보어이다. 이처럼 동사원형(get)이 보어 자리에 와서 목적어의 의미를 보충해 주는 경우, '당신의 불안감이 당신을 이기도록'이라고 해석한다.

정답: ③

06 밑줄 친 부분에 들어갈 말로 가장 적절한 것은?

If you haven't volunteered before, you don't know what you're missing. It's a chance to help others while meeting a variety of new people at the same time. Volunteer groups are always looking for individuals to lend a helping hand, and there are all sorts of volunteer opportunities. _____, if reading interests you, consider volunteering at a hospital. There are young and old patients who would love to share a good book while hanging out. Maybe you like soccer. How about becoming a volunteer coach? No matter what activity you choose, there will always be someone who appreciates your time.

① However
② For instance
③ As a result
④ Moreover

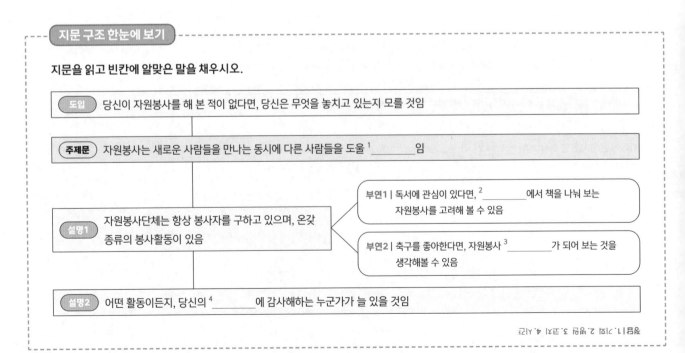

지문 구조 한눈에 보기

지문을 읽고 빈칸에 알맞은 말을 채우시오.

도입 당신이 자원봉사를 해 본 적이 없다면, 당신은 무엇을 놓치고 있는지 모를 것임

주제문 자원봉사는 새로운 사람들을 만나는 동시에 다른 사람들을 도울 ¹_____임

설명1 자원봉사단체는 항상 봉사자를 구하고 있으며, 온갖 종류의 봉사활동이 있음

부연1 독서에 관심이 있다면, ²_____에서 책을 나눠 보는 자원봉사를 고려해 볼 수 있음

부연2 축구를 좋아한다면, 자원봉사 ³_____가 되어 보는 것을 생각해볼 수 있음

설명2 어떤 활동이든지, 당신의 ⁴_____에 감사해하는 누군가가 늘 있을 것임

정답 1. 기회 2. 병원 3. 코치 4. 시간

지문분석

If you haven't volunteered before, / you don't know / what you're missing. It's a chance to help others /
만약 당신이 자원봉사를 해 본 적이 없다면   당신은 모른다   당신이 무엇을 놓치고 있는지   이것은 다른 사람들을 도울 기회이다

while meeting a variety of new people / at the same time. Volunteer groups are always (looking for)
다양한 새로운 사람들을 만나면서   동시에   자원봉사단체는 항상 사람을 구하고 있다
↗ look for ~: ~을 구하다

individuals / to lend a helping hand, / and there are all sorts of volunteer opportunities. For instance, /
도움의 손길을 빌려줄   그리고 온갖 종류의 봉사활동 기회가 있다   예를 들어

(if) reading interests you, / consider volunteering at a hospital. There are young and old patients / who
만약 독서가 당신의 관심을 끈다면   병원에서 자원봉사를 하는 것을 고려해 보라   어린 환자들과 나이 많은 환자들이 있다
↗ 조건의 부사절 접속사 if

would love to share a good book / while hanging out. Maybe you like soccer. (How about becoming)
좋은 책을 나눠보고 싶어 하는   함께 어울리면서   어쩌면 당신은 축구를 좋아할지도 모른다
↗ how about -ing: ~하는 것은 어떤가?

a volunteer coach? No matter what activity you choose, / there will always be someone / who
자원봉사 코치가 되는 것은 어떠한가   당신이 무슨 활동을 선택하는지와 상관없이   누군가가 늘 있을 것이다

appreciates your time.
당신의 시간에 감사해하는

STEP 1

빈칸 앞뒤 문장의 논리 관계:
예시

STEP 2

'예시'를 나타내는 연결어인
② For instance(예를 들어)
가 정답이다.

해석 만약 당신이 자원봉사를 해 본 적이 없다면, 당신은 당신이 무엇을 놓치고 있는지 모른다. 이것은 다양한 새로운 사람들을 만나면서 동시에 다른 사람들을 도울 기회이다. 자원봉사단체는 항상 도움의 손길을 빌려줄 사람을 구하고 있으며, 온갖 종류의 봉사활동 기회가 있다. 예를 들어, 만약 독서가 당신의 관심을 끈다면, 병원에서 자원봉사를 하는 것을 고려해 보라. 함께 어울리면서 좋은 책을 나눠보고 싶어 하는 어린 환자들과 나이 많은 환자들이 있다. 어쩌면 당신은 축구를 좋아할지도 모른다. 자원봉사 코치가 되는 것은 어떠한가? 당신이 무슨 활동을 선택하는지와 상관없이, 당신의 시간에 감사해하는 누군가가 늘 있을 것이다.

① 하지만
② 예를 들어
③ 그 결과
④ 게다가

해설 빈칸 앞 문장은 도움을 줄 수 있는 다양한 종류의 봉사활동 기회가 있다는 내용이고, 빈칸 뒤에서 병원에서 환자들과 독서를 하는 봉사활동과 축구 코치를 맡는 봉사활동 등 여러 가지 봉사활동의 예를 드는 내용이 이어진다. 따라서 예시를 나타내는 연결어인 ② For instance(예를 들어)가 정답이다.

어휘 volunteer 자원봉사를 하다; 자원봉사자   lend 빌려주다   interest 관심을 끌다   hang out 함께 어울리다   appreciate 감사하다, 인정하다

독해가 쉬워지는 공무원 필수구문

명사를 꾸며주는 '주격 관계대명사 who / that / which ~' 해석하기 Point 16   이 문장에서 who would love to ~ book은 앞에 나온 명사 patients를 꾸며주는 수식어이다. 이처럼 주격 관계대명사 who가 이끄는 절(who + 동사 ~)이 명사를 꾸며주는 경우, '~하고 싶어 하는 환자들'이라고 해석한다.

정답: ②

07 다음 글에서 밑줄 친 표현이 가리키는 것은?

The Ivy League is a term used to refer to a group of prestigious universities in the northeastern United States including Harvard and Princeton. Originally, the Ivy League referred to high-ranking college sports teams competing in football, basketball, rowing, and more. However, in modern times, Ivy League schools are better known for their scholarship than their previous distinction. In the United States, Ivy League schools have a good reputation in education. All of these colleges regularly outperform other schools in the national college rankings. Accordingly, it is common for many secondary school students to list acceptance at one of the Ivy League universities as their goal despite the fierce competition.

① academics　　　　　　　　　　② athletics

③ elitism　　　　　　　　　　　　④ ranking

지문 구조 한눈에 보기

지문을 읽고 빈칸에 알맞은 말을 채우시오.

> **도입** 아이비리그는 미국 북동부에 있는 일류 대학들의 집단을 가리키기 위해 사용되는 용어임

> **과거** 본래, 아이비리그는 미식축구, 농구, 조정 등의 경기에 참가하는 ¹_____의 대학 운동팀들을 가리켰음

> **현재** 하지만 현대에는, 아이비리그 학교들은 이전의 탁월함보다 그들의 ²_____으로 더 잘 알려져 있음

> **설명1 |** 미국에서, 아이비리그 학교들은 높은 ³_____을 갖추고 있으며 대학 순위가 높음

> **설명2 |** 많은 고등학생들이 아이비리그 대학 중 한 곳에 입학 허가를 받는 것을 그들의 ⁴_____로 꼽는 것은 흔한 일임

정답 | 1. 상위권 2. 학문 3. 명성 4. 목표

지문분석

> 명사(term)를 꾸며주는 과거분사

The Ivy League is a term / **used** to refer to a group of prestigious universities / in the northeastern
아이비리그는 용어이다   일류 대학들의 집단을 가리키기 위해 사용되는   미국 북동부에 있는

> refer to ~: ~을 가리키다

United States / including Harvard and Princeton. Originally, / the Ivy League **referred to** / high-ranking
하버드와 프린스턴 대학을 포함하여   본래   아이비리그는 가리켰다   상위권의 대학 운동팀들을

college sports teams / competing in football, basketball, rowing, and more. However, / in modern
미식축구, 농구, 조정과 더 많은 경기에 참가하는   하지만   현대에 들어서는

> all of + 복수 명사 + 복수 동사

times, / Ivy League schools are better known / for their scholarship / than their previous distinction.
아이비리그 학교들은 더 잘 알려져 있다   그들의 학문으로   그것들의 이전의 탁월함보다

In the United States, / Ivy League schools have / a good reputation in education. **All of** these colleges /
미국에서   아이비리그 학교들은 갖추고 있다   교육에서 좋은 평판을   이 대학들은 모두

regularly outperform other schools / in the national college rankings. Accordingly, / ⭐ it is common for
꾸준히 다른 학교들보다 더 나은 결과를 낸다   전국 대학 순위에서   따라서   많은 고등학생들에게 흔한 일이다

many secondary school students / to list acceptance at one of the Ivy League universities / as their goal /
많은 고등학생들에게 흔한 일이다   아이비리그 대학 중 한 곳에 입학 허가를 받는 것을 꼽는 것은   그들의 목표로

despite the fierce competition.
치열한 경쟁에도 불구하고

STEP 1
찾아야 하는 것:
아이비리그가 이전에 탁월했던 분야

STEP 2
'그것들의 이전의 탁월함'을 '체육(athletics)'이라고 표현한 ②번이 정답이다.

해석   아이비리그는 하버드와 프린스턴 대학을 포함하여 미국 북동부에 있는 일류 대학들의 집단을 가리키기 위해 사용되는 용어이다. 본래, 아이비리그는 미식축구, 농구, 조정과 더 많은 경기에 참가하는 상위권의 대학 운동팀들을 가리켰다. 하지만, 현대에 들어서는, 아이비리그 학교들은 <u>그것들의 이전의 탁월함</u>보다 그들의 학문으로 더 잘 알려져 있다. 미국에서, 아이비리그 학교들은 교육에서 좋은 평판을 갖추고 있다. 이 대학들은 모두 꾸준히 전국 대학 순위에서 다른 학교들보다 더 나은 결과를 낸다. 따라서, 치열한 경쟁에도 불구하고 아이비리그 대학 중 한 곳에 입학 허가를 받는 것을 그들의 목표로 꼽는 것은 많은 고등학생들에게 흔한 일이다.

① 학문   ② 체육
③ 엘리트주의   ④ 순위

해설   지문 앞부분에서 본래 아이비리그는 미식축구, 농구, 조정 등 많은 운동 경기에 참가하는 상위권의 대학 운동팀들을 의미했다고 했다. 따라서 <u>their previous distinction</u>은 '체육'을 가리키므로, ②번이 정답이다.

어휘   refer 가리키다, 언급하다   prestigious 일류의, 명문의   compete (경기에) 참가하다, 경쟁하다   rowing 조정   scholarship 학문, 장학금   distinction 탁월함
reputation 평판   outperform 더 나은 결과를 내다, 능가하다   fierce 치열한, 격렬한   academic 학문; 학문의   athletics 체육, 운동 경기

독해가 쉬워지는 **공무원 필수구문**

주어 자리에 온 가짜 주어 it 해석하기 [Point 03] 이 문장에서 주어는 it이 아니라 to list ~ goal이다. 이처럼 긴 진짜 주어를 대신해 가짜 주어 it이 쓰인 경우,
가짜 주어 it은 해석하지 않고 뒤에 있는 진짜 주어 **to 부정사(to list ~)**를 가짜 주어 it의 자리에 넣어 '~을 꼽는 것은'이라고 해석한다.

정답: ②

08 주어진 문장에 이어질 글의 순서로 가장 적절한 것은?

During the Middle Ages, many European rulers failed to keep in touch with the bulk of their people.

(A) Henry I of England was a case in point. The regular travels he made throughout his realm were invaluable to his learning about local affairs and interacting firsthand with citizens under his rule.

(B) Nonetheless, there were a few monarchs who did their best to work around this. As print was not an option in many circumstances, they opted for the next best thing: face-to-face contact.

(C) This is because it was extremely difficult to communicate across vast distances except for the written word, which mattered little when very few people were able to read or write.

① (A) — (B) — (C)   ② (B) — (A) — (C)

③ (B) — (C) — (A)   ④ (C) — (B) — (A)

지문 구조 한눈에 보기

지문을 읽고 빈칸에 알맞은 말을 채우시오.

도입   중세 시대 동안, 많은 유럽의 ¹_____들은 그들의 국민 대부분과 소통을 유지하지 못했음

부연 | 이것은 문자 언어를 제외하고는 광대한 거리를 가로질러 ²_____ 하는 것이 극도로 어려웠기 때문인데, 그 때에는 매우 적은 사람만이 읽거나 쓸 수 있었음

대조   이것을 해결하기 위해 최선을 다한 몇몇 군주들이 있었음

부연 | 많은 상황에서 활자가 선택지가 아니었으므로 그들은 차선책인 직접적인 접촉을 선택함

예시 | 영국의 헨리 1세가 왕국 전체에 걸쳐 했던 정기적인 여행은 지방의 문제에 대한 ³_____과 국민들과의 소통에 매우 ⁴_____ 했음

정답 | 1. 통치자 2. 의사소통 3. 학습 4. 소중

During the Middle Ages, / many European rulers / failed to keep in touch / with the bulk of their
중세 시대 동안   많은 유럽의 통치자들은   소통을 유지하지 못했다   그들의 국민 대부분과

people.

STEP 1
중심 소재: 중세시대 유럽 통치자들과 국민의 소통

STEP 2
이어질 문단의 순서를 (C)-(B)-(A)라고 한 ④번이 정답이다.

→ throughout + 장소: ~ 전체에 걸쳐

(A) Henry I of England / was a case in point. The regular travels he made / throughout his realm /
영국의 헨리 1세가   적절한 예였다   그가 했던 정기적인 여행은   그의 왕국 전체에 걸쳐

were invaluable / to his learning about local affairs / and interacting firsthand with citizens /
매우 유용했다   지방의 문제에 대한 그의 학습에   그리고 국민들과 직접 소통하는 것에

under his rule.
그의 통치하에 있는
→ 연결어 단서

(B) Nonetheless / there were a few monarchs / who did their best / to work around this. As print
그럼에도 불구하고   몇몇 군주들이 있었다   그들의 최선을 다한   이것을 해결하기 위해   활자는

→ opt for ~: ~을 선택하다

was not an option / in many circumstances, / they opted for the next best thing: / face-to-face
선택지가 아니었기 때문에   많은 상황에서   그들은 차선책을 선택했다   직접적인

contact.
접촉
→ 지시대명사 단서

(C) This is / because it was extremely difficult / to communicate across vast distances / except
이것은   극도로 어려웠기 때문인데   광대한 거리를 가로질러 의사소통하는 것이   문자

for the written word, / which mattered little / when very few people / were able to read or write.
문자 언어를 제외하고는   그것은 별로 중요하지 않았다   매우 적은 사람만이   읽거나 쓸 수 있었던 때에

해석
중세 시대 동안, 많은 유럽의 통치자들은 그들의 국민 대부분과 소통을 유지하지 못했다.

(A) 영국의 헨리 1세가 적절한 예였다. 그의 왕국 전체에 걸쳐 그가 했던 정기적인 여행은 지방의 문제에 대한 그의 학습과 그의 통치하에 있는 국민들과 직접 소통하는 것에 매우 유용했다.

(B) 그럼에도 불구하고, 이것을 해결하기 위해 최선을 다한 몇몇 군주들이 있었다. 많은 상황에서 활자는 선택지가 아니었기 때문에, 그들은 차선책인 직접적인 접촉을 선택했다.

(C) 이것은 광대한 거리를 가로질러 의사소통하는 것이 문자 언어를 제외하고는 극도로 어려웠기 때문인데, 매우 적은 사람만이 읽거나 쓸 수 있었던 때에 그것은 별로 중요하지 않았다.

해설
주어진 문장에서 중세 시대의 많은 유럽 통치자들이 국민 대부분과 소통을 유지하지 못했다고 한 후, (C)에서 이것은 당시 사용할 수 있는 사람이 적었던 문자 언어를 제외하고는 광대한 거리를 가로질러 의사소통하는 것이 어려웠기 때문이라고 그 이유를 설명하고 있다. 이어서 (B)에서 그럼에도 불구하고 몇몇 군주들은 이것을 해결하기 위해 직접적인 접촉을 선택했다고 하고, (A)에서 이런 군주 중 한 명인 헨리 1세를 적절한 예시로 들고 있다. 따라서 주어진 문장 다음에 이어질 순서는 ④ (C)-(B)-(A)이다.

어휘
ruler 통치자, 지배자   keep in touch with ~와 소통을 유지하다, 연락을 취하다   bulk 대부분, 규모   in point 적절한, 해당하는   invaluable 매우 유용한 firsthand 직접   monarch 군주   face-to-face 직접적인, 마주 보는

독해가 쉬워지는 **공무원 필수구문**

명사를 꾸며주는 '주격 관계대명사 who / that / which ~' 해석하기 [Point 16] 이 문장에서 who did their best는 앞에 나온 명사 monarchs를 꾸며주는 수식어이다. 이처럼 주격 관계대명사가 이끄는 절(who + 동사 ~)이 명사를 꾸며주는 경우, '그들의 최선을 다한 군주들'이라고 해석한다.

정답: ④

09 주어진 문장이 들어갈 위치로 가장 적절한 것은?

> In addition to having the same hobbies, they talked about similar topics and had identical worries.

During my elementary school years, I lived in a big city in Saudi Arabia. (①) While living there, I noticed that many of the children were strongly influenced by Western culture. (②) In fact, playing video games, going to the mall, and playing soccer are three of their most popular pastimes. (③) Apart from language and religion, the Saudi Arabian children I met didn't display any major differences from children in the West. (④) My experience just goes to show you that kids are the same nearly everywhere you go.

지문 구조 한눈에 보기

지문을 읽고 빈칸에 알맞은 말을 채우시오.

| 도입 | 화자는 초등학교 시절에 사우디아라비아에서 살았음 |

| 설명1 | 그곳에서 사는 동안 화자는 많은 아이들이 ¹_____ 에 의해 강하게 영향을 받았다는 것을 알아차렸음 |

부연1 | 비디오 게임하기, 쇼핑몰 가기, ²_____ 하기가 그들에게 가장 인기 있는 취미 중 세 가지임

부연2 | 이에 더해 그들은 비슷한 주제에 대해 이야기를 나누었고 똑같은 ³_____ 를 가지고 있었음

| 설명2 | 언어와 ⁴_____ 를 제외하면, 사우디아라비아 아이들도 서양 아이들과 특별히 다른 점을 보이지 않았음 |

| 결론 | 화자의 경험은 거의 어디에서든 아이들은 같다는 것을 보여줌 |

정답 1. 서양문화 2. 축구 3. 걱정거리 4. 종교

→ in addition to ~: ~에 더하여

(In addition to) having the same hobbies, / they talked about similar topics / and had identical
같은 취미를 가지고 있는 것에 더하여   그들은 비슷한 주제에 대해 이야기를 나누었다   그리고 똑같은

worries.
걱정거리를 가지고 있었다

During my elementary school years, / I lived in a big city / in Saudi Arabia. (①) While living there, /
나의 초등학교 시절에   나는 대도시에서 살았다   사우디아라비아의   그곳에서 사는 동안

I noticed / ☆ that many of the children were strongly influenced / by Western culture. (②) In fact, /
나는 알아차렸다   많은 아이들이 강하게 영향을 받았다는 것을   서양 문화에 의해   실제로

playing video games, / going to the mall, / and playing soccer / are three of their most popular
비디오 게임하기   쇼핑몰 가기   그리고 축구하기가   그들에게 가장 인기 있는 취미 중 세 가지이다

pastimes. (③) Apart from language and religion, / the Saudi Arabian children / I met / didn't
언어와 종교를 제외하고   사우디아라비아 아이들은   내가 만난
4형식 동사 show + 간접목적어 + 직접목적어

display any major differences / from children in the West. (④) My experience just goes to (show)
특별히 다른 점을 보이지 않았다   서양 아이들과   나의 경험은 당신에게 보여준다

you / that kids are the same / nearly everywhere / you go.
      아이들은 같다는 것을   거의 어디에서든   당신이 가는

해석

같은 취미를 가지고 있는 것에 더하여, 그들은 비슷한 주제에 대해 이야기를 나누었고 똑같은 걱정거리를 가지고 있었다.

나의 초등학교 시절에, 나는 사우디아라비아의 대도시에서 살았다. (①) 그곳에서 사는 동안, 나는 많은 아이들이 서양 문화에 의해 강하게 영향을 받았다는 것을 알아차렸다. (②) 실제로, 비디오 게임하기, 쇼핑몰 가기, 축구하기가 그들에게 가장 인기 있는 취미 중 세 가지이다. (③) 언어와 종교를 제외하고, 내가 만난 사우디아라비아 아이들은 서양 아이들과 특별히 다른 점을 보이지 않았다. (④) 나의 경험은 당신이 가는 거의 어디에서든 아이들은 같다는 것을 당신에게 보여준다.

해설

주어진 문장의 In addition to(~에 더하여)를 통해 주어진 문장 앞에 서양 아이들과 사우디아라비아 아이들의 같은 취미가 무엇인지에 대한 내용이 나올 것임을 예상할 수 있다. ③번 앞 문장에서 사우디아라비아 아이들에게 가장 인기 있는 세 가지 취미에 대해 설명하고 있으므로, ③번 자리에 주어진 문장이 들어가야 글의 흐름이 자연스럽게 연결된다. 따라서 ③번이 정답이다.

어휘

identical 똑같은 influence 영향을 주다; 영향 pastime 취미 display 보이다, 드러내다

독해가 쉬워지는 공무원 필수구문

☆ **목적어 자리에 온 'that ~' 해석하기** | Point 07 | 이 문장에서 that many of the children ~ culture는 앞에 나온 동사 noticed의 목적어이다. 이처럼 that이 이끄는 절(that + 주어 + 동사 ~)이 목적어 자리에 온 경우, '많은 아이들이 ~ 영향을 받았다는 것을'이라고 해석한다.

정답: ③

10 다음 글에서 전체적인 흐름과 관계없는 문장은?

It is common knowledge that a lack of sleep results in a person feeling fatigued and less alert. Yet, most people are unaware of the connection between sleep and health. ① A direct consequence of reduced sleep is a weakened immune system. ② Since infections are fought most effectively while asleep, the immune system needs time to work. In addition, there are numerous indirect consequences as well. ③ For instance, a lack of sleep can disrupt the metabolism's ability to process sugar, which is a key component of our diets. ④ People who eat too much refined sugar can develop hypoglycemia, which can cause a heart attack. Therefore, the best way to prevent such health risks is to get a proper amount of sleep.

지문 구조 한눈에 보기

지문을 읽고 빈칸에 알맞은 말을 채우시오.

| 도입 | 수면 부족이 피로함을 느끼고 주의력이 떨어지도록 야기한다는 것은 ¹_____ 임 |

| 주제문 | 하지만 대부분의 사람은 수면과 ²_____ 사이의 연관성을 모르고 있음 |

| 설명1 | 줄어든 수면의 직접적인 결과는 약해진 ³_____ 체계임 | 부연 | 수면 중일 때 ⁴_____ 이 가장 효과적으로 대항됨 |

| 설명2 | 수많은 간접적인 결과들도 있음 | 예시 | 수면 부족은 ⁵_____ 을 처리하는 신진대사 능력을 저해할 수 있음 |

| 결론 | 그러므로, 이러한 건강상의 위험을 ⁶_____ 하는 가장 좋은 방법은 적절한 수면을 취하는 것임 |

정답 | 1. 상식 2. 건강 3. 면역 4. 감염병 5. 당 6. 예방

가짜 주어 It
(It) is common knowledge / that a lack of sleep results in / a person feeling fatigued and less alert.
상식이다   수면 부족이 야기한다는 것은   사람이 피로함을 느끼고 주의력이 떨어지도록

→ be unaware of ~: ~을 모르고 있다
Yet, / most people (are unaware of) the connection / between sleep and health. ① A direct
하지만   대부분의 사람은 연관성을 모르고 있다   수면과 건강 사이의

→ 부사절 접속사 since: ~ 때문에
consequence of reduced sleep / is a weakened immune system. ② (Since) infections are fought /
줄어든 수면 시간의 직접적인 결과는   약해진 면역 체계이다   감염이 대항되기 때문에

most effectively / while asleep, / the immune system needs time / to work. In addition, / there are
가장 효과적으로   수면 중일 때   면역 체계는 시간이 필요하다   일할   게다가

numerous indirect consequences / as well. ③ For instance, / a lack of sleep can disrupt / the
수많은 간접적인 결과들도 있다   또한   예를 들어   수면 부족은 저해할 수 있는데

metabolism's ability to process sugar, / which is a key component / of our diets. ④ People who
당을 처리하는 신진대사의 능력을   그것은 핵심 구성 요소이다   우리의 다이어트의

eat too much refined sugar / can develop hypoglycemia, / which can cause a heart attack.
정제된 설탕을 너무 많이 섭취하는 사람은   저혈당증이 생길 수 있는데   이것은 심장마비를 일으킬 수 있다

→ 명사 역할을 하는 to 부정사
Therefore, / the best way / to prevent such health risks / is (to get) a proper amount of sleep.
그러므로   가장 좋은 방법은   이러한 건강상의 위험을 예방하는   적절한 양의 수면을 취하는 것이다

STEP 1
중심 소재: 수면 부족이 사람에게 미치는 영향

STEP 2
지문의 흐름과 어울리지 않는 보기인 ④번이 정답이다.

해석 수면 부족이 사람이 피로함을 느끼고 주의력이 떨어지도록 야기한다는 것은 상식이다. 하지만, 대부분의 사람은 수면과 건강 사이의 연관성을 모르고 있다. ① 줄어든 수면 시간의 직접적인 결과는 약해진 면역 체계이다. ② 수면 중일 때 감염이 가장 효과적으로 대항되기 때문에, 면역 체계는 일할 시간이 필요하다. 게다가, 수많은 간접적인 결과들 또한 있다. ③ 예를 들어, 수면 부족은 당을 처리하는 신진대사의 능력을 저해할 수 있는데, 그것은 우리의 다이어트의 핵심 구성 요소이다. ④ 정제된 설탕을 너무 많이 섭취하는 사람들은 저혈당증이 생길 수 있는데, 이것은 심장마비를 일으킬 수 있다. 그러므로, 이러한 건강상의 위험을 예방하는 가장 좋은 방법은 적절한 양의 수면을 취하는 것이다.

해설 첫 문장과 두 번째 문장에서 '수면 부족이 사람의 건강에 미치는 영향'에 대해 언급하고, ①번은 수면 부족이 면역 체계에 미치는 영향, ②번은 면역 체계가 감염에 대항할 때 수면이 중요한 이유, ③번은 수면 부족이 신진대사에 미치는 영향에 대해 설명하고 있다. 그러나 ④번은 '과도한 당 섭취의 결과'라는 내용으로, 지문의 흐름과 어울리지 않는다. 따라서 ④번이 정답이다.

어휘 fatigued 피로한   alert 주의를 기울이는, 기민한   consequence 결과   immune 면역의   infection 감염   disrupt 저해하다, 방해하다
metabolism 신진대사   process 처리하다   refined 정제된   hypoglycemia 저혈당증

독해가 쉬워지는 **공무원 필수구문**

명사를 꾸며주는 to 부정사 해석하기 | Point 13 | 이 문장에서 to prevent such health risks는 앞에 나온 명사 way를 꾸며주는 수식어이다. 이처럼 to 부정사 (to prevent ~)가 명사를 꾸며주는 경우, '~을 예방하는 방법'이라고 해석한다.

정답: ④

11 다음 빈칸에 들어갈 말로 가장 적절한 것은?

Collateral damage refers to the harm and destruction inflicted on civilians during the course of a military operation. This same term, however, also applies when the undertaking involves training as its objective. Although there are usually no human casualties, environmental damage does occur. For instance, hundreds of thousands of bullet shells are left behind after a shooting exercise. These shells become rusty, producing toxic by-products that enter the soil and groundwater. _____, the US Department of Defense has funded the manufacture of biodegradable casings that not only prevent environmental damage, but also restore the areas where training was held. These unusual shells contain specialized plant seeds, and as the casings break down, the seeds take root and grow.

① Particularly

② Accordingly

③ Regardless

④ By all means

지문 구조 한눈에 보기

지문을 읽고 빈칸에 알맞은 말을 채우시오.

도입 | 부수적 피해는 군사 작전 동안 1_____에게 가해지는 피해와 파괴를 나타내지만 군사 작전의 목적이 훈련일 때도 적용됨 —— 부연 | 보통 인명 피해는 없지만 2_____가 발생함

설명1 | 사격 훈련 이후에 수십만 개의 탄피가 남겨짐 —— 부연 | 탄피들은 녹슬어서 토양과 3_____에 들어가는 유독성의 부산물을 생성함

설명2 | 미 국방부는 환경적인 피해를 예방하고 훈련 실시 지역을 복구하는 외피 제조에 자금을 제공해 옴 —— 부연 | 이러한 탄피는 4_____가 부서지면서 씨앗이 뿌리 내리고 자람

정답 | 1. 민간인 2. 환경상 피해 3. 지하수 4. 외피

지문분석

명사(harm and destruction)를 꾸며주는 과거분사

Collateral damage refers to / the harm and destruction / ⟨inflicted⟩ on civilians / during the course of
부수적 피해는 나타낸다   피해와 파괴를   민간인에게 가해지는   군사 작전 동안

a military operation. This same term, / however, / also applies / when the undertaking involves training /
이 동일한 용어는   하지만   또한 적용된다   그 일이 훈련을 수반할 때

동사(occur)를 강조하는 do동사

as its objective. Although there are usually no human casualties, / environmental damage ⟨does⟩ occur.
그것의 목적으로서   보통 인명 피해는 없지만   환경 피해가 발생한다

For instance, / hundreds of thousands of bullet shells / are left behind / after a shooting exercise.
예를 들어   수십만 개의 탄피가   남겨진다   사격 훈련 이후에

These shells become rusty, / ⭐ producing toxic by-products / that enter the soil and groundwater.
이 탄피들은 녹슨다   그래서 유독성의 부산물을 생성한다   토양과 지하수에 들어가는

Accordingly, / the US Department of Defense has funded / the manufacture of biodegradable casings /
따라서   미 국방부는 자금을 제공해 왔다   미생물에 의해 무해 물질로 분해되는 외피의 제조에

not only A, but also B: A 뿐만 아니라 B도

that ⟨not only⟩ prevent environmental damage, / but also restore the areas / where training was held.
환경적인 피해를 예방할 뿐만 아니라   그 지역도 복구하는   훈련이 실시된

These unusual shells contain / specialized plant seeds, / and as the casings break down, / the seeds
이러한 특이한 탄피는 포함하고 있다   특수화된 식물 씨앗을   그리고 외피가 부서지면서   그 씨앗이

take root and grow.
그 씨앗이 뿌리내리고 자란다

STEP 1
빈칸 앞뒤 문장의 논리 관계:
결론

STEP 2
'결론'을 나타내는 연결어인
② Accordingly(따라서)가 정답이다.

해석 부수적 피해는 군사 작전 동안 민간인에게 가해지는 피해와 파괴를 나타낸다. 하지만, 이 동일한 용어는 그 일(군사 작전)이 그것의 목적으로서 훈련을 수반할 때에도 적용된다. 보통 인명 피해는 없지만, 환경 피해가 발생한다. 예를 들어, 사격 훈련 이후에 수십만 개의 탄피가 남겨진다. 이 탄피들은 녹슬어서 토양과 지하수에 들어가는 유독성의 부산물을 생성한다. 따라서, 미 국방부는 환경적인 피해를 예방할 뿐만 아니라 훈련이 실시된 지역도 복구하는 미생물에 의해 무해 물질로 분해되는 외피의 제조에 자금을 제공해 왔다. 이러한 특이한 탄피는 특수화된 식물 씨앗을 포함하고 있으며, 외피가 부서지면서 그 씨앗이 뿌리내리고 자란다.

① 특히   ② 따라서
③ 그것과는 관계없이   ④ 물론

해설 빈칸 앞 문장은 탄피들이 녹슬어 유독성의 부산물을 생성한다는 내용이고, 빈칸 뒤 문장은 미 국방부가 환경적인 피해를 예방하고, 훈련이 실시된 지역을 복구하는 미생물에 의해 무해 물질로 분해되는 외피를 제조하는 데 자금을 제공해 왔다는 결론적인 내용이다. 따라서 결론을 나타내는 연결어인 ② Accordingly(따라서)가 정답이다.

어휘 collateral 부수적인, 이차적인   inflict 가하다, 입히다   civilian 민간인   undertaking 일, 사업   casualty 피해, 사상자   bullet shell 탄피   rusty 녹슨
by-product 부산물   groundwater 지하수   fund 자금을 제공하다   biodegradable 미생물에 의해 무해 물질로 분해되는   casing 외피   restore 복구하다
take root 뿌리내리다

독해가 쉬워지는 공무원 필수구문

문장을 꾸며주는 분사구문 해석하기 - 결과 Point 22 이 문장에서 분사구문 producing ~ groundwater는 콤마 앞에 나온 문장 전체를 꾸며주는 수식어이다.
이처럼 분사구문이 문장 뒤에 올 경우, 종종 앞 문장에 대한 결과를 나타내는데, 이때 분사구문은 '그래서 (그 결과) ~을 생성한다'라고 해석한다.

정답: ②

12 다음 글의 제목으로 가장 적절한 것은?

American dancer and choreographer Martha Graham is often described as being to contemporary dance what Pablo Picasso was to modern art. By breaking away from the traditions of classical ballet and early modern dance, she pioneered a new style that was highly expressive. She is perhaps best known for the Graham technique, which involves the body movements known as "contraction," "release," and "spiral." This technique is so ingrained in modern dance that it is still taught in studios the world over. Graham also choreographed over 150 works during her seven-decade-long career and inspired greats like Merce Cunningham and Lester Horton.

① Commonalities between Graham and Picasso

② The evolution of Contemporary Dance in America

③ Martha Graham's Influence on Modern Dance

④ Early Development of the Graham Technique

지문 구조 한눈에 보기

지문을 읽고 빈칸에 알맞은 말을 채우시오.

주제문 | 현대 무용에 있어서 미국의 무용수이자 [1]_____인 Marth Graham은 현대 미술에서의 파블로 피카소와 같은 존재임

설명1 | 고전 발레와 초기 현대 무용의 전통에서 벗어남으로써 그녀는 표현이 매우 풍부한 새로운 스타일을 [2]_____했음

설명2 | 그녀는 Graham 기법으로 가장 잘 알려져 있는데 이는 '수축', '이완', 그리고 '나선'이라고 알려진 몸의 [3]_____들을 포함함

설명3 | 이 기법은 여전히 전 세계의 스튜디오에서 가르쳐짐

설명4 | 그녀는 또한 150개 이상의 작품의 안무를 구성했고, 다른 위대한 인물들에게 [4]_____을 주었음

정답 1. 안무가 2. 개척 3. 움직임 4. 영감

지문분석

American dancer and choreographer Martha Graham / is often described / as being / to contemporary
미국의 무용수이자 안무가인 Martha Graham은   흔히 묘사된다   존재로   현대 무용에 있어서의

dance / what Pablo Picasso was / to modern art. By breaking away from the traditions / of classical
파블로 피카소가 그랬던   현대 미술에 있어서   전통에서 벗어남으로써

ballet and early modern dance, / she pioneered a new style / that was highly expressive. She is
고전 발레와 초기 현대 무용의   그녀는 새로운 스타일을 개척했다   표현이 매우 풍부한
                                                         주격 관계대명사 that

perhaps best known / for the Graham technique, / which involves the body movements / known as
그녀는 아마도 가장 잘 알려져 있는데   Graham 기법으로   이것은 몸의 움직임들을 포함한다
                                      명사(movements)를 꾸며주는 과거분사 ←

"contraction," "release," and "spiral." This technique is ☆ so ingrained in modern dance / that it is
'수축', '이완', 그리고 '나선'이라고 알려진   이 기법은 현대 무용에 너무나 깊이 뿌리 내려서

still taught in studios / the world over. Graham also choreographed over 150 works / during her
여전히 스튜디오에서 가르쳐진다   전 세계의   Graham은 또한 150개 이상의 작품의 안무를 구성했다
                          = all over the world

seven-decade-long career / and inspired greats / like Merce Cunningham and Lester Horton.
그녀의 70년간의 경력 동안   그리고 위대한 인물들에게 영감을 주었다   Merce Cunningham과 Lester Horton과 같은

STEP 1
주제문: Martha Graham은 현대 무용에 있어서 파블로 피카소가 근대 미술에 그랬던 것과 같은 존재이다.

STEP 2
주제문을 '현대 무용에 대한 Martha Graham의 영향력(Martha Graham's Influence on Modern Dance)'이라고 바꾸어 표현한 ③번이 정답이다.

해석 미국의 무용수이자 안무가인 Martha Graham은 현대 무용에 있어서 파블로 피카소가 현대 미술에 있어서 그랬던 것과 같은 존재로 흔히 묘사된다. 고전 발레와 초기 현대 무용의 전통에서 벗어남으로써, 그녀는 표현이 매우 풍부한 새로운 스타일을 개척했다. 그녀는 아마도 Graham 기법으로 가장 잘 알려져 있는데, 이것은 '수축', '이완', 그리고 '나선'이라고 알려진 몸의 움직임들을 포함한다. 이 기법은 현대 무용에 너무나 깊이 뿌리 내려서 여전히 전 세계의 스튜디오에서 가르쳐진다. Graham은 또한 그녀의 70년간의 경력 동안 150개 이상의 작품의 안무를 구성했고, Merce Cunningham과 Lester Horton과 같은 위대한 인물들에게 영감을 주었다.

① Graham과 피카소 사이의 공통점
② 미국에서 현대 무용의 발전
③ 현대 무용에 대한 Martha Graham의 영향력
④ Graham 기법의 초기 발달

해설 지문 처음에서 Martha Graham은 현대 무용에 있어서 파블로 피카소가 근대 미술에 그랬던 것과 같은 존재로 묘사된다고 한 후, Graham 기법이 현대 무용에 깊이 뿌리 내려서 전 세계의 스튜디오에서 여전히 가르쳐진다는 것을 설명하고 있다. 따라서 이 지문의 제목을 '현대 무용에 대한 Martha Graham의 영향력'이라고 표현한 ③번이 정답이다.

어휘 choreographer 안무가   contemporary 현대의, 동시대의   break away 벗어나다, 이탈하다   pioneer 개척하다   expressive 표현이 풍부한   contraction 수축   release 이완   spiral 나선   ingrained 뿌리 깊은, 깊이 몸에 밴   choreograph 안무를 구성하다   commonality 공통점

독해가 쉬워지는 **공무원 필수구문**

☆ **결과를 나타내는 'so … that ~' 구문 해석하기** Point 39 이 문장에서 so … that ~은 결과를 나타내는 구문으로, 주어인 이 기법(This technique)이 현대 무용에 너무나 깊이 뿌리 내린(ingrained in modern dance) 것에 따른 결과를 알려준다. 이처럼 'so … that ~' 구문이 결과를 나타내는 경우, '~이 너무나 깊이 뿌리 내려서 (그 결과) ~에서 가르쳐진다'라고 해석한다.

정답: ③

[13~14] 다음 글을 읽고 물음에 답하시오.

To: Sierra Neighborhood Office
From: Karen Lane
Date: July 28
Subject: New Streetlights in Shoreline Park

Greetings,

I hope this message finds you well. I am writing to express my gratitude for the new streetlights that were installed in Shoreline Park last month. They have drastically improved the mood in the neighborhood.

Before the lights were set up, I was hesitant to go to the park when it was dark. There was too much danger of getting lost or running into a wild animal. Now with the lights, I am motivated to take walks in the early morning and at night. I've noticed that more people seem to be out in the park, too! The park has become a great place for our community to gather together.

Your act of service for the neighborhood is a commendable <u>move</u>. I hope you enjoy the rest of the summer.

Best,

Karen Lane

---

13 윗글의 목적으로 가장 적절한 것은?

① 늦은 시간에 공원을 순찰할 것을 요청하려고

② 공원에 가로등을 설치한 것에 감사를 표하려고

③ 지역사회에 새로운 공원을 지은 것을 칭찬하려고

④ 공원에 새 시설물을 설치할 것을 제안하려고

14 밑줄 친 "move"의 의미와 가장 가까운 것은?

① work

② motion

③ transfer

④ shift

지문분석

STEP 1
지문에서 파악해야 할 내용
1) 목적
2) move의 의미

Greetings, // I hope this message finds you well. I am writing (to express) my gratitude / for the new
안녕하세요 　　저는 이 메시지가 당신께 잘 전달되기를 바랍니다 　　저는 글을 씁니다 　　감사의 마음을 전하고자 　　새 가로등에 대해

↗ 부사 역할을 하는 to 부정사(~하기 위해)

streetlights / that were installed / in Shoreline Park / last month. They have drastically improved /
설치된 　　　　　　Shoreline 공원에 　지난달에 　　그것들은 획기적으로 개선했습니다

the mood / in the neighborhood. // (Before) the lights were set up, / I was hesitant / to go to the park /
분위기를 　　동네의 　　　　　　가로등이 설치되기 전에는 　　저는 꺼려졌습니다 　　공원에 가는 것이

↗ 시간을 나타내는 부사절 접속사(~하기 전에)

STEP 2
13번: 중심 내용이 담겨 있는 부분을 읽고 공원에 설치된 새 가로등에 대해 감사의 마음을 전하는 글임을 파악한다.

14번: 주어진 어휘를 포함한 구절에서 해당 어휘가 '행동'이라는 뜻으로 쓰였음을 파악한다.

when it was dark. There was too much danger / of getting lost / or running into a wild animal.
어두울 때 　　　　위험이 너무 많았습니다 　　　　길을 잃을 　　또는 야생동물과 마주칠

Now with the lights, / I am motivated to take walks / in the early morning and at night. I've noticed that /
이제 가로등 덕분에 　저는 산책을 하고 싶은 의욕이 생겼습니다 　이른 아침과 밤에 　　　　저는 알았습니다

more people seem to be out in the park, too! The park has become a great place / for our community /
공원에도 더 많은 사람들이 있는 것 같다고 　　　공원은 훌륭한 장소가 되었습니다 　　우리 지역사회가

STEP 3
13번: 목적을 '공원에 가로등을 설치한 것에 감사를 표하려고'라고 표현한 ②번이 정답이다.

14번: '일'이라는 의미를 갖는 ① work가 정답이다.

to gather together. // Your act of service / for the neighborhood / is a commendable <u>move</u>. I hope you
함께 모일 수 있는 　　당신의 공헌 행위는 　　이웃을 위한 　　칭찬할 만한 행동입니다 　　저는 바랍니다

enjoy the rest of the summer. // Best, Karen Lane
남은 여름도 즐겁게 지내시기 바랍니다 　　Karen Lane 드림

해석
수신: Sierra 지역 사무소 　　　　　　　　날짜: 7월 28일
발신: Karen Lane 　　　　　　　　　　　　제목: Shoreline 공원의 새 가로등

안녕하세요,

저는 이 메시지가 당신께 잘 전달되기를 바랍니다. 저는 지난달에 Shoreline 공원에 설치된 새 가로등에 대해 감사의 마음을 전하고자 글을 씁니다. 그것들은 동네의 분위기를 획기적으로 개선했습니다.

가로등이 설치되기 전에는, 어두울 때 공원에 가는 것이 꺼려졌습니다. 길을 잃거나 야생동물과 마주칠 위험이 너무 많았습니다. 이제 가로등 덕분에, 저는 이른 아침과 밤에 산책을 하고 싶은 의욕이 생겼습니다. 공원에 사람들도 더 많은 것 같습니다! 공원은 우리 지역사회가 함께 모일 수 있는 훌륭한 장소가 되었습니다.

이웃을 위한 당신의 공헌 행위는 칭찬할 만한 <u>행동</u>입니다. 남은 여름도 즐겁게 지내시기 바랍니다.

Karen Lane 드림

14 ① 일　　　② 운동　　　③ 이동　　　④ 변화

해설
13 지문 처음에서 Shoreline 공원에 설치된 새 가로등에 대해 감사의 마음을 전하고자 글을 쓴다고 했고, 지문 마지막에서 이웃을 위한 공헌 행위는 칭찬할 만한 행동이라고 하고 있으므로, 이 글의 목적을 '공원에 가로등을 설치한 것에 감사를 표하려고'라고 표현한 ②번이 정답이다.

14 move(행동)를 포함한 문장(Your act ~ is a commendable move)에서 이웃을 위한 공헌 행위는 칭찬할 만한 행동이라고 했으므로 move는 '행동'이라는 의미로 사용되었다. 따라서 '일'이라는 의미인 ① work가 정답이다.

어휘　gratitude 감사　streetlight 가로등　install 설치하다　drastically 획기적으로, 급격히　mood 분위기　hesitant 꺼리는, 주저하는

독해가 쉬워지는 **공무원 필수구문**

병렬 관계를 나타내는 and / or / but 해석하기 [Point 35] 이 문장에서 or는 두 개의 구 getting lost와 running into a wild animal을 연결하는 접속사이다. 이처럼 or는 문법적으로 동일한 형태의 구 또는 절을 연결하여 대등한 개념을 나타내므로, or가 연결하는 것이 무엇인지 파악하여 '길을 잃거나 야생동물과 마주칠'이라고 해석한다.

정답: 13 ②, 14 ①

MEMO

해커스공무원

영어

기본서 [2권 | 독해]

개정 11판 3쇄 발행 2024년 12월 9일

개정 11판 1쇄 발행 2024년 5월 3일

지은이	해커스 공무원시험연구소
펴낸곳	해커스패스
펴낸이	해커스공무원 출판팀

주소	서울특별시 강남구 강남대로 428 해커스공무원
고객센터	1588-4055
교재 관련 문의	gosi@hackerspass.com
	해커스공무원 사이트(gosi.Hackers.com) 교재 Q&A 게시판
	카카오톡 플러스 친구 [해커스공무원 노량진캠퍼스]
학원 강의 및 동영상강의	gosi.Hackers.com

ISBN	2권: 979-11-6999-568-9 (14740)
	세트: 979-11-6999-541-2 (14740)
Serial Number	11-03-01

공무원 교육 1위,
해커스공무원 gosi.Hackers.com

해커스공무원

· '회독'의 방법과 공부습관을 제시하는 **해커스 회독증강 콘텐츠**(교재 내 할인쿠폰 수록)

· 핵심만 담았다! **핵심 단어암기장&단어암기 MP3** 및 **직무 관련 핵심 어휘**

· **공무원 보카 어플, 단어시험지 자동제작 프로그램** 등 공무원 시험 합격을 위한 다양한 무료 학습 콘텐츠

· 해커스 스타강사의 **공무원 영어(문법/독해/어휘) 무료 특강**

· **해커스공무원 학원 및 인강**(교재 내 인강 할인쿠폰 수록)

해커스공무원 **단기 합격생**이 말하는

공무원 합격의 비밀!

해커스공무원과 함께라면
다음 합격의 주인공은 바로 여러분입니다.

대학교 재학 중,
7개월 만에 국가직 합격!

김*석 합격생

영어 단어 암기를 하프모의고사로!

하프모의고사의 도움을 많이 얻었습니다. **모의고사의 5일 치 단어를 일주일에 한 번씩 외웠고,** 영어 단어 **100개씩은 하루에 외우려고** 노력했습니다.

가산점 없이
6개월 만에 지방직 합격!

김*영 합격생

국어 고득점 비법은 기출과 오답노트!

이론 강의를 두 달간 들으면서 **이론을 제대로 잡고 바로 기출문제로** 들어갔습니다. 문제를 풀어보고 기출강의를 들으며 **틀렸던 부분을 필기하며** 머리에 새겼습니다.

직렬 관련학과 전공,
6개월 만에 서울시 합격!

최*숙 합격생

한국사 공부법은 기출문제 통한 복습!

한국사는 휘발성이 큰 과목이기 때문에 **반복 복습이 중요하다고 생각**했습니다. 선생님의 강의를 듣고 나서 바로 **내용에 해당되는 기출문제를 풀면서 복습** 했습니다.